TEMAS

AP® Spanish Language and Culture

Parthena Draggett | Cole Conlin
Max Ehrsam | Elizabeth Millán

VISTA®
HIGHER LEARNING

Boston, Massachusetts

On the cover (clockwise from top left):
Laguna Lejía, San Pedro de Atacama, Chile;
Gypsy Dancer, color lithograph by Stanley
Melzoff; Doctor working on touch screen;
Woman with her baby, Sacred Valley of the
Incas, Peru; Acoustic guitars.

Creative Director: José A. Blanco

Publisher: Sharla Zwirek

Editorial Development: Jaime Patiño, Diego García, Laura Rodríguez, Andrés Vergara

Project Management: Brady Chin, Rosemary Jaffe, Tiffany Kayes, Faith Ryan

Rights Management: Jorgensen Fernandez, Ashley Poreda

Technology Production: David Duque, Egle Gutiérrez, Paola Ríos Schaaf

Design: Radoslav Mateev, Gabriel Noreña, Andrés Vanegas

Production: Oscar Díez, Sebastián Díez

Student Edition ISBN: 978-1-54330-138-0

Library of Congress Control Number: 2018934156

5 6 7 8 9 WC 24 23 22 21

THE BEST JUST GOT BETTER!

When the first edition of **Temas** published in 2013, no one really knew what to expect from the newly redesigned AP® Spanish Language and Culture curriculum. Today, thousands of students in schools across the world depend on the program to prepare them for success in class, on the AP® exam, and in their pursuit of lifelong language learning. The second edition of **Temas** continues a tradition that users have come to expect, while introducing new language learning tools and a wealth of new authentic selections in a range of formats.

NEW to this Edition

More opportunities for listening comprehension: New web-only *En fragmentos* feature with authentic audio broken out into shorter segments and supported by a range of comprehension activities

40% new authentic selections: Audio, video, and reading selections replaced throughout with a focus on high-quality, teen-focused authentic selections from a range of contemporary sources, including:

- ▶ 3 new films
- ▶ 19 new readings
- ▶ 8 new audio recordings supported by the text and 24 new *En fragmentos* audio recordings online

New Virtual Chats for oral practice: Build confidence and reduce the affective filter through synchronous conversations featuring simulated native speakers with a range of dialects and pronunciations

Now with online assessment: Even more opportunities for formative and summative assessment with tools that make it easier for teachers to create, administer, and grade a range of online assessments

New opportunities to make cultural connections: AP® theme-related News and Cultural Updates feature contemporary authentic video and reading selections that are supported by a carefully scaffolded activity sequence

Better tools and strategies for vocabulary development: Improved My Vocabulary tool with over 500 new terms and a more intuitive interface that allows for easy and engaging vocabulary study and retention

More support for teachers: Additional instructional strategies, suggestions, and resources for teaching hard-to-grasp concepts and skills and much, much more

ABOUT THE AUTHORS

Parthena Draggett

Parthena Draggett is a passionate AP® teacher with over 30 years of teaching experience, as well as a certified College Board Consultant for AP® Spanish and Pre-AP®. She co-authored a curriculum module for the current AP® Spanish Language and Culture course, and presents professional development nationally and internationally for AP® teachers as well as at conferences, including ACTFL, AATSP, APAC, FFLA, and CSCTFL. Parthena has been a reviewer and contributing author on several AP® Spanish publications, including the *Quick Study Guide* for Bar Charts, Inc.

She participates regularly in the AP® Spanish Language and Culture Reading as a Table Leader and was a member of the 2008 AP® Spanish standard-setting panel and the College Board Consultants Panel. Parthena is also a Praxis II Spanish Language Chief Scoring Leader for ETS and a member of the Board of Directors for the AATSP.

A past National Board Certified Teacher, she was named the 2015 Ohio World Language Teacher of the Year by the Ohio Foreign Language Association and represented Ohio at the Central States Conference for the Teaching of Foreign Languages.

Cole Conlin

Cole has been teaching Spanish for more than 20 years. He received his M.A. in Spanish from Middlebury College in 2004 and his M.A. in Critical and Creative Thinking at UMass Boston in 2005, where the focus of his studies was second language acquisition and content development for Spanish language instruction. Cole has worked as an editor on high school and college-level Spanish materials for Pearson Prentice Hall and Vista Higher Learning. In addition to his passion for Spanish, Cole has taught high school philosophy courses and has published several children's books.

Max Ehrsam

A native of Mexico, Max is currently a lecturer in Spanish at Simmons College and Boston University. Max received his B.A. in Latin American Literature from the Universidad Iberoamericana in Mexico in 1994 and his M.A. in Hispanic Studies from the University of Rhode Island in 1999. He has taught Latin American literature and Spanish in Mexico and the U.S. for a combined 20 years. Additionally, Max has extensive experience writing and editing Spanish educational materials; he has contributed to the development of more than 30 Spanish textbooks throughout his career.

Elizabeth Millán

Elizabeth has written a variety of Spanish language instructional materials, including differentiated instruction notes, heritage language learner assessments, and vocabulary development strategies. Elizabeth has also contributed original poems and short stories to reading anthologies. As an editor, she has worked on elementary, middle school, high school, and college programs. Before working in publishing, Elizabeth received her M.A. from the University of Madrid and taught Spanish for several years.

¡BIENVENIDOS!

Dear Students,

¡Felicidades! Through hard work and dedication, you have reached an exciting stage in your language-learning career: the AP® Spanish Language and Culture course. This curriculum can take you beyond the high level of linguistic and cultural competency you have already achieved to help you succeed on the AP® Exam and communicate with people in and from Spanish-speaking countries and cultures. Congratulations on taking this critical step in the lifelong process of 21st century global citizenship and intercultural competence!

Our goal with *Temas* is your proficiency in Spanish language and Hispanic culture. *Temas* incorporates the requirements of the AP® Spanish Language and Culture Curriculum and Exam, focusing on six overarching themes that are at the heart of real-world communication. You'll see how *Temas* will allow you to use your Spanish in realistic, contemporary settings that prepare you to interact with Spanish-speakers in real-life situations, both in writing and in speaking, for a variety of contexts and purposes.

As AP® Spanish teachers, we know how important it is for you to use materials that bring Spanish to life in the classroom. *Temas* lets you experience authentic language and culture through engaging texts and multimedia materials from all over the Spanish-speaking world. Activities are designed to help you understand challenging language and concepts and to communicate using a rich, varied vocabulary. And, you can practice your speaking and writing skills using digital activities and tools on the *Temas* Supersite. Through the effective tools provided in our Appendices, you will find strategies and support for various exam tasks and proficient communication. With this invaluable program, your success in AP® Spanish is guaranteed!

Have a fantastic AP® experience!

Parthena Draggett
Cole Conlin
Max Ehrsam
Elizabeth Millán

TEMA 1

LAS FAMILIAS Y LAS COMUNIDADES

LA CIENCIA Y LA TECNOLOGÍA

TEMA 3

LA BELLEZA Y LA ESTÉTICA

TEMA 4

LA VIDA CONTEMPORÁNEA

TEMA 5

LOS DESAFÍOS MUNDIALES

TEMA 6

LAS IDENTIDADES PERSONALES Y PÚBLICAS

SUCCESS IN ADVANCED SPANISH COURSES

Temas is designed to help students in upper-level Spanish succeed in the language classroom and, in particular, on the AP® Spanish Language and Culture Examination. As defined by the College Board, successful students in the advanced language course should:

> ❝ demonstrate an understanding of the culture(s), incorporate interdisciplinary topics (Connections), make comparisons between the native language and the target language and between cultures (Comparisons), and use the target language in real-life settings (Communities). ❞ [1]

How does *Temas* help you reach this goal?

Thematic organization *Temas* contains authentic readings, audio, and films organized around the themes of the AP® Spanish Language and Culture Examination:

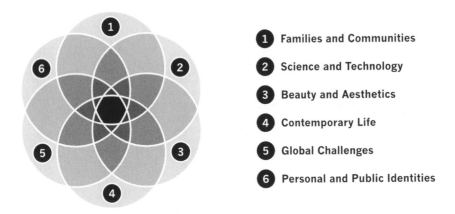

1. **Families and Communities**
2. **Science and Technology**
3. **Beauty and Aesthetics**
4. **Contemporary Life**
5. **Global Challenges**
6. **Personal and Public Identities**

The College Board's recommended contexts provide the framework for communicating about real-world issues and your own life experiences.

Authentic sources Selections offer an extraordinary wealth of material for study and discussion. Pre- and post-reading and listening activities guide classroom discussion to develop communication skills and promote a deeper understanding of culture.

Vocabulary development *Temas* employs a discovery approach to vocabulary development, encouraging each student to generate and maintain his or her own list of vocabulary. Rather than prescribing words for memorization, *Temas* allows students to develop their own tools for communication through reading and listening to authentic sources.

Communication In addition to providing opportunities for success within the Spanish-language classroom, *Temas* creates a broad base to prepare students to effectively communicate in Spanish for travel, study, work, or to achieve proficiency on standardized exams.

1 AP® Spanish Langauge and Culture Exam Curriculum Framework 2013–2014, p. 3. © 2012 by The College Board.
NB: The authors and developers of *Temas* used this document as a guide for instruction. We encourage all students and teachers to review the Curriculum Framework on their own for complete details on both the course philosophy and exam.

AP® SPANISH

Language and Culture Exam Preparation

Many students enrolled in advanced Spanish programs that use *Temas* may be preparing for the AP® Spanish Language and Culture Examination. The exam consists of two sections: one for multiple choice responses to authentic print and audio texts (interpretive communication) and the other for free responses to both print and audio text prompts (interpersonal and presentational speaking). Please see the chart below for a breakdown of the exam contents:

SECTION		NUMBER OF QUESTIONS	PERCENT OF FINAL SCORE	TIME
Section I: Multiple Choice				Approx. 95 minutes
Part A	Interpretive Communication: Print Texts	30 questions		Approx. 40 minutes
Part B	Interpretive Communication: Print and Audio Texts (combined)	35 questions	50%	Approx. 55 minutes
	Interpretive Communication: Audio Texts			
Section II: Free Response				Approx. 85 minutes
Interpersonal Writing: E-mail Reply		1 prompt		15 minutes
Presentational Writing: Argumentative Essay		1 prompt		Approx. 55 minutes
Interpersonal Speaking: Conversation		5 prompts	50%	20 seconds for each response
Presentational Speaking: Cultural Comparison		1 prompt		2 minutes to respond

To supplement the broad cultural content provided in *Temas*, Vista Higher Learning also offers *AP® Spanish: Language and Culture Exam Preparation*. This worktext provides targeted practice for each question type that students will encounter on the AP® Spanish Language and Culture Examination. Used alone, the worktext offers many opportunities to practice each exam question type. In addition, each selection includes a cross-reference to the theme and context being practiced, so sample exams can be generated to focus on all themes or on a single theme at a time.

Temas provides additional exam preparation through the inclusion of many activities that mimic the exam format. Used together, these two titles form a winning combination for the advanced Spanish classroom.

LEARNING IS JUST A CLICK AWAY

Discover the Supersite—the only online learning environment created specifically for world language acquisition.

For students

Plenty of Practice Language takes practice. With the Supersite, students have hundreds of program-specific, theme-based, and carefully scaffolded practice activities right at their fingertips.

Safe Environment Language learning can be intimidating, even for advanced students. With its uncluttered interface, innovative tools, and seamless textbook–technology integration, the Supersite helps build students' love of language in a safe digital space.

Engaging Media With a wide range of authentic audio and video selections from across the Spanish-speaking world, synchronous Partner Chat and Virtual Chat activities, and interactive vocabulary tools... the Supersite has it all.

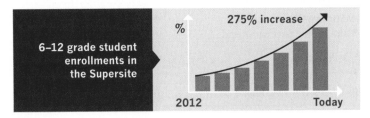

Communication Tools A wealth of resources for developing students' interpersonal skills:

▸ **Virtual Chat** activities provide students with opportunities to develop their listening and speaking skills and to build confidence as they practice with recordings of native speakers.
▸ **Partner Chat** activities allow students to carry out synchronous conversations in pairs via video or audio.
▸ **Forums** Online discussion boards allow students to post text or audio information and respond to their classmates' posts.

News and Cultural Updates Theme-based authentic resources with accompanying activity sequences are carefully curated and posted monthly.

Vocabulary Tools This study center equips students with powerful yet intuitive study tools, including audio flashcards, that they can customize to meet their specific vocabulary development needs.

For teachers

Time-Saving Tools No need to spend time hunting down authentic materials…finding the perfect video…crafting scaffolded activities…creating assessments…or grading homework. We've done the heavy lifting. The Supersite provides everything needed to plan, prepare, teach, and assess.

Powerful Course Management Choose what to use and how to use it. With the Supersite, teachers can easily shape the curriculum to fit their instructional goals and teaching preferences. Plus, they can monitor student progress, communicate securely with individual students or the entire class, and track and report on student effort and outcomes.

Enhanced Support Teachers get all the guidance they need to use the Supersite to its fullest potential—from face-to-face presentations and weekly training webinars by fellow educators to pre-recorded videos on a variety of topics.

Customized Content Create open-ended video Partner Chat activities, add video or outside resources, and modify existing content with personalized notes.

Assessment Solutions Teachers have the option of using pre-built online quizzes and tests or developing their own—such as open-ended writing prompts or chat activities. They may also also add their own text reference, image reference, or word bank to a section of a test.

Grading Tools Convenient options for grading include spotchecking, student-by-student, and question-by-question approaches. Plus, in-line editing tools and voice comments provide additional opportunities for targeted feedback.

Easy Course Management A powerful setup wizard lets teachers customize course settings, copy previous courses to save time, and create an all-in-one gradebook.

Familiarize yourself with these icons that appear throughout the program.

	ONLINE ACTIVITY OR TOOL		**WRITE & SUBMIT ACTIVITY**
	AUDIO MP3 ONLINE		**RECORD & SUBMIT ACTIVITY**
	STREAMING VIDEO ONLINE		**PARTNER CHAT ACTIVITY**

ENGAGE

Engaging unit
theme presentation

Essential Questions for unit

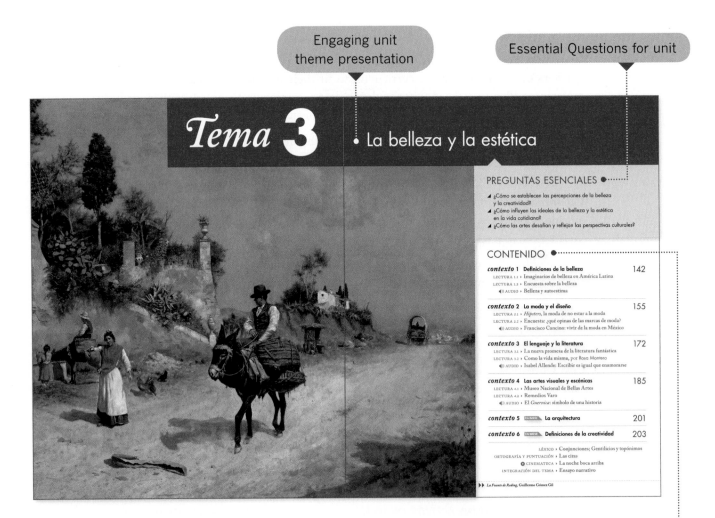

Tema 3 · La belleza y la estética

PREGUNTAS ESENCIALES

◢ ¿Cómo se establecen las percepciones de la belleza
y la creatividad?
◢ ¿Cómo influyen los ideales de la belleza y la estética
en la vida cotidiana?
◢ ¿Cómo las artes desafían y reflejan las perspectivas culturales?

CONTENIDO

▸▸ *La Fuente de Reding*, Guillermo Gómez Gil

Six contexts full of
authentic print and audio

Supersite

Look for this 🅢 located at the beginning of every
section to see the corresponding resources availble on
the Supersite.

PREPARE

Context introduction with broad questions

Student-driven vocabulary development

Information about the reading

---

contexto 3 · El lenguaje y la literatura

PUNTOS DE PARTIDA
De todos los modos de expresión, la palabra es uno de los más antiguos y arraigados en la vida del hombre. Bien sea como parte de la tradición oral o en su forma escrita, la literatura es un aspecto fundamental de la cultura de todos los pueblos. Narraciones, poemas, ensayos y obras dramatúrgicas son algunas de las formas que asume el lenguaje para comunicar creencias, sentimientos e ideas, una necesidad esencial en la vida de los individuos y de los pueblos.

▲ ¿Cómo puede la literatura generar vínculos entre los seres humanos?
▲ ¿Por qué es fundamental la literatura en el mundo contemporáneo?
▲ ¿Cuál es la importancia del lenguaje y la literatura en la cultura de un país?

● DESARROLLO DEL VOCABULARIO

MI VOCABULARIO
Anota el vocabulario nuevo a medida que lo aprendes.

1 Los dos universos Clasifica las palabras según las asocies con el universo de la literatura, de la vida real o con ambos.

la ciencia	la magia	el recuerdo
la comunicación	la imaginación	la sociedad
el desarrollo	la identidad	la solidaridad
los descubrimientos	los logros	el sueño
la educación	los pasatiempos	el tema
el espíritu	el personaje	la trama
la fantasía	el prejuicio	los valores
la fe	la realidad	la verdad

2 El lenguaje de la literatura Al discutir una obra literaria, se habla casi siempre de los personajes, la trama y los temas. Crea un organizador gráfico para cada uno de estos elementos. Luego, en parejas, compartan las ideas que asocien con cada uno de ellos.

PERSONAJE — características

3 La literatura y la cultura Lee las siguientes oraciones y analiza si estás de acuerdo con ellas. Luego, en parejas, elijan una oración y discutan sus opiniones. Para defender sus puntos de vista, den ejemplos de su propia experiencia y de sus lecturas previas.

1. La literatura de un país o de una región siempre refleja su cultura.
2. Es imposible que una persona de habla inglesa escriba una novela ambientada en un país de habla hispana y que sea auténtica.
3. La ficción puede ser un vehículo más efectivo para retratar la realidad que la literatura de no ficción.
4. Los escritores de obras de ficción viven en un mundo de fantasía y están desconectados de la realidad.

LA BELLEZA Y LA ESTÉTICA | TEMA 3 | **177**

LECTURA 3.2 ▶ COMO LA VIDA MISMA

Auto-graded
My Vocabulary
Partner Chat
Record & Submit
Strategy
Write & Submit

SOBRE LA AUTORA Rosa Montero Goya nació en Madrid en 1951. Es periodista, escritora y columnista frecuente de *El País*, España. Ha escrito docenas de novelas y sus libros están traducidos a más de veinte lenguas. Ha entrevistado a muchas personas influyentes del mundo, como Yasser Arafat, Indira Gandhi, Julio Cortázar y Malala Yousafzai. En 1978 ganó el Premio Mundo de Entrevistas y en 2017 fue galardonada con el Premio Nacional de las Letras Españolas por el Ministerio de Cultura de España.

SOBRE LA LECTURA El cuento «Como la vida misma» fue publicado como «El arrebato» en 1982. Relata la experiencia de una persona que intenta llegar a tiempo a su destino.

● ANTES DE LEER

1 El enfado del conductor Piensa en un momento en el que hayas experimentado enfado hacia otros conductores en la calle (sea como conductor(a) o pasajero/a). Reflexiona sobre esa experiencia y discute estas preguntas con un(a) compañero/a de clase.

1. ¿Adónde ibas?
2. ¿Por qué ibas allí?
3. ¿Con quién estabas? ¿Quién conducía?
4. ¿Había mucho tráfico? ¿Por qué?
5. ¿Por qué te enfadaste?
6. ¿Cómo te sentías después de llegar a tu destino?
7. ¿Por qué se dan los embotellamientos de tráfico en una ciudad?
8. Si fueras el alcalde de una ciudad con muchos carros, ¿qué propondrías para solucionar los embotellamientos?

MI VOCABULARIO
Utiliza tu vocabulario individual.

2 Experiencia de peatón Piensa en un momento en el que hayas disfrutado de la libertad de estar a pie, en bicicleta o en moto en vez de metido/a en medio de un embotellamiento. Reflexiona sobre esa experiencia y discute estas preguntas con un(a) compañero/a de clase.

1. ¿Dónde estabas?
2. ¿Por qué estabas allí?
3. ¿Con quién estabas?
4. ¿Cómo te sentías al pasar los coches?
5. ¿Cómo crees que se sentían las personas en los coches? ¿Por qué?
6. ¿Qué crees que significa la expresión «furia al volante»? ¿Qué la puede generar?
7. ¿Por qué hay personas que se vuelven agresivas al manejar? ¿Cómo pueden controlar esa ira?

3 La cultura colectivista vs. la individualista Busca información en línea para escribir una definición y una lista de valores que caracterizan las culturas colectivistas e individualistas. Luego, compara lo que encontraste con un(a) compañero/a de clase y discutan las diferencias.

MI VOCABULARIO
Anota el vocabulario nuevo a medida que lo aprendes.

Personalized online study tool

⑤upersite

Pre-reading activities

▸ Auto-graded
▸ My Vocabulary
▸ Partner Chat
▸ Record & Submit
▸ Strategy
▸ Write & Submit

READ

Reading strategies

Authentic print texts from varied sources

Challenging words from reading defined in Spanish

GLOSARIO

la mandíbula uno de los huesos que conforman la boca y permite su movimiento

arrancar acelerar, avanzar, despegar

la derrota pérdida de una batalla

la indignación gran enfado

CONCEPTOS CENTRALES

La hipérbole
En un texto literario se utiliza la hipérbole para exagerar o disminuir cualidades, características o situaciones de las que se habla: «Doscientos mil coches junto al tuyo». Con este recurso, el/la autor(a) le da una mayor fuerza expresiva o un toque humorístico a sus descripciones.

como LA VIDA MISMA
por Rosa Montero

AS NUEVE menos cuarto de la mañana. Semáforo en rojo, un rojo inconfundible. Las nueve menos trece, hoy no llego. ¡Embotellamiento de tráfico! Doscientos mil coches junto al tuyo. Tienes la **mandíbula** tan tensa que entre los dientes aún está el sabor del café del desayuno. Miras al vecino. Está intolerablemente cerca. La chapa de su coche casi roza la tuya. Verde. Avanza, imbécil. ¿Qué hacen? No **arrancan**. No se mueven, los estúpidos. Están paseando, con la inmensa urgencia que tú tienes. Doscientos mil coches que salieron a pasear a la misma hora solamente para fastidiarte. ¡Rojiiijo! ¡Rojo de nuevo! No es posible. Las nueve menos diez. Hoy desde luego que no llego-o-o-o... El vecino te mira con odio. Probablemente piensa que tú tienes la culpa de no haber pasado el semáforo (cuando es obvio que los culpables son los idiotas de delante). Tienes una premonición de catástrofe y **derrota**. Hoy no llego. Por el espejo ves cómo se acerca un chico en una motocicleta, zigzagueando entre los coches. Su facilidad te causa **indignación**, su libertad te irrita.

Beijing Crowd, Aleth Manière

Mueves el coche unos centímetros hacia el vecino [...] Das un salto, casi arrancas. De pronto ves que el semáforo sigue aún en rojo. ¿Qué quieres, que salga con la luz roja, imbécil? [...] De pronto, la luz se pone verde y los de atrás **pitan** desesperadamente. Con todo ese ruido reaccionas, tomas el **volante**, al fin arrancas. Las nueve menos cinco. Unos metros más allá la calle es mucho más estrecha; sólo cabría un coche. Miras al vecino con odio. Aceleras. Él también. Comprendes de pronto que llegar antes que el otro es el objeto principal de tu existencia. Avanzas unos centímetros. Entonces, el otro coche te pasa victorioso. Corre, corre, gritas, fingiendo gran desprecio. ¿Adónde vas, idiota? Tanta prisa para adelantarme sólo un metro. Pero la derrota duele. A lo lejos ves una figura negra, una vieja que cruza la calle lentamente. Casi la **atropellas**. "Cuidado, abuela", gritas por la ventanilla; estas viejas no tienen ningún peligro, un peligro. Ya estás llegando a tu destino, y no hay posibilidades de aparcar. De pronto descubres un par de metros libres, un pedacito de ciudad sin coche; frenas, el corazón te late apresuradamente. Los conductores de detrás comienzan a tocar la bocina: no me muevo. Tratas de estacionar, pero los vehículos que te siguen no te lo permiten. Tú miras con angustia el espacio libre. De pronto, uno de los coches para y espera a que tú aparques. Tratas de retroceder, pero la calle es angosta y la cosa está difícil. El vecino de marcha atrás para ayudarte, aunque casi no puede moverse porque los otros coches están demasiado cerca. Al fin aparcas. Sales del coche, cierras la puerta. Sientes una alegría infinita, una enorme gratitud hacia el anónimo vecino que se detuvo y te permitió aparcar. Caminas rápidamente para alcanzar al generoso conductor, y darle las gracias. Llegas a su coche; es un hombre de unos cincuenta años, de mirada melancólica. Muchas gracias, le dices en tono exaltado. El otro se sobresalta, y te mira sorprendido. Muchas gracias, insistes. "Pero, ¿qué quería usted? ¡No podía pasar por encima de los coches! No podía dar más marcha atrás..." Tú no comprendes. "Gracias, gracias" piensas. Al fin murmuras: "Le estoy dando las gracias de verdad, de verdad..." El hombre se pasa la mano por la cara, y dice: "Es que... este tráfico, estos nervios..." Sigues tu camino, sorprendido, pensando con filosófica tristeza, con genuino asombro. ¿Por qué es tan agresiva la gente? ¡No lo entiendo!

GLOSARIO

pitar hacer sonar un pito a la bocina de un coche

el volante rueda que permite conducir el coche

atropellar derribar, chocar, pasar por encima

ESTRATEGIA

Relacionar sentidos
Las obras literarias suelen incluir expresiones que apelan a los diferentes sentidos. Mientras lees, presta atención a los términos relacionados con colores, sabores, olores o sonidos. Esto te permitirá conectar con las sensaciones de los personajes.

DESPUÉS DE LEER

1 **Comprensión** Elige la mejor respuesta para cada pregunta, según el texto.

1. ¿Por qué el chico en motocicleta causa indignación?
   a. Porque no arranca.
   b. Porque puede zigzaguear entre los coches.
   c. Porque el ruido que hace es irritante.
   d. Porque está demasiado cerca de los coches.

2. ¿Por qué el otro coche sale victorioso?
   a. Porque logra pasar al/a la narrador(a).
   b. Porque evita el tráfico.
   c. Porque no tiene que esperar más.
   d. Porque va a llegar rápido a su destino.

3. ¿Cuál de las siguientes opciones describe mejor el registro que usa la autora en la voz del/de la narrador(a)?
   a. Usa su propia voz, en la forma «yo».
   b. Es un(a) narrador(a) omnipresente, en la tercera persona.
   c. Usa la forma «tú».
   d. Usa la tercera persona para contar el cuento desde la perspectiva de otra persona.

Key concepts for reading comprehension

Auto-graded multiple choice activities online

Supersite

▸ Auto-graded
▸ My Vocabulary
▸ Strategies

RESPOND

Write & Submit essays online

Partner Chat online video chat

Speaking strategies

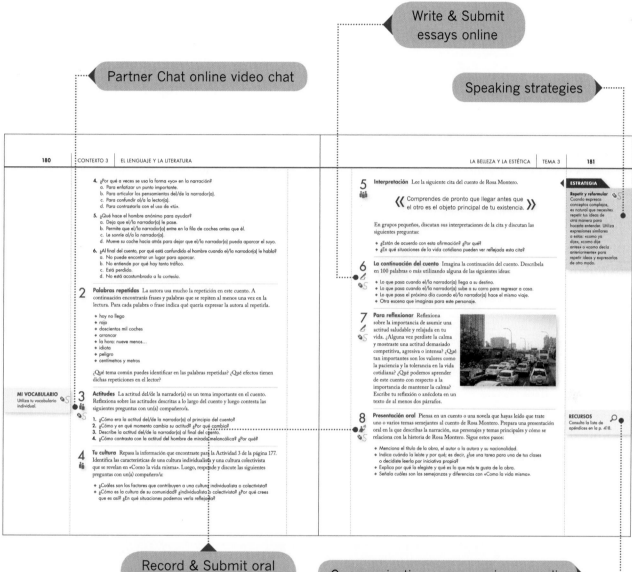

Record & Submit oral presentations online

Communication resources in appendix

Supersite

▸ Auto-graded
▸ My Vocabulary
▸ Partner Chat
▸ Record & Submit
▸ Write & Submit

LISTEN

Authentic, downloadable audio recordings

Information about audio

Post-listening activities

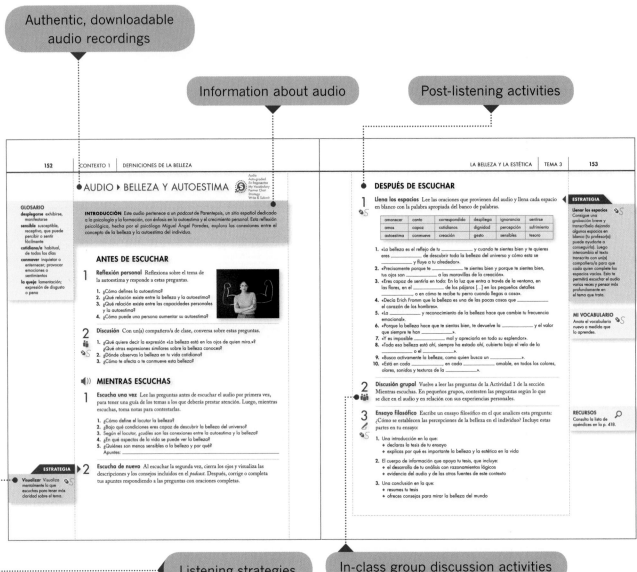

Listening strategies

In-class group discussion activities

En fragmentos online-only listening practice with authentic audio

CONNECT

Thematically-based cultural information

Record & Submit oral presentation online

184 CONTEXTO 3 | EL LENGUAJE Y LA LITERATURA

•CONEXIONES CULTURALES

El posboom de la literatura latinoamericana

MUCHAS VECES DECIMOS QUE LA REALIDAD SE CONFUNDE con la ficción. En Latinoamérica, la ficción se confunde con la realidad. Numerosos autores del *posboom* literario latinoamericano, también conocido como novísima literatura, inventan narraciones basadas en hechos históricos. Este género —la novela histórica— existe en todo el mundo, pero en Latinoamérica floreció a finales de la década de los setenta del siglo XX, con narradores como el uruguayo Eduardo Galeano, el mexicano Fernando del Paso o el peruano Alfredo Bryce Echenique.

Muchos de los representantes del *posboom* escriben desde el exilio, huyendo de las dictaduras y desilusionados al ver destruidas sus esperanzas de una sociedad justa. Y son ellos mismos quienes, con su inventiva, han contribuido a crear un mundo mejor para vivir.

Examples presented from several countries

Cultural comparisons activity

ⓈupersiTe

▸ Record & Submit
▸ Virtual Chat

REVIEW

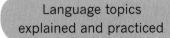

Language topics
explained and practiced

Spelling and punctuation
rules and practice activities

---

léxico 1   Las conjunciones Auto-graded / Write & Submit

◢ Las conjunciones son expresiones invariables que enlazan elementos sintácticamente equivalentes (conjunciones coordinantes) o que encabezan enunciados que dependen de la oración principal (conjunciones subordinantes).

> Raúl estudia filosofía **y** Lucía trabaja en un banco.
> Me molestó **que** no me lo dijeras.

◢ En la primera oración, la conjunción **y** enlaza dos oraciones de igual valor sintáctico para construir una oración mayor. En la segunda, la conjunción **que** encabeza la parte dependiente de la oración, subordinándola a la oración principal. Tanto las conjunciones coordinantes como las subordinantes se dividen en varios subgrupos, como se detalla a continuación.

Conjunciones coordinantes

¡ATENCIÓN!
Cuando la palabra siguiente comienza por i o hi, se emplea e en lugar de y. Excepciones: la palabra siguiente comienza con hi + [vocal que forma diptongo con la i] (acero y hierro); la conjunción tiene valor interrogativo (¿Y Ignacio?).
Cuando la palabra siguiente comienza por o u ho, se emplea u en lugar de o.

TIPO	USOS	EJEMPLOS
Copulativas: **y, e, ni, que**	Enlazan dos elementos equivalentes para formar una oración mayor.	Vinieron los padres **y** los hijos. No fue a visitar a su tío **ni** me acompañó. Ella ríe **que** ríe.
Adversativas: **pero, sino, sino que, mas**	Contraponen de forma parcial o total dos partes de la misma oración.	Creo que son primos, **pero/mas** no estoy seguro. No llegué tarde porque perdí el autobús, **sino porque** me quedé dormido.
Disyuntivas: **o (bien), u**	Unen oraciones o palabras que expresan una elección entre opciones.	No sabe si caminar o ir en tren. Puedes escoger este **u** otro tema para tu tesis.

Conjunciones subordinantes

◢ La conjunción subordinante más común es **que**. Equivale al inglés *that*, pero no puede omitirse.

> Por favor, dime **que** lo harás.   Me parece **que** hoy va a nevar.

◢ Las conjunciones subordinantes se dividen en varias categorías; las más comunes son: causales, temporales y concesivas.

¡ATENCIÓN!
Ciertas preposiciones se combinan con la conjunción que para introducir oraciones subordinadas.

a: Espero **a que** llegue.
con: Me conformo **con que** me llames una vez a la semana.
desde: **Desde que** vino, soy muy feliz.

TIPO	USOS	EJEMPLOS
Causales: **pues, porque, a causa de**	Encabezan oraciones subordinadas que indican causa, razón o motivo.	Sabía perfectamente de qué estaba hablando, **porque** estaba bien informado. Lo escuché detenidamente, **pues** me interesaba conocer su opinión.
Temporales: **cuando, antes (de) que, después (de) que, enseguida que**	Enlazan oraciones según su relación de precedencia en el tiempo.	Te llamaré por teléfono **después (de) que** terminemos de estudiar. Trataré de lavar el auto **antes (de) que** se haga de noche.
Concesivas: **aunque, por más que, a pesar de que**	Expresan una concesión o un consentimiento.	**Por más que** trabajes, nunca te harás rico. **Aunque** te disculpes mil veces, nunca te perdonaré.

---

ortografía y puntuación   Las citas Auto-graded

◢ En los relatos periodísticos, los ensayos y los trabajos académicos es común recurrir a citas como ejemplos o para respaldar un argumento. Las citas extraídas directamente de los materiales en los que se basa un ensayo o relato son uno de los tipos de evidencia a los que puede recurrir un escritor.

> [S]u radiante figura avanza portando el divino elixir o navega en beatífica gracia, pues sabe que definitivamente ha abierto la puerta de piedra y revelado los arcanos de la existencia donde, **como** decía Breton, «solamente lo maravilloso es bello».

◢ La manera más común de introducir una cita es utilizando un verbo seguido de dos puntos o un verbo seguido de **que**. También se pueden usar expresiones como **según, de acuerdo con** u oraciones introducidas por **como**. En estos casos, se debe usar una coma antes de la cita.

> **Según** Luis Martín Lozano, «[Remedios Varo] tiene un pie en la tradición y el otro en la experimentación, pues sus cuadros son como enigmáticas preguntas que no tienen una respuesta específica».
>
> Luis Martín Lozano **sostiene:** «[Remedios Varo] tiene un pie en la tradición y el otro en la experimentación, pues sus cuadros son como enigmáticas preguntas que no tienen una respuesta específica».
>
> Luis Martín Lozano **sostiene que** [Remedios Varo] tiene un pie en la tradición y el otro en la experimentación, pues sus cuadros son como enigmáticas preguntas que no tienen una respuesta específica.

◢ Las citas pueden ser directas o indirectas. A su vez, una cita directa puede ser completa o parcial.

> **Cita directa completa**
> Como dice Luis Martín Lozano, «[Remedios Varo] tiene un pie en la tradición y otro en la experimentación».
>
> **Cita directa parcial**
> Luis Martín Lozano considera que la artista española «tiene un pie en la tradición y otro en la experimentación».
>
> **Cita indirecta**
> En el texto, Luis Martín Lozano sostiene que Remedios Varo se basa tanto en lo tradicional como en lo experimental.

◢ Las citas directas o textuales deben estar entre comillas. (Véase **p. 130.**) Si se omiten partes internas de la cita, es necesario indicar la elipsis mediante tres puntos entre corchetes. (Véase **p. 131.**)

> Luis Martín Lozano explica que Remedios Varo «tiene un pie en la tradición y el otro en la experimentación, pues sus cuadros son como enigmáticas preguntas que no tienen una respuesta específica».
>
> Luis Martín Lozano explica que Remedios Varo «tiene un pie en la tradición y el otro en la experimentación, pues sus cuadros [...] no tienen una respuesta específica».

◢ Los corchetes también se utilizan cuando en una cita textual el escritor modifica alguna palabra, ya sea para corregir un error en la cita original o para aclarar información para los lectores.

> Luis Martín Lozano explica que «[Remedios Varo] tiene un pie en la tradición y el otro en la experimentación, pues sus cuadros son como enigmáticas preguntas que no tienen una respuesta específica».

ⓢupersite

▸ Auto-graded
▸ Write & Submit

EXPLORE

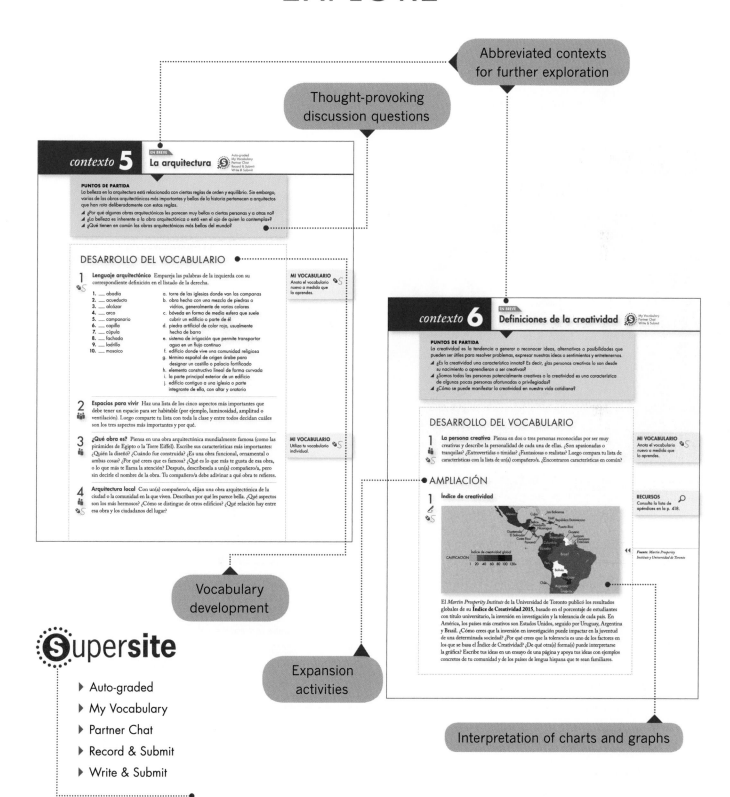

Abbreviated contexts for further exploration

Thought-provoking discussion questions

contexto 5 — EN BREVE — La arquitectura

PUNTOS DE PARTIDA
La belleza en la arquitectura está relacionada con ciertas reglas de orden y equilibrio. Sin embargo, varias de las obras arquitectónicas más importantes y bellas de la historia pertenecen a arquitectos que han roto deliberadamente con estas reglas.

- ¿Por qué algunas obras arquitectónicas les parecen muy bellas a ciertas personas y a otras no?
- ¿La belleza es inherente a la obra arquitectónica o está «en el ojo de quien la contempla»?
- ¿Qué tienen en común las obras arquitectónicas más bellas del mundo?

DESARROLLO DEL VOCABULARIO

1 Lenguaje arquitectónico Empareja las palabras de la izquierda con su correspondiente definición en el listado de la derecha.

1. ___ abadía
2. ___ acueducto
3. ___ alcázar
4. ___ arco
5. ___ campanario
6. ___ capilla
7. ___ cúpula
8. ___ fachada
9. ___ ladrillo
10. ___ mosaico

a. torre de las iglesias donde van las campanas
b. obra hecha con una mezcla de piedras o vidrios, generalmente de varios colores
c. bóveda en forma de media esfera que suele cubrir un edificio o parte de él
d. piedra artificial de color rojo, usualmente hecha de barro
e. sistema de irrigación que permite transportar agua en un flujo continuo
f. edificio donde vive una comunidad religiosa
g. término español de origen árabe para designar un castillo o palacio fortificado
h. elemento constructivo lineal de forma curvada
i. la parte principal exterior de un edificio
j. edificio contiguo a una iglesia o parte integrante de ella, con altar y oratorio

MI VOCABULARIO
Anota el vocabulario nuevo a medida que lo aprendes.

2 Espacios para vivir Haz una lista de los cinco aspectos más importantes que debe tener un espacio para ser habitable (por ejemplo, luminosidad, amplitud o ventilación). Luego comparte tu lista con toda la clase y entre todos decidan cuáles son los tres aspectos más importantes y por qué.

3 ¿Qué obra es? Piensa en una obra arquitectónica mundialmente famosa (como las pirámides de Egipto o la Torre Eiffel). Escribe sus características más importantes: ¿Quién la diseñó? ¿Cuándo fue construida? ¿Es una obra funcional, ornamental o ambas cosas? ¿Por qué crees que es famosa? ¿Qué es lo que más te gusta de esa obra, o lo que más te llama la atención? Después, descríbesela a un(a) compañero/a, pero sin decirle el nombre de la obra. Tu compañero/a debe adivinar a qué obra te refieres.

MI VOCABULARIO
Utiliza tu vocabulario individual.

4 Arquitectura local Con un(a) compañero/a, elijan una obra arquitectónica de la ciudad o la comunidad en la que viven. Describan por qué les parece bella. ¿Qué aspectos son los más hermosos? ¿Cómo se distingue de otros edificios? ¿Qué relación hay entre esa obra y los ciudadanos del lugar?

contexto 6 — EN BREVE — Definiciones de la creatividad

PUNTOS DE PARTIDA
La creatividad es la tendencia a generar o reconocer ideas, alternativas o posibilidades que pueden ser útiles para resolver problemas, expresar nuestras ideas o sentimientos y entretenernos.

- ¿Es la creatividad una característica innata? Es decir, ¿las personas creativas lo son desde su nacimiento o aprendieron a ser creativas?
- ¿Somos todas las personas potencialmente creativas o la creatividad es una característica de algunas pocas personas afortunadas o privilegiadas?
- ¿Cómo se puede manifestar la creatividad en nuestra vida cotidiana?

DESARROLLO DEL VOCABULARIO

1 La persona creativa Piensa en dos o tres personas reconocidas por ser muy creativas y describe la personalidad de cada una de ellas. ¿Son apasionadas o tranquilas? ¿Extrovertidas o tímidas? ¿Fantasiosas o realistas? Luego compara tu lista de características con la lista de un(a) compañero/a. ¿Encontraron características en común?

MI VOCABULARIO
Anota el vocabulario nuevo a medida que lo aprendes.

AMPLIACIÓN

1 Índice de creatividad

CALIFICACIÓN | 1 20 40 60 80 100 120+

Fuente: Martin Prosperity Institute y Universidad de Toronto

El *Martin Prosperity Institute* de la Universidad de Toronto publicó los resultados globales de su **Índice de Creatividad 2015**, basado en el porcentaje de estudiantes con título universitario, la inversión en investigación y la tolerancia de cada país. En América, los países más creativos son Estados Unidos, seguido por Uruguay, Argentina y Brasil. ¿Cómo crees que la inversión en investigación puede impactar en la juventud de una determinada sociedad? ¿Por qué crees que la tolerancia es uno de los factores en los que se basa el Índice de Creatividad? ¿De qué otra(s) forma(s) puede interpretarse la gráfica? Escribe tus ideas en un ensayo de una página y apoya tus ideas con ejemplos concretos de tu comunidad y de los países de lengua hispana que te sean familiares.

RECURSOS
Consulta la lista de apéndices en la p. 418.

Vocabulary development

Expansion activities

Interpretation of charts and graphs

Supersite

- ▸ Auto-graded
- ▸ My Vocabulary
- ▸ Partner Chat
- ▸ Record & Submit
- ▸ Write & Submit

SYNTHESIZE

Authentic short films

Synthesis of unit content

Apply Essential Questions

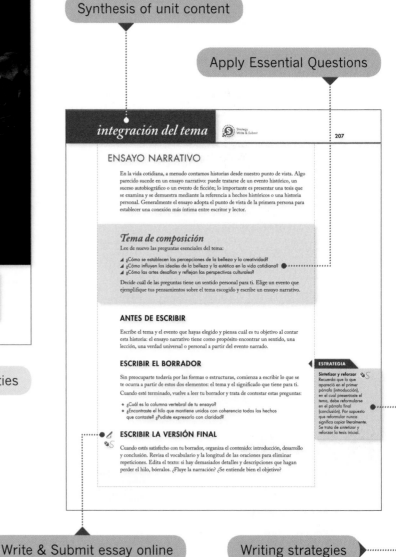

Pre- and post-viewing activities

Supersite

▶ Auto-graded
▶ My Vocabulary
▶ Partner Chat
▶ Strategy
▶ Video
▶ Write & Submit

Write & Submit essay online

Writing strategies

CONSULT

Resources support oral and written communication

Grammar appendix with explanations and practice activities

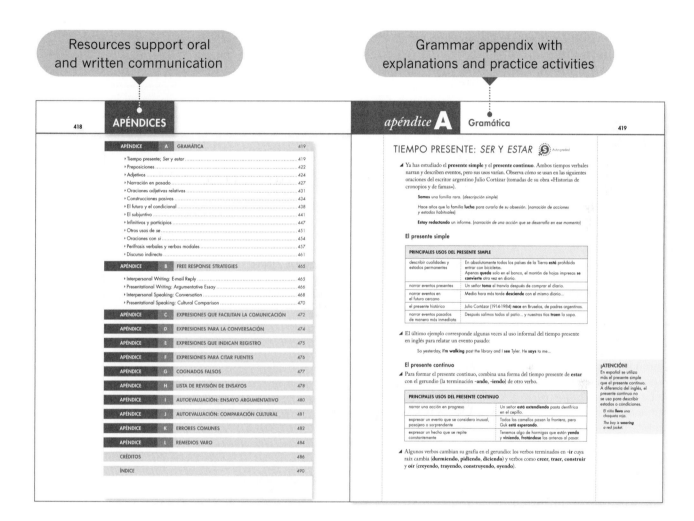

apéndice A — Gramática — 419

TIEMPO PRESENTE: *SER* Y *ESTAR*

◢ Ya has estudiado el **presente simple** y el **presente continuo**. Ambos tiempos verbales narran y describen eventos, pero sus usos varían. Observa cómo se usan en las siguientes oraciones del escritor argentino Julio Cortázar (tomadas de su obra «Historias de cronopios y de famas»).

Somos una familia rara. *(descripción simple)*

Hace años que la familia **lucha** para curarla de su obsesión. *(narración de acciones y estados habituales)*

Estoy redactando un informe. *(narración de una acción que se desarrolla en ese momento)*

El presente simple

PRINCIPALES USOS DEL PRESENTE SIMPLE	
describir cualidades y estados permanentes	En absolutamente todos los países de la Tierra **está** prohibido entrar con bicicletas. Apenas **queda** solo en el banco, el montón de hojas impresas **se convierte** otra vez en diario.
narrar eventos presentes	Un señor **toma** el tranvía después de comprar el diario.
narrar eventos en el futuro cercano	Media hora más tarde **desciende** con el mismo diario...
el presente histórico	Julio Cortázar (1914-1984) **nace** en Bruselas, de padres argentinos.
narrar eventos pasados de manera más inmediata	Después salimos todos al patio... y nuestras tías **traen** la sopa.

◢ El último ejemplo corresponde algunas veces al uso informal del tiempo presente en inglés para relatar un evento pasado:

So yesterday, **I'm walking** past the library and I **see** Tyler. He **says** to me...

El presente continuo

◢ Para formar el presente continuo, combina una forma del tiempo presente de **estar** con el gerundio (la terminación **-ando**, **-iendo**) de otro verbo.

PRINCIPALES USOS DEL PRESENTE CONTINUO	
narrar una acción en progreso	Un señor **está extendiendo** pasta dentífrica en el cepillo.
expresar un evento que se considera inusual, pasajero o sorprendente	Todos los camellos pasan la frontera, pero Guk **está esperando**.
expresar un hecho que se repite constantemente	Tenemos algo de hormigas que están **yendo y viniendo**, **frotándose** las antenas al pasar.

◢ Algunos verbos cambian su grafía en el gerundio: los verbos terminados en -ir cuya raíz cambia (**durmiendo**, **pidiendo**, **diciendo**) y verbos como **creer, traer, construir** y **oír** (**creyendo, trayendo, construyendo, oyendo**).

¡ATENCIÓN!
En español se utiliza más el presente simple que el presente continuo. A diferencia del inglés, el presente continuo no se usa para describir estados o condiciones.
El niño **lleva** una chaqueta roja.
The boy is wearing a red jacket.

▸ Grammar review and practice
▸ Scoring guidelines

ACKNOWLEDGMENTS

On behalf of its authors and editors, Vista Higher Learning expresses its sincere appreciation to the many educators who contributed their ideas and suggestions to this project. Their insights and detailed comments were invaluable to us as we created *Temas*. The authors wish to extend a special thank you to **Nadia Rizzi** for her contributions.

Consultants

▶ **MARK CUTLER**
Phillips Andover Academy
Andover, MA

▶ **GUSTAVO FARES**
Lawrence University
Appleton, WI

▶ **KIMBERLY FOGELSON**
Dominion High School
Loudoun County Public Schools
Sterling, VA

▶ **JAMES MONK**
American Council on the Teaching
of Foreign Languages
Alexandria, VA

▶ **JUSTIN SEIFTS**
East Chapel Hill High School
Chapel Hill, NC

▶ **KEN STEWART**
East Chapel Hill High School
Chapel Hill, NC

▶ **LAURA ZINKE**
McClintock High School
Tempe, AZ

Reviewers

▶ **SUSAN ALLEN**
Eastern High School
Voorhees, NJ

▶ **CHRISTINA BACHILLER**
Weddington High School
Matthews, NC

▶ **SANDRA BATTIATA**
Marlborough School
Los Angeles, CA

▶ **NANCY BEINER**
John Jay High School
Hopewell Junction, NY

▶ **BELEN MEDINA**
Villa Maria Academy High School
Malvern, PA

▶ **BRENDA VALDEZ**
John W. North High School
Riverside, CA

▶ **DEBORAH BRYANT**
Lebanon High School
Lebanon, OH

▶ **CAROLINA BURELLI**
Carrollton School of the Sacred Heart
Miami, FL

▶ **DAVID CAMPBELL**
Mountain View High School
Mountain View, CA

▶ **KELLY CAMPBELL**
Porter-Gaud School
Charleston, SC

▶ **IRENE CARPENTER**
Marshall High School
Marshall, TX

▶ **SILVIA CARRILLO**
Whitney M. Young High School
Chicago, IL

▶ **SILVIA CASTRO**
Rio Grande High School
Albuquerque, NM

▶ **ALFONSO CIDES**
Buffalo Grove High School
Oak Park, IL

▶ **JAIME CRAIG**
Blair School
South Pasadena, CA

▶ **LAURA DE VETTORI**
Bryan Station High School
Lexington, KY

▶ **OMAR DIAZ**
De La Salle High School
Concord, CA

▶ **TAMMIE DYKHOUSE**
Forest Hills Central High School
Grand Rapids, MI

▶ **MONICA J. ESPINOZA**
Hollywood Hills HS
Hollywood, FL

▶ **SABINA ESTEVEZ**
Cedar Creek High School
Egg Harbor City, NJ

▶ **MIGDALIA FLORES**
East Central High School
San Antonio, TX

▶ **ANNE FORSYTH MARTÍN**
The Wheeler School
Providence, RI

▶ **MANUEL GONZALEZ**
Oak Park & River Forest High School
Oak Park, IL

▶ **DANIELLE GRAFTON**
Duxbury High School
Abington, MA

▶ **JULIO CÉSAR GUZMÁN**
Calvary Christian Academy
Lauderhill, FL

▶ **EMILY HAFFEY**
Highlands High School
Fort Thomas, KY

▶ **GLORIA HAM**
Spring Valley High School
Columbia, SC

▶ **ELIZABETH HERNÁNDEZ**
El Rancho High School
Pico Rivera, CA

▶ **KARI HINER**
Okemos High School
Okemos, MI

▶ **YULY JASTEMSKI**
Plant City High School
Plant City, FL

▶ **KATHRYN JENSEN**
Coon Rapids High School
Coon Rapids, MN

▶ **KOPELIOFF GLORIA (JENNY)**
Milken HS
Los Angeles, CA

▶ **CHARLENE LAMBERT**
Tatnall School
Wilmington, DE

▶ **AMANDA LAWS**
Blue Springs South High School
Blue Springs, MO

▶ **JOELLEN LEE**
Hillcrest High School
Country Club Hills, IL

▶ **GABRIELA LLANOS**
The Bear Creek School
Redmond, WA

▶ **SANDY LOPEZ**
East High School
Salt Lake, UT

▶ **LUZZETTE B. SLOUGH**
Knoxville Catholic High School
Knoxville, TN

▶ **MARIA F. MALDONADO**
Albuquerque Academy
Albuquerque, NM

▶ **AMANDA J. MARVIN**
The Barstow School
Shawnee, KS

▸ **NATALIA MORALES-WIEDMAIER**
The Overlake School
Redmond, WA

▸ **PAUL MORSE-CARUSO**
Brookfield Academy
Wauwatosa, WI

▸ **LILLIAN NOVOA**
The Pine School
Hobe Sound, FL

▸ **BECKY O'NEEL**
Lewis and Clark
Spokane, WA

▸ **TATIANA PAREDES TAPIA**
Cosumnes Oaks High School
Elk Grove, CA

▸ **BOBBIE PETERS**
Palmetto Ridge H. S.
Naples, FL

▸ **CECILIA PIERCE**
Ennis High School
Ennis, TX

▸ **COLLEEN PIERI**
Temple City High School
Temple City, CA

▸ **ANTONIO RAMOS**
West Valley HS
Hemet, CA

▸ **LESLIE REIGEL**
Marshfield High School
Marshfield, WI

▸ **RYAN ROCKAITIS**
Deerfield High School
Deerfield, IL

▸ **MADELINE RODRIGUEZ**
Starr's Mill High School
Fayetteville, GA

▸ **APRIL SCHENDEL**
Notre Dame de Sion
Kansas City, MO

▸ **ALICE SHRADER**
Marvin Ridge High School
Waxhaw, NC

▸ **AMY SIBLEY**
Loudoun County High School
Leesburg, VA

▸ **MIRANDA SIGRID**
Barron Collier High School
Naples, FL

▸ **NEIL O. TRUJEQUE MEJÍA**
Forest Hills High School
Forest Hills, NY

▸ **MICHAEL VERDERAIME**
Doherty High School
Colorado Springs, CO

▸ **DIANNE VILLALOBOS**
St. Cloud Technical High School
St. Cloud, MN

▸ **MARTHA VOORHEES**
Collier County Public Schools
Naples, FL

▸ **SARAH WADE**
Marvin Ridge HS
Waxhaw, NC

▸ **SUSAN WILLIAMS**
Jackson Liberty High School
Jackson, NJ

▸ **SOCORRO YANEZ**
St. Rita of Cascia High School
Chicago, IL

The only workbook you'll need.

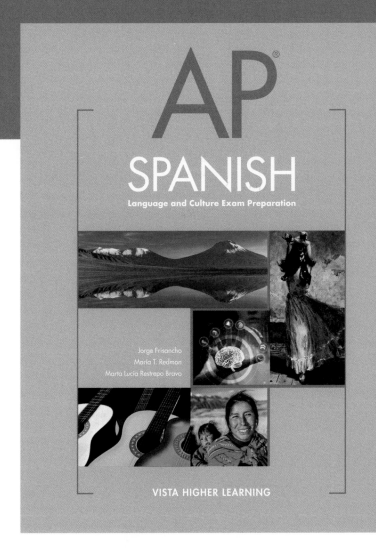

With complete coverage of each testing format, this is the perfect test prep complement to your AP® Spanish program.

- High-quality, accessible, and authentic print and audio sources
- Explicit skill-building and test-taking strategies for each activity type
- Online learning environment with all worktext activities and supporting authentic source material
- A full-length, assignable practice exam that mimics the look and feel of the exam

TEMAS

AP® Spanish Language and Culture

Las familias y las comunidades

PREGUNTAS ESENCIALES

▲ ¿Cómo se define la familia en distintas sociedades?

▲ ¿Cómo contribuyen los individuos al bienestar de las comunidades?

▲ ¿Cuáles son las diferencias en los papeles que asumen las comunidades y las familias en las diversas sociedades del mundo?

content

bienestar – well being

CONTENIDO

▶▶ Mujeres en las islas flotantes de los uros (Lago Titicaca, Perú)

PUNTOS DE PARTIDA

piller

La educación de la sociedad es el pilar de su desarrollo y del bienestar de sus integrantes. Se despliega en gran variedad de contextos, de manera que el aprendizaje se lleva a cabo tanto en la escuela como fuera de ella.

◢ ¿Qué tipos de organizaciones, diferentes a la escuela, educan y ayudan a la comunidad?

◢ ¿Por qué los individuos hacen trabajo voluntario para beneficiar a la comunidad?

◢ ¿En qué sentido el sistema educativo de una sociedad es el reflejo de su cultura?

DESARROLLO DEL VOCABULARIO

My Vocabulary
Partner Chat
Write & Submit

MI VOCABULARIO

Anota el vocabulario nuevo a medida que lo aprendes.

1 **¿Cuándo aprendes mejor?** El aprendizaje es un proceso individual. Del siguiente cuadro, elige las cinco frases, en orden de importancia, que mejor describen las condiciones en las que tú aprendes con mayor facilidad. Después, reflexiona sobre cuáles crees que son las condiciones ideales para que el aprendizaje sea eficaz y escribe una lista con tus preferencias.

creat ease

learning)

Aprendo mejor cuando...

take on challenge

asumo un reto	estoy cómodo/a y relajado/a	me siento responsable de otros
colaboro con otros	estoy interesado/a y motivado/a	no estoy muy cómodo/a
compito con otros	hay un incentivo externo	otros me animan a ser mejor
confío en mí mismo/a	la actividad es difícil para mí	puedo ser creativo/a
entiendo la importancia del tema	la actividad es fácil para mí	tengo una experiencia nueva
estoy bajo presión	me divierto	trabajo solo/a

to be under pressure

2 **Lecciones importantes** Piensa en una actividad o experiencia extraescolar en la que hayas aprendido lecciones importantes, bien sea en un club, un trabajo, una excursión, o en algún otro lugar o situación. Conversa con un(a) compañero/a sobre estas dos preguntas:

◆ ¿Qué aprendiste?

◆ ¿Cómo han influido en tu vida esas lecciones?

3 **Organizaciones comunitarias** En grupos, hagan una lista de organizaciones comunitarias que existen en su escuela o su comunidad, y que trabajan por el bienestar de los ciudadanos. Para cada organización, contesten estas preguntas:

1. ¿Cuál es su objetivo?
2. ¿Cómo contribuye su labor a la sociedad?
3. ¿A quiénes ayuda y cómo lo hace?
4. Mencionen algunos ejemplos de sus proyectos más sobresalientes.

RECURSOS

Consulta la lista de apéndices en la p. 418.

4 **Aportes** De todas las organizaciones que se mencionaron en la Actividad 3, elige la que te parezca más importante. Escribe un párrafo en el que describas la organización y los aportes que hace para mejorar la sociedad. Especifica a qué grupo social beneficia y de qué manera lo hace.

LECTURA 1.1 ▶ TIEMPO DE JUEGO

Auto-graded
My Vocabulary
Partner Chat
Strategy
Write & Submit

sin ánimo de lucro - non profit

SOBRE LA LECTURA Las fundaciones son organizaciones no gubernamentales y sin ánimo de lucro que persiguen objetivos de interés general, como la defensa de los derechos humanos, la asistencia social e inclusión social, o propósitos educativos, culturales, deportivos, sanitarios o laborales. Los fines de una fundación deben beneficiar tanto al individuo como a la comunidad. goals

En esta lectura, tomada de la página web de la fundación Tiempo de Juego, que ayuda a jóvenes colombianos de las afueras de Bogotá, se describe cómo surgió esta fundación, quiénes la dirigen y administran, y cómo hacen para cumplir sus objetivos de educar y ayudar a la comunidad.

ANTES DE LEER

1 **Detalles** Describe los detalles de la foto. Usa las preguntas como guía.

1. Los jugadores
   a. ¿Son profesionales? ¿Cuántos años tienen?
   b. ¿Qué llevan puesto? ¿Están en forma?
   c. ¿Parece un juego competitivo entre dos equipos o un entrenamiento?

2. La cancha
   a. ¿Es oficial o improvisada?
   b. ¿Está en un estadio? ¿En un parque público?
   c. ¿Quiénes son las personas que se ven al lado de la cancha? ¿Espectadores? ¿Miembros de los equipos que juegan?

3. El entorno - surrounding
   a. ¿Cómo son los alrededores de la cancha?
   b. ¿En qué país puede estar este barrio?
   c. ¿Qué nivel de vida llevan las personas que viven allí?

ESTRATEGIA

Buscar indicios
Observa bien la foto para identificar detalles que puedan darte pistas sobre la lectura. Seguramente tendrá que ver con el fútbol, pero, ¿qué más crees que revela esta imagen sobre los jugadores y su comunidad?

2 **Claves para el buen vivir** Los conceptos de la siguiente lista representan cualidades y destrezas importantes para alcanzar el progreso de la sociedad. Algunos se mencionan en la lectura. Para cada uno, decide si suele aprenderse en la escuela, fuera de ella, o en ambos contextos.

la colaboración	la cooperación	la humildad	el liderazgo	el respeto
la comunicación	la creatividad	la iniciativa	la organización	la solidaridad
la convivencia	la empatía	la lectura	la resiliencia	la tolerancia

3 **Situaciones** En grupos, elijan tres cualidades o destrezas de la Actividad 2. Den ejemplos de situaciones concretas en las cuales hayan podido ponerlas en práctica. Luego compartan sus respuestas con la clase.

MI VOCABULARIO
Utiliza tu vocabulario individual.

GLOSARIO

apoderarse tomar posesión o control de una cosa o de una situación

aquejar causar daño o sufrimiento físico, emocional o moral

constatar confirmar

TIEMPO DE JUEGO

Inicio | Fundación | Programas | Prensa | Ponte la camiseta | Galería | Aliados | Contacto

L o primero fue el fútbol. Un entrenador, un puñado de jóvenes, un balón, una pequeña cancha de asfalto, una rutina que **se apoderó** de los sábados. Luego llegó el uniforme y con él nació oficialmente el Club Independiente Cazucá. Faustino Asprilla y Lucas Jaramillo[1] subieron
5   la loma y jugaron con ellos. Y bajo el influjo de esa camiseta negra con líneas blancas fue aumentando el número de jugadores, de jóvenes y de muchachas que esperaban a que llegara el sábado para escapar transitoriamente de los problemas que los rodeaban (de las pandillas que los asediaban, de las drogas que ya habían atrapado a sus hermanos, de la pobreza que los **aquejaba**)
10   y entregarse al fútbol con alegría y con pasión. Bastó con ver sus sonrisas extendidas, oír sus bromas y sus carcajadas, observar la puntualidad con que llegaban a la cita de los sábados, para que Andrés Wiesner y sus compañeros de la Universidad de la Sabana pudieran **constatar** que los jóvenes de Altos de Cazucá no eran un problema, sino más bien una solución.

15   [...] Lo que sucedía cada sábado dependía de lo que hicieran los jóvenes de la comunidad. Antes que un programa para ellos, se fue forjando un programa de ellos, y el crecimiento vertiginoso de asistentes, sumado a la limitación de espacios y de medios, no fueron un obstáculo para continuar con las actividades, sino un incentivo para organizarlas mejor. Aquellos jóvenes
20   de Cazucá que llevaban más semanas o tenían mayor liderazgo asumieron el reto de coordinar a los otros. No se trataba de que un aficionado fuera a la comunidad y dirigiera un entrenamiento o un partido de fútbol. Ellos mismos podían hacerlo, ellos mismos lo harían, ellos mismos lo hacen.

Bajo esa premisa nació Tiempo de Juego. [...]

1 Faustino Asprilla y Lucas Jaramillo son dos famosos futbolistas colombianos.

GLOSARIO

la sede lugar donde una entidad tiene su domicilio

el entrenamiento práctica, preparación organizada individual o en equipo

25   Desde que comenzó a operar como una escuela de fútbol en Altos de Cazucá, Tiempo de Juego adoptó una metodología de fútbol con valores, orientada a promover el aprendizaje de mecanismos y principios de convivencia y a inculcar valores como la solidaridad, el juego limpio, el trabajo en equipo, la equidad de género, la victoria con humildad, la derrota con dignidad, la
30 tolerancia y el respeto a las reglas del juego, entre otros. [...]

    De la cancha de fútbol se pasó a una **sede**, en la que se realizan actividades artísticas, talleres de lectura, clases de sistemas, cursos de baile, juegos, programas de capacitación, reuniones, encuentros y eventos. De los **entrenamientos** de los sábados se pasó a una agenda completa con
35 alternativas interesantes desde el lunes hasta el sábado, para ocupar de forma productiva y entretenida las largas horas en las que el vicio solía acompañar al ocio. [...] En fin, de ser un programa informal y de crecimiento espontáneo, se pasó a constituir una fundación con una visión muy sencilla, pero a la vez muy ambiciosa: *hacer realidad los sueños de los niños.*

DESPUÉS DE LEER

1 **Comprensión** Elige la mejor respuesta para cada pregunta, según el texto.

1. ¿Cuál es el propósito del artículo?
    a. Convencer a los jóvenes de que deben jugar al fútbol
    (b.) Describir la manera como evolucionó el programa
    c. Hacer un análisis crítico del programa
    d. Resaltar los esfuerzos de futbolistas famosos colombianos

2. ¿Qué afirmación resume mejor el proyecto que describe el artículo?
    (a.) Los jóvenes de Cazucá se reunieron espontáneamente por su pasión por el fútbol y con el tiempo conformaron una escuela que promueve valores.
    b. Varios futbolistas famosos decidieron crear una fundación para ayudar a los jóvenes del sector.
    c. La Universidad de la Sabana donó una cancha y una sede para que la comunidad conformara una escuela de fútbol.
    d. El Club Independiente Cazucá contrató a varios futbolistas famosos para promover la pasión por el fútbol en el barrio.

3. ¿Qué significa la expresión «horas en las que el vicio solía acompañar al ocio» (línea 36)?
    (a.) Horas de inactividad en las que la conducta de los jóvenes no es saludable
    b. Horas en las que los jóvenes se hacían compañía
    c. Horas productivas y entretenidas de los sábados
    d. Las horas de entrenamiento del Club Independiente Cazucá

CONCEPTOS CENTRALES

Propósito del autor Los autores usualmente escriben por razones muy diversas, como persuadir, informar o entretener. Al leer un texto, debemos identificar qué pretende la persona que lo escribió; esto nos ayudará a comprender mejor el mensaje.

4. ¿Cuál de estos componentes contribuyó más al éxito del programa Tiempo de Juego?
   a. Los entrenadores
   b. Los recursos económicos
   c. Los jóvenes *(circled)*
   d. La Universidad de la Sabana

5. ¿Qué afirmación describe mejor la evolución del programa?
   a. El fútbol fue reemplazado por otras actividades más artísticas.
   b. Se fueron añadiendo actividades hasta conformar un calendario completo. *(circled)*
   c. El programa se realizaba solamente los sábados.
   d. El programa creció y empezó a extenderse por el país.

2   **Los beneficios de Tiempo de Juego**   ¿Qué aspectos del programa beneficiaron a sus participantes y cuáles a los miembros de la comunidad? Haz una lista con tres beneficios para cada grupo.

3   **En tu comunidad**   En parejas, comenten estas preguntas utilizando las respuestas de la Actividad 2 y los aprendizajes de sus experiencias personales.

1. ¿Qué características comparte la fundación Tiempo de Juego con alguno de los programas de tu comunidad? ¿Qué elementos los distinguen?
2. ¿Cuáles son algunos de los motivos para hacer trabajo voluntario?

RECURSOS
Consulta la lista de apéndices en la p. 418.

4   **Ensayo persuasivo**   Usando Tiempo de Juego como modelo, piensa en un programa que podría beneficiar a tu comunidad. Escribe una propuesta en la que intentes persuadir al Ayuntamiento de tu pueblo o ciudad para que apoye el programa, explicando claramente estos puntos:

◆ Por qué el programa que propones es necesario.
◆ Cuáles son las condiciones que justifican el desarrollo del programa.
◆ A quiénes podría beneficiar tu programa y cómo mejoraría tu comunidad con el mismo.
◆ Cuál es la visión y la misión de tu programa.
◆ Cuáles son las tres metas más importantes y la manera de lograrlas.

ESTRUCTURAS

Narrar en tiempo pasado

Observa que el autor de Tiempo de Juego usa varios tiempos verbales —como el pretérito y el imperfecto— para expresar distintos matices de acciones y estados pasados.

Vuelve a leer el artículo prestando atención a los tiempos verbales. Subraya los verbos en pretérito y rodea con un círculo los verbos en imperfecto. Después, escribe las palabras que indican cuál es el tiempo verbal apropiado en cada caso.

MODELO ▶ Línea 3: **Luego** (Luego llegó el uniforme)
         Línea 15: **cada sábado** (Lo que sucedía cada sábado)

RECURSOS
Consulta las explicaciones gramaticales del **Apéndice A**, pp. 427-430.

(Handwritten margin notes:)

Participantes
– les da algo que esperar
– les ayuda a escapar de sus problemas
– les permite jugar fútbol

La comunidad
– les ha dado nuevas actividades
– juegan fútbol
– ayuda la comunidad

LECTURA 1.2 ▶ FERNANDO SAVATER REFLEXIONÓ SOBRE EL VALOR DE LA EDUCACIÓN

ética- ethics

philosopher

Auto-graded
My Vocabulary
Record & Submit
Strategy
Write & Submit

SOBRE FERNANDO SAVATER Nació en San Sebastián, España, en 1947. Es un filósofo conocido por su interés en la ética y por sus creativas críticas culturales. Por ejemplo, en el libro *Criaturas del aire* (1979), sus personajes son individuos de la literatura y la historia como Tarzán, Drácula y Julián el Apóstata, quienes dan monólogos sobre temas como el destino, la violencia y el amor. También es reconocido por sus libros sobre ética como *Ética para Amador* (1995) y *El contenido de la felicidad* (1996).

SOBRE LA ENTREVISTA En marzo de 2010, Savater habló con *Univisión Noticias*, un periódico que pertenece a Univisión, el conglomerado de medios en español más grande en Estados Unidos. En la entrevista, publicada en la sección *Educación*, Savater habla sobre el problema de deserción escolar en este país.

ANTES DE LEER

1 **Factores de calidad** Ordena los siguientes factores de 1 a 6 (donde 1 es el más importante y 6 el menos importante), según la importancia que tienen para tu propia educación.

__4__ los libros de texto
__5__ el equipo de profesores/as
__1__ las instalaciones de la escuela

__2__ la selección de clases
__6__ los/las demás estudiantes
__3__ las actividades extracurriculares

MI VOCABULARIO
Anota el vocabulario nuevo a medida que lo aprendes.

2 **La educación** ¿Qué palabras vienen a tu mente cuando piensas en la educación? En grupos de tres, escriban en un organizador gráfico los conceptos que les sugiere el término «educación». Luego, compartan sus gráficos con los demás grupos y complétenlos con los nuevos conceptos que surjan en la conversación. ¿Qué diferencias y similitudes encontraron?

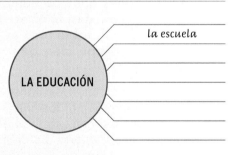

LA EDUCACIÓN

la escuela

3 **¿De acuerdo?** En parejas, lean las siguientes oraciones y discutan si están de acuerdo con ellas o no. Defiendan sus opiniones.

1. Aprender en la escuela es más importante que sacar buenas notas.
2. El propósito de la escuela secundaria es poder acceder a una buena universidad.
3. Los/as profesores/as son un recurso valioso para conseguir una buena educación.
4. Los/as profesores/as deben hacer las clases interesantes si quieren que sus alumnos presten atención.
5. Algunas clases son más importantes que otras.

GLOSARIO

la deserción escolar
abandono de la escuela

el rendimiento ganancia, beneficio

la herramienta
instrumento, aparato útil

intrínseco/a cualidad o valor propio de una cosa por sí misma; esencial

la humanidad compasión o bondad hacia otros; sensibilidad

la herencia conjunto de características, ideas o bienes que se transmiten a la siguiente generación

ESTRATEGIA

Utilizar lo que sabes
Cuando encuentres una palabra nueva, busca elementos que te sean familiares: semejanzas con palabras inglesas, prefijos y sufijos, y raíces comunes con otras palabras del español.

Univisión Noticias

Fernando Savater
reflexionó sobre el valor de la educación

El filósofo español Fernando Savater reflexionó sobre la educación, el papel del maestro y la lección del valor de la vida.

En los últimos años ha aumentado enormemente la deserción escolar en Estados Unidos, sobre todo entre los hispanos. ¿A qué cree que pueda
5 **deberse esto?**

En líneas generales, suele considerarse la educación sólo por los fines que se pueden alcanzar con ella: laborales, de estatus social, etcétera. Entonces si la
10 educación no produce resultados o un **rendimiento** inmediato, quien tiene esa idea de la educación la abandonará, porque la educación no es vista como un fin en sí mismo sino como una
15 **herramienta**. Eso yo creo que es un error. No se considera la educación por su valor **intrínseco**, que no tiene que ver con su función meramente laboral.

¿Cuál es ese valor intrínseco?

Primero, lo valioso es la educación 20 como transmisora de **humanidad**, lo mismo si se estudia literatura que matemáticas, porque tan humano es lo uno como lo otro. La formación de la humanidad es la transmisión de una 25 **herencia** de pensamiento, de valores, de interpretación del mundo, incluso de sentimientos, que eso es lo que se transmite con la educación y eso es lo que humaniza. El objetivo fundamental 30 de la educación es cultivar la humanidad.

Eso pone casi todo el éxito de la educación en el maestro...

El maestro es la pieza esencial de la educación. En contra de lo que se da a 35

Educación

« El objetivo fundamental de la educación es cultivar la humanidad. »

entender hoy, lo importante no son los instrumentos, que los chicos manejen un ordenador o naveguen en Internet. Lo importante es el maestro. La
40 transmisión de la humanidad sólo se puede hacer desde un ser humano, que **encarne** de alguna manera esa herencia que se quiere transmitir.

¿Usted como maestro siente que los
45 **alumnos llegan cada vez menos preparados?**

No, esas son supersticiones.

Aquí el maestro tiene el problema de que no puede tocar siquiera al alumno,
50 **ni siquiera cuando se trata de disciplinarlo de la manera más justa.**

Eso también es un problema en España y en Europa en general. Sin autoridad no hay enseñanza. La enseñanza se basa
55 en que hay una **jerarquía** dentro del aula. En el aula no todos son iguales, no es un grupo de **animación cultural**. Los demás tienen de alguna manera que **someterse** a esa disciplina. Sin
60 disciplina no puede haber enseñanza.

Pareciera que el alumno cada vez más entiende al maestro como un igual. ¿Qué está pasando en la mentalidad de los adolescentes?

65 Creo que es un problema de la sociedad. Si hace unos años ibas a tu casa y decías que el maestro te había castigado por algo, lo primero que hacía tu padre era darte otro castigo por haber transgredido
70 las normas de la escuela. [Risas] Hoy, en cambio, el padre va a la escuela y le pega al maestro por haber castigado al niño. No es una percepción de los niños sino que realmente el maestro es visto como
75 una figura sin autoridad, que tiene que **ejercer** una especie de arte como de seducción, de hipnosis.

GLOSARIO

encarnar personificar, representar una idea

la jerarquía orden o clasificación según una categoría o rango

la animación cultural entretenimiento o difusión cultural

someterse resignarse; aceptar las órdenes o las indicaciones de los demás

ejercer ejecutar, hacer

DESPUÉS DE LEER

 1

Comprensión Para demostrar tu comprensión de las ideas que presenta Savater, usa tus propias palabras para explicar lo que quiere decir el autor con las ideas que encontrarás a continuación. Luego, comparte tus respuestas con tus compañeros/as.

1. La educación no es vista como un fin en sí mismo sino como una herramienta.
2. Lo valioso es la educación como transmisora de humanidad.
3. El maestro es la pieza esencial de la educación.
4. Sin disciplina no puede haber enseñanza.
5. El maestro es visto como una figura sin autoridad, que tiene que ejercer una especie de arte como de seducción, de hipnosis.

2

¿Están de acuerdo? En parejas, lean las siguientes citas de la entrevista y decidan si están de acuerdo con ellas. Defiendan sus opiniones.

1. «En líneas generales, suele considerarse la educación sólo por los fines que se pueden alcanzar con ella. [...] [L]a educación no es vista como un fin en sí mismo sino como una herramienta».
2. «El objetivo fundamental de la educación es cultivar la humanidad».
3. «La transmisión de la humanidad sólo se puede hacer desde un ser humano».
4. «La enseñanza se basa en que hay una jerarquía dentro del aula».
5. «[E]l maestro es visto como una figura sin autoridad».

3

Un ensayo Tu escuela va a organizar un concurso de ensayos sobre el tema «¿Cómo podemos mejorar nuestro sistema educativo?». Utilizando las ideas que exploraste y discutiste en la Actividad 2, escribe un ensayo en el que expliques cuál es la mejor manera de resolver uno de los desafíos que enfrenta el sistema educativo. Trata de impresionar al jurado con un ensayo claro y convincente. Organiza el ensayo en distintos párrafos bien desarrollados, con una tesis, dos o tres argumentos que sustenten la tesis y una conclusión que resuma tu posición.

4

Un mensaje electrónico En los próximos días vas a entrevistar a Fernando Savater para el periódico de tu escuela. Piensa en las preguntas que quisieras hacerle y escríbele un mensaje electrónico para iniciar la entrevista. En tu mensaje, debes:

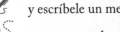

- presentarte formalmente
- elejir una o dos de sus ideas sobre las que quieras hacerle preguntas
- explicar por qué sí o por qué no estás de acuerdo con la idea
- ofrecer un ejemplo específico de tu propia vida o tus propias experiencias educativas para reforzar tu argumento
- preguntarle a Savater por su opinión sobre el sistema educativo en tu país

5 **El valor de la educación** Recibiste una llamada de una compañera de clase que ha decidido abandonar sus estudios para trabajar tiempo completo. Ella explica que su familia necesita dinero y que, aunque no quiere dejar de estudiar, necesita hacerlo para ayudarla.

Escribe un mensaje electrónico para responderle. Debes incluir lo siguiente:

- ◆ Recuérdale a tu amiga las ventajas de continuar sus estudios.
- ◆ Ayúdala a convencer a sus padres de la importancia de la educación.

ESTRATEGIA

Identificar el registro
Es importante considerar a quién vas a escribir para elegir el lenguaje apropiado. Por ejemplo, ¿vas a usar la forma «tú» o la forma «usted» para dirigirte a un(a) amigo/a?

6 **Presentación oral** Observa la siguiente cita de la entrevista a Fernando Savater:

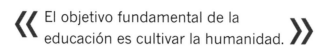

《 El objetivo fundamental de la educación es cultivar la humanidad. 》

¿Estás de acuerdo con esta idea? ¿Cuál crees tú que es el objetivo fundamental de la educación? Basándote en las ideas que has discutido y considerado en las actividades anteriores, prepara una presentación oral en la que expongas tu afirmación. Usa evidencia y ejemplos de tus experiencias para reforzar y apoyar tu argumento.

7 **Educación y cultura** ¿Qué te sugiere este diagrama? Discute las preguntas y el diagrama con toda la clase.

1. Según lo que has estudiado en este contexto, ¿cómo interpretas el diagrama? ¿Qué ideas nuevas te sugiere?
2. ¿De qué manera la educación puede mejorar la vida de un individuo?
3. ¿De qué modo puede mejorar una comunidad y todo un país?

MI VOCABULARIO
Utiliza tu vocabulario individual.

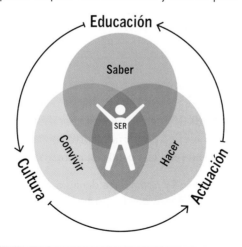

 Basado en un esquema del Dr. Pere Marquès

8 **En conclusión** Basándote en la discusión de la Actividad 7, escribe un párrafo en el que respondas a esta pregunta:

- ◆ ¿En qué sentido el sistema educativo de un país es un reflejo de los valores de la nación?

RECURSOS
Consulta la lista de apéndices en la p. 418.

AUDIO ▸ VALORES DESDE LA FAMILIA

Audio
En fragmentos
My Vocabulary
Record & Submit
Strategy
Write & Submit

INTRODUCCIÓN Este audio viene de *TV Azteca*, un conglomerado mexicano de medios de comunicación que reporta noticias con temas de México, Latinoamérica y el mundo. En esta grabación, la psicoterapeuta Carolina Gómez y la familia García Zúñiga reflexionan sobre los valores que se inculcan desde la familia y la forma en que los padres pueden fomentar valores en los hijos para también beneficiar a la sociedad.

ANTES DE ESCUCHAR

1 **Conceptos** Escribe tu interpretación personal de cada uno de estos valores. Después, en grupos pequeños, compartan sus respuestas. ¿Qué tienen en común sus interpretaciones? Identifiquen algunas ideas clave.

1. el respeto
2. la honestidad
3. la solidaridad
4. la responsabilidad

2 **Tabla de apuntes** Prepárate para completar una tabla de apuntes mientras escuchas. Utiliza la tabla para organizar las ideas más importantes de la grabación.

CONCEPTOS CENTRALES	APUNTES
la convivencia	
el papel de la familia	
educar en valores	
el ejemplo	

3 **Interpretación personal** Lee las siguientes afirmaciones. Escoge dos que te parezcan significativas y escribe un párrafo corto con tu interpretación personal de cada una. Después, en grupos de tres o cuatro, compartan sus interpretaciones e ideas.

◆ Los valores deben fomentarse y aprenderse dentro del hogar.
◆ El ejemplo es la mejor enseñanza que los padres pueden brindar a sus hijos.
◆ Si educamos en valores, tendremos una sociedad más sana.

◀)) MIENTRAS ESCUCHAS

1 **Escucha una vez** Escucha la grabación para captar las ideas generales.

2 **Escucha de nuevo** Ahora, con base en lo que escuchas, anota palabras y frases en la tabla de apuntes para comentar cada una de las ideas centrales.

GLOSARIO

el valor cualidad, virtud o mérito positivo

fomentar promover, provocar, impulsar, inducir

la convivencia coexistencia; acción de vivir en compañía de otras personas

demás otras personas o cosas, los otros integrantes o elementos de un grupo

brindar proveer, dar, ofrecer algo a alguien

sembrar plantar las semillas, cultivar, propagar

repercutir afectar, tener efecto sobre algo o alguien

DESPUÉS DE ESCUCHAR

1

Comprensión En grupos pequeños, contesten las siguientes preguntas según la entrevista y con la ayuda de la tabla de apuntes.

1. ¿Por qué se deben aprender y fomentar los valores dentro del hogar?
2. ¿Cuáles son cuatro valores que se recomienda fomentar en los niños?
3. ¿Cómo nacen y se desarrollan los valores?
4. Según los integrantes de la familia García Zúñiga, ¿por qué son más importantes los hechos que las palabras?
5. Según Jessica Zúñiga, ¿cuál es la mejor enseñanza que los padres pueden dar a sus hijos?
6. ¿A qué se refiere Jessica Zúñiga con «la cosecha»?
7. Según el padre de la familia García Zúñiga, ¿cuál es su prioridad en la vida?
8. Según la reportera, ¿cuál es el valor más importante que los padres pueden brindar a sus hijos?
9. Según el padre de la familia, ¿cuál será el resultado de educar en valores?

2

Analizar y sustentar En parejas, lean la siguiente cita.

> « Es muy fácil que tú les digas, pero si ellos ven cosas extrañas o que no son, pues entonces de nada sirvió [lo que les dijiste a los niños/as]. »

Después, comenten si están de acuerdo o no con ella, dando ejemplos personales como evidencia y explicando sus opiniones.

MI VOCABULARIO
Utiliza tu vocabulario individual.

3

Ensayo de reflexión Con base en lo que has estudiado en este contexto, escribe un ensayo sobre este tema: ¿Cómo contribuyen la familia y una educación en valores al bienestar de la comunidad en general?

El ensayo debe incluir cuatro párrafos:

1. Un párrafo en el que presentes tu tesis, enfocándote en:
   ◆ tu interpretación de la cita, tu opinión y los efectos que tiene en tu vida
   ◆ los valores importantes para una sociedad sana

2. Dos párrafos de explicación. En cada uno debes:
   ◆ analizar y apoyar la tesis mediante argumentos lógicos
   ◆ dar ejemplos y evidencia que sustenten tus argumentos; al citar la fuente auditiva u otra evidencia, debes identificarlas apropiadamente

3. Un párrafo final en el que:
   ◆ concluyas tu análisis
   ◆ resumas los argumentos que sustentan tu tesis

RECURSOS
Consulta la lista de apéndices en la p. 418.

CONEXIONES CULTURALES
Record & Submit
Virtual Chat

Instalación de paneles solares, Chocó, Colombia

Luces para aprender

IMAGINA LO DIFÍCIL QUE TE RESULTARÍA ESTUDIAR SI NO contaras con energía eléctrica: no podrías usar la computadora, leer sin luz natural, ni mirar videos.

En Latinoamérica hay aproximadamente 62.000 escuelas que no tienen este servicio básico. Muchas se encuentran en comunidades indígenas ubicadas en zonas de difícil acceso. Por eso, la Organización de Estados Iberoamericanos puso en marcha el proyecto «Luces para aprender», cuyo objetivo es colocar fuentes de energía renovable, como paneles solares, en todos los centros educativos que se encuentran aislados. Esta iniciativa también contempla la instalación de computadoras con acceso a Internet para reducir la brecha digital que existe entre los habitantes de las zonas rurales y los de las ciudades.

El proyecto, cuyo plan piloto se lanzó en mayo de 2012, ha recibido el respaldo de importantes empresas públicas y privadas, e incluso de varias celebridades españolas, como los cantantes Alejandro Sanz, Ana Torroja o Bebe.

▶▶ Generalmente, cuando pensamos en bibliotecas, imaginamos edificios solemnes. Pero no todas son así. De hecho, hay biblioaviones en México, bibliolanchas en Argentina y Chile, bibliobuses en España, ¡y hasta biblioburros en Colombia!

◢ Muchos niños de Perú abandonaban la escuela porque no lograban relacionar lo aprendido con su realidad. Como solución, la Asociación Pukllasunchis creó programas que integran los contenidos escolares con sus tradiciones indígenas.

◢ *Colombia Aprende* es un portal virtual del Ministerio de Educación Nacional que, desde 2004, desarrolla contenidos para los docentes, recursos para los estudiantes y sugerencias para realizar actividades de aprendizaje en familia. Gracias a la virtualidad, pueden acceder a este programa no solo los habitantes de zonas urbanas, sino también los de zonas rurales.

Presentación oral: comparación cultural

Prepara una presentación oral sobre este tema:

♦ ¿Cuáles son las semejanzas y diferencias de las diversas sociedades en sus intentos por educar a toda su población?

Compara las organizaciones e iniciativas educativas de una región del mundo hispanohablante que te sea familiar con las de tu comunidad.

PUNTOS DE PARTIDA

Internet y las redes sociales han originado un nuevo concepto de comunidad. Con esta tecnología estamos conectados con gente conocida y desconocida de todo el mundo, y la información se puede difundir instantáneamente por todos los rincones del globo.

◢ ¿De qué manera las redes sociales están transformando el mundo?

◢ ¿Qué conexiones existen entre el uso de las redes sociales y el desarrollo económico, social y político de un país?

◢ ¿Qué riesgos para nuestra privacidad y seguridad están asociados con las redes sociales?

DESARROLLO DEL VOCABULARIO My Vocabulary Partner Chat

1 **Cognados** De la siguiente lista, selecciona las palabras que consideras cognados verdaderos. Después, escribe una oración con cada una de las palabras que **no** son cognados verdaderos, para demostrar que conoces su significado.

☐ chisme	☐ escáner	☐ perfil
☐ clave	☐ herramienta	☐ red
☐ comentario	☐ identidad	☐ seguidor
☐ democracia	☐ información	☐ seguridad
☐ dicotomía	☐ línea	☐ vigilancia

MI VOCABULARIO
Anota el vocabulario nuevo a medida que lo aprendes.

2 **¿Qué compartes en línea?** Piensa en la información que compartes a través de Facebook u otra red social, y contesta las preguntas sobre tus hábitos en línea. Si no usas ninguna red social, contesta según tus hábitos de comunicación por algún otro medio o considera las experiencias de tus amigos o familiares.

1. ¿En cuáles redes sociales tienes cuenta?

2. ¿Cuántos contactos tienes en las redes sociales que usas?

3. ¿Mantienes un perfil abierto que todos pueden ver o está restringido a tus amigos?

4. ¿Qué tipo de información sueles compartir en línea? Puedes seleccionar varias opciones de esta lista. Compara y discute tus respuestas con tus compañeros/as.

☐ comentarios sobre eventos escolares o sociales	☐ saludos amables o cumplidos
☐ opiniones acerca de personas famosas	☐ bromas o comentarios cómicos
☐ comentarios sobre personas que conozco	☐ fotos de mis amigos y de mí
☐ mensajes personales para mis amigos	☐ opiniones polémicas
☐ lugares que visito	☐ productos que compro
☐ chismes interesantes	☐ música o videos que me gustan
☐ comentarios sobre artículos o sitios interesantes	☐ no comparto información en línea

3 **Amigos y «amigos»** Con un(a) compañero/a, comenta tus respuestas a estas preguntas.

1. En tu opinión, ¿qué es un(a) *amigo/a*?

2. ¿En qué se diferencian los amigos que ves todos los días de los que encuentras en línea?

3. ¿Hay alguna diferencia en la manera como te comunicas con tus amigos más cercanos, con tus compañeros de clase y con tus familiares? Explica tu respuesta.

LECTURA 2.1 ▸ FACEBOOK, EL MONSTRUO DE LAS DOS CABEZAS

SOBRE LA LECTURA No hay duda de que la tecnología sigue cambiando la manera en que vivimos. Internet nos ofrece la posibilidad de expresarnos libremente en público para compartir tanto nuestras opiniones más profundas como los detalles más insignificantes de la vida diaria.

Este artículo fue publicado en el periódico colombiano *El Tiempo*. La autora, Melba Escobar de Nogales, explora algunas de las ventajas y desventajas que nos presenta Internet en general y las redes sociales como Facebook. En especial, se aborda el problema del equilibrio entre libertad y seguridad.

ANTES DE LEER

MI VOCABULARIO
Anota el vocabulario nuevo a medida que lo aprendes.

1

Ventajas y desventajas del mundo digital Haz una lista de las ventajas y desventajas de comunicarse en línea. Escribe al menos tres oraciones en cada columna. Sigue el modelo.

VENTAJAS	DESVENTAJAS
Puedo compartir mis opiniones con muchas personas.	*A veces recibo comentarios negativos o antipáticos.*

2

Compara y discute Compara tu lista de la Actividad 1 con un(a) compañero/a de clase.

1. Discutan las semejanzas y diferencias que encuentren.
2. Si hay algo que no entiendes en la lista de tu compañero/a, pídele que te lo explique.
3. Utiliza ejemplos personales para explicar tus respuestas.

ESTRATEGIA

Analizar los títulos
El título de un texto condensa gran parte de su contenido. En la siguiente página, lee el título y el subtítulo del artículo para deducir el tema central y el punto de vista de la autora.

▸**3**

¿Qué sugiere el título? Lee el título para encontrar pistas sobre el contenido del artículo. Luego, contesta las preguntas.

1. ¿Qué sugiere el título sobre la perspectiva de la autora?
2. Según el título, deduce qué tipo de información presentará la autora: ¿un análisis objetivo, opiniones personales o un relato de sus propias experiencias?
3. Predice cuál será el mensaje central de la autora y escribe una frase para describirlo.
4. ¿Por qué la autora describe a Facebook como un monstruo de dos cabezas?
5. ¿Estás de acuerdo con el mensaje que sugiere el título? Explica tu respuesta.

4

Libertad en línea Con un(a) compañero/a, discutan esta pregunta: ¿Creen que los gobiernos deben controlar a los ciudadanos en el uso de las redes sociales? Sustenten su respuesta.

FACEBOOK
EL MONSTRUO DE LAS DOS CABEZAS
por **Melba Escobar de Nogales**

»» ——La red social puede ser una herramienta
de la libertad, pero también de represión. ——»»

S I **FACEBOOK** fuese un país, sería el tercero más populoso de la tierra, con 900 millones de habitantes. A pesar de este éxito **avasallador**, el invento de Mark
5 Zuckerberg, su fundador, sigue siendo un gran **interrogante**.

La aparición de un capital social que se construye a través de las redes ha contado con el entusiasmo de los medios de comunicación
10 y ha servido para que muchos se sientan en una nueva era del activismo político.

En Colombia, uno de los países con mayor número de usuarios en Facebook, contamos con una marcha masiva organizada en contra
15 de las FARC[1] a través de la red, la más numerosa de la que haya registro en años recientes.

Los indignados[2] también la han usado para convocar a sus simpatizantes y exponer sus ideas. La primavera árabe, la persecución
20 al sanguinario rebelde africano Kony, el repudio al secuestro, son, entre otras tantas, algunas de las nobles causas que se promocionan en la red.

Estas luchas políticas y sociales, a lo largo
25 y ancho del planeta, son reales, tienen lugar en el día a día y justifican el que Zuckerberg haya querido vendernos Facebook como un instrumento para construir un mundo más democrático y participativo.
30 Sin embargo, a esta tesis no le faltan detractores. Entre ellos se cuenta Evgeny Morozov, quien, procedente de Bielorrusia, publicó en Estados Unidos el libro titulado *Engaño en la red*, donde expuso que, según
35 Al-Jazeera, los gobernantes de Irán encontraron a los disidentes precisamente a

través de Facebook, para luego llevarlos a la cárcel y aislarlos.

Así, como un monstruo de dos cabezas, Facebook se presenta al mismo tiempo como 40 una herramienta para la libertad y la coerción.

Para el sociólogo polaco Zygmunt Bauman, esta tensión está lejos de ser nueva. «La mayor tensión que han vivido las sociedades ha estado siempre entre la libertad 45 y la seguridad», dice.

De igual manera, Facebook nos plantea esa dicotomía: por un lado somos libres de decir lo que queramos, somos visibles y podemos serlo en igualdad de condiciones. 50 Por otro, somos vigilados, comercializados, vendidos como productos.

Según el sociólogo, es el resultado de vivir en una sociedad confesional donde se promueve la autoexposición pública como prueba de 55 existencia social: «**Trino**, luego existo», podría ser el eslogan del hombre moderno, para quien su valor se mide a menudo en el número de amigos virtuales que logra acumular, o en cuántos «Me gusta» obtiene por sus 60 comentarios, imágenes y publicaciones en red.

Así, la lógica de mercados nos ha llevado a ofrecernos para conocer el verdadero valor de nuestra «marca». Para conocerla, es frecuente que los usuarios de Facebook 65 publiquen las fotos de su bebé recién nacido, el viaje de fin de año y también la casa en venta, la canción de Madonna, la cita del Dalai Lama o el video de Shakira en la playa, todo esto con la intención de construir una 70 identidad, casi siempre en una «versión mejorada» de sí mismos.

GLOSARIO
avasallador(a) que domina o se impone
el interrogante duda, pregunta; problema no aclarado
el engaño mentira, falsedad
trinar publicar un comentario en Twitter

1 Fuerzas Armadas Revolucionarias de Colombia. Las FARC se desmovilizaron en 2016-2017 y ahora son un partido político.
2 Movimiento ciudadano que, por medio de manifestaciones pacíficas, busca promover la democracia y protestar por las injusticias sociales. Surgió en Europa hacia el año 2011 y luego se extendió por otras partes del mundo. En Estados Unidos se conoce como el movimiento *Occupy*.

GLOSARIO

el/la aliado/a una entidad (persona o país) que se une con otra para alcanzar objetivos comunes

el perfil rasgos y datos personales que se registran en una cuenta

rastrear seguir el rastro o las huellas; vigilar

el dispositivo aparato o mecanismo que tiene una función específica

el/la ermitaño/a persona que prefiere vivir en soledad, apartada de la sociedad

Protesta contra las FARC. Cali, Colombia, 2011

Por otra parte, el activismo político de Facebook es un activismo sin dientes. Detrás de este apoyo a las nobles causas a menudo está más presente el deseo de construir una identidad basada en la identificación con la solidaridad y la compasión que la compasión misma. Se trata, ante todo, de salir en la foto agitando la bandera más que de luchar por la causa.

Por su parte, el sociólogo inglés David Lyon considera que estamos ante la sociedad de la vigilancia, de la cual Facebook es un fuerte **aliado**.

Ya parece difícil recordar cómo empezó esta escalada de vigilancia. De los escáneres en los aeropuertos a las cámaras de seguridad, pasando por los vigilantes, los chips, las claves, las redes sociales, nuestro **perfil** circulando en el sistema, los teléfonos inteligentes, que a un solo clic nos permiten saber en qué están nuestros «amigos». El

chat, el PIN y los GPS son instrumentos que ya van más allá de la tecnología para adentrarnos en una cultura de la vigilancia de la que inevitablemente hacemos parte.

Podemos no estar de acuerdo, pero nos hemos ido acostumbrando a ser escaneados, a abrir el bolso a la entrada de los centros comerciales, a dar el nombre en la entrada de cualquier edificio, a dejar una documentación para entrar a una oficina, a mandar el número de la placa cuando nos subimos en un taxi, en fin: a vigilar al tiempo que somos vigilados.

Esto, sin mencionar que hoy en día los teléfonos inteligentes cuentan con un localizador capaz de identificar en dónde nos encontramos, mientras **rastrean** nuestros movimientos y nuestras acciones.

Si bien esta nueva forma de tabular la vida humana en algoritmos les permite a estudiosos de distintas disciplinas analizar toda clase de variables sociales, como las tendencias en las migraciones de un país a otro, por ejemplo, o la actividad promedio en las redes sociales a través de **dispositivos** telefónicos, también es cierto que estamos ante un nuevo capítulo en la historia de la vida privada de los individuos.

Y claro, al mismo tiempo es cierto que estamos más conectados que antes, que hay quienes ahora se pueden hacer escuchar gracias a la tecnología, y que una que otra noble causa ha logrado difundirse y conseguir resultados por cuenta de Facebook e incluso de Twitter.

Estamos, como dice Bauman, entre la libertad y la vigilancia. Quizá dependa de nosotros hacia qué lado se inclina la balanza. Lo cierto es que para ser un **ermitaño** en el siglo XXI no hace falta irse a vivir a una cabaña en el bosque. Basta con no tener Internet para estar en otro mundo. ◣

DESPUÉS DE LEER

1 **Completar** Completa las oraciones con palabras del Glosario de las páginas 19-20.

1. No es conveniente incluir mucha información personal en un _____ público.
2. La policía puede _____ actividades fraudulentas en la red.
3. Cada vez más personas usan _____ móviles para revisar su correo electrónico.
4. Luis casi no sale de su casa ni se comunica con nadie. Parece un _____.
5. Las redes sociales han sido buenos _____ de las causas sociales.

2

Comprensión Antes de leer hiciste predicciones acerca del mensaje central y la perspectiva de la autora, según el título. Ahora, elige la mejor respuesta para cada pregunta, según el artículo.

1. ¿Qué tipo de información presenta la autora?
   a. Un argumento a favor de Facebook y su papel en la democratización del mundo
   b. Una condena a Facebook y a la muerte de la privacidad
   c. Un análisis más o menos equilibrado de dos aspectos opuestos de Facebook
   d. Un relato de sus experiencias personales

2. ¿Cuál es el propósito de la autora al escribir este artículo?
   a. Persuadir a los lectores para que compartan su punto de vista.
   b. Comparar y contrastar dos aspectos diferentes del tema.
   c. Presentar información objetiva sobre Facebook y su uso.
   d. Ofrecer soluciones a los problemas que presentan las redes sociales.

3. ¿A qué se refiere la frase «activismo sin dientes»? (línea 74)
   a. Muchos activistas se pueden expresar libremente en Facebook aunque no tengan ideas ni metas claras.
   b. Muchas personas se identifican con causas presentadas en línea solo para aparentar, pero en la vida real no hacen nada.
   c. Algunos gobiernos han usado Facebook para encontrar disidentes y llevarlos a la cárcel.
   d. La gente suele publicar muchas cosas insignificantes en su muro.

4. ¿Cuál es una *ventaja* de la nueva cultura de vigilancia?
   a. Ahora ya nadie tiene que vivir como un ermitaño.
   b. Facebook ayuda a los gobernantes a encontrar disidentes o criminales.
   c. Estamos acostumbrándonos a las cámaras de seguridad, a ser escaneados en los aeropuertos, a mostrar documentación al entrar a un edificio, etc.
   d. Podemos estudiar ciertas tendencias y variables sociales al rastrear las actividades de la gente en las redes sociales.

5. ¿Cuál de las siguientes afirmaciones resume mejor la idea central del artículo?
   a. Deberíamos tener miedo de ser vigilados, tanto por los gobiernos como por las corporaciones.
   b. Todos estamos conectados y podemos hacernos escuchar a través de las redes sociales.
   c. Estamos en una nueva época de la vida privada de los individuos, y esta situación tiene aspectos positivos y negativos.
   d. Es importante que los gobiernos ejerzan mayor vigilancia y coerción sobre la manera como los ciudadanos usan las redes sociales.

3

Evalúa el artículo Contesta las preguntas para expresar tus opiniones sobre el artículo y su autora. Luego comparte tus respuestas con un(a) compañero/a.

1. ¿Estás de acuerdo con lo que plantea el artículo?
2. ¿Te parece que Escobar de Nogales es una autora creíble?
3. ¿Te parecen justos y lógicos los argumentos que ella presenta?
4. ¿Crees que es parcial o imparcial en sus opiniones sobre las redes sociales?
5. En general, ¿te gustó el artículo? Explica por qué.

CONCEPTOS CENTRALES

La idea principal
Para lograr una comprensión global del texto es importante identificar su idea principal. El título y algunas palabras clave a lo largo del escrito te pueden ayudar a deducir cuál es la idea principal. El párrafo introductorio y el párrafo final también te pueden dar buenas pistas.

4 **Explica las citas** Las siguientes citas provienen del artículo. En parejas, expliquen lo que quiere decir la autora en cada una. ¿Están de acuerdo? Discutan sus opiniones.

1. «Somos libres de decir lo que queramos, somos visibles y podemos serlo en igualdad de condiciones». (líneas 48-50)
2. «'Trino, luego existo', podría ser el eslogan del hombre moderno». (líneas 56-57)
3. «Detrás de este apoyo a las nobles causas a menudo está más presente el deseo de construir una identidad basada en la identificación con la solidaridad y la compasión que la compasión misma». (líneas 74-79)
4. «Estamos, como dice Bauman, entre la libertad y la vigilancia». (líneas 127-128)
5. «Quizá dependa de nosotros hacia qué lado se inclina la balanza». (líneas 128-129)
6. «Basta con no tener Internet para estar en otro mundo». (líneas 132-133)

MI VOCABULARIO
Utiliza tu vocabulario individual.

5 **Responde al comentario** Lee el siguiente comentario sobre el artículo. ¿Estás de acuerdo con la opinión expresada? Escribe una respuesta de cien palabras o más.

Comentarios:
Preocuparse por la privacidad es una pérdida de tiempo. Los que no se sienten cómodos con Facebook deberían cancelar su cuenta. ¿Qué tienen para esconder? ¡Mejor deberían actuar de manera que no les dé vergüenza!

Responder:

6 **Exploración de temas** Investiga y reflexiona sobre uno de estos temas. Escribe una lista de cinco preguntas relacionadas con el tema escogido y utilízala para entrevistar a varios de tus compañeros. Anota sus respuestas.

1. las influencias positivas y negativas de las redes sociales sobre el activismo político
2. la capacidad de Facebook para promover un mundo más democrático y participativo
3. la identidad virtual y la identidad verdadera
4. la creación de una identidad mejorada
5. la identidad privada y la identidad pública
6. la tensión entre libertad y represión en línea
7. la participación en grupo para crear una cultura de vigilancia
8. el inicio de un nuevo capítulo de la vida privada de los seres humanos

7 **Presentación oral** De acuerdo con las respuestas que obtuviste en la encuesta de la Actividad 6, prepara una presentación oral para exponer las diferentes opiniones de tus compañeros. ¿En qué coinciden y en qué discrepan? ¿Por qué se presenta esta diversidad de opiniones? Termina tu presentación con una conclusión personal.

RECURSOS
Consulta la lista de apéndices en la p. 418.

8 **¿Ha muerto la privacidad?** Hay mucho debate sobre el tema de la privacidad: existe, no existe, Internet o Facebook nos la robaron, los usuarios renunciaron a ella... ¿Qué piensas tú? Escribe un análisis sobre este tema. Presenta una tesis y defiéndela con argumentación lógica, basada en la información del artículo y en tus experiencias personales.

LECTURA 2.2 ▶ EL USO DE LAS REDES SOCIALES EN LATINOAMÉRICA

Auto-graded
My Vocabulary
Partner Chat
Record & Submit
Strategy
Write & Submit

SOBRE LA LECTURA El artículo que leerás a continuación presenta los resultados de un estudio elaborado por el Instituto para la Integración de América Latina (INTAL), un grupo financiado por el Banco Interamericano de Desarrollo (BID). El BID trabaja con inversionistas y otras entidades con el fin de mejorar la calidad de vida en América Latina y el Caribe. Este artículo fue publicado en la sección *Internacional* del periódico *El País* (España).

ANTES DE LEER

1

Redes sociales Contesta estas preguntas con un(a) compañero/a.

1. ¿Cuáles son los beneficios de usar redes sociales?
2. ¿Pueden las redes sociales mejorar las vidas de sus usuarios? Explica tu respuesta.
3. ¿Cuáles son los beneficios de usar redes sociales? ¿Y cuáles son las desventajas de no usarlas?
4. ¿Cómo pueden las redes sociales promocionar la buena salud?
5. ¿Cuáles son algunos de los problemas que puede causar el uso de las redes sociales?
6. ¿Crees que vale la pena que una persona abra una cuenta en Facebook? ¿Por qué?
7. En algunas regiones donde no hay acceso a bienes esenciales, como el agua o los alimentos, las personas tienen acceso a Internet. ¿Crees que alguien que vive en esas regiones podría interesarse en usar redes sociales? ¿Por qué?

2 **La escasez de agua** Busca información en línea y en la lectura para contestar las siguientes preguntas.

1. ¿Cuál es la diferencia entre la escasez de agua y la sequía?
2. ¿Por qué hay escasez de agua en ciertas regiones de Latinoamérica?
3. ¿Por qué la escasez de agua potable es una paradoja para millones de personas en Latinoamérica?
4. ¿Cómo contribuye el calentamiento global a la escasez de agua?
5. ¿Cuáles son algunas soluciones que podrían mejorar el problema de escasez de agua?

3 **Un vistazo preliminar** Observa los títulos de los gráficos en las páginas 24 y 25 para contestar estas preguntas. Luego, compara y discute tus respuestas con tus compañeros/as.

1. ¿De qué se trata la información en los cuatro gráficos?
2. ¿Cuándo se recopiló la información y quién lo hizo?
3. ¿Cuál es la diferencia principal entre los dos primeros gráficos?
4. ¿Cuál es la diferencia entre los gráficos de la página 24 y los de la página 25?
5. ¿Cuáles son las tres redes sociales más populares en Latinoamérica?
6. ¿Qué país tiene el mayor porcentaje de usuarios? ¿Cuál tiene el menor porcentaje de usuarios?

ESTRATEGIA

Interpretar gráficos, tablas y estadísticas
Esta es una habilidad esencial, dada la abundancia de información disponible hoy en día. Para identificar e interpretar los datos que se presentan, resulta útil leer el título, la leyenda y la fuente de los datos.

LOS PAÍSES DE LATINOAMÉRICA DONDE MÁS SE USAN LAS REDES SOCIALES

La mitad de los latinoamericanos sin agua potable y con dificultades para alimentarse a diario está **enganchada** a la tecnología 2.0

Sin agua potable, con dificultades para alimentarse a diario, pero enganchados a Facebook y Whatsapp. Más de la mitad de los latinoamericanos que apenas tienen acceso a los bienes básicos están sin embargo conectados en las redes sociales. Así se **desprende** de un estudio elaborado para *El País* por el Instituto para la Integración de América Latina (INTAL),
5 dependiente del BID, y la Corporación Latinobarómetro. La penetración de las nuevas tecnologías en la región camina más rápido que la inclusión social y la igualdad.

«Si bien existe una **brecha** de uso significativa —entre 10 y 15 puntos— entre quienes declaran problemas sociales y quienes no, existe un alto porcentaje de personas que, aún en situación de vulnerabilidad, usa redes sociales», apunta el informe. El 57% de los participantes
10 en la encuesta —más de 20.000 ciudadanos de 18 países de la región— que reconoció haber carecido durante el último año de suficiente comida para alimentarse «a veces o **seguido**» dispone de Facebook, Whatsapp o Youtube. El porcentaje de usuarios de redes sociales sin acceso a agua potable alcanza el 51%.

Fuente: Latinobarómetro Total
muestral 2016

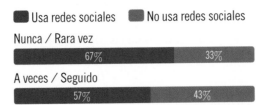

¿Usted o su familia no han tenido suficiente comida para alimentarse?

Usa redes sociales   No usa redes sociales

Nunca / Rara vez
67%   33%

A veces / Seguido
57%   43%

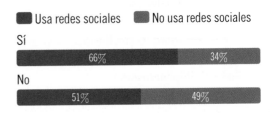

¿Usted o algún miembro de su hogar posee agua potable?

Usa redes sociales   No usa redes sociales

Sí
66%   34%

No
51%   49%

La última década de bonanza económica y precios altos de las materias primas ha **propiciado**
15 una ligera reducción de la pobreza en la región. Aun así, el 28% de los latinoamericanos viven en la exclusión según los últimos datos de CEPAL[1]. En ese mismo periodo, el número de usuarios de Internet se multiplicó por tres de acuerdo al Banco de Desarrollo de América Latina (CAF). Pasó del 17% en 2005 al 53% en 2015. Aún lejos en todo caso de países desarrollados de la OCDE[2], donde se registran tasas de alrededor del 82%.

1 **CEPAL** Comisión Económica
para América Latina y
el Caribe

2 **OCDE** Organización para
la Cooperación y el
Desarrollo Económicos

20 El perfil del usuario latinoamericano coincide con el **internauta** medio. «Se observa en general una mayor utilización a menor edad, mayor nivel educativo y socioeconómico», confirma el informe del BID. Por ejemplo, el 25 81% de los menores de 24 años están conectados a Facebook. Mientras que sólo el 10% de los mayores de 65 es usuario, y aún menos de Twitter (2%) o Instagram (1%).

Las herramientas más utilizadas son 30 Facebook y Whatsapp, con un seguimiento por encima del 50%. Youtube es usada por 3 de cada 10 latinoamericanos. Le sigue Instragram (14%), Twitter (13%) y Snapchat (5%). El 35% de los latinoamericanos no usa ninguna red social.

35 Paraguay lidera sorprendentemente la clasificación como el país latinoamericano donde más se usan las redes sociales. En términos relativos —número de usuarios por población total— el acceso a las nuevas tecnologías alcanza 40 el 83%. Paraguay, pese a ser uno de los países que ha registrado un mayor descenso de la pobreza en los últimos años —del 49% al 40%— sigue colocada como una de las naciones más **atrasadas** de la región. En penetración de redes 45 sociales, los siguientes puestos en la lista son para Costa Rica (78%), Uruguay (74%) y México (73%). Y muy lejos aparecen Chile (69%), Colombia (68%) o Brasil (63%), algunos de los países latinoamericanos más prósperos.

50 Otra de las variables que recoge el estudio es la relación entre el uso de redes sociales y una cierta predisposición liberal. «Quienes utilizan redes sociales presentan posturas más favorables a la integración económica. El 81% 55 contra el 70% de aquellos que no las utilizan», apunta el informe. Integración, detallan desde INTAL, concebida en sentido amplio: «donde a la tradicional cuestión arancelaria se suman otros factores cada vez más presentes en toda 60 negociación comercial, como los estándares laborales y ambientales, la transferencia de tecnología o la cooperación en materia de inversiones y de infraestructura».

¿Y qué esperan los latinoamericanos de las nuevas tecnologías? El primer deseo —un 48% de los encuestados— es que tengan un impacto positivo en la salud. Con un 45% de menciones le siguen cambio climático y la creación de empleo. En una de las regiones más pobres y desiguales del mundo, 65 la utopía digital también consiste en mejorar el nivel de vida y el bienestar de las sociedades.

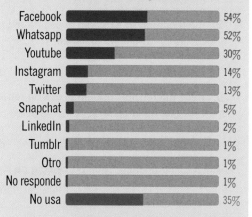

El 65% usa redes sociales

Facebook y Whatsapp son las más populares. La edad y nivel educativo, los determinantes de la brecha digital

Facebook	54%
Whatsapp	52%
Youtube	30%
Instagram	14%
Twitter	13%
Snapchat	5%
LinkedIn	2%
Tumblr	1%
Otro	1%
No responde	1%
No usa	35%

Uso de redes sociales por país

Paraguay registra el mayor nivel de uso, seguido por Costa Rica y Uruguay

Paraguay	83%
Costa Rica	78%
Uruguay	74%
México	73%
Ecuador	72%
Argentina	71%
Panamá	69%
Chile	69%
R. Dominicana	69%
Venezuela	68%
Brasil	63%
El Salvador	55%
Honduras	55%
Perú	54%
Bolivia	54%
Guatemala	44%
Nicaragua	38%

GLOSARIO
el/la internauta usuario/a de Internet
atrasado/a subdesarrollado/a

Fuente: Latinobarómetro Total muestral 2016

DESPUÉS DE LEER

1

Comprensión Según los gráficos, elige la mejor respuesta para cada pregunta.

1. Entre todos los participantes de la encuesta, ¿qué porcentaje no usa redes sociales?
a. 46%   c. 1%
b. 33%   d. 35%

2. ¿Qué diferencia existe en el uso de redes sociales entre los que tienen suficiente comida y los que no la tienen?
a. 2%   c. 10%
b. 15%   d. 33%

3. ¿Qué diferencia existe en el uso de redes sociales entre los que tienen agua potable y los que no la tienen?
a. 2%   c. 10%
b. 15%   d. 33%

4. En Latinoamérica, ¿qué porcentaje de jóvenes menores de 24 años usan Facebook?
a. 81%   c. 65%
b. 51%   d. 10%

5. ¿Qué porcentaje de los encuestados esperan que las nuevas tecnologías tengan un impacto positivo en la salud?
a. 33%   c. 67%
b. 48%   d. 51%

2

Pensar y analizar Observa la siguiente cita:

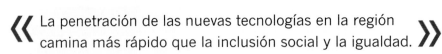

« La penetración de las nuevas tecnologías en la región camina más rápido que la inclusión social y la igualdad. »

Ahora, responde y discute las siguientes preguntas con un(a) compañero/a.

1. ¿Qué quiere decir esta oración? Explícala con tus propias palabras.
2. ¿Por qué crees que la tecnología se difunde más rápidamente que la inclusión social y la igualdad?
3. ¿Qué condiciones contribuyen a la exclusión social y la desigualdad?
4. ¿Cómo podrían las nuevas tecnologías facilitar la igualdad y mejorar la inclusión social?
5. ¿Quiénes son las personas en tu comunidad que sufren de la exclusión social y la desigualdad?
6. ¿La tecnología ayuda a disminuir esos problemas en tu comunidad?

MI VOCABULARIO
Utiliza tu vocabulario individual.

3

Tu opinión Conversa con un(a) compañero/a para contestar estas preguntas.

1. ¿Por qué es significativo que las personas con necesidades básicas insatisfechas, como el agua potable, usen redes sociales?
2. ¿Cómo las redes sociales (la tecnología) podrían permitir que las personas que viven en regiones rurales participen en una comunidad más grande? ¿Por qué sería importante?
3. ¿Cómo podría esa conexión generar beneficios o solucionar los problemas sociales que existen en los lugares más remotos?

4

El poder de la tecnología Hay muchos ejemplos del uso de la tecnología y las redes sociales para mejorar las comunidades y resolver problemas sociales. Investiga un ejemplo real que pueda servir como modelo para las comunidades en las que hay servicio de Internet, pero que tienen necesidades básicas insatisfechas, como la alimentación o el agua. Describe el ejemplo que investigaste en un escrito de dos o tres párrafos.

5

Una causa social Usa la información que encontraste para la Actividad 4 y escribe la propuesta de un plan para mejorar un problema social específico. Por ejemplo:

♦ proveer agua potable a una región que la necesita
♦ mejorar las prácticas agrícolas para aumentar la producción de alimentos

6

Presentación oral Reflexiona sobre los problemas sociales que existen en tu comunidad —por ejemplo, el desempleo o las personas sin hogar— y los recursos que existen para ayudar a resolver estos problemas. Luego, compara los desafíos sociales y económicos en tu comunidad con aquellos presentados en la lectura. Si es posible, muestra gráficos estadísticos como los incluidos en las páginas 24 y 25 para sustentar tu presentación.

7

Un mensaje electrónico Tu clase de español se ha conectado con un grupo de estudiantes de Paraguay para escribirse y practicar el español. Una de tus amigas paraguayas te ha escrito un mensaje electrónico para pedirte consejos sobre el uso de redes sociales para mejorar las condiciones de vida en su comunidad rural. Respóndele con un correo electrónico donde le des los consejos que te solicita.

RECURSOS
Consulta la lista de apéndices en la p. 418.

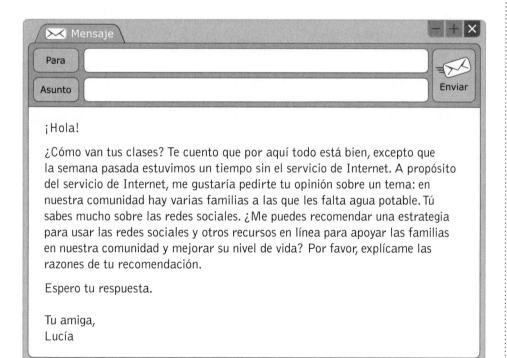

✉ Mensaje — + ✕

Para
Asunto
Enviar

¡Hola!

¿Cómo van tus clases? Te cuento que por aquí todo está bien, excepto que la semana pasada estuvimos un tiempo sin el servicio de Internet. A propósito del servicio de Internet, me gustaría pedirte tu opinión sobre un tema: en nuestra comunidad hay varias familias a las que les falta agua potable. Tú sabes mucho sobre las redes sociales. ¿Me puedes recomendar una estrategia para usar las redes sociales y otros recursos en línea para apoyar las familias en nuestra comunidad y mejorar su nivel de vida? Por favor, explícame las razones de tu recomendación.

Espero tu respuesta.

Tu amiga,
Lucía

Audio
Auto-graded
En fragmentos
My Vocabulary
Record & Submit
Strategy

AUDIO ▸ JÓVENES Y USO DE LAS REDES SOCIALES

GLOSARIO

el/la chaval(a)
niño/a o joven

abrir el terreno
compartir, confiar

penal perteneciente a
las leyes destinadas
a perseguir crímenes
o delitos

el acoso molestia,
persecución y maltrato
hacia una persona

INTRODUCCIÓN Este audio es una entrevista tomada del programa *En días como hoy*, de RNE (Radio Nacional de España), presentado por Carlos Garrido. El presidente de la ONG Protégeles, Guillermo Cánovas, describe el uso de las redes sociales por parte de los jóvenes, y sus consecuencias.

ANTES DE ESCUCHAR

1 Completar Completa las oraciones con alguna de las palabras del Glosario.

1. Su trabajo _____ para el desarrollo de numerosas herramientas educativas.
2. Se ha detectado mucho _____ escolar a través de las redes sociales.
3. Las acciones en Internet también pueden ser castigadas por el código _____.
4. Los _____ de hoy en día tienen conocimientos muy avanzados en tecnología.

2 Encuesta Lee cada enunciado y señala si estás de acuerdo o en desacuerdo.

	De acuerdo	En desacuerdo
1. Internet es una herramienta imprescindible en la vida de los jóvenes de hoy.	☐	☐
2. Las redes sociales son necesarias para el desarrollo de los adolescentes.	☐	☐
3. Los chavales menores de catorce años saben utilizar Internet adecuadamente.	☐	☐
4. Los padres suelen educar a sus hijos sobre el uso de las redes sociales.	☐	☐
5. El acoso ha aumentado debido a las redes sociales.	☐	☐

ESTRATEGIA

Usar lo que sabes
La aplicación de tus conocimientos previos te ayuda a entender mejor el contenido de un mensaje, sea escrito u oral. Usa lo que sabes sobre Internet, las redes sociales y los riesgos que presentan para los menores de edad, con el fin de predecir el contenido de la entrevista.

3 Niños en la red Discute con tus compañeros de clase cuáles son los beneficios y los riesgos de que los niños tengan acceso a las redes sociales. Presenta ejemplos concretos de personas que conozcas (por ejemplo, hermanos o primos menores).

4 Riesgos De acuerdo con tus conocimientos previos y con la discusión de la Actividad 3, elabora una lista de los riesgos que el uso de Internet y las redes sociales puede implicar para los adolescentes.

🔊 MIENTRAS ESCUCHAS

1 Escucha una vez Escucha la grabación para captar las ideas generales. Fíjate si se mencionan algunos de los temas que anotaste en la actividad anterior.

2 Escucha de nuevo Ahora escucha la grabación otra vez y completa tu lista con nuevas ideas sobre el tema.

DESPUÉS DE ESCUCHAR

1 **Comprensión** Elige la mejor respuesta para cada pregunta, según la entrevista.

1. ¿Cuál es el objetivo de la entrevista?
   a. Determinar si las redes sociales son útiles para los menores.
   b. Determinar si los menores están protegidos en Internet.
   c. Determinar cuántos usuarios menores utilizan las redes sociales.
   d. Analizar cuánto saben los padres acerca de Internet.

2. ¿Quién se encarga de que los jóvenes estén protegidos en la red?
   a. Los padres
   b. Los maestros
   c. Ellos mismos
   d. Las redes sociales

3. ¿Qué recomendaciones da Guillermo Cánovas para que los adolescentes utilicen la red adecuadamente?
   a. Que se les enseñe en las escuelas acerca de los peligros de la red.
   b. Que conozcan los valores, los límites y la legislación.
   c. Que los padres tomen clases de informática para poder educar mejor a sus hijos en este campo.
   d. Que solo utilicen la red para asuntos académicos.

4. Según el presentador, ¿qué ha aumentado debido a las redes sociales?
   a. La sociabilidad
   b. Los casos de acoso
   c. La información académica a la que los niños tienen acceso
   d. Los casos de patologías mentales

5. ¿Qué demuestran las operaciones de Policía y de Guardia Civil, según el entrevistado?
   a. Que Internet no es una herramienta anónima.
   b. Que Internet no es una herramienta apropiada para los menores.
   c. Que los menores tienen responsabilidad penal sobre lo que hacen en la red.
   d. Que hay mucho acoso de jóvenes a jóvenes.

2 **Comparaciones** En parejas, comparen las listas de los riesgos de Internet y las redes sociales que prepararon previamente. ¿Qué tienen las listas en común? ¿En qué discrepan? ¿Cambiarían algo de sus listas después de haber escuchado la entrevista?

3 **Presentación oral** En una presentación oral de dos minutos, contesta esta pregunta: ¿Deben los menores de catorce años utilizar las redes sociales?

Incluye los siguientes aspectos en tu presentación:

◆ Expresa tu posición sobre el tema (esta será tu tesis).
◆ Selecciona fragmentos del audio y de las actividades de Antes de escuchar que corroboran tu tesis.
◆ Expresa tus propias razones o ideas (puedes citar experiencias personales o de un amigo, de algo leído o de otras fuentes).
◆ Enuncia una conclusión que resuma tu posición.

CONCEPTOS CENTRALES

El objetivo de una entrevista
Usualmente, antes de iniciar una entrevista el locutor anuncia cuál es el objetivo de la misma. Presta atención a expresiones como «nuestro invitado nos contará sobre...» o «estamos con el señor Martínez para...».

MI VOCABULARIO
Utiliza tu vocabulario individual.

RECURSOS
Consulta la lista de apéndices en la p. 418.

CONEXIONES CULTURALES

Record & Submit
Virtual Chat

El poder de las redes sociales

LAS REDES SOCIALES SON HERRAMIENTAS NOVEDOSAS que permiten a las personas compartir fotos y videos, enterarse de las últimas noticias tanto de sus amigos como de la farándula mundial, y compartir los últimos rumores de sus películas y series de televisión favoritas. Incluso hay quienes se benefician de las redes sociales para buscar y ofrecer trabajo. Pero el poder de las redes sociales puede ir mucho más allá de las noticias y el entretenimiento. Pueden llegar a convertirse en una fuerza política y cultural, mediante la denuncia de hechos irregulares o crímenes, la convocatoria a la acción mediante causas sociales y, lamentablemente, a través de la diseminación de noticias falsas. América Latina no es ajena al impacto de las redes sociales. Su efecto se siente en todos los ámbitos de las relaciones personales, el entretenimiento y la política. Pero también podría convertirse en una poderosa herramienta educativa. Como ejemplo, están la Red ILCE y el portal Aula en Línea.

▲ Red ILCE (Instituto Latinoamericano de la Comunicación Educativa) es un espacio virtual destinado a mejorar el proceso de aprendizaje de los estudiantes mexicanos mediante la comunicación y el uso de las tecnologías de la información. Gracias a la interacción entre alumnos, docentes, directores de centros escolares, padres de familia y especialistas multidisciplinarios de la educación, esta red busca promover el intercambio de propuestas educativas y de recursos didácticos para potenciar la educación en el país.

▲ El portal español Aula en Línea está pensado para que los niños hospitalizados puedan mantenerse en contacto con su familia, sus amigos y sus compañeros de clase, a través de una red social segura, supervisada por la Asociación Protégeles. De esta manera, los menores hospitalizados pueden continuar su proceso formativo y desarrollar sus habilidades y capacidades mientras reciben los cuidados médicos necesarios.

 Presentación oral: comparación cultural

Prepara una presentación oral sobre este tema:

◆ ¿Cuál es la importancia de las redes sociales en el mundo actual y de qué manera lo están transformando?

Compara y contrasta los beneficios que ofrezca una red social del mundo hispanohablante con alguna que tú utilices regularmente.

Una descripción es la explicación ordenada y detallada de cómo son ciertas personas, lugares u objetos. Antes de escribir una descripción, siempre es útil organizar en categorías la información relevante sobre la persona, lugar u objeto que se quiere describir. Las siguientes categorías son solo ejemplos de cómo se puede organizar la información.

Descripción de lugares, paisajes, ambientes

◢ Al describir lugares, paisajes o ambientes resulta útil usar palabras y expresiones que nos ayuden a ubicar el sujeto de la descripción tanto en el tiempo como en el espacio.

UBICACIÓN GEOGRÁFICA	DISTANCIA	UBICACIÓN TEMPORAL
(más) arriba/abajo	a 10 km de	ahora (mismo)
cerca/lejos	a lo lejos	antes/después
delante/detrás	a (más/menos de) 1 hora	cuando, mientras
dentro/fuera	a un día de viaje	de niño/joven/adulto
(a la) derecha/izquierda	cerca/lejos	más tarde
encima/debajo (de)	en las cercanías de	nunca/a veces/siempre
en medio de/en el centro	en los alrededores de	todos los días/años

Cuando era pequeño, me gustaba mirar a mi padre **cuando** pescaba en el arroyo **a unos quince kilómetros** de casa. **Allí cerca** estaba la vieja cabaña de mi abuelo, donde jugaba **siempre** con mis hermanos. **Ahora, de grande**, el arroyo contaminado me da ganas de llorar.

Descripción de un objeto

◢ Al describir objetos, a menudo utilizamos palabras y expresiones que proporcionan información en cuanto a la forma, el tamaño, el material del que están compuestos y su utilidad. En la siguiente tabla puedes ver ejemplos de expresiones organizadas en estas cuatro categorías.

FORMA	TAMAÑO	MATERIAL Y CARACTERÍSTICAS	UTILIDAD
alargado	alto/bajo	áspero/suave	(poco) práctico, (in)útil
cuadrado	enorme, gigante, inmenso	blando/duro	Se recomienda para viajar.
delgado	grande/pequeño	de cartón/papel	Se usa para cortar.
fino/grueso	ínfimo, minúsculo	de colores	Se utiliza para trabajar.
ovalado		de cuadros/rayas	Sirve para comer.
rectangular		de lana/seda	Son para leer.
redondo		de madera/metal	

El almohadón **de plumas** es **fino** y **blando**. Es muy cómodo **para dormir**.

Descripción de una persona

◢ Al describir personas debemos ofrecer información acerca de sus rasgos físicos y de su carácter. Hay ciertos verbos y expresiones que se prestan especialmente para la descripción de personas.

ESTRATEGIA

Usar el diccionario
Un diccionario de sinónimos y antónimos es la herramienta ideal para darle riqueza y variedad a una descripción. Pero no debes suponer que los sinónimos o antónimos que busques tienen exactamente el mismo significado o el opuesto. Usa el diccionario para buscar opciones, pero siempre comprueba el significado de los sinónimos en un diccionario monolingüe o bilingüe.

¡ATENCIÓN!
Cuando utilizamos expresiones sobre el material y las características de un objeto, conviene utilizar la preposición **de**, no la preposición **a**. Por ejemplo:

pantalón **de** rayas, falda **de** cuadros.

¡ATENCIÓN!

Muchos de los adjetivos que indican rasgos del carácter son subjetivos. Por eso, es conveniente incluir información adicional. Por ejemplo, al decir que alguien es perezoso, conviene aclarar las razones por las que pensamos que es perezoso: no trabaja, se levanta tarde, etc.

RASGOS FÍSICOS	RASGOS DE CARÁCTER	VERBOS
alto/bajo	agradable/desagradable	acostumbrar, soler
claro/oscuro	alegre/serio	adornarse, cubrirse
esbelto/corpulento/atlético	antipático/simpático	llevar, tener, usar, vestir
fuerte/débil	hablador/callado	mostrarse
guapo/feo	prudente/confiado	parecer
joven/adulto/viejo, anciano	sincero/mentiroso	permanecer
moreno/pelirrojo/rubio	trabajador/perezoso	sentirse

Juan **es alto** y **moreno. Parece antipático**, pero en realidad, para quienes lo conocen, es muy **alegre, hablador** y **simpático**.

PRÁCTICA

1 Completa el párrafo con las expresiones de la tabla.

a 10 kilómetros	cerca	de piedra	detrás de	inmensa	rojo
agradable	confiados	delante de	enormes	oscuras	sobrecogedor

Nos encontrábamos (1)_____ de la vieja ermita. Hacía una tarde (2)_____ y todos estaban con unas ganas (3)_____ de comenzar la ascensión. (4)_____ nosotros se erigía una montaña (5)_____ con riscos (*crags*) (6)_____ y granito (7)_____ . El sol creaba claros y sombras que hacían de la pared un espectáculo (8)_____ . (9)_____ la montaña podíamos ver nubes (10)_____ que se desplazaban lentamente (11)_____ de la cumbre. Todos los alpinistas del equipo se mostraban (12)_____ y listos para atacar la cumbre por su cara más difícil: la cara norte.

2 Reemplaza las expresiones subrayadas con otras expresiones descriptivas.

<u>Al final de la calle</u> se elevaba el Ayuntamiento, un edificio <u>clásico</u>, con un <u>elegante</u> balcón y ventanales <u>de madera</u> <u>en la planta baja</u>. <u>Junto a la puerta de madera</u>, en letras <u>doradas</u>, se podía leer la inscripción CASA CONSISTORIAL. Cerraban la calle las fachadas <u>pintadas de blanco</u> de siete casas <u>de dos pisos</u>, con sus balcones <u>repletos de geranios</u>. En los balcones <u>iluminados</u>, había gente <u>de todas las edades</u>, con expresión <u>vivaz</u> y <u>animada</u>.

3 En parejas, clasifiquen las expresiones de la siguiente lista en estas categorías: **ubicación geográfica/temporal, distancia, forma o tamaño, material y características,** y **rasgos personales.** Luego, escriban un párrafo usando diez de estas expresiones.

a años luz	corpulento	en el interior	frágil	risueño
a cinco días en barco	de cristal	en las afueras	lejos de	sereno
a varios kilómetros	delicadas	en los alrededores de	minúsculo	simultáneamente
arqueado	descomunal	en medio de	ovalado	sólido

Expresiones de percepción sensorial

 Auto-graded
Write & Submit

Las palabras y expresiones sensoriales nos ayudan a representar lo que percibimos con los cinco sentidos. Utiliza estas expresiones sensoriales, y otras que conozcas, para que tus descripciones sean más precisas.

La vista

SUSTANTIVOS		ADJETIVOS		VERBOS	
aspecto	luminosidad	alargado	inmenso	acechar	examinar
belleza	palidez	arrugado	luminoso	avistar	mirar
brillo	panorama	atractivo	nublado	contemplar	observar
color	perspectiva	brillante	opaco	descubrir	presenciar
horizonte	sombra	deslumbrante	pálido	divisar	ver

El oído

SUSTANTIVOS		ADJETIVOS		VERBOS	
canto	risa	arrullador	ruidoso	aullar	murmurar
carcajada	ronquido	ensordecedor	rumoroso	balbucear	oír
estruendo	ruido	estrepitoso	sibilante	cantar	retumbar
explosión	silbido	estridente	sigiloso	escuchar	sonar
grito	susurro	estruendoso	silencioso	hablar	susurrar
murmullo	voz	resonante	susurrante	ladrar	tartamudear

El tacto

SUSTANTIVOS		ADJETIVOS		VERBOS	
aspereza	porrazo	aceitoso	mojado	acariciar	pulsar
caricia	roce	aterciopelado	pegajoso	golpear	rozar
codazo	rugosidad	esponjoso	peludo	manejar	sentir
fricción	suavidad	frío	seco	manipular	tantear
golpe	textura	húmedo	sedoso	palpar	teclear
masaje	toque	liso	suave	pegar	tocar

El olfato

SUSTANTIVOS		ADJETIVOS		VERBOS	
aroma	hedor	apestoso	oloroso	advertir	oler
colonia	humedad	aromático	penetrante	apestar	olfatear
esencia	incienso	desagradable	perfumado	aromatizar	olisquear
especias	olor	fragante	podrido	despedir	percibir
flores	perfume	fresco	quemado	exudar	perfumar
fragancia	pestilencia	hediondo	rancio	inhalar	sentir

¡ATENCIÓN!
Usa la preposición **a** para indicar olores y sabores.

Huele **a** pintura, **a** pino.

Sabe **a** menta, **a** chocolate.

También puede usarse con adjetivos.

Tiene olor **a** quemado.

Tiene sabor **a** podrido.

El gusto

SUSTANTIVOS	ADJETIVOS		VERBOS	
amargor	ácido	dulce	aderezar	endulzar
degustación	agridulce	insípido	catar	lamer
insipidez	agrio	picante	cenar	probar
paladar	amargo	quemado	condimentar	saber
sabor	avinagrado	salado	consumir	saborear
sensación	azucarado	sazonado	degustar	sazonar

◢ A continuación puedes ver un párrafo repleto de expresiones sensoriales:

En el reino animal, el desarrollo de los <u>sentidos</u> puede llegar a límites inimaginables. Por ejemplo, muchos animales «<u>ven</u>» a través de su <u>olfato</u>. El perro cuenta con doscientos millones de células <u>olfativas</u>. A menudo, no necesita <u>ver</u> algo o a alguien para identificarlo. Cuando <u>huele</u> algo que le llama la atención, retiene el aire momentáneamente, «<u>saborea</u>» lo que le interesa y lo almacena. Al nacer, el perro no puede <u>oír</u> ni <u>ver</u>, pero a través del <u>tacto</u> llega a la leche de su madre y <u>siente</u> el <u>calor</u> que le suministran sus hermanos. Las almohadillas de sus patas son tan <u>sensibles</u> que <u>detectan</u> hasta las más insignificantes <u>vibraciones</u>. En cuanto al <u>gusto</u>, las preferencias del perro por un <u>sabor</u> u otro dependen del <u>olor</u> del alimento u objeto. Si le gusta el <u>olor</u>, lo ingiere; si le desagrada, lo rechaza. La <u>vista</u> no es su <u>sentido</u> más desarrollado, ya que no es muy eficaz de cerca. Sin embargo, su <u>visión</u> a larga distancia es muy buena. El perro puede <u>divisar</u> movimientos a 350 metros.

PRÁCTICA

1 Subraya las expresiones sensoriales e indica a qué sentido pertenecen.

1. Platero es pequeño, peludo, suave; tan blando por fuera, que se diría todo de algodón, que no lleva huesos.
2. El camino sube, lleno de sombras, de perfumadas campanillas, de fragancia de hierba, de canciones, de cansancio y de anhelo.
3. La sobrina del Pájaro Verde, con voz débil, hilo de cristal acuoso en la sombra, canta entonadamente, cual una princesa.
4. La música sonaba al compás de sus voces: aquella música era el rumor distante del trueno que, desvanecida la tempestad, se alejaba murmurando; era el zumbido del aire que gemía en la concavidad del monte.
5. Aspiré con voluptuosidad la fragancia de las madreselvas (*honeysuckle*) que corren por un hilo de balcón a balcón.

2 Escribe un párrafo sobre algún producto. Dale un tono exagerado y promocional, como si fuera a incluirse en un anuncio publicitario. Utiliza expresiones de percepción sensorial.

 MODELO *La esencia del cremoso chocolate suizo se derrite en su paladar, ofreciéndole un sabor apetitoso y penetrante…*

PUNTOS DE PARTIDA

La geografía humana es la disciplina que estudia las sociedades humanas y la manera como estas se relacionan con el medio físico que habitan. Explora los patrones de actividad humana (como la migración o las normas sociales) y su relación con el espacio en el que ocurren. De esta manera, trata de entender cómo influyen los rasgos geográficos en el comportamiento de una sociedad y cómo las poblaciones transforman los territorios donde viven.

▲ ¿Cómo se relacionan las poblaciones humanas con el medioambiente que las rodea?

▲ ¿Cómo se influyen las diferentes culturas unas a otras?

▲ ¿Cuáles son los factores que generan cambios culturales en las sociedades?

DESARROLLO DEL VOCABULARIO  Auto-graded My Vocabulary

1 **Definiciones** ¿Cómo defines estos aspectos de la geografía humana?

1. influencias culturales
2. migración
3. consumismo

MI VOCABULARIO
Anota el vocabulario nuevo a medida que lo aprendes.

2 **Influencias** La columna A presenta algunos ejemplos de las maneras como las sociedades humanas se influyen unas a otras. Relaciona estos ejemplos con sus categorías respectivas en la columna B.

COLUMNA A

1. Debido al conflicto armado, una familia campesina colombiana se va a vivir a una gran ciudad.
2. Debido al desempleo, una pareja ecuatoriana se va a buscar trabajo a España.
3. Una chica venezolana sale los fines de semana a comer *sushi* en un restaurante japonés.
4. Algunas jóvenes peruanas imitan el estilo de Lady Gaga porque ciertas emisoras locales ponen su música.
5. En México, el Día de los Muertos los niños solían dibujar calaveras; ahora dibujan, además, calabazas y fantasmas, típicos de la simbología de *Halloween*.

COLUMNA B

__ cambios en la alimentación por influencias extranjeras

__ influencia de los medios de comunicación

_1_ migración interna

__ cambios en las celebraciones por influencia de otras culturas

__ migración internacional

3 **Tu comunidad** ¿De qué manera ha cambiado la comunidad donde vives por alguno de los motivos de la columna B en el ejercicio anterior? En parejas, analicen si esos fenómenos se han presentado en su comunidad y den algunos ejemplos.

4 **¿Y en tu familia?** Usa estas preguntas para entrevistar a uno de tus parientes mayores con el fin de identificar los cambios que ha experimentado tu familia. Luego comparte el resultado de tu entrevista con un grupo de compañeros/as.

1. ¿Tu familia ha migrado nacional o internacionalmente? ¿De dónde provienen?
2. ¿Qué tradiciones han mantenido y cuáles han perdido?
3. ¿Han cambiado sus tradiciones alimentarias? Por ejemplo, ¿han variado alguna receta tradicional o consumen algún plato extranjero que antes no comían?
4. ¿Han cambiado alguna de sus costumbres, como el tiempo que pasan juntos o algunas celebraciones (como cumpleaños o bodas)?

Auto-graded
My Vocabulary
Partner Chat
Strategy
Write & Submit

LECTURA 3.1 ▶ LA SITUACIÓN DE LOS PUEBLOS DEL LAGO ATITLÁN

SOBRE LA LECTURA Esta lectura es una reflexión personal de la profesora Perla Petrich, etnolingüista e investigadora de la Universidad París 8. Forma parte de un artículo sobre la población maya en una aislada región de Guatemala que transformó su cultura debido a la rápida llegada del turismo. El artículo fue publicado en la revista *Les Cahiers ALHIM* en 2004, como fruto de un estudio llevado a cabo por el grupo de investigación Amérique Latine Histoire et Mémoire (Historia y Memoria de América Latina), dirigido por la profesora Petrich.

ANTES DE LEER

1 **Tu lugar ideal** Para ti, ¿cómo es el lugar ideal para vivir? Con un(a) compañero/a, usa estas preguntas para conversar sobre el lugar ideal para vivir (real o imaginario).

1. El clima: ¿Hay temporadas bien definidas? ¿Hace mucho frío o mucho calor?
2. Rasgos geográficos: ¿Qué tipo de geografía prefieres y por qué?
3. La población: ¿Vivirías en una ciudad grande o en un pueblo? ¿Te gusta la diversidad?
4. Industria/economía: ¿Prefieres vivir en una región agraria o pesquera, en un área metropolitana con muchos negocios y mucha actividad, o en un lugar turístico?
5. Educación y cultura: ¿Te gusta vivir en un lugar donde hay buenas escuelas y universidades y donde hay mucho movimiento cultural, como teatro, conciertos, etc.?

ESTRATEGIA

Describir lugares
Para describir adecuadamente un lugar, recuerda hacer referencia tanto a las características objetivas (colores, tamaños, formas o la disposición de los elementos), como a las impresiones subjetivas, es decir, tus propias opiniones sobre el lugar, con adjetivos como «acogedor», «tranquilo» o «interesante».

2 **Una descripción** Usa la conversación de la Actividad 1 para escribir una breve descripción (de dos o tres párrafos) del lugar ideal de tu compañero/a. Además de mencionar aspectos físicos, como el paisaje o la arquitectura, describe también a las personas que habitan en el lugar y las actividades a las que se dedican.

3 **Predicciones** Observa la foto y el mapa de la región del lago Atitlán, incluidos en la lectura. ¿En qué aspectos crees que la cultura de esa región se parece a la cultura del lugar donde tú vives? ¿En qué aspectos se diferencian?

ASPECTOS	LAGO ATITLÁN	MI REGIÓN
diversidad de la población	*Hay población indígena y llegan muchos turistas.*	*No hay población indígena. Llegan estudiantes extranjeros.*
actividad turística		
influencias externas		
arte y cultura		
valores y costumbres		
relaciones familiares		

LA SITUACIÓN DE LOS PUEBLOS DEL LAGO ATITLÁN

por **Perla Petrich**

CUANDO empecé a trabajar en el lago Atitlán, muchos colegas me preguntaron con **asombro** por qué iba a un lugar en donde la gente ya estaba
5 tan «contaminada por el turismo». Efectivamente, no se trataba de un lugar de difícil acceso, ni estaba obligada a dormir en el suelo o en una hamaca. No había mosquitos y podía comer, sin mayores
10 problemas, otra cosa que frijoles y tortillas. Gran parte de los ritos agrícolas y pesqueros habían desaparecido; las creencias se habían **atomizado** y si bien una parte de la población, sobre todo femenina, todavía usaba el traje
15 típico, muchos ya lo habían abandonado. Otra particularidad: la gente en vez de dar información al antropólogo se la pedía. No les interesaba hablar sobre «sus costumbres» sino enterarse de cómo vivían en «otros
20 lugares», cómo se podía conseguir una beca para estudiar y cuáles eran las posibilidades de exportar sus artesanías.

A primera vista podía concluirse que ese mundo ya no era maya y, sin embargo, al
25 **indagar** a los pobladores ninguno dudaba un solo instante en definirse como tz'utujil pero «tz'utujil sampedrino» o «tz'utujil atiteco». La identidad residencial era la que se proponía como definitoria. Esa identificación con el
30 territorio implica, ante todo, la identificación con una historia común.

La región del lago Atitlán se encontró en el epicentro de un conflicto de extrema violencia entre 1980 y 1992 como consecuencia de los enfrentamientos entre la guerrilla y el
35 ejército. Una vez normalizada la situación, los pueblos se incorporan mal que bien a la corriente de «modernidad» que los sacó con **precipitación** excesiva del inmovilismo en el que los había **sumido** el terror y la falta de
40 comunicación con el exterior.

Los cambios se deben en gran parte a factores introducidos desde el exterior pero algunos tienen su origen en el interior mismo de los pueblos. Resultó significativa la subida
45 del precio del café en el **ámbito** internacional a partir de la última década del siglo xx y la repercusión casi inmediata en pueblos como Santiago Atitlán y San Pedro, los que entonces **consagraron** la mayor parte de las
50 tierras al cultivo intensivo de este grano en detrimento del maíz. Actualmente la baja ha llevado a la ruina a no pocos campesinos que invirtieron todos sus esfuerzos, ahorros y esperanzas en el café.
55

En el ámbito de los transportes observamos también grandes transformaciones: hasta el 2000 ir de Panajachel a San Pedro suponía un viaje de dos horas y media en barco y, si se quería llegar antes, se debía alquilar una
60 **lancha** privada y pagar entre cien y ciento veinte quetzales (20$). Hoy en día, el viaje directo, en grupo, cuesta poco más de un dólar por persona. El trayecto toma sólo veinte minutos. Ese hecho facilita las relaciones con
65 Panajachel y Sololá y conlleva un mayor flujo de visitantes y también de pobladores que se desplazan con sus mercaderías (legumbres o artesanías) sin mayores dificultades. Directamente o indirectamente se han abierto
70 mayores posibilidades económicas.

GLOSARIO

el asombro gran admiración; sorpresa o extrañeza

atomizar desintegrar, dividir en muchas partes pequeñas

indagar preguntar, averiguar

la precipitación rapidez

sumir insertar, hundir

el ámbito área o medio específico

consagrar dedicar la atención a un asunto

la lancha embarcación pequeña, usualmente con motor

GLOSARIO

sacar provecho (de)
beneficiarse (de)

la coyuntura conjunto
de circunstancias u
oportunidades

la parcela porción
pequeña de tierra

lamentarse expresar
pena o tristeza por
alguna cosa

Lago Atitlán. San Pedro
La Laguna, Guatemala

El desarrollo del turismo en los últimos
diez años creó trabajos salariados en la
hotelería y en las casas de fin de semana;
75 facilitó la venta de artesanías, hizo conocer
las drogas e introdujo nuevos hábitos
alimenticios y vestimentarios. Se trata de un
factor importante porque ha modificado en
mayor o menor medida, según los pueblos,
80 la situación económica de los habitantes pero,
sobre todo, porque ha influido en el cambio
de mentalidades y de comportamientos.

Otro factor de gran importancia fue la
llegada de la televisión y, con ella, el acceso
85 a una visión mediatizada del exterior.
Factores o circunstancias que implicaron
una profunda modificación de mentalidades,
sobre todo entre los jóvenes, quienes ahora
tienen una serie de ambiciones y necesidades
90 que no existían hace algunos años, o incluso
meses. En efecto, hace algunos meses había
en San Pedro menos hospedajes, restaurantes
o vehículos, o menos comercios de ropa y
alimentos. En forma proporcional había
95 menos aspiraciones de poseer una moto
propia, ir a un restaurante a comer una pizza
o tomar una gaseosa.

Otro cambio importante se ha dado en
cuanto a la explotación de la tierra. Poseer
100 tierras y cultivar en ellas maíz fue durante
siglos el referente más importante para medir
«la riqueza» o «la pobreza» de una familia.
Eso cambió, como ya hicimos referencia
anteriormente, con la posibilidad del café y sus
105 altos precios. La gente que tenía tierras aptas

para este tipo de nuevo cultivo fue la que más
sacó provecho de la **coyuntura**. Con lo
obtenido algunos se compraron un pick-up o
una lancha y se dedicaron al transporte
público, pasando así rápidamente a otra 110
categoría socioeconómica. Son ellos
actualmente «los ricos», los que se construyeron
una casa de dos pisos y tuvieron posibilidad
de mandar a estudiar a los hijos afuera.

La tierra en el lago Atitlán ofrece otra 115
paradoja: antes los que poseían una **parcela**
frente al lago eran considerados «pobres»
porque esas tierras no eran aptas para el
cultivo del maíz. Hoy, quienes han logrado
superar todas las especulaciones y presiones 120
y conservar aún esas tierras son «ricos»
porque se trata de tierras irrigadas con
plantaciones de cebollas y, además, codiciadas
para la construcción de chalets. El precio
de estas tierras se negocia en dólares. 125

Los mayas de Atitlán, como la mayoría
de las sociedades actuales, viven en una
permanente recomposición social, económica
y cultural, dado que, de su capacidad de
reajuste depende la sobrevivencia en el mundo 130
de globalización en el que se han visto
integrados. Una posibilidad es **lamentarse**
por la pérdida de costumbres ancestrales y
trajes pintorescos. Otra es admitir que las
sociedades mayas están dotadas de potencial 135
de cambio, es decir, que poseen la dinámica
de evolución necesaria para llegar a ser
competitivos y estar presentes, no sólo en la
vida regional, sino también nacional. ◣

DESPUÉS DE LEER

1 **Sinónimos** Encuentra en el Glosario de la lectura un sinónimo para cada uno de estos términos:

1. aprovechar
2. dedicar
3. esfera
4. fragmentar
5. inquirir
6. quejarse
7. terreno
8. velocidad

MI VOCABULARIO
Anota el vocabulario nuevo a medida que lo aprendes.

2 **Comprensión** Según el artículo, elige la mejor respuesta para cada pregunta.

1. ¿Cómo describirías la actitud de los indígenas hacia la autora cuando llegó a su pueblo?
   a. Hostil
   b. Desinteresada
   c. Curiosa
   d. Sorprendida

2. ¿Cuál es el factor que más contribuyó al aislamiento de los pueblos del lago Atitlán?
   a. La contaminación del lago
   b. La violencia y la lucha armada
   c. Los altos costos de la tierra
   d. Los avances en el transporte

3. ¿Por qué fueron significativos los cambios en el ámbito del transporte?
   a. Porque la antropóloga Perla Petrich pudo adelantar su investigación
   b. Porque detuvieron los conflictos en 1992
   c. Porque facilitaron la relación entre las comunidades y permitieron el turismo
   d. Porque los habitantes ahora pueden consumir comidas internacionales

4. ¿Qué sugiere la frase «El precio de estas tierras se negocia en dólares»? (línea 125)
   a. La región del lago Atitlán es ahora un territorio de Estados Unidos.
   b. Solo los más ricos pueden acceder a las tierras.
   c. La moneda oficial de la región es el dólar.
   d. La región está contaminada por el turismo.

5. ¿Cuál es la posición de la autora sobre los cambios en estos pueblos?
   a. Está a favor de los cambios.
   b. Está en contra de los cambios.
   c. Se lamenta por los cambios.
   d. Es neutral.

CONCEPTOS CENTRALES

Deducir el significado
Usa el contexto cultural del artículo y otras palabras cercanas a la frase para deducir su significado y elegir la mejor respuesta.

3 **Los cambios y sus causas** Escribe una o dos frases para describir cómo han cambiado los siguientes aspectos en la región del lago Atitlán.

ASPECTOS	CAMBIOS
los conflictos militares	El periodo 1980-1992 fue de extrema violencia, pero luego la situación se normalizó.
el aislamiento	
el transporte	
el uso y el valor de la tierra	
los hábitos alimenticios y vestimentarios	
la mentalidad de los jóvenes	
las actividades económicas	

ESTRATEGIA

Sintetizar Después de leer y comprender el artículo, resume tus conclusiones. Considera de nuevo las perspectivas culturales y piensa en cómo puedes relacionar lo que aprendiste con tus conocimientos previos.

4 **Conclusiones y conexiones** Conversa con un(a) compañero/a de clase sobre las conclusiones del artículo y las conexiones que encuentran con su propia cultura.

1. ¿Cómo ha cambiado la región del lago Atitlán?
2. ¿Cuáles fueron los aspectos que más influyeron para que se presentaran estos cambios?
3. ¿Cómo transformaron estos cambios la relación entre la gente y su territorio?
4. ¿Conocen ustedes alguna región en su país o su estado que haya cambiado mucho por influencias externas?

5 **En tu opinión** Lee las afirmaciones siguientes y expresa si estás de acuerdo o en desacuerdo con ellas. Con un(a) compañero/a de clase, elijan una para discutir.

◆ Los cambios en la región de Atitlán están relacionados con cambios internacionales que ocurren como consecuencia de la globalización.
◆ Los cambios en la región de Atitlán son resultado de cambios internacionales que ocurren como consecuencia del consumismo.
◆ Es inevitable que las culturas de los diferentes pueblos cambien constantemente.
◆ Los antropólogos no deberían estudiar las culturas antiguas porque así las contaminan.

RECURSOS

Consulta la lista de apéndices en la p. 418.

6 **Intercambio** Roberto, un estudiante de San Pedro (Guatemala), quiere asistir a una escuela en Estados Unidos por un año. Tiene ofertas para vivir en varios lugares y necesita decidir si quiere residir en tu ciudad o en otra parte del país; por eso te escribe para hacerte varias preguntas. Primero lee su mensaje electrónico y luego escribe tu respuesta.

✉ Mensaje — Recibidos

| De | Roberto <roberto@mail.com> |
| Asunto | Un consejo |

Responder   Reenviar

Hola:

Tengo muchos deseos de asistir a una escuela en Estados Unidos para aprender inglés y hacer amigos de otra cultura, pero me da temor porque nunca he salido de mi pueblo pequeño de San Pedro, Guatemala, y no sé cómo pueda ser la experiencia. ¿Puedes decirme cómo es el lugar donde tú vives?

¿Cómo es el clima? ¿Cómo es el ambiente en las escuelas? ¿Qué cursos estudian y en qué horarios? Por favor, cuéntame sobre otras cosas de tu estado, como la alimentación, las celebraciones o las actividades durante el tiempo libre.

En tu opinión, ¿crees que vale la pena que visite tu región? ¿Qué otro lugar de tu país me recomendarías visitar? ¿Por qué?

Por favor, respóndeme con toda honestidad para poder tomar una decisión correcta.

¡Muchas gracias de antemano! Espero tu respuesta.

Atentamente,
Roberto
San Pedro La Laguna

LECTURA 3.2 ▶ COMUNIDAD INDÍGENA ENCUENTRA EN EL TURISMO UNA HERRAMIENTA DE RESISTENCIA

Auto-graded
My Vocabulary
Partner Chat
Record & Submit
Strategy
Write & Submit

SOBRE LA LECTURA El turismo puede traer varios beneficios a una comunidad determinada. Sin embargo, también puede perjudicarla gravemente. La siguiente lectura describe los esfuerzos de una agencia indígena de turismo —la primera agencia en su tipo— para aprovechar los beneficios del turismo de forma que evite el olvido de las tradiciones, y que, en cambio, ayude a fomentarlas.

ANTES DE LEER

1 **El turismo** Haz una investigación en Internet acerca del fenómeno del turismo. Contesta estas preguntas individualmente y después comparte tus respuestas con un(a) compañero/a.

1. ¿Cuáles son los efectos económicos positivos del turismo y cuáles son los negativos?
2. ¿Qué efectos puede tener en el medioambiente?
3. ¿Qué otras consecuencias que no hayas mencionado puede tener el turismo en una comunidad?

2 **¿Bueno o malo?** Trabaja con un(a) compañero/a. Con base en sus respuestas a las preguntas de la Actividad 1, digan si están o no de acuerdo con las siguientes afirmaciones. No es necesario que lleguen a un consenso, pero justifiquen sus respuestas.

1. El turismo genera empleos.
2. El turismo beneficia a todos los habitantes de la región visitada.
3. El gobierno se beneficia del turismo mediante los impuestos a los turistas.
4. Los turistas traen a la región visitada problemas que antes no existían.
5. Por causa del turismo, muchos habitantes nativos suelen ser desplazados de sus tierras.
6. El turismo perjudica al medioambiente.
7. El ecoturismo ayuda a conservar las selvas y las especies animales.
8. Los turistas agotan los recursos naturales de la región visitada.

3 **Investigación** Haz una investigación en Internet para responder a las siguientes preguntas acerca del pueblo bribri. Luego, compara tus respuestas con el resto de la clase.

1. ¿Quiénes son los bribris? ¿En qué país(es) viven? ¿Qué lenguas hablan?
2. ¿Cuál es su actividad económica más importante?
3. ¿Cuáles son sus principales productos artesanales?
4. ¿Dónde está la cordillera de Talamanca? ¿Dónde empieza y dónde termina?
5. ¿Dónde están las comunidades bribris con respecto a la cordillera de Talamanca? Localiza las comunidades bribris en un mapa.

ESTRATEGIA

Hacer una investigación preparatoria te ayuda a comprender una lectura dentro de un contexto cultural más amplio.

Mujer indígena de la comunidad Bribri

Inicio | Noticias | Comunidad | Multimedia

» Comunidad indígena de Costa Rica encuentra en el turismo una herramienta de resistencia

La Asociación de Guías Indígenas Turísticos Bribris de Talamanca (AGITUBRIT), compuesta por 12 profesionales de las comunidades de Yorkin, Shuab, Suretka, Meleruk, Suiri, Amubri, Tsoki y Namu Wokir, impulsa un proyecto comunitario de turismo que pretende ser una alternativa sostenible para fortalecer su cultura **milenaria** bajo el principio del buen vivir.

5

10 Las Comunidades Bribris se ubican al pie del lado Caribeño de la Cordillera de Talamanca, zona Sur-este de Costa Rica. En el año 2004 un grupo de jóvenes indígenas, motivados por el Plan Guía Turístico Indígena que impartió el Tecnológico de Costa Rica (TEC), comenzó a organizarse para formar la primera agencia indígena de turismo. Si bien algunos de ellos ya tenían sus

15 propios pequeños **emprendimientos** turísticos, entendieron que debían unirse para darle fuerza a su propuesta.

Uno de los primeros pasos fue la creación del Código Ético de Turismo de Talamanca. Algo muy lógico y fundamental pero que en nuestras culturas cuesta mucho que se entienda. Sobran los ejemplos de destinos turísticos mundialmente

20 reconocidos que no tienen un Código Ético. Para esto AGITUBRIT coordinó asambleas populares con la Asociación de Desarrollo del Territorio Indígena Bribri (ADITIBRI) y Kekepas (ancianos sabios) y consultó a toda la comunidad sobre la forma en que ellos y ellas debían desarrollar la actividad turística. Admirable.

Su visión del turismo no es convencional, porque su cosmovisión tampoco

25 lo es. El valor que la comunidad Bribri le da a la naturaleza y a la espiritualidad está muy por encima de intereses económicos. Lo **sagrado** no se vende ni se compra. Las montañas, los bosques, las tierras y los ríos no se usan de cualquier manera, sino con mucho respeto. Y obviamente, la actividad turística es tratada bajo el mismo concepto.

30 AGITUBRIT se conforma por 12 socios/as y cada uno/a tiene su proyecto o actividad turística. Entonces lo que la agencia ofrece son productos de uno o dos días donde el visitante pueda conocer todos o varios de esos proyectos. Caminatas

por bosques sagrados, paseos por ríos venerados, visitas a templos espirituales, **pernoctación** y comidas tradicionales, visitas a fincas orgánicas y artesanías
35 milenarias son algunos ejemplos. Siempre con la idea de que el turista conozca y aprenda de una cultura que ha logrado sobrevivir por más de 5000 años.

De esta forma, la agencia desea fomentar en el resto de la comunidad aspectos culturales (como el idioma Bribri, molienda de maíz, **tejido** de hojas de suita, casas tradicionales, comidas típicas) que están en riesgo de perderse debido a
40 intereses capitalistas. Entienden que el Turismo puede colaborar para que la propia comunidad valore su cultura y no la pierda ni la olvide, sino que la siga reproduciendo. Y no como un show para los blancos, sino también (y fundamentalmente) que se convierta en el día a día de cada familia.

En este momento AGITUBRIT se encuentra en la construcción de su oficina
45 en Suretka y terminando algunos trámites legales que el Gobierno de Costa Rica les exige. Pero esta organización indígena ya está lista para mostrar a quienes los visiten, con ganas de aprender y respeto, una forma de vida que dignamente resiste ante el **asedio** constante de un sistema internacional que solo **venera** el consumo y el poder económico.

DESPUÉS DE LEER

1

Relación de significados Relaciona cada uno de los siguientes elementos con un término del Glosario de la lectura. Si es necesario, usa un diccionario.

1. hospedaje
2. causar estrés
3. mucho tiempo
4. artesanía
5. reverencia

6. empresa
7. antiguo
8. dar albergue
9. divino
10. hostigamiento

2

Análisis Trabaja con un(a) compañero/a. Respondan a las siguientes preguntas con información de la lectura.

1. ¿Cuál es el objetivo de la agencia y en qué se diferencia de otras agencias turísticas?
2. ¿Por qué decidieron unirse las distintas comunidades para crear una sola agencia?
3. ¿Cuáles son algunos de los proyectos que puede conocer un turista?
4. ¿Cómo puede el turismo fomentar que la comunidad valore su cultura?
5. ¿Qué quiere decir el autor de la lectura con «show de blancos»?
6. ¿Qué espera la agencia para terminar de construir la oficina en Suretka?
7. ¿Por qué las comunidades bribris se resisten al sistema internacional?

MI VOCABULARIO
Anota el vocabulario nuevo a medida que lo aprendes.

3 **Turismo responsable** La lectura está tomada de una publicación en Internet que se llama Travindy. Visita el sitio de Travindy (en español) y responde a las siguientes preguntas. Luego, forma un grupo de tres o cuatro estudiantes y comparen sus respuestas.

1. ¿Cuál es el nombre completo de Travindy?
2. ¿Qué tipo de noticias publican?
3. De acuerdo con el sitio, ¿cuáles son los valores de Travindy?
4. ¿Quiénes son algunas de las personas entrevistadas y a qué se dedican? Menciona como mínimo a dos personas.
5. ¿Qué tipo de eventos promocionan? Menciona dos eventos.

RECURSOS
Consulta la lista de apéndices en la p. 418.

4 **Una noticia importante** Busca en el archivo de noticias de Travindy una noticia que te parezca interesante. Escribe las ideas más importantes de la noticia y preséntalas ante la clase. Cuando hagas tu presentación, incluye un mapa del país en el que ocurre la noticia, para que tus compañeros/as puedan ver en qué parte del mundo está el país.

5 **Consumismo y poder económico** Imagínate que una cadena de hoteles con mucho poder económico quiere abrir un hotel muy grande donde viven las comunidades bribris. Escríbeles un mensaje electrónico a los dueños de la cadena de hoteles para explicarles por qué deben o no deben hacer eso. Puedes seguir la siguiente guía para ayudarte a escribir el mensaje.

◆ Preséntate formalmente.
◆ Diles quiénes son los bribris. Habla un poco sobre su historia y tradiciones.
◆ Explícales cuál es el riesgo o las ventajas de llevar turismo tradicional a las comunidades bribris.
◆ Menciona por qué es o no importante ayudar a los bribris a conservar sus tradiciones.

ESTRUCTURAS

 Preposiciones Rellena los espacios con la frase preposicional apropiada.

a pesar de que	antes de que	debido a	después de que	sin embargo

1. Los bribris quieren conservar sus tradiciones. _____, el asedio del sistema internacional es constante.
2. _____ algunos jóvenes indígenas ya tenían experiencia en el área del turismo, no todos los socios habían trabajado con turistas.
3. La agencia va a poder ayudar a más turistas _____ terminen de construir la oficina en Suretka.
4. La agencia se pudo formar _____ la unión de doce socios y socias.
5. _____ los bribris pierdan sus tradiciones, la agencia va a fomentar un turismo que los ayude a conservarlas.

RECURSOS
Consulta las explicaciones gramaticales del **Apéndice A,** pp. 422-423.

AUDIO ▸ BASURA: UN PROBLEMA EN AUMENTO

Audio
Auto-graded
En fragmentos
Partner Chat
Strategy
Write & Submit

INTRODUCCIÓN Esta grabación viene de *Puntos Cardinales*, un programa de noticias de Radio de las Naciones Unidas, emitido desde Nueva York. Se basa en una entrevista con Sintana Vergara, ingeniera ambiental del Banco Mundial, en la que informa sobre el estado de la gestión de residuos en América Latina y el Caribe. La ingeniera ofrece información acerca de las medidas que pueden implementar los municipios y los ciudadanos para evitar esta problemática.

GLOSARIO

el residuo resto, basura, remanente

gestionar manejar, dirigir, organizar

la tasa valoración, medida, relación entre dos magnitudes

la generación producción, creación

la medida acción preventiva; plan o decisión para mejorar o evitar algo

el sector informal negocios a escala pequeña, individual o privada

ANTES DE ESCUCHAR

1 **Nosotros y las basuras** Primero contesta estas preguntas individualmente y luego coméntalas con un grupo de compañeros/as.

1. ¿Cuánta basura sólida produce tu familia por semana?
2. ¿Adónde se lleva la basura recolectada en tu casa y en tu barrio?
3. ¿Cómo podemos controlar la generación de tantos residuos?
4. ¿Hay en tu comunidad muchos problemas en el control de las basuras?
5. ¿Qué es un país *en vías de desarrollo*? ¿Crees que estos países tienen más dificultades para controlar las basuras?

2 **Discusión** En parejas, conversen sobre los esfuerzos comunitarios locales que se han implementado en su comunidad para controlar los residuos.

> MODELO ▸ Se ha implementado un programa de reciclaje.

3 **Completar** Completa las oraciones con palabras del Glosario. Presta atención a las concordancias de número.

1. El gobierno ha tomado varias _____ para mejorar el medioambiente.
2. Las _____ de contaminación han crecido considerablemente en los últimos años.
3. Es necesario tener un plan para el manejo de los _____.
4. Es indispensable _____ las basuras de manera adecuada.
5. La _____ de basuras es un problema en aumento.

◀)) MIENTRAS ESCUCHAS

1 **Lo que escuchas** Selecciona las palabras o expresiones cuando las escuches:

- ☐ países en vías de desarrollo
- ☐ la gestión de residuos
- ☐ los municipios
- ☐ ingeniera ambiental
- ☐ el manejo de residuos
- ☐ una tasa de recolección
- ☐ residuos sólidos
- ☐ medidas
- ☐ gestionar la situación
- ☐ el reciclaje y la reutilización
- ☐ incentivos
- ☐ la tasa de generación

DESPUÉS DE ESCUCHAR

1

Cierta o falsa Según el audio, indica si cada oración es **cierta** o **falsa**. Corrige las oraciones falsas.

1. La gestión de residuos es el servicio menos importante para los gobiernos municipales.
2. América Latina tiene una tasa de recolección muy baja, con un promedio del 60% de los residuos recolectado adecuadamente.
3. La tasa de residuos sólidos de la región latinoamericana es 1.1 kilos por familia al día.
4. Una posible solución es incluir más a los municipios en los esfuerzos por reciclar.
5. Los ciudadanos no pueden hacer nada para contribuir a la gestión de residuos.

2 **Pensar y evaluar** En grupos de tres, contesten estas preguntas.

1. ¿Qué evidencia provee Vergara al comentar que la situación de la basura en América Latina es mucho mejor que la situación en otras regiones?
2. Según la ingeniera, ¿qué pasará en quince años más o menos? ¿Cómo pueden los gobiernos municipales evitar problemas futuros?
3. ¿Por qué cree la ingeniera que la problemática de la basura será peor en el futuro?
4. ¿Qué consejos les ofrece a los ciudadanos latinoamericanos?

3 **Un ensayo persuasivo** Estudia el mapa de basura que contiene las cifras de producción de residuos sólidos por país. Usa Internet para investigar sobre la producción y el manejo de las basuras en Estados Unidos.

Según las tres fuentes: el audio, el mapa y la información obtenida en Internet, escribe una carta persuasiva dirigida a una agencia estadounidense, en la que presentes las maneras más efectivas de mejorar la gestión de las basuras en Estados Unidos y el mundo en general.

ESTRATEGIA

Reciclar vocabulario
Integra a tu vocabulario las palabras que has escuchado:

desarrollados
gestionar
incentivos
medidas
promedio
recolección
residuos sólidos
tasa

RECURSOS
Consulta la lista de apéndices en la p. 418.

Desechos sólidos municipales

Kilogramos por persona y por día

- >2.50
- 2.0-2.49
- 1.5-1.99
- 1.0-1.49
- 0.5-0.99
- 0.0-0.49
- Sin datos

Fuente: Banco Mundial

CONEXIONES CULTURALES

Record & Submit
Virtual Chat

Volcán Misti (5822 m). Arequipa, Perú

Arequipa: la ciudad blanca

AREQUIPA ES UNA PRECIOSA LOCALIDAD ANTIGUA UBICADA en la región andina de Perú. También se la conoce como «la ciudad blanca», porque está repleta de iglesias, museos y otras construcciones coloniales de ese color. Esto se debe a que gran parte de los muros de la ciudad están hechos de sillar, una roca blanca extraída de dos volcanes cercanos, el Misti y el Chachani.

Sin embargo, el color de sus edificios no es lo único que caracteriza a esta ciudad. Arequipa se encuentra a 2325 m por sobre el nivel del mar. La vida a esa altura es algo diferente. Debido a la falta de oxígeno, quienes visitan la ciudad a veces sufren de «soroche», o mal de las alturas. Pero los arequipeños han logrado adaptarse y casi no lo padecen.

Sus habitantes han aprovechado las bellezas naturales y arquitectónicas de la ciudad para atraer turistas nacionales y extranjeros. Es la tercera ciudad más visitada de Perú, después de Cusco y Lima.

◤ Caleta Tortel es un atractivo pueblo chileno ubicado en una región con abundantes lluvias y junto al río más caudaloso del país. Para protegerse de la acción del agua, sus habitantes lo construyeron sobre pasarelas de madera. Los habitantes de Tortel utilizan el ciprés para las edificaciones, los postes y su leña. No lo talan, sino que extraen la madera de bosques quemados para no afectar los ecosistemas.

▶▶ ¿Quieres practicar surf pero el mar está lejos? ¡No importa! En las laderas del Cerro Negro, en Nicaragua, se practica un singular deporte extremo: el «surf volcánico». A pesar de ser un volcán activo, muchos turistas llegan anualmente para practicar este curioso deporte.

Presentación oral: comparación cultural

Prepara una presentación oral sobre este tema:

◆ ¿Cómo se relacionan las poblaciones humanas con el medioambiente que las rodea?

Busca ejemplos de comunidades del mundo hispanohablante y de tu propia comunidad sobre la adaptación a condiciones geográficas o climáticas adversas. Organiza tu presentación mediante la ayuda de un cuadro comparativo.

PUNTOS DE PARTIDA

Las tradiciones y los valores son elementos básicos de una cultura y se encuentran estrechamente relacionados. Usualmente, ambos se transmiten de generación en generación, y las tradiciones que uno elige preservar reflejan un sistema de creencias o valores.

◢ ¿Cuáles son los principales factores que influyen en la formación de los valores de una persona?

◢ ¿Cómo pueden las reglas y costumbres de una familia reflejar sus valores?

◢ ¿Cuál es el papel de la familia en la formación de los valores de los jóvenes?

DESARROLLO DEL VOCABULARIO  Auto-graded My Vocabulary Write & Submit

MI VOCABULARIO

Anota el vocabulario nuevo a medida que lo aprendes.

1 **Antónimos** Escribe antónimos de las siguientes palabras, utilizando los prefijos **in-** o **des-**. Luego elige cinco palabras y escribe una oración con cada una.

MODELO Obedecer: ___desobedecer___

1. aceptable
2. acuerdo
3. coherente
4. concertar
5. confiar
6. congruente
7. consistente
8. disciplina
9. justo
10. orientar
11. seguridad
12. unir

2 **Las reglas de casa** Piensa en las reglas de tu casa. ¿Tus padres son estrictos o permisivos? Marca todas las opciones que correspondan a tu familia.

Mis padres intentan influir (o controlar)...

☐ a quiénes elijo como amigos
☐ adónde voy
☐ cómo me comporto en público
☐ cómo paso mi tiempo libre

☐ con quién me relaciono
☐ con quién salgo en coche
☐ la ropa que llevo
☐ mis horarios

3 **Las relaciones con mis padres** Al frente de cada oración escribe **casi siempre, muchas veces, raras veces** o **nunca**, según tus experiencias. Luego comparte tus respuestas con un(a) compañero/a.

1. Hablo con mis padres sobre sus reglas y lo que esperan de mí. _____
2. Mis padres me permiten salir por la noche durante los fines de semana. _____
3. Debo volver a casa más temprano que mis amigos. _____
4. Cuando salgo, mis padres me preguntan adónde voy y con quién. _____
5. Mis padres tienen buena opinión de mis amigos. _____
6. Mis padres me explican las razones de sus reglas. _____
7. Desobedezco las reglas de mis padres. _____
8. Mis padres confían en mí. _____

4 **¿Qué tipo de padre o madre serías?** Escribe una lista de las cinco reglas más importantes que tú impondrías como padre o madre. Luego, escribe un párrafo para explicar por qué elegiste estas reglas y cuál sería tu filosofía para regular el comportamiento de tus hijos.

LECTURA 4.1 ▸ LOS VALORES LOS INCULCAN LOS PADRES, NO LA ESCUELA

Auto-graded
My Vocabulary
Partner Chat
Strategy
Write & Submit

SOBRE LA LECTURA El siguiente artículo, publicado originalmente en el diario *ABC* de España, reúne las opiniones de varios expertos en campos relacionados con la educación, con respecto a la enseñanza y el aprendizaje de valores. Aunque no todos los expertos coinciden en cuáles son los valores más importantes o cómo deben ser enseñados, la opinión sobre el sitio en donde deben enseñarse es constante: en casa; en la familia.

ANTES DE LEER

1 **¿Qué son los valores?** Respondan a las siguientes preguntas en grupos pequeños. No es necesario que lleguen a un consenso, pero expliquen sus respuestas. Luego, compártanlas con el resto de la clase.

1. ¿Qué papel cumplen los valores en la sociedad?
2. ¿Qué relación tienen los valores con la vida familiar? ¿Y con la escuela? ¿Y con el trabajo? Expliquen sus respuestas con ejemplos.
3. En su opinión, ¿dónde se aprenden los valores? ¿Por qué se aprenden ahí?
4. ¿Creen que hay valores más importantes que otros o todos los valores tienen la misma importancia? Expliquen sus respuestas con ejemplos.
5. ¿Cuáles son los valores más importantes? Hagan una lista de diez valores y organícenlos jerárquicamente.

2 **Experiencia personal** La tabla de abajo contiene una lista con algunos valores. Lee la lista y menciona dónde aprendiste cada uno de los valores mencionados: en casa o en la escuela. Pueden ser ambos lugares (o ninguno, si es el caso). Al final, incluye otros dos valores no mencionados en la lista y di también dónde los aprendiste. Comparte y discute los resultados con otros/as compañeros/as.

1. la honestidad
2. la cortesía y el respeto
3. la gratitud
4. la generosidad
5. el perdón y la compasión
6. la perseverancia
7. la humildad
8. la responsabilidad
9. la justicia
10. la tolerancia
11.
12.

3 **Reglas y valores** Discute estas preguntas con un(a) compañero/a de clase.

1. ¿Crees que las reglas de tu familia son consistentes y coherentes? Explica.
2. ¿Hay reglas familiares con las cuales no estás de acuerdo?
3. Si tienes algún problema, ¿prefieres hablar con alguno de tus padres o con otro adulto?
4. ¿Crees que las reglas reflejan los valores de tu familia? ¿En qué sentido?
5. ¿Cuáles son los valores más importantes de tu familia?

ESTRATEGIA

Utilizar tu experiencia personal te ayuda a considerar las opiniones expresadas en una lectura. Al leer este artículo, relaciona las opiniones de los profesionales del tema con tu propia experiencia para ver si hay una correspondencia.

GLOSARIO

calar penetrar o infiltrar; dejar una impresión duradera

la bondad calidad de bueno/a

realizarse formarse, desarrollarse

el reto objetivo o meta difícil de alcanzar; desafío

LOS VALORES LOS INCULCAN **LOS PADRES,** NO LA ESCUELA

Los profesores tienen una función importantísima en este aspecto, pero es el ejemplo de la familia el que cala de verdad en los hijos.

El amor incondicional, la **bondad**, el afecto, la honestidad, la justicia, la solidaridad, el respeto, la tolerancia... son valores necesarios para
5 **realizarnos** correctamente, para crecer y ser felices. Las personas adultas deberíamos saber transmitirlos a las generaciones que nos siguen. Pero ¿por dónde empezar su enseñanza
10 y aprendizaje? Lo principal es que todos los expertos consultados señalan a **la familia como el lugar principal donde se descubren los valores.** Pero ¿están las familias preparadas
15 para este **reto**?

Coherencia en el testimonio
En este aspecto de la educación, los padres han de ser conscientes de que su manera de ser y de hacer familia será crítica. Para la escritora Victoria 20 Cardona, «los padres deben saber que en la primera infancia los niños imitan todo, por lo que es muy importante ser coherentes a la hora de dar testimonio. Los valores no se enseñan. Los valores 25 los descubren los hijos a través del ejemplo de los padres». Coincide con ella Ramón Olegario, profesor de pedagogía terapéutica del IES nº 1 de Ribeira (La Coruña), para quien la 30 educación en valores debe empezar en casa, y cuanto antes. «Si un niño ha tenido una buena base afectiva, una base armónica, ese niño tiene mucho ganado. De hecho, la escuela 35 tiene una función importantísima en este aspecto, pero los profesores

········· (FAMILIA)

> « Los valores no se enseñan. Los valores los descubren los hijos a través del ejemplo de los padres ».

somos sólo los **subsidiarios** de dicha educación en valores».

40 La familia, prosigue Cardona, «es núcleo de la sociedad donde se educan **por contagio** a todos los que la integran. Pero cada familia tiene su estilo y debe estudiar qué valores
45 quiere transmitir». Ahí es donde Javier Borrego, profesor de Ética y Antropología de la Universidad CEU San Pablo hace **hincapié** en lo siguiente: «Los valores por sí solos
50 no son nada. Sólo tienen su sentido cuando están ordenados y podemos señalar un valor central».

Distintas jerarquías
De ahí que Borrego proponga que
55 cada familia se plantee qué ideal es

el que le mueve. Porque, prosigue este docente, no todas las jerarquías de valores son iguales. «Puede haber familias que entiendan que lo mejor es **colmar** todos los deseos de los 60 niños, y entonces los niños crecen sin enfrentarse a los problemas y disfrutando de la vida... pero **a la larga** será **perjudicial**. Pero puede haber otras familias que su ideal sea la 65 unidad y la comunicación. Entonces se acostumbrarán a no tenerlo todo inmediatamente, a compartir. Los niños de estas familias crecerán más felices. Es así de sencillo». 70

De esta forma, mientras que para este profesor la educación en valores debe empezar por la enseñanza de ciertos criterios éticos y estéticos, para el profesor de pedagogía 75 terapéutica del IES Nº 1 de Ribeira (La Coruña), hoy por hoy lo principal sería «educar en el respeto al **prójimo**, llevado a todos los niveles». «Yo diría que todos son importantes», 80 apunta por su parte Victoria Camps, catedrática de Filosofía Moral y Política de la Universidad Autónoma de Bellaterra. Autora del libro «Qué hay que enseñar a nuestros hijos», 85 Camps concluye que «el buen humor, la generosidad, la autoestima... son conceptos **encadenados** que se van complementado, y cuyo conjunto explica qué es eso de 90 la felicidad». ()

DESPUÉS DE LEER

1 **Vocabulario en contexto** Completa las oraciones con términos tomados del Glosario, para explicar algunas ideas centrales de la lectura. Cuando uses un verbo, conjúgalo en su forma adecuada.

1. Quiero hacer _____ en algo muy importante: los valores se aprenden en casa.
2. La educación de los niños no es fácil; es un verdadero _____.
3. Darles todo a los niños no es un beneficio para ellos. De hecho, es muy _____.
4. Si les das a los niños todo lo que te piden, es posible que, en ese momento, sean más felices. Sin embargo, esa actitud será, _____, un verdadero problema para ellos.
5. Es importante enseñarles a los niños el respeto y la tolerancia hacia el _____, para que toda la sociedad se beneficie.
6. Los valores están todos _____: un valor complementa a otro valor.
7. Uno de los valores más elementales es la _____: todos los niños deben ser buenos con otras personas.
8. Si aprendemos ciertos valores desde pequeños, podemos _____ como personas morales.
9. Los niños tienen muchas necesidades, pero _____ todas estas necesidades es un error.
10. Los profesores no son los primeros que deben enseñar los valores. Ellos son sólo _____ de los padres.

2 **Comprensión y análisis** Trabaja con un(a) compañero/a. Respondan a las siguientes preguntas con información de la lectura.

1. ¿En qué están de acuerdo todos los expertos consultados?
2. ¿Trabajan todos los expertos en el mismo campo? ¿Cuáles son algunas de las profesiones de los expertos? Mencionen tres profesiones.
3. De acuerdo con Victoria Cardona, ¿por qué deben saber los padres que los niños imitan todo?
4. ¿Cree Cardona que todas las familias tienen el mismo estilo? ¿Qué debe hacer cada familia, según ella?
5. Según Javier Borrego, ¿por qué no todos los valores tienen la misma jerarquía?
6. Según Borrego, ¿en cuáles tipos de familia crecen más felices los niños?
7. ¿Cuál es el primer valor que debe enseñarse, según Borrego?
8. ¿Coinciden las opiniones de Borrego y Victoria Camps? Para Camps, ¿por qué todos los valores son importantes?

MI VOCABULARIO
Anota el vocabulario nuevo a medida que lo aprendes.

3 **Citas clave** Con un(a) compañero/a, lean las siguientes citas tomadas de la lectura. Luego, explíquenlas con sus propias palabras, de acuerdo con su contexto.

1. «Es muy importante [que los padres sean] coherentes a la hora de dar testimonio». (líneas 23-24)
2. «Si un niño ha tenido una base armónica, ese niño tiene mucho ganado». (líneas 32-35)
3. «Los profesores somos sólo los subsidiarios de dicha educación en valores». (líneas 37-39)
4. «[En la familia] se educan por contagio a todos los que la integran». (líneas 41-42)
5. «Los valores sólo tienen su sentido cuando están ordenados y podemos señalar un valor central». (líneas 49-52)
6. «[Esos valores] son conceptos encadenados que se van complementado, y cuyo conjunto explica qué es eso de la felicidad». (líneas 86-91)

4 Jerarquía de valores La primera oración de la lectura menciona ocho valores distintos. Escríbelos en una lista con números del 1 al 8 de acuerdo con su orden de importancia, según tu opinión. Finalmente, compara tu lista con la de un(a) compañero/a. Explícale cómo decidiste la jerarquía. ¿Cuál es el valor más importante para ti y por qué? ¿Cuál es el menos importante para ti y por qué?

5 Una carta importante Piensa en una persona que te haya enseñado un valor muy importante y escríbele una carta. Puede ser un miembro de tu familia, un(a) maestro/a de la escuela u otro miembro de tu comunidad. Utiliza las siguientes preguntas como guía para escribirle la carta.

- ◆ ¿Qué valor (o qué valores) aprendiste de esta persona?
- ◆ ¿Cómo aprendiste este valor? ¿Te dijo algo la persona que te lo enseñó o la observaste haciendo algo?
- ◆ ¿En qué momento(s) de tu vida has aplicado este valor? Puedes narrar una anécdota.
- ◆ ¿Cuáles han sido los resultados de este valor? Por ejemplo, ¿te hizo más feliz a ti o a otras personas de la sociedad?
- ◆ ¿Crees que es un valor que todas las personas deberían aprender? ¿Por qué sí o por qué no?
- ◆ ¿Cómo sería el mundo si todas las personas aplicaran este valor en su vida?

6 Ensayo persuasivo ¿Cómo pueden las reglas y costumbres de una familia reflejar sus valores? Usando ejemplos de la lectura y de tus propias experiencias, escribe un ensayo persuasivo en el que respondas a la pregunta anterior. El ensayo debe incluir por lo menos tres párrafos, según este esquema:

- ◆ Un párrafo en el que presentes tu tesis
- ◆ Un párrafo de explicación en el que analices y apoyes la tesis mediante argumentos lógicos
- ◆ Un párrafo final en el que concluyas tu análisis y resumas los argumentos que sustentan la tesis

RECURSOS
Consulta la lista de apéndices en la p. 418.

ESTRUCTURAS

El subjuntivo

Con base en la información de la lectura, combina elementos de cada columna para formar cinco oraciones completas y lógicas en el modo subjuntivo.

MODELO *Los expertos insisten en que los padres enseñen los valores.*

A	B	C
los expertos	esperar	enseñar los valores
el autor del texto	insistir (en)	aprender los valores
los padres de familia	molestar	respetar al prójimo
los niños	pedir	tener problemas a la larga
uno de los profesores	preferir	ser un ejemplo positivo
yo	pretender	decidir qué valores transmitir
	querer	hacer una jerarquía de valores
	temer	

RECURSOS
Consulta las explicaciones gramaticales del **Apéndice A,** pp. 441-446.

LECTURA 4.2 ▶ HOMENAJE A LAS MADRES DE LA TRADICIÓN ARTESANA

SOBRE LA LECTURA Las artesanías son artículos hechos a mano que reflejan la cultura y las costumbres de quienes las elaboran. En los países hispanos, la elaboración de estos productos es una tradición que generalmente las mujeres pasan de generación en generación.

En este artículo, tomado del sitio web de la empresa Artesanías de Colombia, que fomenta el desarrollo artesanal sostenible, se rinde homenaje a las artesanas colombianas que elaboran y venden productos tradicionales para mantener a sus familias y transmitir sus conocimientos a las generaciones siguientes. Con su trabajo artesanal, ellas mantienen vivas sus tradiciones y ayudan a la economía familiar.

ANTES DE LEER

1 **Mis tradiciones** Las tradiciones toman muchas formas diferentes: vestido, alimentación, celebraciones, narraciones, música, actos de generosidad, artesanías y mucho más. Haz una lista de algunas tradiciones importantes de tu familia, escuela, comunidad o religión.

2 **¿Cómo son tus tradiciones?** Comparte tu lista de la Actividad 1 con un(a) compañero/a de clase. Pídele más información sobre sus tradiciones, usando estas preguntas u otras similares.

- ◆ ¿Quiénes practican la tradición? ¿Dónde? ¿Cuándo?
- ◆ ¿Dónde se originó la tradición?
- ◆ ¿Cómo ha cambiado durante los años recientes? ¿Por qué?
- ◆ ¿Es una tradición popular? ¿Te gusta? ¿Por qué?
- ◆ ¿Hay valores o lecciones que transmite esta tradición?
- ◆ ¿Por qué se sigue practicando?

RECURSOS
Consulta la lista de apéndices en la p. 418.

3 **Presentación oral** Elige una de las tradiciones de tu país y haz una presentación oral en la que respondas a las preguntas de la Actividad 2. Además, compara la tradición de la que vas a hablar con una tradición de un país hispanoparlante que te sea familiar.

4 **El valor de las tradiciones** En grupos pequeños discutan estas preguntas sobre la importancia de conservar las tradiciones.

1. ¿Por qué tenemos tradiciones?
2. ¿Por qué unas tradiciones continúan y otras no?
3. ¿Hay tradiciones que practicamos sin darnos cuenta de que lo son?
4. ¿Cuáles son las tradiciones más importantes de tu escuela, familia o comunidad?
5. ¿Quiénes son las personas responsables de perpetuar las tradiciones?
6. ¿Hay tradiciones que sirven para preparar a la gente para la vida adulta?
7. En tu opinión, ¿cuáles son las tradiciones más importantes? ¿Por qué?

Homenaje a las madres de la tradición artesana

http://

Quiénes somos | Noticias | Ventas | Ferias y eventos | Galería artesanal | Sector | Proyectos

Homenaje a las madres de la tradición artesana

Las mujeres no solo han sido durante siglos las principales promotoras y constructoras de los rituales artesanales de las comunidades, sino que además, en estos tiempos cambiantes, se ubican como las principales **gestoras** de iniciativas económicas derivadas de la actividad artesanal.

5 En Colombia, y tras varias décadas de conflicto, la actividad artesanal es lo que ha permitido a mujeres cabeza de familia mejorar su calidad de vida y la de sus hijos tras el desplazamiento forzado a los **cascos urbanos** del país, a donde llegan de forma vulnerable al no contar con educación técnica o profesional y, en algunos casos, en pobres condiciones educativas.

10 Madres, más que tradición

En Colombia, según el Censo Económico Nacional, el 60% de las personas que componen el sector artesanal son mujeres.

Según este mismo censo, «la mujer artesana, en su mayoría, se ocupa de los procesos de producción, terminado y empaque, actividades que realiza 15 paralelamente con las tareas domésticas. Su responsabilidad social y espíritu de **superación** la han llevado a aminorar el desequilibrio entre sus necesidades y la cantidad de recursos percibidos por la producción».

Diversos estudios llevados a cabo por Artesanías de Colombia y entidades públicas y privadas tanto nacionales como internacionales han indicado el 20 importante rol que las mujeres tienen en el desarrollo artesanal del país.

Las mujeres no son solo quienes enseñan los oficios artesanales tradicionales a sus hijos, sino también las encargadas de recuperar ciertas prácticas que han venido decayendo en el tiempo y que en diferentes iniciativas enfocadas al **rescate** de tradiciones han formado parte activa en recobrar la memoria oral de los oficios.

25 Igualmente, estos estudios han indicado que, dada la situación social que el país ha vivido en términos de desplazamiento masivo desde zonas rurales a las ciudades, y al gran número de mujeres que conforman estos grupos, la actividad artesanal ha sido un foco promotor de pequeñas microempresas y asociaciones que actualmente dan el sustento a sus familias.

GLOSARIO

el/la gestor(a) persona que promueve o impulsa objetivos específicos

el casco urbano área o zona central de una ciudad (lo contrario de la zona rural)

la superación acción de vencer obstáculos y derrotar los límites

el rescate acción de rescatar o recuperar

GLOSARIO

la índole característica o naturaleza de una cosa

la talabartería arte de trabajar artículos de cuero

la orfebrería arte de trabajar artículos de metal (especialmente oro y plata)

tallar dar forma, especialmente en el oficio de la escultura

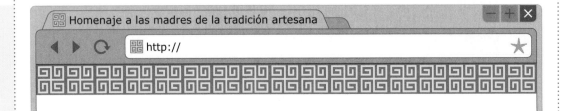

Homenaje a las madres de la tradición artesana

http://

30   De otra parte, las mujeres también impulsan la unidad familiar, ya que gran parte de estas microempresas son de **índole** familiar, en donde hijos,

35   nietos, sobrinos y parientes aprenden los oficios y participan activamente en la generación de ingresos para sus familias.

    La Subgerencia de Desarrollo

40   trabaja en la continua formación de un grupo de mujeres de Bogotá, en situación de desplazamiento y de la tercera edad, quienes han logrado subsistir y sacar adelante

45   negocios de artesanías y además ser orientadas sobre procesos productivos, costos, diseño y posibilidades de comercialización de sus productos, mejorando su inserción social en la dinámica capitalina.

    Es notable cómo estos grupos se empeñan cada vez más en producir

50   mejores piezas artesanales, que cumplan con los mejores estándares de calidad y que permitan una fácil comercialización.

    Es curioso que pese a que oficios como la **talabartería**, **orfebrería** y **talla**, que han sido tradicionalmente masculinos, empiezan a tener cada vez más una presencia femenina en su desarrollo, como un indicador de que cada

55   vez más mujeres aprenden y ejecutan labores, que posteriormente serán transmitidas de generación en generación.

    Es claro que los cambios constantes de nuestra sociedad le han dado a la mujer artesana un valor inigualable en el sector artesanal en Colombia, es gracias a ellas, madres, tías, hermanas, abuelas, que permiten que hoy en día

60   reconozcamos como nuestras diversas formas culturales.

    Muchas de ellas hoy hablan orgullosas de cómo sus hijos son profesionales y que ese sueño ha sido posible gracias a la transformación de materiales en sus manos.

DESPUÉS DE LEER

1 **Comprensión** Elige la mejor respuesta para cada pregunta, según el artículo.

1. ¿Con qué propósito fue escrito este artículo?
   a. Opinar sobre la situación laboral de la mujer colombiana
   b. Resaltar el valor del trabajo de las artesanas colombianas
   c. Divertir al lector con historias tradicionales
   d. Describir la labor realizada por Artesanías de Colombia

2. ¿Cuál de estas afirmaciones resume mejor el artículo?
   a. Muchas mujeres colombianas han dejado de trabajar para dedicarse al arte tradicional.
   b. En Colombia, los hombres ya no hacen artesanías debido al desplazamiento a los cascos urbanos.
   c. En Colombia, las mujeres hacen mejores artesanías que los hombres.
   d. Con sus productos tradicionales, las artesanas colombianas aportan cultural y económicamente tanto al país como a sus familias.

3. ¿Cuáles son dos de los problemas que han tenido que superar estas mujeres?
   a. Tener que irse a la ciudad y no contar con estudios técnicos o profesionales
   b. Discriminación racial y separación de sus familias
   c. Falta de mercados y oficios
   d. El machismo y la maternidad

4. ¿Cómo unen más a sus familias estas artesanas?
   a. No tienen que salir de casa para ir a otros mercados.
   b. Les enseñan el oficio a sus descendientes.
   c. Crean artesanías con la imagen de la familia.
   d. Practican la talabartería y la orfebrería.

5. ¿Por qué hay cada vez más mujeres haciendo oficios que eran tradicionalmente masculinos?
   a. Durante el desplazamiento a las grandes ciudades, los hombres se quedaron en el campo.
   b. Los hombres prefieren no trabajar en microempresas.
   c. Las mujeres aprenden nuevos oficios para enseñar a las futuras generaciones.
   d. En Artesanías de Colombia les enseñan oficios tradicionalmente masculinos.

> **CONCEPTOS CENTRALES**
>
> **Resumir** Para identificar la afirmacion que mejor resume la lectura, busca palabras y expresiones que contengan las ideas principales.

2 **Relaciones** Relaciona las siguientes oraciones con una de las palabras del Glosario de las páginas 55-56.

> MODELO ▶ La manifestación se llevará a cabo en la zona central de la ciudad. _casco urbano_

1. Los campesinos han logrado mejorar su calidad de vida. _____
2. El artista transformó una piedra en una obra de arte. _____
3. Las artesanas han liderado muy bien el proyecto. _____
4. La comunidad indígena ha logrado revivir antiguas tradiciones. _____
5. En el museo local hay una exposición de artículos de cuero. _____

ESTRATEGIA

Evaluar la lectura
Es importante evaluar la calidad de la información que lees. Para ello, resulta útil identificar el propósito de la lectura: ¿es para entretener, informar, advertir, hacer publicidad o expresar opiniones? Considerando el propósito, el público al que va dirigido y la perspectiva del autor, puedes evaluar la calidad del argumento.

3 Evaluar Con un(a) compañero/a, contesta estas preguntas para evaluar más a fondo la lectura.

1. ¿Dónde fue publicado el artículo?
2. ¿Creen que es una fuente objetiva y confiable? ¿Por qué?
3. ¿Cuál es el público al que va dirigido el artículo? (por ejemplo, público general o lectores especializados, niños o adultos, lectores nacionales o extranjeros…)
4. ¿Cuál es el propósito central del artículo?
5. ¿El autor presenta la información de manera objetiva? Sustenten sus respuestas con ejemplos.
6. ¿Consideran que las fuentes usadas por el autor son confiables?

4 Un mensaje de felicitaciones Después de leer este artículo quieres felicitar a las mujeres artesanas de Colombia. Escribe un mensaje electrónico a la empresa Artesanías de Colombia para que se lo comuniquen a ellas. Incluye estos elementos en tu mensaje electrónico:

- Expresa tu admiración por el trabajo de estas mujeres.
- Explica por qué consideras que su labor es importante.
- Felicítalas por sus logros y sus contribuciones familiares y sociales.
- Diles que has visto fotos de sus artesanías y expresa tu opinión sobre ellas.
- Pregúntales si exportan sus productos o si han pensado en hacerlo.
- Termina con un mensaje de ánimo para que continúen con su trabajo.

Utiliza este modelo para empezar tu mensaje electrónico:

RECURSOS
Consulta la lista de apéndices en la p. 418.

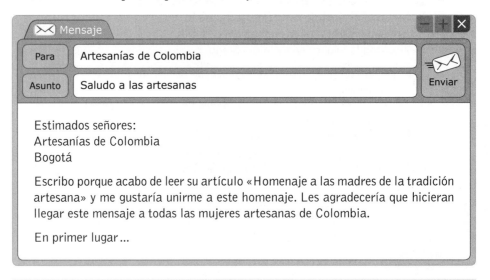

Mensaje

Para: Artesanías de Colombia
Asunto: Saludo a las artesanas

Enviar

Estimados señores:
Artesanías de Colombia
Bogotá

Escribo porque acabo de leer su artículo «Homenaje a las madres de la tradición artesana» y me gustaría unirme a este homenaje. Les agradecería que hicieran llegar este mensaje a todas las mujeres artesanas de Colombia.

En primer lugar…

MI VOCABULARIO
Utiliza tu vocabulario individual.

5 Las tradiciones de mi país Haz una lista de cinco tradiciones de tu país (o de tu estado), que en tu opinión se deben mantener o rescatar (por ejemplo, un tipo de música, la comida de una región especial, una celebración o una cultura particular —como los *amish*—). Luego compartan la lista en pequeños grupos y discutan por qué es importante mantener vivas esas tradiciones. ¿Quiénes son los responsables de conservarlas o transmitirlas?

AUDIO ▶ LA VESTIMENTA INDÍGENA ES REIVINDICACIÓN POLÍTICA Y DE IDENTIDAD

Audio
En fragmentos
My Vocabulary
Strategy
Write & Submit

INTRODUCCIÓN En este programa emitido por Radio ONU, la congresista quechua de Perú Tania Pariona Tarqui (en la foto, a la derecha), participante en el Foro Permanente de las Naciones Unidas sobre Cuestiones Indígenas de 2017, le explica a Noticias ONU el orgullo que significa ser y reconocerse como indígena. Durante el Foro, en el que se celebró el décimo aniversario de la *Declaración de los Derechos de los Pueblos Indígenas*, la congresista hizo énfasis en la importancia de la integración política de esos pueblos.

ANTES DE ESCUCHAR

1

Comunidades indígenas Para explorar el tema de las familias y las comunidades indígenas, respondan a estas preguntas en grupos pequeños.

1. ¿Qué comunidades indígenas de Hispanoamérica conocen?
2. ¿Dónde viven o vivían? ¿Cuáles son sus raíces étnicas?
3. ¿Qué saben de sus lenguas, su arte, su religión, su vestimenta y otras tradiciones?
4. ¿Qué voz política tienen en el gobierno de sus países?
5. ¿Qué comunidades indígenas de Estados Unidos conocen?
6. ¿Qué saben de sus lenguas, su arte, su religión, vestimenta y otras tradiciones?
7. ¿Qué voz política tienen en el gobierno de Estados Unidos?
8. ¿Cómo la llegada de los conquistadores europeos afectó las tradiciones de las comunidades indígenas de las Américas?

◀)) MIENTRAS ESCUCHAS

1

Escucha una vez Primero lee la lista de categorías en la Actividad 2 y luego escucha la grabación para captar las ideas generales.

2

Escucha de nuevo Ahora, con base en lo que escuchas, escribe palabras o frases relacionadas con cada una de las categorías de esta tabla.

PALABRAS E IDEAS PARA CADA CATEGORÍA			
país y lengua		cambiar	
líder		modernizar	
tres niveles		vestimenta	
asumirse		reivindicación	
diecisiete años		madre, abuela	

GLOSARIO

pugnar por luchar por un logro donde se tiene que superar obstáculos

la reivindicación demanda, reclamación de algo, insistencia

asumirse admitir, tomar y aceptar conciencia de algo

la vestimenta traje, ropa, prendas de vestir

el tejido tela, material hecho de entrelazar hilos, paño

confeccionar producir de forma manual

el ámbito entorno, espacio comprendido dentro de unos límites determinados

ESTRATEGIA

Hacer un inventario Marcar con una X cada categoría en la tabla de la Actividad 2 te ayudará a guiarte en el contenido de la grabación.

DESPUÉS DE ESCUCHAR

Comprensión Contesta las preguntas según la información presentada y los apuntes que has escrito en la tabla.

1. ¿De dónde es Tania Pariona Tarqui y qué lengua habla al comenzar el audio?
2. ¿Cuál es su papel como líder quechua?
3. ¿Cuál es el objetivo de su lucha?
4. ¿Cuál fue la importancia de asumirse como indígena?
5. ¿Qué pasó cuando la congresista tenía diecisiete años?
6. ¿Qué era traumático para ella?
7. ¿Qué decisión tomó y cuál fue el resultado?
8. ¿Qué le ayuda a cumplir con la labor de reivindicación de los derechos de su pueblo?
9. ¿Cómo explica la importancia del traje tradicional quechua para ella?
10. Según la congresista, ¿cuál es el mayor reto en la reivindicación de los pueblos indígenas?

MI VOCABULARIO
Utiliza tu vocabulario individual.

Investigación y comparación Investiga en Internet sobre un grupo indígena de Estados Unidos. Busca datos sobre su integración política, sus comunidades, su vestimenta, sus desafíos, su idioma y sus tradiciones. Después contesta estas preguntas:

1. ¿Cómo se llama este pueblo y dónde se localiza en Estados Unidos?
2. ¿Hay semejanzas y diferencias entre su historia y la de los quechua desde la llegada de los europeos al Nuevo Mundo?
3. ¿En qué consisten sus principales tradiciones y cómo las han preservado?

RECURSOS
Consulta la lista de apéndices en la p. 418.

Ensayo de análisis Tras considerar el mensaje de *La vestimenta indígena es reivindicación política y de identidad* y pensar en la investigación de la Actividad 2, escribe un ensayo de opinión en el que analices esta afirmación de la congresista:

 Es posible vivir en la modernidad y modernizar nuestra cultura recreándola sin perder la esencia.

El ensayo debe incluir por lo menos cuatro párrafos, según este esquema:

1. Un párrafo en el que presentes tu tesis, enfocándote en:
   ◆ el contexto o el tema que tratarás
   ◆ lo que aprendiste de la fuente auditiva y de las actividades de Antes de leer y Después de leer

2. Dos párrafos de explicación; en cada uno debes:
   ◆ analizar y apoyar la tesis mediante argumentos lógicos
   ◆ dar ejemplos y evidencia que sustenten tus argumentos; al citar la fuente auditiva u otra evidencia, debes identificarlas apropiadamente

3. Un párrafo final en el que:
   ◆ concluyas tu análisis
   ◆ resumas los argumentos que sustentan tu tesis

CONEXIONES CULTURALES

Estudiantes de una escuela primaria en Barrancabermeja, Colombia

Formación de valores

SI BIEN CADA UNO DE NOSOTROS ES UNA PERSONA ÚNICA
e irrepetible, existen diversos agentes que influyen
en la formación de nuestros valores y costumbres:
la familia, la escuela, los grupos de amigos y, por
supuesto, los medios de comunicación.

Eso es algo que tuvo en cuenta el Ministerio de
Educación de la República Argentina al crear el
Canal Encuentro. Uno de los principales objetivos
de este canal de televisión gratuito, y completamente
libre de publicidad, es acercar conocimientos a los
habitantes de todas las regiones del país. Cada uno
de sus programas está diseñado para transmitir los
valores y las costumbres de la sociedad argentina.
Por ejemplo, en el programa *Lunfardo argento*,
especialistas y personalidades de la cultura hablan
sobre el lunfardo, una lengua popular argentina
que surgió en el submundo del tango a comienzos
del siglo xx y que ha dejado huellas en el habla
argentina actual.

◢ En la Isla de San Andrés, Colombia, se habla un idioma criollo que no
existe en ningún otro lugar del mundo. Como en la escuela solamente
se enseña español, las familias tienen la importante labor de transmitir
su lengua a las generaciones siguientes.

◢ Los estudiantes de la escuela preparatoria de Silao, en México, aprenden
valores como la justicia y el respeto, participando en programas
sociales (por ejemplo, campañas de vacunación) y trabajando en
hogares de ancianos.

◢ *Corazones abiertos* es una organización no gubernamental paraguaya,
integrada por jóvenes voluntarios que ayudan a las personas de menos
recursos a obtener todo lo necesario para salir adelante. De esta manera
se promueven entre los jóvenes valores sociales como la solidaridad, el
mutuo apoyo y el respeto por los demás.

 Presentación oral: comparación cultural

Prepara una presentación oral sobre este tema:

◆ ¿Cuáles son los principales factores que influyen en
la formación de los valores de una persona?

Compara la formación en valores que reciben los jóvenes
en una región del mundo hispanohablante que te sea
familiar con la que tú has tenido.

Al hablar, algunas sílabas reciben mayor énfasis que las demás (acento prosódico o tónico). Por ejemplo, en «pluma», el acento prosódico recae sobre la primera sílaba: [pluma]. Esta sílaba se llama sílaba tónica, y la que no tiene acento, sílaba átona. Debemos identificar la sílaba tónica de una palabra para dominar el uso de la tilde (*written accent*) en palabras de dos o más sílabas.

> **Come cuanto le doy. Le gustan las naranjas, las mandarinas y las uvas.**

Palabras agudas

◢ Las palabras agudas son aquellas cuya última sílaba es tónica.

> **algodón, cristal, ideal**

◢ Las palabras agudas llevan tilde cuando terminan en **-n**, en **-s** o en **vocal**.

> **camión, compás, sofá, colibrí**

◢ Cuando terminan en **-s** precedida de otra consonante, se escriben sin tilde.

> **robots, tictacs**

Palabras llanas

◢ Las palabras llanas o graves son aquellas cuya penúltima sílaba es tónica.

> **pequeño, peludo, suave**

◢ Las palabras llanas llevan tilde cuando no terminan en **-n**, en **-s** o en **vocal**.

> **lápiz, frágil, fácil**

Palabras esdrújulas y sobresdrújulas

◢ Las palabras esdrújulas son aquellas cuya antepenúltima sílaba es tónica, y las palabras sobresdrújulas son aquellas en las que es tónica alguna de las sílabas anteriores a la antepenúltima.

> **rozándolas, crepúsculo, cómetelo, cómpraselo**

◢ Las palabras esdrújulas y sobresdrújulas siempre llevan tilde.

> **fantástico, lágrima, ídolo, ábaco, arréglaselo**

¡ATENCIÓN!

Las palabras llanas que terminan en **-s** precedida de otra consonante también se acentúan:

fórceps, bíceps.

PRÁCTICA

1 Escribe la tilde en las palabras que lo necesiten.

«Lo que sucedia cada sabado dependia de lo que hicieran los jovenes de la comunidad. El crecimiento vertiginoso de asistentes, sumado a la limitacion de espacios y de medios, no fueron un obstaculo para continuar con las actividades, sino un incentivo para organizarlas mejor. Aquellos jovenes que llevaban mas semanas o tenian mayor liderazgo asumieron el reto de coordinar a los otros. Ellos mismos podian hacerlo, ellos mismos lo harian, ellos mismos lo hacen. Bajo esa premisa nacio Tiempo de Juego.»

La coma

◢ Al igual que en inglés, la coma se utiliza normalmente para indicar la existencia de una pausa breve dentro de una oración.

USOS PRINCIPALES	EJEMPLOS
Para separar los elementos de una enumeración	Es una chica muy educada, amable y estudiosa.
Para aislar explicaciones (se utiliza una coma delante del comienzo del inciso y otra al final).	Cuando llegó Daniel, el hermano de mi vecina, todos lo saludaron.
Para aislar las interjecciones	No sé, ¡Dios mío!, qué va a ser de nosotros.
Delante de **excepto**, **salvo** y **menos**, y delante de conjunciones como **pero**, **aunque**, etc.	Todo le molesta, excepto el silencio. Sal a jugar, pero no olvides el paraguas.
Detrás de determinados enlaces como **esto es**, **es decir**, **ahora bien**, **en primer lugar**, etc.	Hoy podrán visitarnos. No obstante, los esperaremos mañana.

¡ATENCIÓN!
A diferencia del inglés, cuando la enumeración es completa, el último elemento va introducido por una conjunción sin coma delante de ella.

Los dos puntos

USOS PRINCIPALES	EJEMPLOS
Para introducir una enumeración explicativa	Ayer visité a tres amigos: Javier, Miguel y Lucía.
Para introducir citas y palabras textuales escritas entre comillas	Como dijo el gran filósofo Aristóteles: «La verdad es la única realidad».
Tras el saludo en cartas y documentos	Muy señor mío:

¡ATENCIÓN!
Es incorrecto escribir dos puntos entre una preposición y el sustantivo o sustantivos que esta introduce:

En el colegio había estudiantes de Bélgica, Holanda y otros países europeos.

El punto y coma

USOS PRINCIPALES	EJEMPLOS
Para separar los elementos de una enumeración con expresiones complejas que incluyen comas	Hagan lo siguiente: primero, tomen asiento; después, saquen sus libros; y finalmente, lean.
Para separar oraciones sintácticamente independientes, pero relacionadas semánticamente	Sigan circulando; aquí no hay nada que ver.
Delante de nexos adversativos como **pero**, **mas**, **aunque**, **sin embargo**, etc., cuando la oración precedente es larga	La dirección de la empresa intentó recortar gastos durante todo el año; sin embargo, siguieron teniendo pérdidas.

PRÁCTICA

1 Escribe los signos de puntuación necesarios en las siguientes oraciones.

1. Cuando llegó Emilia la cuñada de mi amiga todo se aclaró
2. Toda mi familia incluido mi hermano estaba de acuerdo
3. Ayer me compré tres libros un ordenador una impresora y dos pares de zapatos
4. No te vayas sin sacar a pasear al perro recoger el correo y limpiar la casa
5. Su hija mayor es alta la pequeña baja
6. Hazlo si quieres pero luego no digas que no te avisé
7. Dos son los idiomas oficiales de Paraguay español y guaraní

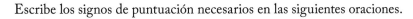

PUNTOS DE PARTIDA

El concepto de ciudadanía global se puede definir por el respeto por la diversidad, el repudio a la injusticia, el sentido de la responsabilidad y el entendimiento de la manera como funciona el mundo en materias como política, sociedad, economía, tecnología, cultura o medioambiente.

◢ ¿Cuáles son los derechos y las responsabilidades de un(a) ciudadano/a global?

◢ ¿Qué relación hay entre el concepto de ciudadanía global y el de democracia?

◢ ¿Qué tipo de acciones puede tomar una persona para contribuir a mejorar el mundo, ya sea local o globalmente?

DESARROLLO DEL VOCABULARIO

1 **Derechos y responsabilidades** En grupos de cinco o seis estudiantes, hagan una lista de los derechos y las responsabilidades que tiene un(a) ciudadano/a global. Luego comparen sus listas y discutan con toda la clase.

MI VOCABULARIO
Utiliza tu vocabulario individual.

2 **Los problemas sociales** Elabora una lista de los problemas sociales que, en tu opinión, son los más graves en el mundo (por ejemplo, la pobreza o el trabajo infantil). Luego, compara tu lista con la de un(a) compañero/a. Escojan dos o tres problemas y discutan cómo se relacionan con los derechos y las responsabilidades de un(a) ciudadano/a global.

AMPLIACIÓN

1 **Los derechos humanos** Lee esta cita y responde a las siguientes preguntas.

Artículo 1 de la *Declaración Universal de Derechos Humanos* (Naciones Unidas)

▸▸ **《** Todos los seres humanos nacen libres e iguales en dignidad y derechos y, dotados como están de razón y conciencia, deben comportarse fraternalmente los unos con los otros. **》**

1. ¿Qué relación hay entre el comportamiento fraternal que enuncia la cita y el concepto de ciudadanía global?
2. ¿Cómo relacionas esta cita con los problemas sociales que enumeraste? Escoge algunos ejemplos para compartir con la clase.

2 **Búsqueda en Internet** Busca en Internet la *Declaración Universal de Derechos Humanos*. Lee todos los artículos de la declaración y describe, en tus propias palabras, el que te parezca más interesante. ¿Qué te llama la atención del artículo que elegiste? ¿Qué relación tiene este artículo con el comportamiento y las leyes en un país democrático? Comparte tus ideas con toda la clase.

La estructura de la familia

 My Vocabulary

PUNTOS DE PARTIDA

La estructura familiar se refiere a la manera como está organizada la familia. El grupo familiar forma la unidad básica de una sociedad y para muchos individuos es la afiliación más importante en su vida.

◢ ¿Cuáles son las características fundamentales de una familia?

◢ Además de los padres y los hijos, ¿qué otras personas pueden formar parte de una familia? ¿Puede una familia incluir miembros que no tengan vínculos legales o biológicos?

◢ ¿Cuáles son los factores que influyen en las estructuras familiares?

DESARROLLO DEL VOCABULARIO

1 **Hogares diferentes** Escribe una definición para cada una de las expresiones que se encuentran en el gráfico.

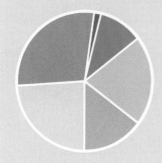

Familias en zonas urbanas de América Latina (18 países), 2005

◢ **1,7%** Familias nucleares monoparentales con jefe hombre

◢ **10,5%** Familias nucleares monoparentales con jefe mujer

◢ **14,9%** Hogares unipersonales y sin núcleo

◢ **20,9%** Familias nucleares modelo tradicional

◢ **23,7%** Familias extendidas y compuestas

◢ **28,3%** Otras familias nucleares con doble ingreso

Fuente: Gráfico de Irma Arriagada con datos de la CEPAL

1. familia nuclear tradicional
2. familia nuclear con doble ingreso
3. familia extendida
4. familia compuesta
5. hogar unipersonal
6. familia nuclear monoparental

MI VOCABULARIO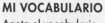
Anota el vocabulario nuevo a medida que lo aprendes.

AMPLIACIÓN

1 **Las familias en América Latina** Mira el gráfico anterior y contesta las preguntas.

1. ¿Cómo crees que se definen las «familias nucleares modelo tradicional»? ¿Te sorprende que solo el 20,9% de familias encajen en este modelo?
2. ¿Cómo se compara la situación representada en el gráfico con la de las familias de Estados Unidos? ¿Crees que aquí prevalecen las familias nucleares de doble ingreso?
3. ¿Cómo influye la estructura de una familia en las condiciones económicas?
4. ¿La definición de familia en tu país ha cambiado en las últimas décadas? ¿De qué manera lo ha hecho?

cinemateca **Ella o yo**

My Vocabulary
Partner Chat
Strategy
Video
Write & Submit

ELLa o yo

Con **Mariana Briski**
Javier Lombardo
Agustín Alcoba y
"Coco" la llama

BUSCO AMOR

A PRIMERA VISTA
Según la foto, ¿a qué género piensas que pertenece el corto? ¿Es un drama? ¿Una historia de amor?

SOBRE EL CORTO *Ella o yo* es un cortometraje escrito y dirigido por la actriz y directora argentina Bernarda Pagés en 2005. Narra la historia de una familia que inesperadamente se encuentra en una situación inusual. Es un emotivo video sobre la vida familiar, las responsabilidades personales y, en última instancia, sobre el amor. *Ella o yo* ganó el Segundo Premio del Fondo Nacional de las Artes (Argentina) en el año 2006.

ANTES DE VER

1 **Hacer predicciones** Observa las imágenes de las páginas 66-67 y escribe tres predicciones acerca del tema del corto. Cuando lo hayas visto, compara tus predicciones con lo que realmente ocurre.

2 **Mascotas en el hogar** ¿Por cuál de las siguientes razones tienes o tendrías una mascota? Discútanlo en pequeños grupos.

1. protección personal
2. compañía
3. diversión o juego
4. adopción de un animal abandonado
5. moda
6. otras (especifiquen)

> **ESTRATEGIA**

Hacer predicciones te ayuda a entender y recordar detalles de lo que ocurre en una película.

▶ MIENTRAS MIRAS

Fotógrafo: «Busco un **banquito** acá enfrente, ¿sí? Cualquier cosita, le da la **mamadera** que está ahí, ¿eh?»

1. ¿Qué razón le da Carlos al niño para no querer sacar la foto?
2. ¿Adónde dice ir el fotógrafo?

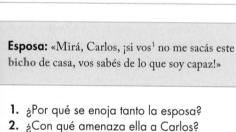
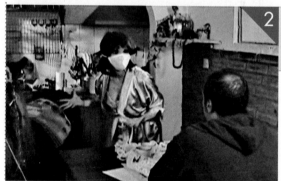

Esposa: «Mirá, Carlos, ¡si vos[1] no me sacás este **bicho** de casa, vos sabés de lo que soy capaz!»

1. ¿Por qué se enoja tanto la esposa?
2. ¿Con qué amenaza ella a Carlos?

Carlos: «Tranquilos, hagan fila, de a uno, hay para todos. Una foto con Coquito, ¡y nadie se va sin una foto con Coquito!»

1. ¿Qué idea se le ocurre a Carlos?
2. ¿Cómo se resuelve el problema de la llama?

GLOSARIO

el banquito banco o silla pequeña
la mamadera biberón, botella
la plata el dinero (en Argentina)
el bicho animal (informal)
con todas las letras con claridad
hacerse cargo (de) hacerse responsable

1 El pronombre *vos* es una forma de la segunda persona singular muy usada en Argentina y Uruguay, y en algunas zonas de países como Chile, Colombia, Venezuela y naciones centroamericanas. Las formas conjugadas del verbo usualmente llevan el acento en la última sílaba; por ejemplo: mirá, sacás, sabés.

DESPUÉS DE VER

1   **Comprensión**   Contesta estas preguntas con base en el corto.

1. ¿Qué le dice el fotógrafo a la llama cuando comienza el corto?
2. ¿Qué quiere tener el hijo de Carlos, pero su mamá no lo deja?
3. ¿Cómo engaña el dueño de la llama a Carlos?
4. ¿Qué piensa su esposa de que el animal esté en la casa?
5. ¿Por qué la esposa cree que Carlos compró la mascota con dinero de ella?
6. ¿Cómo intenta Carlos deshacerse de la llama?
7. ¿Qué piensa Carlos del carácter de Coquito?
8. ¿Qué decisión le exige su esposa?
9. ¿Qué hace Carlos con la llama?

RECURSOS
Consulta la lista de apéndices en la p. 418.

2   **Interpretación**   En parejas, contesten estas preguntas.

1. ¿Por qué creen que Carlos tarda tanto en volver a su casa ese día? ¿Qué le hace decidir llevarse la llama?
2. ¿Por qué reacciona la esposa de Carlos de esa manera?
3. ¿Qué personalidad tiene Carlos? ¿Cómo es su relación con su hijo? ¿Y con su esposa?
4. ¿Les parece que Carlos está realmente decidido a deshacerse de la llama? ¿Por qué?
5. Cuando la esposa da un ultimátum, ¿qué creen que espera que ocurra? ¿Cómo se lo toma Carlos?
6. ¿Qué significa la respuesta que le da Carlos a su esposa por teléfono?
7. ¿Cómo les parece que terminará la historia de esta familia?

3   **¿Qué quieren decir?**   Explica lo que los personajes quieren decir con estas expresiones. ¿Por qué las dicen? ¿A qué se refieren exactamente?

1. **Niño:** «¿Por qué hacés siempre lo que dice mamá?»
2. **Esposa:** «¡Lo único que faltaba, que yo le tenga que dar la leche!»
3. **Carlos:** «Dele el gusto, va a ver qué linda foto».

4   **Temas de familia**   Aunque este cortometraje es una comedia, permite reflexionar sobre asuntos muy serios que se manifiestan con frecuencia en las familias. Con un(a) compañero/a, elige uno de estos temas para analizar cómo se presenta en el corto.

1. la economía familiar
2. el equilibrio entre las necesidades de los hijos y las del resto de la familia
3. conflictos entre los cónyuges
4. los efectos de una mascota en el hogar

MI VOCABULARIO
Utiliza tu vocabulario individual.

5   **Un conflicto familiar**   Recuerda alguna ocasión en la que tomaste una decisión que causó tensiones en tu familia. Escribe una descripción de la situación, teniendo en cuenta estas preguntas:

- ¿Qué te motivó a actuar de esa manera?
- ¿Quiénes se vieron afectados por tu decisión? ¿Cómo reaccionaron?
- ¿Cómo se resolvió la situación?

ENSAYO DE COMPARACIÓN

A la hora de escribir una comparación hay que tomar una decisión: se puede elogiar los dos términos de la comparación y señalar similitudes, o elogiar uno y criticar el otro. La decisión dependerá del tipo de comparación que estamos haciendo.

Tenemos, además, opciones en cuanto al esquema de redacción: describir los términos en bloques separados, cada uno en un párrafo diferente, o comparar los términos punto por punto en el mismo párrafo o incluso en la misma oración. Lo importante es elegir el esquema que exprese con más claridad nuestro punto de vista y que sea más adecuado para el tipo de composición.

Tema de composición

Lee de nuevo las preguntas esenciales del tema:

◢ ¿Cómo se define la familia en distintas sociedades?
◢ ¿Cómo contribuyen los individuos al bienestar de las comunidades?
◢ ¿Cuáles son las diferencias en los papeles que asumen las comunidades y las familias en las distintas sociedades del mundo?

Utilizando las preguntas como base, escribe un ensayo de comparación sobre algún aspecto del tema.

ANTES DE ESCRIBIR

Planea la razón por la que escribirás la comparación y dedica unos minutos a decidir el enfoque del ensayo. Elige el tono: puede ser objetivo o subjetivo. Plantea el tema e indica cuáles serán los términos que vas a relacionar mediante la comparación.

ESCRIBIR EL BORRADOR

Haz dos listas, anotando todas las características que piensas mencionar. Intenta identificar los paralelismos que te servirán para establecer las comparaciones o los contrastes; elige las analogías que vas a presentar y el esquema del texto.

ESCRIBIR LA VERSIÓN FINAL

Después de corregir tu borrador, escribe la versión final. Recuerda que la introducción y la conclusión deben estar unidas: lo que se expuso al comienzo debe retomarse en la conclusión, bien para resumir o ratificar, o bien para modificar la propuesta de la introducción. Comprueba que eso se cumpla.

Tema 2

La ciencia y la tecnología

▶▶ Ciudad de las Artes y las Ciencias, Valencia, España

PUNTOS DE PARTIDA

Los continuos avances de la ciencia y la tecnología afectan la vida de todos; nos facilitan el acceso a la información y a la vez les permiten a los demás saber sobre nosotros. La tecnología hace posible que cada vez logremos más cosas y en menor tiempo, pero también conlleva más expectativas y, a veces, incluso más estrés.

◢ ¿De qué manera los avances tecnológicos cambian nuestra manera de comunicarnos y relacionarnos?

◢ ¿Cómo podemos encontrar y mantener un equilibrio saludable al usar la tecnología?

◢ ¿Cuál es el papel de la ciencia y la tecnología en el bienestar general de las personas?

DESARROLLO DEL VOCABULARIO  My Vocabulary Partner Chat

MI VOCABULARIO
Anota el vocabulario nuevo a medida que lo aprendes.

1 **Los usos de la tecnología** De la siguiente lista de palabras, selecciona todas las que relaciones con la tecnología. Explica por qué lo hiciste.

- ☐ agilidad
- ☐ aparatos
- ☐ arte
- ☐ comodidad
- ☐ comunicación
- ☐ conocimiento

- ☐ cultura
- ☐ diversión
- ☐ educación
- ☐ entretenimiento
- ☐ felicidad
- ☐ información

- ☐ relaciones personales
- ☐ salubridad
- ☐ salud
- ☐ seguridad
- ☐ trabajo
- ☐ transporte

Agrega otros cinco términos relacionados con los usos de la tecnología y comparte tu lista con toda la clase.

2 **Las formas de comunicación** Para cada forma de comunicación de esta lista, explica cuándo y cómo la usas.

- ◆ cartas
- ◆ correo electrónico
- ◆ en persona (cara a cara)
- ◆ mensaje de texto

- ◆ mensajería instantánea
- ◆ redes sociales
- ◆ teléfono (fijo o móvil)
- ◆ videochat

¿Cuál de todos estos medios prefieres? Compara tus respuestas con las de tu grupo. ¿Cuál es la forma de comunicación más común entre ustedes y por qué la prefieren?

3 **Los avances tecnológicos** En parejas, contesten estas preguntas.

1. ¿Qué recuerdan de la primera vez que usaron aparatos tecnológicos? Describan sus recuerdos.
2. ¿Cuáles son los avances tecnológicos que has visto durante tu vida?
3. ¿Cómo ha cambiado la manera en que tus padres usan la tecnología?
4. ¿Cómo ha cambiado el uso de la tecnología entre los niños/as y adolescentes?

4 **Los más importantes** Escribe una lista de los diez inventos más importantes de la humanidad (como la rueda, el telescopio o el avión). Luego, en pequeños grupos, compartan sus listas y entre todos elijan los tres inventos más significativos para la humanidad. ¿Por qué los eligieron?

LECTURA 1.1 ▶ NO SIN MI MÓVIL

SOBRE LA LECTURA Este artículo, escrito por la periodista María Valerio Sainz, fue publicado en la sección «Salud» del periódico español *El Mundo* en septiembre de 2012. Valerio Sainz, especialista en temas de salud, escribe en este texto sobre una nueva forma de adicción tecnológica: el miedo irracional a perder el contacto telefónico, que ha sido denominado *nomofobia*.

El artículo presenta algunas cifras sobre este problema en España, así como las opiniones de varios psicólogos, quienes nos alertan sobre esta nueva dependencia, que comienza a crecer entre la población más joven, especialmente entre quienes se encuentran entre los 18 y los 25 años de edad.

ANTES DE LEER

1 **¿Estás enganchado/a al móvil?** Contesta estas preguntas según tus hábitos telefónicos (o según los de tus amigos, si no sueles usar móvil). Trabaja con un(a) compañero/a y anoten sus respuestas.

1. ¿Para qué usas el móvil?
2. ¿Cuántos mensajes de texto mandas por día? ¿Cuántos recibes?
3. ¿Cuándo apagas el móvil?
4. ¿Con qué frecuencia ignoras una llamada? ¿Con qué frecuencia consultas el móvil?
5. ¿Con qué rapidez sueles contestar un mensaje de texto?
6. ¿Te impacientas cuando no recibes respuesta a los pocos minutos de haber enviado un mensaje de texto?
7. ¿Prefieres hablar a través de un aparato electrónico o cara a cara?
8. ¿Sueles interrumpir una conversación en persona para responder a una llamada o mensaje de texto?
9. ¿Te pones nervioso/a cuando pierdes el teléfono o cuando se le acaba la batería?
10. Según tus respuestas anteriores, ¿crees que eres dependiente de tu móvil? Explica.

2 **Nuestros hábitos telefónicos** En grupos, o con la clase entera, hagan una lista de los diez peores hábitos telefónicos en orden de importancia. Luego discutan este tema: ¿cuáles son los peores hábitos telefónicos que los jóvenes deben evitar, tanto dentro como fuera de la escuela?

3   **Etiqueta telefónica** Es probable que tu escuela tenga reglas para el uso de los teléfonos, pero quizá no todas se cumplan. Redacta unas normas sobre el buen empleo del teléfono para los estudiantes de tu escuela y envíalas al periódico escolar. Tu propuesta debe constar de uno o dos párrafos e incluir estos aspectos:

◆ una breve introducción con las razones para establecer las normas
◆ una explicación acerca de por qué ciertas costumbres son molestas
◆ las normas que todos deben seguir

No sin mi móvil

http://

Cultura | Salud | Tecnología

No sin mi móvil

Crece el miedo irracional a salir de casa sin el teléfono: **Nomofobia**

por **María Valerio Sainz**

¿Es usted de los que regresa a medio camino si se le olvida el móvil en casa? ¿De los que no lo apaga ni para entrar al cine y lo consulta si nota la vibración durante la película? ¿Se lo lleva consigo al baño? Si ha respondido afirmativamente a todas estas preguntas es probable que sufra nomofobia,
5   un miedo irracional a vivir con el teléfono apagado.

Algunas encuestas en España **cifran** entre el 53 y el 66% el porcentaje de **aquejados** de este nuevo miedo irracional, que ha aumentado un 13% en los últimos años debido a la expansión de los teléfonos inteligentes.

«La dependencia del móvil es un fenómeno social» —admite el psicólogo Javier
10   Garcés, experto en Psicología del Consumo y sus adicciones—. A su juicio, la nomofobia sería un síntoma más a valorar dentro de un **cuadro** adictivo, en el que cita algunos signos de alerta más. «Como pasar cada vez más tiempo conectados, perder el control, que el hábito empiece a generar consecuencias negativas, repercusiones económicas, cuadros depresivos y, finalmente,
15   **síndrome de abstinencia**». Es decir, nomofobia o nerviosismo al estar separados del aparato.

La llamada nomofobia (un término derivado del inglés *no-mobile-phone phobia*) es una parte más de esas nuevas adicciones tecnológicas en las que los límites cada vez están más **difuminados**. Antes, aclara Garcés, se distinguía
20   el «**enganche**» al móvil, a Internet, a los videojuegos... Pero la llegada de los teléfonos inteligentes, que permiten tener todo junto en el bolsillo, está difuminando estos límites, especialmente entre los jóvenes, el grupo de edad más afectado por este problema. «Precisamente estamos viendo que el problema de adicción al móvil se da en personas que no esperan necesariamente una
25   llamada importante (por motivos de trabajo, por ejemplo), sino en sujetos que desarrollan una relación no utilitaria con el teléfono».

Esa preocupación por estar desconectado se traduce en un mirar constantemente el aparato (una media de 34 veces al día), en no apagarlo nunca, no poder

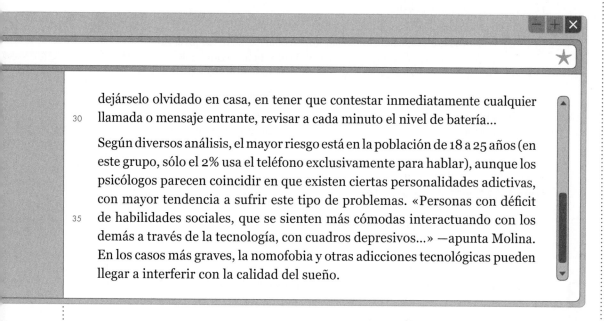

30 dejárselo olvidado en casa, en tener que contestar inmediatamente cualquier llamada o mensaje entrante, revisar a cada minuto el nivel de batería...

Según diversos análisis, el mayor riesgo está en la población de 18 a 25 años (en este grupo, sólo el 2% usa el teléfono exclusivamente para hablar), aunque los psicólogos parecen coincidir en que existen ciertas personalidades adictivas, con mayor tendencia a sufrir este tipo de problemas. «Personas con déficit

35 de habilidades sociales, que se sienten más cómodas interactuando con los demás a través de la tecnología, con cuadros depresivos...» —apunta Molina. En los casos más graves, la nomofobia y otras adicciones tecnológicas pueden llegar a interferir con la calidad del sueño.

DESPUÉS DE LEER

1
Sinónimos Según el Glosario de la lectura, elige un sinónimo para cada uno de estos términos.

1. aquejado
   a. quejumbroso
   b. débil
   c. afectado
   d. enfadado
   e. contado

2. cifrar
   a. llamar
   b. poner
   c. depender
   d. criticar
   e. calcular

3. cuadro
   a. círculo
   b. cuadrado
   c. sintomatología
   d. depresión
   e. adicción

4. difuminado
   a. cuadrado
   b. desvanecido
   c. enfermo
   d. contado
   e. aliviado

5. enganchado
   a. atado
   b. liberado
   c. deprimido
   d. cuadrado
   e. videojuego

6. síndrome
   a. círculo
   b. sintomatología
   c. psicólogo
   d. teléfono
   e. análisis

2
Comprensión Contesta las preguntas según el artículo.

1. ¿Cuál es el propósito del artículo?
   a. Entretener a los lectores con un informe satírico sobre los aparatos tecnológicos
   b. Criticar a los jóvenes por la manera irrespetuosa como usan los móviles
   c. Criticar a las empresas de aparatos tecnológicos por el daño que causan
   d. Informar al público sobre los riesgos del uso excesivo de los aparatos tecnológicos

2. ¿Por qué ha subido tanto el porcentaje de personas que sufren de nomofobia?
   a. Porque el uso de teléfonos inteligentes ha incrementado
   b. Porque el precio de los teléfonos inteligentes ha aumentado
   c. Porque es un cuadro adictivo social
   d. Porque pocos jóvenes usan el teléfono exclusivamente para hablar

3. ¿Cómo se define la nomofobia?
   a. Es una adicción física exclusiva de jóvenes españoles.
   b. Es un síndrome de abstinencia común, especialmente entre los jóvenes.
   c. Es un síntoma entre otros signos de alerta dentro de un cuadro adictivo.
   d. Es una enfermedad neurológica que puede interferir con el sueño.

4. ¿Qué tipo de personas tienden más a sufrir de este trastorno?
   a. Las personas que se llevan el teléfono consigo al baño
   b. Las personas con personalidades adictivas y pocas habilidades sociales
   c. Los jóvenes menores de 18 años de edad
   d. Los jóvenes que usan el teléfono exclusivamente para hablar

5. ¿Cuál es uno de los problemas que causa la nomofobia?
   a. Produce la sensación falsa de un teléfono vibrando
   b. Interfiere con la calidad del sueño
   c. Interfiere con el desarrollo de habilidades sociales
   d. Causa aislamiento social

3 **En tu opinión** Discute estas preguntas con un(a) compañero/a.

1. ¿Crees que la autora es verosímil y que usa fuentes confiables?
2. En tu opinión, ¿es la nomofobia un problema grave de verdad? Explica tu respuesta.
3. ¿Crees que los jóvenes menores de 18 años tienen menos riesgo de sufrir nomofobia?
4. Entre las adicciones tecnológicas, ¿cuáles te parecen peores?
5. ¿Consideras que la nomofobia y otros tipos de adicción tecnológica aumentarán?

4 **Entender el problema** Contesta las preguntas según el artículo y de acuerdo con tus propias opiniones, experiencias y observaciones.

1. ¿Por qué los jóvenes pueden estar en mayor riesgo de adicciones tecnológicas?
2. Además de interferir con la calidad del sueño, ¿qué otros problemas crees que pueden causar las adicciones a la tecnología?
3. ¿Cómo se puede evitar la propagación de este problema?
4. ¿Conoces a alguna persona que sufra nomofobia? ¿Qué síntomas presenta?
5. ¿Qué le podrías aconsejar para superar su adicción?

5 **Presentación oral** En grupos de tres, preparen un anuncio para advertirles a los jóvenes sobre los riesgos de la nomofobia y decirles qué deben hacer para evitarlos. Presenten su anuncio ante toda la clase y expliquen estos puntos:

◆ ¿Qué es la nomofobia y a quiénes suele afectar?
◆ ¿Por qué es un problema?
◆ ¿Cómo se pueden identificar los síntomas?
◆ ¿Qué se puede hacer para evitar este tipo de adicción?
◆ ¿Qué se puede hacer para ayudar a un(a) amigo/a que muestra síntomas?

6 **Unas metas personales** Reflexiona sobre tus propios hábitos y escribe una carta, dirigida a ti mismo/a, que podrás releer en dos años. Incluye estos elementos:

◆ Describe tu filosofía sobre el uso apropiado de la tecnología.
◆ Adviértete sobre tus propias tendencias a usar excesivamente algún aparato.
◆ Escribe una lista de tus metas personales para mantener hábitos saludables.

LECTURA 1.2 ▸ NOSOTROS, NO

Auto-graded
My Vocabulary
Partner Chat
Strategy
Write & Submit

SOBRE EL AUTOR José Bernardo Adolph (1933-2008) nació en Alemania, pero a los cinco años de edad se mudó a Perú para escapar de la Alemania nazi, y allí vivió hasta su muerte. Trabajó como profesor de lengua alemana y como periodista, pero es más conocido como narrador, en particular como escritor de obras de ciencia ficción. Llevó sus habilidades como periodista a sus obras de ficción e introdujo en ellas un profundo análisis de la sociedad.

SOBRE LA LECTURA Publicado en 1971, «Nosotros, no» es un cuento de ciencia ficción que muestra la fascinación del autor con el tema de la inmortalidad. También vemos en el cuento una crítica de la sociedad. Aunque tiene lugar en un futuro distante, los temas de la desigualdad y de una población dividida de manera arbitraria son antiguos.

ANTES DE LEER

1 **Lluvia de ideas** Con un(a) compañero/a, haz una lista de inventos que podrían mejorar la vida humana. Piensen en avances de la ciencia y la tecnología para:

- mejorar la calidad de vida
- mejorar el funcionamiento de la sociedad
- aumentar el disfrute de la vida
- aumentar la esperanza de vida
- disminuir los conflictos entre las comunidades y las naciones
- disminuir el crimen

2 **Un invento** Elige una de las ideas propuestas en la Actividad 1 y redacta una breve descripción en la que incluyas:

- el nombre del invento
- qué permite hacer
- cómo mejora la vida
- a quiénes beneficia más
- qué desventajas puede tener
- un dibujo del invento (opcional)

Luego describe tu invento delante de toda la clase y explica cómo mejoraría la vida de los seres humanos.

3 **¿Qué harías?** En parejas, túrnense para contestar estas preguntas: ¿Qué harías diferente si supieras que...

1. ...nunca morirás?
2. ...vas a morir en un año?
3. ...vivirás hasta tener cien años de edad?
4. ...tu éxito en el futuro no tendrá nada que ver con tu éxito en la escuela?
5. ...tienes la oportunidad de cambiar el mundo para mejorarlo?

MI VOCABULARIO
Utiliza tu vocabulario individual.

NOSOTROS, NO

por **José Bernardo Adolph**

GLOSARIO

tintinear producir un sonido agudo, como el de dos copas que chocan

descomponerse enfermar, perder la integridad física; desgastarse

la senectud la vejez

surtir producir, generar

aprestarse disponerse a hacer algo

el verdugo persona que castiga o atormenta sin piedad a otra

derramar verter o vaciar líquidos u otras sustancias

el desprecio sentimiento negativo hacia otra persona; desdén, falta de aprecio

rumbo a... en dirección a un lugar o situación

AQUELLA TARDE, cuando **tintinearon** las campanillas de los teletipos y fue repartida la noticia como un milagro, los hombres de todas las latitudes se confundieron en un solo grito de triunfo. Tal como había sido predicho doscientos años antes, finalmente el hombre había conquistado la inmortalidad en 2168.

Todos los altavoces del mundo, todos los transmisores de imágenes, todos los boletines destacaron esta gran revolución biológica. También yo me alegré, naturalmente, en un primer instante.

¡Cuánto habíamos esperado este día!

Una sola inyección, de cien centímetros cúbicos, era todo lo que hacía falta para no morir jamás. Una sola inyección, aplicada cada cien años, garantizaba que ningún cuerpo humano **se descompondría** nunca. Desde ese día, sólo un accidente podría acabar con la vida humana. Adiós a la enfermedad, a la **senectud**, a la muerte por desfallecimiento orgánico.

Una sola inyección, cada cien años.

Hasta que vino la segunda noticia, complementaria de la primera. La inyección sólo **surtiría** efecto entre los menores de veinte años. Ningún ser humano que hubiera traspasado la edad del crecimiento podría detener su descomposición interna a tiempo. Sólo los jóvenes serían inmortales. El gobierno federal mundial **se aprestaba** ya a organizar el envío, reparto y aplicación de las dosis a todos los niños y adolescentes de la tierra. Los compartimentos de medicina de cohetes llevarían las ampolletas a las más lejanas colonias terrestres del espacio.

Todos serían inmortales.

Menos nosotros, los mayores, los adultos, los formados, en cuyo organismo la semilla de la muerte estaba ya definitivamente implantada.

Todos los muchachos sobrevivirían para siempre. Serían inmortales y de hecho animales de otra especie. Ya no seres humanos; su sicología, su visión, su perspectiva, eran radicalmente diferentes a las nuestras. Todos serían inmortales. Dueños del universo para siempre. Libres. Fecundos. Dioses.

Nosotros, no. Nosotros, los hombres y las mujeres de más de veinte años, éramos la última generación mortal. Éramos la despedida, el adiós, el pañuelo de huesos y sangre que ondeaba, por última vez, sobre la faz de la tierra.

Nosotros, no. Marginados de pronto, como los últimos abuelos, de pronto nos habíamos convertido en habitantes de un asilo para ancianos, confusos conejos asustados entre una raza de titanes. Estos jóvenes, súbitamente, comenzaban a ser nuestros **verdugos** sin proponérselo. Ya no éramos sus padres. Desde ese día éramos otra cosa; una cosa repulsiva y enferma, ilógica y monstruosa. Éramos Los Que Morirían. Aquellos Que Esperaban la Muerte. Ellos **derramarían** lágrimas, ocultando su **desprecio**, mezclándolo con su alegría. Con esa alegría ingenua con la cual expresaban su certeza de que ahora, ahora sí, todo tendría que ir bien.

Nosotros sólo esperábamos. Los veríamos crecer, hacerse hermosos, continuar jóvenes y prepararse para la segunda inyección, una ceremonia —que nosotros ya no veríamos— cuyo carácter religioso se haría evidente. Ellos no se encontrarían jamás con Dios. El último cargamento de almas **rumbo al** más allá era el nuestro.

40 ¡Ahora cuánto nos costaría dejar la tierra! ¡Cómo nos iría **carcomiendo** una dolorosa envidia! ¡Cuántas ganas de asesinar nos llenaría el alma, desde hoy y hasta el día de nuestra muerte!

Hasta ayer. Cuando el primer chico de quince años, con su inyección en el organismo, decidió suicidarse. Cuando llegó esa noticia, nosotros, los mortales, comenzamos recientemente a amar y a comprender a los inmortales.

45 Porque son ellos unos pobres **renacuajos** condenados a prisión perpetua en el verdoso estanque de la vida. Perpetua. Eterna. Y empezamos a sospechar que dentro de 99 años, el día de la segunda inyección, la policía saldrá a buscar a miles de inmortales para imponérsela.

Y la tercera inyección, y la cuarta, y el quinto siglo, y el sexto; cada vez menos voluntarios, cada vez más niños eternos que imploran la evasión, el final, el rescate. Será horrenda la **cacería**.

50 Serán perpetuos miserables.

Nosotros, no. ▰

GLOSARIO

carcomer consumir poco a poco; mortificar o atormentar

el renacuajo larva de una rana, (figurado) niño pequeño

la cacería acción de cazar

DESPUÉS DE LEER

1 **Investigación** Busca en Internet textos breves o imágenes sobre las siguientes palabras del Glosario para que comprendas mejor su significado. Luego escribe una oración con cada una de ellas para demostrar que las entiendes.

derramar	descomponerse	renacuajo	senectud	verdugo

2 **Verdadero o falso** Clasifica las siguientes oraciones según sean **verdaderas** o **falsas**. Corrige las falsas.

1. En el cuento, aplicarse una inyección cada cien años era suficiente para no morir nunca.
2. El narrador de la historia murió en el año 2168.
3. La inyección sería efectiva en personas de cualquier edad.
4. Con la inyección, los jóvenes se convertirían en renacuajos.
5. Los inmortales del relato vivirían siempre felices.
6. Quienes se aplicaban la inyección no morían ni siquiera a causa de accidentes.
7. Después de aquel invento, las personas mayores de veinte años debían recluirse en un asilo para ancianos.
8. Después de aquel invento, las personas mayores de veinte años constituirían la última generación de humanos mortales.

3 **Cronología** Organiza la secuencia de acciones del relato por orden cronológico (del 1 al 8).

___ Como consecuencia, los mortales empezaron a amar y comprender a los inmortales.

_1_ En 1968 se predijo que en doscientos años el ser humano podría llegar a ser inmortal.

___ En el año 2168 se dio una primera noticia: el hombre había conquistado la inmortalidad.

___ Finalmente, los inmortales serán miserables pero los mortales no.

___ Los mayores de veinte años se sintieron marginados por los inmortales.

___ Se proclamó la segunda noticia: la inyección solo era eficaz para los menores de veinte años.

___ Todo el mundo se puso feliz con la primera noticia.

___ Un joven inmortal de quince años decidió quitarse la vida.

4 **Comprensión** Contesta las preguntas según el cuento.

1. ¿Qué tipo de cuento es «Nosotros, no»?
2. ¿Cuál es la posición del narrador al comienzo de la historia?
3. ¿Qué noticias se celebraron al principio del cuento?
4. ¿Cuál fue la segunda noticia? ¿Cómo cambiaron las relaciones entre las personas después de la segunda noticia?
5. ¿Qué significa la expresión «Nosotros, no» la primera vez que el narrador usa estas palabras? ¿Qué significan la última vez que las usa?
6. ¿Cómo cambia la posición del narrador con respecto a la muerte?
7. ¿Qué llevó a los mortales a amar de nuevo a los inmortales?
8. Según el narrador, ¿cómo será el mundo del futuro?

ESTRATEGIA

Identificar el estilo del autor Después de leer una primera vez para entender globalmente el cuento, analiza el tono del narrador (que puede ser alegre, triste, entusiasta, entre muchos otros) y busca ejemplos de figuras literarias. No solo las palabras, sino también el estilo y el tono pueden contribuir al significado de un cuento.

▶5 **Las figuras literarias** Contesta estas preguntas relacionadas con el cuento.

1. Describe el tono del narrador.
2. ¿Cómo contribuye el tono al sentido del cuento?
3. Da un ejemplo de paralelismo (repetición de una frase o estructura con variaciones). ¿Por qué usa el autor esa repetición?
4. ¿Qué metáforas usa el autor para describir a los inmortales y a los mortales?
5. ¿Cómo trata el autor los conceptos de la vida y la muerte de manera paradójica?
6. ¿En qué sentido se usa la ironía o el humor en el cuento?
7. ¿Cómo presenta el autor una crítica de la sociedad a través del cuento?
8. ¿Cómo se relaciona el cuento con el tema de los efectos de la tecnología en la sociedad?

6 **La moraleja del cuento** Con un(a) compañero/a, contesta las preguntas y discute la moraleja del cuento.

1. ¿Cuál es el propósito del autor?
2. ¿Cuál es su posición sobre estos asuntos?
   - la relación entre la vida y la muerte
   - el tratamiento de los grupos marginados
   - la naturaleza humana
   - el funcionamiento de la sociedad
3. ¿Cuál es la moraleja más importante del cuento?
4. ¿Estás de acuerdo con esta lección? Explica tu respuesta.

MI VOCABULARIO
Utiliza tu vocabulario individual.

7 **Ensayo persuasivo** Escribe un análisis del cuento en el que discutas uno o dos de los temas de esta lista. Explica la perspectiva presentada en el cuento acerca del tema elegido. Luego, presenta un argumento sólido para mostrar tus propias opiniones sobre los mismos temas.

- la crítica de la sociedad actual
- las posibles referencias a la Alemania nazi
- el tratamiento de los grupos marginados
- el uso de figuras literarias
- las paradojas de algunos inventos humanos
- la marginación social
- las paradojas de la felicidad humana
- la fascinación humana con su propia inmortalidad

8 Perspectivas Lee el siguiente fragmento del cuento y reflexiónalo con toda la clase. Luego, comenten los temas propuestos u otros que les sugiera el texto.

 Todos los muchachos sobrevivirían para siempre. Serían inmortales y de hecho animales de otra especie. Ya no seres humanos; su sicología, su visión, su perspectiva, eran radicalmente diferentes a las nuestras. »

1. ¿Por qué el narrador se refiere a los muchachos como «animales de otra especie. Ya no seres humanos»?
2. ¿Por qué afirma que su sicología y su perspectiva se volvieron radicalmente diferentes?
3. ¿Qué cambio o innovación científica o tecnológica podría generar (o ya ha generado) un cambio semejante entre la juventud?

---

9 Discusión En grupos de tres o cuatro estudiantes, discutan si están de acuerdo o no con los siguientes enunciados.

1. La tecnología es lo que más influye actualmente en la vida humana.
2. Los seres humanos podemos llegar a ser víctimas de nuestros propios inventos.
3. Los avances técnicos y científicos, no importa cuáles sean, siempre nos harán más felices.
4. Siempre que un grupo humano adquiere una ventaja tecnológica, inevitablemente se vuelve cruel y despiadado.

---

10 Un mensaje electrónico ¿Cuál sería tu reacción si en este momento inventaran la inyección para la inmortalidad? Acabas de recibir un correo electrónico de tu mejor amigo/a en el que te pide tu opinión acerca de si debe ponerse la inyección o no. Respóndele planteando sinceramente tu posición al respecto. Explica en tu mensaje las ventajas y desventajas de ser inmortal, y las consecuencias que ello podría implicar para la humanidad. Cita ejemplos del cuento para sustentar tu respuesta.

RECURSOS 🔍
Consulta la lista de apéndices en la p. 418.

ESTRUCTURAS

 El futuro y el condicional

Observa los usos del futuro y el condicional en los cinco últimos párrafos del cuento, en los que el narrador predice eventos futuros.

Vuelve a leer las predicciones y especulaciones del narrador y escribe seis más: tres con el condicional y tres con el futuro.

> **MODELO** (especulación) **Los inmortales no <u>celebrarían</u> las vidas de los mortales.**
> (predicción) **No <u>querrán</u> acordarse de la vida anterior.**

RECURSOS 🔍
Consulta las explicaciones gramaticales del **Apéndice A,** pp. 438-440.

Audio
Auto-graded
En fragmentos
My Vocabulary
Strategy
Write & Submit

AUDIO ▸ PROBLEMAS EN LA ESCUELA

GLOSARIO

la programación
codificación informática para la creación de una aplicación o programa

la casualidad azar, suerte, accidente

el/la bombero/a persona encargada de extinguir incendios y auxiliar en otro tipo de catástrofes

enterarse descubrir, aprender o saber

desesperado/a atormentado/a, exasperado/a

el taller programa de aprendizaje

MI VOCABULARIO
Utiliza tu vocabulario individual.

INTRODUCCIÓN Esta es la grabación de una charla patrocinada por TEDxRíodelaPlata, una organización argentina sin ánimo de lucro que tiene la misión de divulgar ideas transformadoras. En esta charla TEDx, el joven emprendedor Santiago Aranguri presenta el resultado de su pasión por la programación y el deseo de contribuir positivamente al bienestar humano, deseo cumplido gracias a la colaboración de una organización no gubernamental.

ANTES DE ESCUCHAR

1 **Descubre tu pasión** Dedica cinco minutos para reflexionar y escribir un corto párrafo sobre algo que te apasione y que te inspire a estudiar y a querer aprender más rápidamente.

2 **Comparte tu pasión** Compartan sus reflexiones en grupos de dos o tres. Después, contesten estas preguntas:

◆ ¿Qué tienen en común? ¿En qué difieren sus pasiones e intereses? ¿De qué manera lo que aprenden en la escuela contribuye a llevar a cabo esos intereses?

◀)) MIENTRAS ESCUCHAS

ESTRATEGIA

Visualizar Al escuchar la grabación, imagina o visualiza mentalmente lo que se describe para tener una idea más clara del contexto.

1 **Escucha una vez** Lee las categorías del organizador gráfico de la Actividad 2. Después, escucha la grabación para captar las ideas generales de la charla de Santiago.

2 **Escucha de nuevo** Usa el organizador gráfico para apuntar lo esencial de la charla TEDx.

IDEAS CENTRALES	APUNTES
las ganas de Santiago	
la experiencia/la historia	
identificar el problema	
la idea de Santiago	
¿Por qué tanto tiempo?	
colaboración con una ONG (organización no gubernamental)	
el resultado	

DESPUÉS DE ESCUCHAR

1 **Comprensión** Contesta estas preguntas según lo que escuchaste y los apuntes en el organizador gráfico. Luego, comparte y compara tus respuestas con un(a) compañero/a.

1. ¿Qué quería aprender Santiago?
2. ¿Qué era lo que preocupaba a su padre?
3. ¿Cuál fue la idea que tuvo Santiago?
4. ¿Por qué asistió a un taller por fuera del colegio?
5. ¿Con qué ONG comenzó a hablar Santiago?
6. ¿Qué impacto tuvo la colaboración con la ONG?
7. ¿Crees que la audiencia aplaudirá a Santiago cuando este concluya su charla? ¿Por qué?

2 **Análisis: causa y efecto** Lean estas dos citas de la charla de Santiago:

« Me encontré con una experiencia que me hizo acelerar mi aprendizaje de una manera increíble. »

« Ahí pensé que, quizás, podía hacer algo con mi pasión, que es la programación, para ayudar a resolver este problema. »

En grupos de tres analicen:

◆ La relación entre la pasión de Santiago, los eventos que impactaron a su padre y el efecto de sus acciones. Utilizando evidencias del audio, describan todas las posibilidades de causa y efecto que encontraron en la charla de Santiago.
◆ Cómo influye la pasión en el aprendizaje y la resolución de problemas: ¿cómo podrían aprovechar las escuelas secundarias la experiencia de Santiago Aranguri?

ESTRATEGIA

Identificar causa y efecto Saber la relación entre causa y efecto te ayudará a entender qué pasa en el audio y por qué motivos, y quizá te permita tener una posición crítica frente al tema.

3 **Síntesis** Considerando todo lo que has estudiado en este contexto, escribe un ensayo de tres párrafos en el que explores las siguientes ideas y otras que consideres pertinentes.

◆ ¿Cómo nos afectará la tecnología en el futuro?
◆ ¿Cómo será la vida en cien años?
◆ ¿Es conveniente frenar o limitar la labor de los científicos?
◆ ¿Los avances científicos y tecnológicos resolverán nuestros problemas, o solo crearán otros nuevos?

RECURSOS

Consulta la lista de apéndices en la p. 418.

CONEXIONES CULTURALES  Record & Submit
Virtual Chat

Casa protegida contra el frío en el altiplano peruano, Langui, Cuzco

Casas más cálidas

LOS HABITANTES DE LAS ZONAS FRÍAS DEL ALTIPLANO peruano han debido adaptarse a las dificultades de su entorno. Para hacerles frente a las bajas temperaturas que afectan a miles de habitantes, un grupo de investigadores de la Universidad Católica del Perú ha presentado el proyecto K'oñichuyawasi («casa caliente y limpia» en quechua), que consiste en utilizar recursos naturales como el sol, el viento, palos y piedras para mantener las casas más cálidas y con mayor ventilación, lo cual mejora la calidad de vida y previene las enfermedades respiratorias, que son comunes en la región.

Uno de los componentes de este programa consiste en mejorar las cocinas de las viviendas, de modo que no se acumule el humo dentro de ellas. Aunque el proyecto implica algunas inversiones económicas, muchas familias se han beneficiado de estas mejoras y ahora pueden tener un hogar más acogedor e higiénico, por lo que los beneficios para toda la comunidad, y para la región en general, se observarán a largo plazo.

◢ A pesar de que en España más del 25% de la población practica algún deporte, es común que personas aparentemente sanas mueran de manera súbita. Un investigador de la Universidad Jaume I ha diseñado un brazalete que permite identificar con tiempo cualquier riesgo inminente de muerte súbita. Ante un signo de alarma, el brazalete envía señales al monitor de control, a los médicos del centro deportivo y al hospital más cercano. De este modo, el paciente puede obtener asistencia oportuna.

◢ El sistema *webGIS*, de la Secretaría de Ambiente de Argentina, permite evaluar muestras de agua en la web y conocer la calidad del agua que llegará a los hogares. Esto ha beneficiado en gran medida la salud de la población y en especial la de los niños.

◢ La empresa mexicana HDS desarrolló una plataforma en la que los médicos pueden consultar historias clínicas, redactar prescripciones y pedir estudios clínicos totalmente en línea, sin que los pacientes salgan de su casa. Los beneficios se observan en la agilidad y la comodidad en la atención.

 Presentación oral: comparación cultural

Prepara una presentación oral sobre este tema:

◆ ¿Cuál es el papel de la ciencia y la tecnología en el cuidado de la salud y el bienestar de las personas?

Compara alguna invención novedosa que haya beneficiado la salud de una región del mundo hispanohablante que te sea familiar con una invención similar de las comunidades en las que has vivido.

PUNTOS DE PARTIDA

Pocas cosas son tan importantes como la salud y la atención médica, que se deberían brindar a todas las personas. Mientras que la tecnología lleva cada vez más información y avances a lugares remotos, las barreras que enfrentan las poblaciones vulnerables en el cuidado de la salud son cada vez mayores.

▲ ¿Cómo se puede mejorar el acceso y la calidad de los servicios de salud en la era de la información?

▲ ¿Cuál es la importancia de los avances médicos y la educación para la salud de las personas?

▲ ¿Cómo influyen las condiciones socioeconómicas en el acceso de los ciudadanos a los servicios de salud?

DESARROLLO DEL VOCABULARIO  Auto-graded My Vocabulary

1 **Reconoce los síntomas** Elige la mejor descripción para cada uno de estos síntomas.

1. ___ escalofrío	a. falta de energía
2. ___ dolor abdominal	b. goteo y abundancia de flujo en las mucosas
3. ___ náuseas matutinas	c. sensación de frío acompañada de temblores
4. ___ fiebre	d. mareo y vómitos por la mañana
5. ___ insomnio	e. dolor en el estómago
6. ___ congestión nasal	f. elevación de la temperatura
7. ___ cansancio	g. dificultad para conciliar el sueño
8. ___ hemorragia	h. sangrado abundante

2 **¡Haz el diagnóstico!** Elige el mejor diagnóstico para cada grupo de síntomas.

1. ___ dificultad respiratoria, erupción cutánea	a. diabetes
2. ___ estornudos, secreción nasal, dolor de cabeza	b. embarazo
3. ___ pérdida de peso, cansancio, cambios en la agudeza visual, náuseas	c. gripe (influenza)
4. ___ tos, cansancio, dolor de garganta, debilidad, fiebre	d. resfrío
5. ___ cansancio y náuseas matutinas	e. gastritis
6. ___ ardor y dolor en el estómago	f. depresión
7. ___ ojos y piel de color amarillo pálido	g. alergia
8. ___ tristeza constante e inactividad	h. hepatitis

MI VOCABULARIO
Anota el vocabulario nuevo a medida que lo aprendes.

3 **Demos consejos** Consulta páginas de Internet especializadas en temas de salud y elabora una lista de sugerencias para estos males, comunes en nuestro tiempo. Anota información sobre los sitios que consultaste y luego compara tus hallazgos con un grupo de compañeros. ¿Cuáles creen que son los sitios más confiables y por qué?

1. dolor abdominal
2. fiebre
3. congestión nasal
4. insomnio
5. migraña
6. estrés
7. náuseas y vómitos
8. dolor de garganta
9. dificultad respiratoria
10. tos y estornudos

Auto-graded
My Vocabulary
Partner Chat
Record & Submit
Strategy
Write & Submit

LECTURA 2.1 ▸ GOOGLE, UN MÉDICO VIRTUAL NO ACONSEJABLE

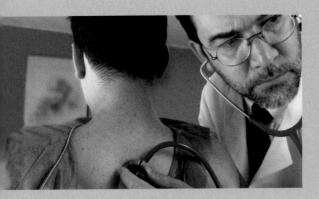

SOBRE LA LECTURA Internet es una fuente de información inagotable y ya estamos acostumbrados a consultarla para resolver cualquier duda que nos surja. Pero, ¿cómo se sabe cuándo la información es fiable y cuándo necesitamos consultar a un experto? Esta lectura discute el tema de las páginas de salud en línea: por qué son populares, qué beneficios y riesgos tienen para los usuarios y qué opinan los expertos. El artículo, escrito por Ángela Carrasco, fue publicado en *La Prensa*, un diario de La Paz, Bolivia, y aunque la autora se dirige al lector boliviano, los asuntos que discute son universales. El lugar apropiado para este tipo de recursos está aún por ser determinado. Mientras tanto, vale la pena educarnos al respecto.

ANTES DE LEER

MI VOCABULARIO
Utiliza tu vocabulario individual.

1

Recursos En parejas, conversen sobre estas preguntas, relacionadas con sus fuentes de información preferidas.

1. ¿Cuáles son tus programas de búsqueda preferidos en la red? ¿Cuáles son las ventajas y las desventajas de cada uno?
2. ¿Qué tipo de información sueles buscar en línea?
3. ¿Cómo evalúas o verificas la credibilidad de la información que encuentras? En una escala de uno a diez, califica la credibilidad de los sitios que consultas.
4. ¿Cuáles son tus recursos de información preferidos, además de Internet?
5. ¿Cuáles son las ventajas y las desventajas de los recursos en línea y los recursos tradicionales?

RECURSOS
Consulta la lista de apéndices en la p. 418.

2

Ofrece ayuda Lee este anuncio publicado por un usuario de una red social que frecuentas y respóndele para darle consejos. Incluye estos elementos en tu respuesta:

◆ Saluda a la persona que pide ayuda y demuéstrale que entiendes su problema.
◆ Explica cómo decides tú cuándo es mejor hacer consultas en persona.
◆ Menciona cuáles son las ventajas y las desventajas de buscar información de salud en línea, así como los riesgos de automedicarse.
◆ Explica la importancia de una consulta de salud «cara a cara».

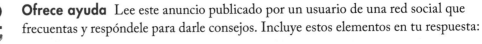

Hola. Estoy demasiado dependiente de Internet. Ya no consulto a mis padres, mi médico o mis amigos cuando tengo dudas. ¡Tengo miedo de que mi único confidente sea Wikipedia! Necesito saber cuándo es un recurso apropiado. ¡Ayúdame!

Responder:

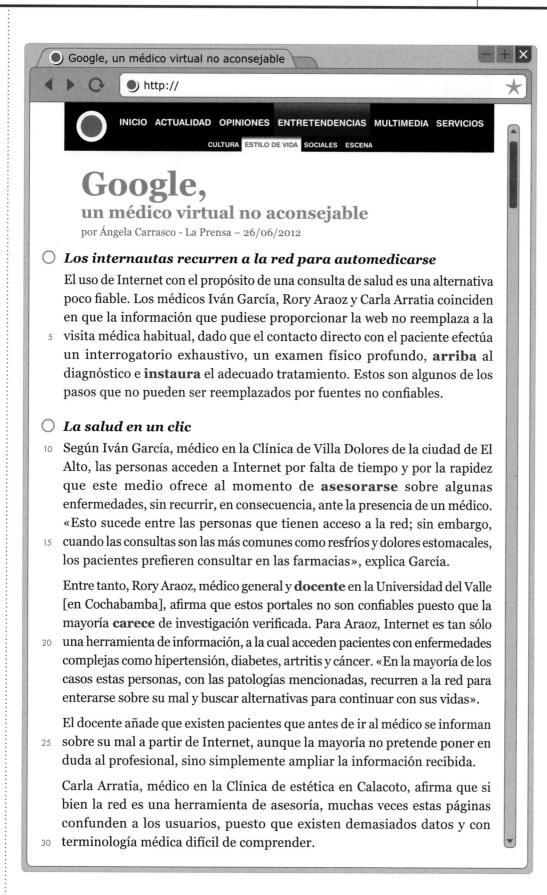

Google, un médico virtual no aconsejable

http://

INICIO ACTUALIDAD OPINIONES ENTRETENDENCIAS MULTIMEDIA SERVICIOS

CULTURA ESTILO DE VIDA SOCIALES ESCENA

Google,
un médico virtual no aconsejable
por Ángela Carrasco - La Prensa – 26/06/2012

Los internautas recurren a la red para automedicarse

El uso de Internet con el propósito de una consulta de salud es una alternativa poco fiable. Los médicos Iván García, Rory Araoz y Carla Arratia coinciden en que la información que pudiese proporcionar la web no reemplaza a la
5 visita médica habitual, dado que el contacto directo con el paciente efectúa un interrogatorio exhaustivo, un examen físico profundo, **arriba** al diagnóstico e **instaura** el adecuado tratamiento. Estos son algunos de los pasos que no pueden ser reemplazados por fuentes no confiables.

La salud en un clic

10 Según Iván García, médico en la Clínica de Villa Dolores de la ciudad de El Alto, las personas acceden a Internet por falta de tiempo y por la rapidez que este medio ofrece al momento de **asesorarse** sobre algunas enfermedades, sin recurrir, en consecuencia, ante la presencia de un médico. «Esto sucede entre las personas que tienen acceso a la red; sin embargo,
15 cuando las consultas son las más comunes como resfríos y dolores estomacales, los pacientes prefieren consultar en las farmacias», explica García.

Entre tanto, Rory Araoz, médico general y **docente** en la Universidad del Valle [en Cochabamba], afirma que estos portales no son confiables puesto que la mayoría **carece** de investigación verificada. Para Araoz, Internet es tan sólo
20 una herramienta de información, a la cual acceden pacientes con enfermedades complejas como hipertensión, diabetes, artritis y cáncer. «En la mayoría de los casos estas personas, con las patologías mencionadas, recurren a la red para enterarse sobre su mal y buscar alternativas para continuar con sus vidas».

El docente añade que existen pacientes que antes de ir al médico se informan
25 sobre su mal a partir de Internet, aunque la mayoría no pretende poner en duda al profesional, sino simplemente ampliar la información recibida.

Carla Arratia, médico en la Clínica de estética en Calacoto, afirma que si bien la red es una herramienta de asesoría, muchas veces estas páginas confunden a los usuarios, puesto que existen demasiados datos y con
30 terminología médica difícil de comprender.

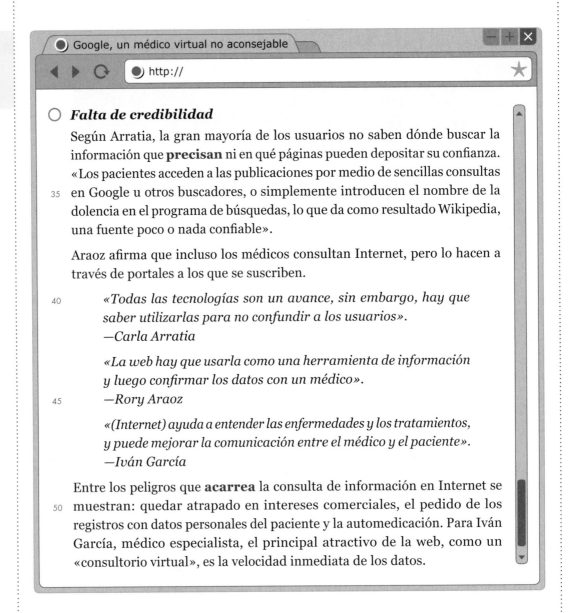

Google, un médico virtual no aconsejable

http://

○ *Falta de credibilidad*

Según Arratia, la gran mayoría de los usuarios no saben dónde buscar la información que **precisan** ni en qué páginas pueden depositar su confianza. «Los pacientes acceden a las publicaciones por medio de sencillas consultas
35 en Google u otros buscadores, o simplemente introducen el nombre de la dolencia en el programa de búsquedas, lo que da como resultado Wikipedia, una fuente poco o nada confiable».

Araoz afirma que incluso los médicos consultan Internet, pero lo hacen a través de portales a los que se suscriben.

40   *«Todas las tecnologías son un avance, sin embargo, hay que saber utilizarlas para no confundir a los usuarios».*
        —Carla Arratia

        «La web hay que usarla como una herramienta de información y luego confirmar los datos con un médico».
45   *—Rory Araoz*

        «(Internet) ayuda a entender las enfermedades y los tratamientos, y puede mejorar la comunicación entre el médico y el paciente».
        —Iván García

Entre los peligros que **acarrea** la consulta de información en Internet se
50 muestran: quedar atrapado en intereses comerciales, el pedido de los registros con datos personales del paciente y la automedicación. Para Iván García, médico especialista, el principal atractivo de la web, como un «consultorio virtual», es la velocidad inmediata de los datos.

DESPUÉS DE LEER

1

Verbos clave Completa las siguientes oraciones con la forma correcta de algunos de los verbos que aparecen en el Glosario de la lectura.

1. Algunos profesionales poco serios _____ de los conocimientos necesarios para practicar su profesión.
2. Antes de iniciar cualquier tratamiento, Julieta se _____ de varios médicos.
3. Después de estudiar mucho los síntomas, los médicos _____ a un correcto diagnóstico.
4. El gobierno ha _____ nuevas medidas para mejorar la atención en salud.
5. La práctica de automedicarse puede _____ muchos inconvenientes.
6. Se _____ muchos años de estudio para ejercer una profesión médica.

2 **Comprensión** Contesta estas preguntas según el artículo.

1. ¿Cuál es el propósito del artículo y para qué tipo de lectores fue escrito?
2. Según los tres médicos citados, ¿cómo se debe usar Internet y cómo no debe usarse con respecto a las consultas médicas?
3. ¿Cuál es el punto de vista de la autora y cómo lo expresa a lo largo del artículo?
4. ¿Cuáles son algunos peligros de usar Internet como consultorio virtual?

3 **Resume** Repasa las citas de los tres médicos (líneas 40-48) y en una oración explica con tus propias palabras los consejos de cada uno.

1. Iván García dice...
2. Rory Araoz afirma...
3. Carla Arratia expresa que...

4 **Comenta** En parejas, comenten estas preguntas.

1. Según los médicos, ¿en qué se diferencian las páginas sobre salud dirigidas a los pacientes y los sitios que consultan los profesionales? ¿Qué les aconsejan a los pacientes en relación con la información que encuentran en línea?
2. ¿Cómo pueden los sitios de Internet interferir con la atención médica apropiada?
3. ¿Por qué es tan importante para los médicos efectuar un interrogatorio y un examen físico con el paciente en persona?
4. ¿Estás de acuerdo con el punto de vista presentado por los médicos? Explica por qué.

MI VOCABULARIO
Utiliza tu vocabulario individual.

5 **Comparación cultural** Vuelve a leer la siguiente cita del doctor García (en las líneas 15 y 16 de la lectura) y discútela con un(a) compañero/a. Comparen el rol que cumplen las farmacias en la cultura boliviana con el rol que cumplen en Estados Unidos.

《 Cuando las consultas son las más comunes como resfríos y dolores estomacales, los pacientes prefieren consultar en las farmacias. 》

6 **Ventajas y desventajas** En parejas, hagan una lista de las ventajas y desventajas de cada una de estas ideas.

1. Usar Skype para interrogar a pacientes en lugares remotos.
2. Ofrecer información en línea que sea más comprensible para los pacientes.
3. Enviar alertas por mensaje de texto cuando haya riesgos ambientales.

7 **Presentación oral** Presenta tus opiniones sobre el uso apropiado de la tecnología en el cuidado de la salud. Incluye los siguientes aspectos en tu presentación:

◆ Referencias a la lectura: expresa si estás de acuerdo o no con la autora.
◆ Tus ideas sobre el potencial de la tecnología para mejorar el cuidado de la salud
◆ Tus ideas sobre los límites de la tecnología en el cuidado de la salud
◆ Algunas recomendaciones en relación con el uso de Internet para consultar temas de salud. En lo posible, incluye algunas experiencias personales o familiares.

 ESTRATEGIA

Apoyar con evidencia
Cuando expreses tus opiniones sobre un tema, presenta evidencias que las apoyen, para mostrar que tus conclusiones son lógicas.

LECTURA 2.2 ▶ LA SOFISTICADA CIRUGÍA CEREBRAL DE LOS INCAS

SOBRE LA LECTURA Este artículo es parte de la sección «Ciencia» del periódico *El Mundo* de Madrid, España. La autora, Rosa Tristán, se especializa en la ciencia y también tiene un blog llamado *Laboratorio para Sapiens*. En esta lectura, ella presenta el trabajo de dos arqueólogos que han estudiado las prácticas quirúrgicas y otros aspectos de la cultura incaica en Perú: Valerie Andrushko, de la Universidad de Connecticut, es experta en bioarqueología (ciencia que estudia los vestigios de cráneos antiguos); y John Verano, de la Universidad de Tulane, es un arqueólogo físico que se especializa en la biología esqueletal humana, entre otras cosas.

ANTES DE LEER

1 **La cultura inca** Busca información sobre tres de los siguientes acontecimientos y características de la cultura inca. Luego, escribe oraciones sobre los siguientes temas:

1. el imperio
2. el ejército
3. la arquitectura
4. la ingeniería
5. la agricultura
6. la astronomía
7. la medicina
8. la alimentación

RECURSOS
Consulta la lista de apéndices en la p. 418.

2 **Medicina en la Edad Media** Busca información sobre las prácticas de medicina fuera de las Américas en la Edad Media. Contesta las siguientes preguntas y luego discútelas con un(a) compañero/a.

1. ¿Cuál es el papel de la religión en las prácticas de medicina?
2. ¿Cuál es la importancia de la superstición?
3. ¿Cómo se hacían las medicinas?
4. ¿Cómo se educaban los médicos?
5. ¿Cómo eran las prácticas de cirugía?
6. ¿Qué se usaba como anestesia y como antibióticos?
7. ¿Cómo eran las tasas de supervivencia?
8. ¿Qué similitudes encuentras con las prácticas médicas de los incas?

MI VOCABULARIO
Utiliza tu vocabulario individual.

3 **Contraste** Trabaja con un(a) compañero/a de clase para hacer listas de las ventajas y desventajas de la medicina en la Edad Media y la medicina moderna. Compara tu lista con el resto de la clase.

CIENCIA

PRACTICARON CON ÉXITO COMPLEJAS OPERACIONES DE TREPANACIÓN DEL CRÁNEO

La sofisticada cirugía cerebral de los incas

ROSA M. TRISTÁN

● Uno de los cráneos descubiertos por los arqueólogos, con un gran agujero donde se realizó una operación. (Foto: Valerie Andrushko)

MADRID- Los cirujanos incas que habitaron en Cuzco (Perú) practicaron con éxito las complejas operaciones de **trepanación** del cráneo con fines curativos y llegaron a obtener un éxito de supervivencia del 90% de los pacientes, con niveles de infección realmente bajos.

El sorprendente hallazgo ha sido realizado por el equipo de Valerie Andrushko, de la Universidad de Connecticut y su colega John Verano, de la Universidad de Tulane (ambas en EEUU), quienes han analizado 411 cráneos procedentes de 11 **yacimientos** distintos en el país andino.

De ellos, 66 tenían practicados unos perfectos **agujeros** a través del hueso, que indican que se les practicó una trepanación. Una intervención similar se realiza hoy en día para tratar coágulos sanguíneos o aneurismas, y se conoce como craneotomía.

Los **vestigios** que indican que hace miles de años se conocía esta técnica como tratamiento médico ya habían sido apuntados por el antropólogo Verano. "Lo que distingue este nuevo trabajo es que **proporciona** la evidencia más amplia conocida sobre la teoría de que había un trauma en el cráneo. Además, se incluye el único cráneo conocido en el que el agujero fue taponado de nuevo para enterrar a un individuo, que debía ser de la alta sociedad por las características de la tumba", explica Andrushko a *EL MUNDO*.

La investigación, publicada en el *American Journal of Physical Anthropology*, pone de manifiesto que los incas, además de excelentes ingenieros y astrónomos, también eran expertos en el campo de la medicina, frente a quienes pensaban que estas operaciones tenían un sentido ritual. Andrushko reconoce que se quedó "sorprendida por su habilidad y su alta tasa de supervivencia". Se cree que la técnica se practicaba en la zona desde el siglo V y que se perfeccionó en los cinco siglos siguientes. También fue habitual en otras civilizaciones, como la egipcia.

Lesiones de guerra

Casi todos los cráneos agujereados pertenecieron a varones jóvenes que, según se supone, fueron lesionados en batallas.

GLOSARIO

la hembra del sexo femenino, opuesto a macho

el raspado procedimiento para recolectar muestras de un sólido, como el hueso, mediante una herramienta para pulir o desgastar

recoger reunir, agrupar, recolectar

el bálsamo crema o líquido medicinal

50　Por ello, los investigadores se sorprendieron de encontrar 19 **hembras** en su muestra. ¿Acaso también iban a la guerra? "De momento, no sabemos la razón, hay que investigar más", reconoce la arqueóloga. Una de las hipótesis apunta que la trepanación también podía usarse para curar la epilepsia o infecciones crónicas en el cráneo.

55　　La técnica de los cirujanos incas era altamente precisa. Primero hacían un **raspado** circular del hueso en una zona más amplia que la que se iba a afectar. Y luego se practicaba el agujero con unos instrumentos determinados. Casi siempre en la zona central o izquierda, posiblemente porque el contrincante se posicionaba a la derecha.

60　　Entre los cráneos estudiados hay uno que tiene hasta siete agujeros, lo que parece indicar que su caso era complicado, pero que logró sobrevivir varias veces a la compleja intervención. También se sabe que, aunque no tenían anestesia moderna ni

65　antibióticos, sí poseían un gran conocimiento de plantas medicinales.

　　"La coca era una de estas plantas y también **recogían** tabaco salvaje que, junto con la cerveza de maíz, les servían para aliviar algo el

70　dolor". Entre los antisépticos naturales menciona la utilización de **bálsamos** y de los saponinos, unos compuestos vegetales que también reducen el colesterol.

　　"Lejos de la idea de que unos salvajes agujereaban cráneos para alejar a los demonios, lo cierto es que eran cirujanos muy especializados.

75　Nuestro trabajo revela que las civilizaciones prehistóricas ya lograron innovaciones médicas importantes. Y la mejor prueba de que eran operaciones útiles para un trauma craneal es que se siguen realizando", argumenta la doctora Andrushko.

　　Curiosamente, no hay referencias a las trepanaciones craneales

80　entre las crónicas que hicieron los primeros conquistadores que llegaron a Cuzco, comandados por Francisco Pizarro. La arqueóloga norteamericana comenta, no obstante, que sí han encontrado vestigios etnográficos de que la práctica no acabó totalmente con la llegada de los españoles, aunque sí se habría extinguido con la

85　desaparición del Imperio Inca.

● Otro de los cráneos muestra varias perforaciones. (Foto: V.A.)

DESPUÉS DE LEER

1 **Comprensión** Contesta las preguntas según el texto.

1. ¿Qué porcentaje de los pacientes incaicos sometidos a las operaciones de trepanación del cráneo murieron?
2. ¿Qué evidencia sugiere la práctica de una trepanación? ¿Para qué se usaría una intervención semejante hoy en día?
3. ¿Por qué es importante el hallazgo de un cráneo con el agujero taponado de nuevo?
4. ¿Cuándo se cree que los incas empezaron la práctica de trepanación?
5. ¿Dónde más se practicaba este tipo de procedimientos?
6. ¿Qué población de incas recibieron la mayoría de las trepanaciones? ¿Por qué?
7. Lo incas no poseían antibióticos ni anestesia moderna. ¿Qué usaban para proteger a los pacientes de una infección?
8. ¿Qué distingue este trabajo de otros en el pasado?
9. ¿Cómo se sabe que las trepanaciones eran útiles para el trauma craneal?

2 **¿Qué es lo que más te interesó?** Repasa de nuevo el artículo para encontrar el hecho o la cita que más te interese. Puede ser algo nuevo que hayas aprendido. Luego, comparte tu selección con un(a) compañero/a y explícale por qué te interesa.

3 **Hacer inferencias** En el penúltimo párrafo, la doctora Andrushko dice: «Lejos de la idea de que unos salvajes agujereaban cráneos para alejar a los demonios, lo cierto es que eran cirujanos muy especializados.» Responde:

◆ ¿Qué sugiere esta cita de las viejas creencias con respecto a la práctica de trepanación en la cultura incaica?
◆ ¿Qué otra evidencia ofrece la doctora Andrushko para reforzar la idea de que «eran cirujanos muy especializados»?

4 **Lecciones del pasado** Este artículo presenta información sobre conocimientos que se perdieron y prácticas que se abandonaron después de la conquista española. Observa la siguiente cita y responde a las preguntas con un grupo pequeño de compañeros/as.

> « Curiosamente, no hay referencias a las trepanaciones craneales entre las crónicas que hicieron los primeros conquistadores que llegaron a Cuzco, comandados por Francisco Pizarro. »

1. ¿Te parece también curioso que no haya referencias a las trepanaciones craneales en las crónicas de Pizarro? ¿Por qué?
2. ¿Qué obtuvo Pizarro al conquistar a los incas?
3. ¿Cómo crees que habría sido la civilización inca si no hubiera sido diezmada durante la conquista de América?
4. ¿Qué perdimos como resultado de esta conquista?
5. ¿Qué podemos aprender al leer sobre ese episodio en la historia de la humanidad?

ESTRATEGIA

Inferir Hacer una inferencia implica sacar conclusiones de la información disponible en el texto. Las inferencias pueden ayudarte a comprender mejor el texto. Observa la manera en que la doctora Andrushko presenta su interpretación histórica y las suposiciones que hace sobre los hallazgos.

MI VOCABULARIO
Utiliza tu vocabulario individual.

MI VOCABULARIO
Utiliza tu vocabulario individual.

5 Diversas perspectivas Considera los productos, prácticas y perspectivas que existen hoy en día con respecto al cuidado de la salud. En grupos de tres o cuatro estudiantes, escriban una lista de cinco elementos para cada una de estas categorías.

- los productos médicos (medicinas, remedios, aparatos) más importantes o populares actualmente
- las prácticas médicas (tipos de tratamiento, procedimientos, costumbres) más importantes o populares en la actualidad
- algunas de las perspectivas más significativas o populares sobre la salud actualmente (por ejemplo, opiniones acerca de la prescripción de medicamentos o la responsabilidad de proporcionar el cuidado de la salud)

6 ¿Qué pasará? Observen los elementos que incluyeron en sus listas de la Actividad 5 y clasifíquenlos en una tabla con las siguientes categorías.

Es popular hoy, pero no representa un avance significativo.	
Es un avance significativo que define actualmente el cuidado de la salud.	
Es popular hoy, pero parecerá antiguo y primitivo en el futuro.	

RECURSOS
Consulta la lista de apéndices en la p. 418.

7 Ensayo de comparación El artículo que has leído describe la trepanación practicada por los incas desde el siglo V. Hoy en día, un procedimiento semejante es muy diferente. Escribe un ensayo en el que compares las prácticas antiguas de los incas con los procedimientos médicos que se hacen hoy en día en tu país. Luego, haz una propuesta para la manera en la que deberíamos practicar la medicina en el futuro y unas sugerencias para conseguir los avances que imaginas.

8 Presentación oral La práctica de la medicina moderna se enfoca mucho en el uso de medicamentos y cirugías para tratar enfermedades y otras dolencias, mientras que la medicina alternativa se enfoca más en el uso de plantas, remedios naturales y la prevención de problemas de salud. Prepara una presentación oral en la que compares ambas estrategias para mantener buena salud. ¿Cuál de las estrategias es mejor?

9 Discusión Discute con un(a) compañero/a las siguientes preguntas.

- ¿Quiénes eran los incas? ¿Dónde y cuándo vivían?
- ¿Por qué son conocidos hoy en día?
- ¿Con qué propósito llegaron Pizarro y otros conquistadores a Perú?
- ¿Dónde se pueden encontrar los vestigios de la mentalidad del conquistador en el mundo de hoy?
- ¿Existe evidencia para sugerir que se está cambiando la mentalidad del conquistador hoy en día? Explica tu respuesta.

AUDIO ▸ MENOS SAL PARA LOS NIÑOS, RECOMIENDA LA OPS

Audio
En fragmentos
My Vocabulary
Strategy
Write & Submit

INTRODUCCIÓN La Radio ONU emitió este audio como parte de la *Semana Mundial de Sensibilización sobre la Sal.* Carlota Fluxá reporta desde Nueva York sobre la recomendación de la Organización Panamericana de la Salud (OPS) de disminuir el uso de sal, y los esfuerzos de las Naciones Unidas para minimizar los efectos negativos de la sal en la salud, especialmente en la de los niños.

ANTES DE ESCUCHAR

1 **Explorar y aprender** En parejas, exploren el sitio web oficial de la Organización Panamericana de la Salud para encontrar la información que se pide a continuación. ◀◀

su sede	
número de países o territorios representados	
su visión y misión	
sus valores	
dos programas o logros especiales (de los muchos que tiene la Organización)	

Fundada en 1902, la OPS es la organización internacional especializada en salud pública de las Américas.

GLOSARIO
la sensibilización influencia sobre alguien para que entienda y aprecie el impacto o la importancia de algo
ingerir comer, tragar
transmisible que se puede pasar o transferir
predisponer preparar para un fin determinado; anticipar, inclinar
abarcar contener, incluir, cubrir, comprender

2 **Discusión grupal** Como discusión con la clase entera, usen sus apuntes de la actividad anterior para explicar cómo esta investigación les ha brindado más sensibilización frente a los asuntos de la salud en las Américas.

◀)) MIENTRAS ESCUCHAS

1 **Escucha guiada** Antes de escuchar la primera vez, lee estos fragmentos que te guiarán a través de la grabación. Al escuchar, marca cada expresión para ayudarte a seguir el reportaje.

☐ que se celebra
☐ un llamado
☐ para que reduzca
☐ deje de publicitar
☐ con ingredientes frescos
☐ está oculta

☐ la presión arterial
☐ la hipertensión
☐ el consumo máximo
☐ según cifras
☐ la ingesta media diaria
☐ el rango de consumo

ESTRATEGIA

Identificar información específica Usa la lista de frases de la Actividad 1 para enfocar tu atención y predecir el contenido del reportaje. Presta atención no solo a las frases en sí, sino también al contexto (lo que precede y lo que sigue) para comprender el significado de cada frase.

2 **Escucha otra vez** Al escuchar la segunda vez, apunta otra información, datos y cifras que oigas y que consideres clave para comprender el mensaje del reportaje.

DESPUÉS DE ESCUCHAR

1 **Análisis cooperativo** Después de escuchar la segunda vez, comparen en pequeños grupos sus apuntes adicionales de la entrevista. Usen una tabla como la siguiente.

YO APUNTÉ:	MIS COMPAÑEROS APUNTARON:

2 **Comprensión** Usando todos los apuntes, escribe respuestas a estas preguntas.

1. ¿A qué segmento de la población hizo el llamado la Organización Panamericana de la Salud (OPS) y con qué meta?
2. ¿Qué pidió la OPS a los padres?
3. ¿Por qué muchas personas no son conscientes de la cantidad de sal que ingieren?
4. ¿Cuáles son los efectos de un alto consumo de sal?
5. ¿A qué enfermedades pueden estar predispuestos los niños como resultado de un alto consumo de sal?
6. ¿Cuánta sal recomienda consumir la OPS a los ciudadanos?

3 **Búsqueda en Internet** En Internet, investiga las consecuencias y enfermedades posibles de la presión arterial alta, la hipertensión, el asma y la obesidad y apunta la información descubierta con detalles, cifras y datos.

RECURSOS 🔍
Consulta la lista de apéndices en la p. 418.

4 **Involúcrate** Escribe un mensaje electrónico al/a la presidente de una empresa productora de alimentos en la que le convenzas de que reduzca la cantidad de sal en sus productos. Para escribir un mensaje persuasivo, usa la información citada en el audio, además de lo que hayas aprendido de las actividades de investigación en Internet. En tu mensaje asegúrate de:

- Saludarlo/la cortésmente
- Usar un registro (y un tono) apropiado
- Explicar el objetivo de escribirle este mensaje
- Hacer énfasis en los beneficios de reducir la sal y en los peligros de no reducirla
- Citar cifras y evidencias que apoyen tus recomendaciones
- Concluir y despedirte apropiadamente

CONEXIONES CULTURALES

Record & Submit
Virtual Chat

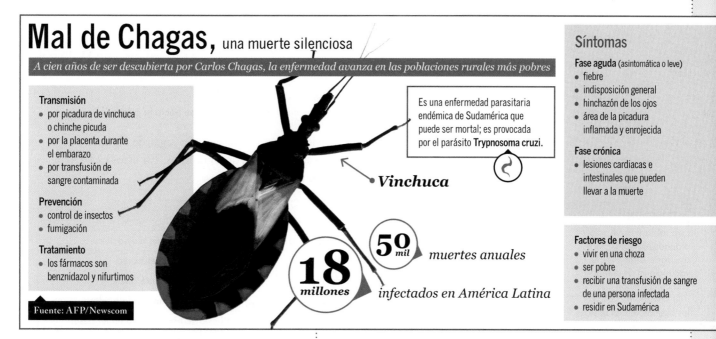

Mal de Chagas, una muerte silenciosa

A cien años de ser descubierta por Carlos Chagas, la enfermedad avanza en las poblaciones rurales más pobres

Transmisión
- por picadura de vinchuca o chinche picuda
- por la placenta durante el embarazo
- por transfusión de sangre contaminada

Prevención
- control de insectos
- fumigación

Tratamiento
- los fármacos son benznidazol y nifurtimos

Fuente: AFP/Newscom

Es una enfermedad parasitaria endémica de Sudamérica que puede ser mortal; es provocada por el parásito **Trypnosoma cruzi**.

Vinchuca

50 mil *muertes anuales*

18 millones

infectados en América Latina

Síntomas

Fase aguda (asintomática o leve)
- fiebre
- indisposición general
- hinchazón de los ojos
- área de la picadura inflamada y enrojecida

Fase crónica
- lesiones cardiacas e intestinales que pueden llevar a la muerte

Factores de riesgo
- vivir en una choza
- ser pobre
- recibir una transfusión de sangre de una persona infectada
- residir en Sudamérica

El mal de Chagas

EL MAL DE CHAGAS ES UNA ENFERMEDAD POTENCIALMENTE mortal que afecta a millones de personas de todo el mundo, especialmente de Latinoamérica. Esta enfermedad es transmitida por la vinchuca, un insecto que suele alojarse en las viviendas precarias de las áreas rurales y suburbanas de las regiones de clima cálido y seco.

La mejor prevención consiste en evitar el contacto con el insecto transmisor. En 2012, la Organización Panamericana de la Salud declaró a Uruguay como el único país latinoamericano libre de vinchucas. Este logro fue posible gracias a las constantes campañas de concienciación, la construcción de viviendas de calidad para las personas con menos recursos y el esfuerzo de los maestros rurales, quienes transmitieron a niños y adultos la importancia de controlar la presencia de insectos en sus casas. En toda Latinoamérica se siguen haciendo grandes esfuerzos para erradicar este mal, que se cobra cada año miles de vidas, especialmente entre la población más pobre.

◢ Gracias a sus campañas de vacunación gratuita, Cuba logró erradicar muchas enfermedades que persisten en otras regiones, como la poliomielitis, el tétanos y el sarampión. Este es un claro ejemplo de cómo la inversión en prevención es el mejor camino para solucionar los grandes problemas de salud.

◢ Según la Organización Mundial de la Salud, la obesidad es una pandemia. Una de las medidas que tomó el gobierno de Costa Rica para enfrentarla fue prohibir por ley la venta de comida chatarra y gaseosas en las escuelas públicas. Debido a los buenos resultados de esta campaña, otros países están imitando este ejemplo.

◢ En México, unos veinte millones de personas sufren hipertensión arterial, principalmente a causa del uso excesivo de sal. Por eso, el gobierno ha pedido que se retiren los saleros de las mesas de los restaurantes.

Presentación oral: comparación cultural

Prepara una presentación oral sobre este tema:

◆ ¿Cuál es la importancia de los avances médicos y la educación para la salud de las personas?

Analiza en detalle alguna iniciativa gubernamental o privada para aumentar la calidad de vida de los habitantes. Compara tus observaciones de una región del mundo hispanohablante que te sea familiar con las de tu propia comunidad.

Auto-graded
Strategy

▲ Es común que un estudiante de español recurra constantemente a los verbos más básicos. Por ejemplo, puede repetir el verbo **estar** en casos en los que en inglés usaría *to be, to stay, to feel, to find oneself*, etc.

I feel tired. ⟶ **Estoy** cansado.   *I stayed home.* ⟶ **Estuve** en casa.

▲ En estos ejemplos extraídos de un cuento de Gabriel García Márquez, se podría haber usado el verbo **ir**. Sin embargo, el autor usa expresiones y verbos diferentes.

> **Viajaba** con la columna vertebral firmemente…
> La niña […] **se dirigió** a la baranda arrastrando los zapatos…
> Luego le quitó el ramo de flores a la niña y **empezó a moverse** hacia la puerta.

▲ Observa la lista de verbos y expresiones que puedes usar en lugar de algunos de los verbos más comunes. En algunos casos, se trata de sinónimos. En otros casos, son palabras y expresiones que destacan matices diferentes.

VERBO	CONCEPTO	VERBOS Y EXPRESIONES	MODELOS
ser	característica, cualidad	mantenerse	María **se mantiene** muy activa.
		parecer	El libro **parece** interesante.
		resultar	El trabajo **me resultó** difícil.
	material	estar hecho/a	La estatua **está hecha** de madera.
	expresar acontecimientos	hacerse, realizarse	La fiesta **se hizo/realizó** en mi casa.
		tener lugar	¿Dónde **tendrá lugar** la reunión?
	origen	provenir	El cacao **proviene** de América.
estar	ubicación	encontrarse	La casa **se encuentra** en las afueras de la ciudad.
		hallarse	En el sótano **se hallaban** varias cajas.
		permanecer	**Permaneció** allí durante cinco horas.
		quedar	La tienda **queda** en la otra esquina.
	estado, sentimiento	encontrarse	Marcela **se encontraba** muy enferma.
		lucir	El perrito también **lucía** triste.
		parecer	Juan **parecía** muy cansado.
		sentirse	**Me siento** un poco agobiado.
haber	existencia	producirse	**Se produjo** de repente un gran bullicio.
		surgir	Después del discurso, **surgieron** muchas dudas.
		suceder	**Sucedieron** cosas muy extrañas.
		tener lugar	Aquí **tuvo lugar** una violenta protesta.
hacer(se)	producción, realización, acontecimiento	llevar(se) a cabo	Los sindicalistas **llevaron a cabo** una protesta.
		realizar(se)	Los familiares **realizaron** una ceremonia en su honor.
	consecuencia	convertir(se)	La tarea **se convirtió** en algo imposible.
		causar	Los gritos **causaron** mucho revuelo.
		producir	La caída **produjo** un fuerte estruendo.
		provocar	La noticia **provocó** llanto entre las mujeres.

VERBO	CONCEPTO	VERBOS Y EXPRESIONES	MODELOS
ir(se)/ venir	movimiento, dirección	acercarse	El abogado **se acercó** al acusado.
		alejarse	Cuando le hablé, enseguida **se alejó**.
		avanzar	Los soldados **avanzaron** hacia el frente.
		dirigirse	Juan **se dirigió** a la puerta.
		provenir	Los ruidos **provenían** del sótano.
		regresar	El presidente **regresó** a su despacho.
	participación	asistir	Los estudiantes no **asistieron** a clase.

ESTRATEGIA

Consultar el diccionario
Al consultar un diccionario, debes tener cuidado de verificar los distintos matices y sutilezas asociados con distintas palabras. ¿Qué verbo elegirías en español para decir

They made a movie?

make

   1. (*un cambio, una llamada*) hacer

   2. (*un café, una comida*) hacer, preparar

   3. (*coches, productos*) fabricar [**from**, de]: **it's made from steel**, es de acero

[...]

   9. (*un error*) cometer

   10. (*un pago*) efectuar

   11. (*una película*) rodar

PRÁCTICA

1 Completa el párrafo sustituyendo los verbos entre paréntesis con la forma correcta de los verbos y expresiones de la lista.

acercarse	dirigirse	parecer	sentirse
asistir	encontrarse	provenir	tener lugar

La fiesta (1)_____ (se hizo) en el rancho de mis abuelos. Mientras todos cenaban, (2)_____ (fui) a la cocina para llamar a mi prima Marcela. (3)_____ (Estaba) preocupado porque ella (4)_____ (estaba) muy triste la última vez que la vi. Marcela no había podido (5)_____ (venir) a la fiesta porque dijo que tenía que estudiar. Cuando (6)_____ (estaba) a punto de marcar su número, escuché unos ruidos que (7)_____ (venían) de la ventana. (8)_____ (Fui) a la ventana y de repente…

2 Reescribe dos veces cada una de estas oraciones.

> **MODELO** La casa estaba en una colina y era muy vieja.
> **La casa se encontraba en una colina y parecía muy vieja.**
> **La casa estaba ubicada en una colina y lucía muy vieja.**

1. Hubo un ruido muy extraño y todos fueron al patio.
2. La estatua era de madera y estaba quemada.
3. Mario estaba muy cansado, pero igualmente fue a la fiesta.

3 En parejas, escriban la continuación de la historia de la Actividad 1 usando al menos cinco de los verbos de la lista.

acercarse	hacerse	provocar	regresar	sentirse	surgir
causar	hallarse	quedar	resultar	suceder	tener lugar

4 Con la ayuda de un diccionario, relaciona cada uno de estos verbos con un verbo común. Luego escribe un párrafo usando cuatro de los verbos.

acontecer	alejarse	consistir en	elaborar	encaminarse	radicarse

◢ En español existen varias formas de expresar información acerca del tiempo o el momento en que se realiza una acción:

   1. *Con adverbios:* **Mañana** saldremos de excursión.
   2. *Con frases adverbiales:* Nuestro experto lo llamará **el viernes por la tarde.**
   3. *Con conjunciones para introducir cláusulas adverbiales:*
     Por favor, llámame **tan pronto (como)** llegues a casa.

◢ Los adverbios de tiempo añaden información circunstancial a la oración, explicando cuándo se desarrolla la acción y con qué frecuencia. Esta es una lista parcial de algunos adverbios de tiempo.

ahora *now*	**frecuentemente** *frequently*	**posteriormente** *later*
anoche *last night*	**hoy** *today*	**primeramente** *first*
antes *before*	**inicialmente** *initially*	**pronto** *soon*
asiduamente *often*	**inmediatamente** *immediately*	**recientemente** *recently*
aún *still*	**jamás** *never*	**repentinamente** *all of a sudden*
ayer *yesterday*	**luego** *after*	**siempre** *always*
constantemente *constantly*	**mañana** *tomorrow*	**tarde** *late*
después *after*	**mientras** *while*	**temprano** *early*
entretanto *meanwhile*	**nunca** *never*	**todavía** *still*
finalmente *finally*	**ocasionalmente** *occasionally*	**ya** *already*

◢ También existen multitud de frases y expresiones que se utilizan como adverbios de tiempo.

   Por aquel entonces, Eduardo vivía en Londres.
   Hace un año que estudio español.
   Visito a mis abuelos **todos los meses**.
   De vez en cuando, salimos a caminar por el parque.

RECURSOS 🔍
Consulta las explicaciones gramaticales del **Apéndice A,** pp. 441-446.

◢ Las conjunciones de tiempo introducen cláusulas adverbiales que hacen referencia al tiempo en que se desarrolla la acción principal. Recuerda que las conjunciones deben estar seguidas de un verbo conjugado. En algunos casos, debes usar el subjuntivo.

antes (de) que *before*	**en el momento que** *at the moment when*
apenas *as soon as*	**hasta que** *until*
cuando *when*	**mientras** *while*
después (de) que *after*	**siempre que** *every time*
en cuanto *as soon as*	**tan pronto (como)** *as soon as*

   Después de que recibí la noticia, llamé a mi madre.
   Visito la tumba de mi abuelo **siempre que** puedo.

◢ Puedes usar preposiciones para formar frases preposicionales que funcionan como adverbios de tiempo. Recuerda que las preposiciones van seguidas de un sustantivo o un infinitivo.

antes de *ir*	**desde** *mayo*	**después de** *comer*	**hasta** *hoy*

PRÁCTICA

1

Completa las oraciones seleccionando una expresión de tiempo.

1. Felipe me llamó _____ llegó a casa. (después/tan pronto como)
2. Te compraré una motocicleta _____ apruebes el examen.
   (en cuanto/hasta que)
3. Azucena viajará a España _____ tenga el dinero suficiente.
   (hasta que/tan pronto como)
4. Jorge quiere esperar _____ se gradúe para casarse. (hasta que/cuando)
5. Voy a tener más dinero _____ mi jefe me aumente el sueldo.
   (antes de/en cuanto)
6. Cuando escribes un cheque, _____ debes escribir la cantidad exacta.
   (mientras/siempre)
7. Cuando era niña, _____ pasaba días enteros leyendo.
   (a menudo/antes de que)
8. Mi familia visita a mi abuela todos los domingos y ella viene a mi casa _____.
   (ya/de vez en cuando)

2

Une cada par de oraciones con una expresión de tiempo adecuada de la lista.

antes de que	después de que	mientras
apenas	en cuanto	siempre que
cuando	hasta que	tan pronto como

1. Cada día, los clientes hacen cola. / El cajero llega al trabajo.
2. Las aves migratorias vuelan hacia el sur. / Se acerca el invierno.
3. Los agricultores comienzan el día de trabajo. / Sale el sol.
4. Eva toca el clarinete. / Eduardo escucha atentamente.
5. El ayuntamiento cierra la piscina. / Las clases empiezan en septiembre.

3

Completa esta narración con las expresiones de tiempo adecuadas.

(1)_____ llegamos a la cabaña, nos dimos cuenta de que habíamos olvidado la llave. Sin pensarlo dos veces, y (2)_____ se hiciera de noche, nos metimos en la camioneta y buscamos el hotel más cercano para pasar la noche. Salimos del hotel (3)_____ desayunar e (4)_____ llamamos a un cerrajero (*locksmith*). El cerrajero cambió la cerradura (5)_____ nosotros revisábamos los alrededores de la cabaña.

(6)_____ aquel día, (7)_____ que salgo de casa, hago una lista de todo lo que necesito llevar cuando viajo.

4

Escribe un párrafo sobre una anécdota divertida o inusual. Usa al menos ocho expresiones de tiempo de la lista.

anoche	después de	en cuanto	hasta que	rara vez
constantemente	después de que	en el momento que	jamás	tan pronto como
cuando	el año pasado	frecuentemente	mientras	temprano

PUNTOS DE PARTIDA

Los avances de la ciencia y la tecnología generan nuevos dilemas morales. A la capacidad de lograr grandes beneficios está asociada la de causar grandes daños. Las sociedades que producen tales adelantos tienen la responsabilidad ética de prevenir la violación de los derechos humanos.

◢ ¿Cómo se puede garantizar la dignidad humana en la práctica de las ciencias?

◢ ¿Cuál es el equilibrio apropiado entre desarrollo económico y protección de recursos naturales?

◢ ¿Cuál es la importancia de la sustentabilidad ambiental en relación con los derechos humanos y de todos los seres vivos?

DESARROLLO DEL VOCABULARIO  My Vocabulary

MI VOCABULARIO

Anota el vocabulario nuevo a medida que lo aprendes.

1 **¿Qué crees tú?** Señala si estás de acuerdo o no con cada una de estas afirmaciones.

	De acuerdo	En desacuerdo
1. Los milagros sí son posibles.	☐	☐
2. La vida no es justa.	☐	☐
3. El dinero no compra la felicidad.	☐	☐
4. No se puede confiar en los demás.	☐	☐
5. «Ojo por ojo, diente por diente».	☐	☐
6. Para hacer lo correcto, hay que obedecer la ley.	☐	☐
7. Mentir siempre es malo.	☐	☐
8. Se puede aprender de los errores.	☐	☐
9. Siempre somos responsables por nuestras acciones.	☐	☐
10. El fin justifica los medios.	☐	☐

RECURSOS

Consulta la lista de apéndices en la p. 418.

2 **Explica tus decisiones** Habla con un(a) compañero/a acerca de tus opiniones sobre cada afirmación de la Actividad 1. Para cada una de ellas, comparte ejemplos de tus propias experiencias y explica por qué estás o no de acuerdo. Señala además si habría excepciones o condiciones que cambiarían tu posición.

3 **El lenguaje de la ciencia** Clasifica estos términos en una de las tres categorías de la tabla que encontrarás a continuación: científico, cirujano, clonación, esterilización, filántropo, genética, inmunología, investigador, microbiología, oncología, terapia, vacunación.

DISCIPLINAS	PERSONAS	PROCEDIMIENTOS

4 **El dilema del tranvía** En grupos de tres, discutan qué harían en esta situación y por qué. ¿Hay alguna consideración ética o moral en sus decisiones?

Un tranvía pierde el control. En su camino hay cinco personas. Es posible accionar un botón para desviarlo a una vía diferente, pero por desgracia en ella hay otra persona. ¿Debería pulsarse el botón? Si no haces nada, cinco personas morirán; si pulsas el botón, una persona morirá.

LECTURA 3.1 ▸ LA TENTACIÓN DEL BEBÉ PERFECTO

Auto-graded
My Vocabulary
Partner Chat
Record & Submit
Strategy
Write & Submit

SOBRE LA LECTURA El siguiente artículo, publicado en el periódico uruguayo *El País*, trata el tema de la ingeniería genética y la técnica Crispr-Cas9, desarrollada por las científicas Jennifer Doudna y Emanuelle Charpentier para realizar cambios en el ADN de los seres vivos, incluidos los humanos.

Mientras lees el artículo, piensa en cómo pueden salir beneficiados o perjudicados los seres vivos sometidos a esta tecnología, y así comprenderás por qué es un tema controversial.

ANTES DE LEER

1 **Investiga** Busca información en Internet sobre la ingeniería genética y cómo esta afecta a los seres humanos, los animales y las plantas. Completa la siguiente tabla con tus hallazgos.

MI VOCABULARIO
Anota el vocabulario nuevo a medida que lo aprendes.

	INGENIERÍA GENÉTICA	
	RESULTADOS POSITIVOS	**RESULTADOS NEGATIVOS**
seres humanos		
animales		
plantas		

2 **¿Qué opinas?** Con un(a) compañero/a, piensen en cómo los cambios efectuados por la ingeniería genética podrían afectar, positiva o negativamente, a la humanidad o la naturaleza. Discutan los efectos de la ingeniería genética en los siguientes elementos y situaciones:

1. la alimentación
2. los cultivos
3. las pandemias
4. las enfermedades genéticas
5. los animales en vía de extinción
6. los animales que no están en vía de extinción

UN TEMA **CONTROVERSIAL**

La tentación del
bebé perfecto

Fue el avance del 2015 para *Science* y reabrió el debate sobre la posibilidad de alterar la vida

Clarín es el periódico con mayor tirada de la Argentina. Fue establecido en 1945 en Buenos Aires.

Mini cerdos que pesan seis veces menos que los normales, monos, cabras, mariposas, y perros con características introducidas en el laboratorio integran el
5 particular zoológico de animales transgénicos obtenidos mediante una nueva técnica que promete revolucionar todo lo conocido.

Fue considerada el avance científico del año 2015 por la revista *Science* y motivó una **cumbre** en
10 Washington para discutir los aspectos éticos de su aplicación en humanos; la llaman Crispr-Cas9.

La técnica se basa en un mecanismo que utilizan algunas bacterias para detectar cuándo las invade un virus y destruirlo, publicó *Clarín*. Descubierta
15 hace tres años, puede servir para generar cambios en el ADN de los seres vivos, incluidos los humanos.

La reunión de Washington se debió a que esta técnica revive el fantasma de la búsqueda de "el bebé perfecto", un pequeño modificado a
20 nivel de laboratorio en las primeras horas de su concepción, libre de mutaciones que puedan **desencadenar** enfermedades y con el poder de transmitir esa "perfección" a su descendencia.

El **disparador** del encuentro fue que científicos chinos intentaron usarla para alterar genes en 25 embriones humanos, aunque sin resultado, según publicó el periódico argentino.

La declaración final del encuentro de Washington no condenó los experimentos, pero advirtió que restan cantidad de problemas por resolver antes de 30 que sea prudente emplear la técnica clínicamente.

Controversial

Desarrollada por **Jennifer Doudna**, joven investigadora del Howard Hughes Medical Institute, y **Emanuelle Charpentier**, del Instituto Max 35 Planck de Biología de la Infección, de Berlín, la técnica permite, de un modo rápido y económico, encontrar zonas concretas del ADN y repararlas o sustituirlas por otras.

Los investigadores que la emplean están 40 maravillados por su versatilidad y rapidez. Consideran que vuelve más sencillos proyectos complicados, y hace posibles proyectos imposibles. Es esto lo que la ha expandido por el mundo.

45 Las instrucciones para fabricar un organismo son como un largo texto escrito en código almacenado en su ADN. La humanidad viene modificándolo desde hace muchos años con técnicas como las que seleccionan mutaciones que se producen **al azar**.

50 Lo singular del hallazgo de Doudna y Charpentier es que permite intervenir a la manera de un procesador de texto de una computadora, como si tomáramos una oración, la cortáramos y volviéramos a deletrearla con las letras correctas.

55 Según Doudna, Crispr-Cas9 puede usarse para replicar la base genética de enfermedades humanas, abriendo la puerta a un conocimiento **sin precedente** de desórdenes enigmáticos. También podría aplicarse contra el cáncer o el
60 SIDA, estiman.

Pero **Alberto Kornblihtt**, miembro del Comité de Ética en la Ciencia y la Tecnología de la revista *Science*, afirma que si bien es una técnica muy poderosa, no está de acuerdo en aplicarla en embriones con
65 fines de "mejoramiento".

"Está bien efectuar terapia génica en un bebé ya nacido o incluso en gestación", subraya, "pero no en la línea germinal. Es suficiente la variabilidad que introduce la selección natural".

70 La propia Doudna lo dice: "Aún no sabemos lo suficiente sobre las capacidades y límites de la nueva tecnología, especialmente cuando se trata de crear mutaciones heredables". (En base a *La Nación*/GDA)

Especulaciones y preocupaciones

75 La técnica Crispr-Cas9 tiene dos componentes: una enzima (Cas9) que corta el ADN como si fuera una tijera, y una guía de ARN que le dice a la enzima exactamente dónde cortar.

Aunque resulta efectivo, este proceso no es perfecto.
80 Puede cortar demasiado ADN y alterar otros genes importantes, pero investigadores del Broad Institute,

del MIT (por las iniciales en inglés de Massachusetts Institute of Technology) y la Universidad de Harvard creen haber resuelto el problema modificando la estructura de la enzima y reduciendo el riesgo de 85 cortes **fuera de registro**.

Los investigadores que la emplean están maravillados por su versatilidad y rapidez.

> **❝❞**
> Hay quienes piensan que esta novedad convertirá el libro de la vida de humanos, plantas y animales en bocetos, copias preliminares que podrán "mejorarse" en el laboratorio.

"Es una técnica que cambia la manera de trabajar, vuelve sencillos proyectos complicados, y hace 90 posibles proyectos imposibles", dice **Marcelo Rubinstein**, investigador del Consejo Nacional de Investigaciones Científicas y Técnicas de Argentina. "Fuera de eso, está todo el imaginario de ciencia ficción. Por ejemplo, se está exagerando su 95 facilidad: no es tan fácil". Hay quienes piensan que esta novedad convertirá el libro de la vida de humanos, plantas y animales en **bocetos**, copias preliminares que podrán "mejorarse" en el laboratorio. Otros, advierten que hay muchas 100 especulaciones **sin sustento**. ▪

Jennifer Doudna y Emanuelle Charpentier

GLOSARIO

al azar sin orden u organización; por casualidad o coincidencia

sin precedente que no se había presentado u ocurrido antes

fuera de registro que no está en los apuntes o en el historial

el boceto esquema, proyecto, plan

sin sustento sin apoyo, sin respaldo

DESPUÉS DE LEER

1 **Comprensión** Contesta las preguntas según el texto.

1. ¿Cuál es el propósito del artículo?
2. ¿A qué tipo de lector va dirigido?
3. ¿Qué es Crispr-Cas9?
4. Según el artículo, ¿qué intentaron hacer algunos científicos chinos?
5. ¿Cuál fue la declaración final de la cumbre en Washington?
6. ¿Qué es lo que permite la técnica Crispr-Cas9?
7. ¿Qué es lo extraordinario del hallazgo de las científicas Doudna y Charpentier?
8. Según Doudna, ¿para qué puede usarse Crispr-Cas9 y cómo nos puede cambiar la vida?
9. ¿Cuáles son los dos componentes de la técnica Crispr-Cas9 y cuál es su función?
10. ¿De qué se maravillan los investigadores con respecto a la técnica Crispr-Cas9?

ESTRATEGIA

Volver a leer el texto
Volver a leer el texto te dará más información y te permitirá obtener una mayor comprensión del tema. Vuelve a leer los párrafos en la sección «Controversial» para comprender mejor el proceso de la técnica Crispr-Cas9.

2 **Tu punto de vista** Escribe una carta al departamento editorial de una revista científica, exponiendo tu opinión con respecto a la ingeniería genética. Luego, intercambia tu carta con la de un(a) compañero/a. ¿En qué coinciden sus opiniones? ¿En qué se diferencian?

3 **Cumbres históricas** Trabajen en grupos e imagínense que son los intelectuales o los gobernantes de una época del pasado. Ustedes forman parte de una cumbre celebrada en esa época para discutir un avance científico de aquel entonces. Primero, definan el avance y sus detalles y, luego, hablen de las ventajas o desventajas que tiene. Debe haber una diversidad de opiniones para animar la discusión.

4 **El futuro** Nombra un avance científico que pueda presentarse en el año 2120. Descríbelo junto con las posibles controversias éticas que lo acompañan y preséntaselo a la clase. Luego, hagan un voto secreto para elegir el avance más beneficioso para la humanidad. Hablen sobre los resultados de la votación.

5 **El bebé perfecto** ¿Qué características consideras las ideales para crear un bebé perfecto? Piensa no solo en los aspectos físicos y la salud, sino además en el carácter, personalidad, gustos, intereses, pasatiempos y la «esencia» de la persona y escribe tus ideas en la tabla. ¿Qué aspectos crees que podrían ser manipulados y cuáles deberían quedarse en manos de la naturaleza? Discute tus apuntes con un(a) compañero/a.

ASPECTOS DEL SER HUMANO QUE SE PODRÍAN MODIFICAR	ASPECTOS INTOCABLES Y ESENCIALES DEL SER HUMANO

6 **Conexión con las ciencias** Usa Internet para investigar los avances científicos realizados en el campo de la ingeniería genética en los últimos 10 años. Identifica el avance que consideras que más ha aportado a mejorar la vida humana y escribe un corto ensayo para justificar tu elección.

7 **Discusión** Con respecto a la ingeniería genética, ¿en qué crees que se parecen y se diferencian las actitudes de las personas de países en vías de desarrollo de las de individuos de países más industrializados? ¿Qué es lo que más les preocupa a los unos y los otros con los cambios generados en los genes? Discute las respuestas a estas preguntas con un(a) compañero/a.

MI VOCABULARIO
Utiliza tu vocabulario individual.

8 **Presentación oral** Nombra un aspecto de la ingeniería genética que consideras que ayudaría a tu comunidad. Puede ser un aspecto que existe en la actualidad o uno que está en vías de desarrollo o simplemente en tu imaginación. Defínelo y describe las ventajas y posibles desventajas que tiene para las personas. Intenta convencer a tus compañeros/as de que se pongan de tu parte.

9 **Un congreso de científicos** En tu ciudad se lleva a cabo un importante congreso sobre la ingeniería genética, en el que participan científicos de diversas nacionalidades. Entre todos, identifiquen aspectos de la ingeniería genética que podrían ocasionar polémicas y elijan uno. La mitad de los participantes va a estar a la defensiva, y la otra mitad en contra. Como preparación, deben investigar sobre este tema para estar bien informados. Presenten argumentos racionales, evitando comentarios emocionales y opiniones sin fundamentos. Todos los integrantes de la clase deben participar en la discusión.

10 **Ensayo persuasivo** Investiga sobre un tema relacionado con la ética y la ciencia, como la clonación o las células madre y su uso en la medicina. Luego, escribe un ensayo en el que defiendas tu opinión a favor o en contra de esta práctica. Incluye una tesis clara que debas apoyar con argumentos lógicos y con información científica. Además, presenta por lo menos un argumento opuesto al tuyo y explica por qué no estás de acuerdo con él.

RECURSOS
Consulta la lista de apéndices en la p. 418.

ESTRUCTURAS

 La construcción pasiva
Observa los usos de la voz pasiva en el artículo sobre la creación del bebé perfecto. Encuentra diferentes usos de la construcción pasiva en el artículo y escribe una razón posible por la cual el autor usó la voz pasiva en vez de la activa en cada caso.

> **MODELO** «Fue considerada el avance científico del año 2015»
> No importa el sujeto en este caso, solo el hecho de ser considerado un gran avance científico.

RECURSOS
Consulta las explicaciones gramaticales del **Apéndice A,** pp. 434-437.

LECTURA 3.2 ▶ SUSTENTABILIDAD

Auto-graded
My Vocabulary
Partner Chat
Record & Submit
Strategy
Write & Submit

SOBRE LA LECTURA La sustentabilidad —la capacidad de mantenerse sin reducir o agotar los recursos naturales— es un concepto básico y aparentemente fácil de lograr, pero con el crecimiento continuo de la industria y la población, conseguir la sustentabilidad se ha hecho muy complicado, y en la actualidad constituye un reto para la mayor parte de las naciones del mundo.

El diagrama de Venn incluido en esta sección ilustra los tres pilares del desarrollo sustentable (sociedad, economía y medioambiente), las relaciones entre ellos, así como los desafíos y las posibilidades que ofrece la sustentabilidad.

ANTES DE LEER

MI VOCABULARIO
Utiliza tu vocabulario individual.

1 **El ecoturismo** En grupos, analicen si los siguientes efectos son producidos por el ecoturismo y si son favorables o desfavorables para el desarrollo sustentable.

1. las oportunidades educativas
2. la degradación y contaminación de áreas naturales
3. la generación de dinero para promover programas de conservación
4. la promoción de conocimiento sobre el medioambiente
5. la generación de empleo
6. la influencia cultural del turismo sobre las comunidades de la región

2 **Un viaje virtual** Elige uno de estos lugares para hacer un «viaje virtual». Planea tu viaje consultando en Internet. Recopila información sobre tantos aspectos como te sea posible.

- Yasuní, Ecuador
- Apaneca-Ilamatepec, El Salvador
- Sierra de las Minas, Guatemala
- Reserva de Bosawás, Nicaragua
- Darién, Panamá
- Bosque Mbaracayú, Paraguay
- Huascarán, Perú
- Bañados del Este, Uruguay

RECURSOS
Consulta la lista de apéndices en la p. 418.

3 **Un mensaje electrónico** Te encuentras de viaje en uno de esos lugares y le escribes desde allí un mensaje electrónico a tu mejor amigo/a. Cuéntale detalles sobre estos aspectos:

- dónde te hospedas
- una descripción de la geografía, la flora y la fauna de la región
- las actividades económicas de las personas que habitan allí
- las actividades disponibles para los ecoturistas
- los medios de protección y conservación del entorno

4 **Un informe** Escribe un informe sobre los beneficios y perjuicios del ecoturismo en la región que visitaste. Señala el impacto del ecoturismo en la economía, el medioambiente o la fauna de la región.

SUSTENTABILIDAD

LA SUSTENTABILIDAD (o sostenibilidad)[1] se refiere a la cualidad de poderse **mantener** por sí mismo, sin ayuda exterior y sin **agotar** los recursos **disponibles**. La combinación de la sustentabilidad ecológica y socioeconómica consiste en mantener un equilibrio entre la necesidad del ser humano de mejorar su situación física y emocional, y la conservación de los recursos naturales y los ecosistemas que sustentarán la vida de las futuras generaciones.

El desarrollo sustentable es un proceso integral que les exige a los distintos actores de la sociedad compromisos y responsabilidades en sus **patrones** de consumo. Las decisiones que tomen en este sentido tienen efectos directos en la calidad de vida de las poblaciones. En el desarrollo sustentable intervienen tres elementos básicos cuyas intersecciones se pueden apreciar en este diagrama de Venn.

ESTRATEGIA

Contextualizar la información Mientras lees la información en el diagrama, piensa en ejemplos concretos que ilustren las intersecciones entre los óvalos.

GLOSARIO

mantener preservar, conservar

agotar acabar o extinguir

disponible que está a la mano para ser usado

el patrón conducta; modelo o pauta

perjudicar causar daño o perjuicio; lesionar, afectar

a costa de... a expensas de...; por el esfuerzo o sacrificio de algo o alguien más

Sociedad y Economía
En el contexto económico y social, la sustentabilidad se define como la habilidad de las actuales generaciones para satisfacer sus necesidades sin **perjudicar** a las futuras generaciones.

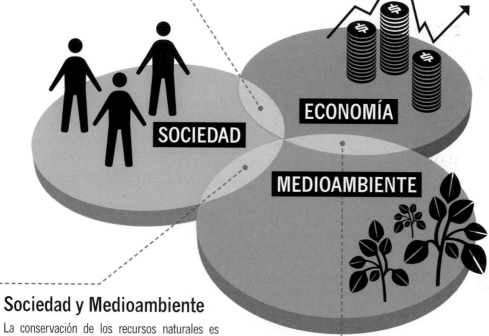

Fuente: Planeta sustentable

Sociedad y Medioambiente

La conservación de los recursos naturales es vital para el desarrollo humano. No puede haber sustentablidad en una sociedad cuando se están destruyendo los bienes de la naturaleza, o cuando la riqueza de un sector se logra **a costa de** la pobreza de otro.

Economía y Medioambiente

La sociedad depende de la economía y esta, a su vez, depende del medioambiente por sus recursos naturales. Por lo tanto, si contamos con un ambiente sano y pleno de recursos naturales puede existir una economía viable y, con ella, una sociedad justa.

---

1 Los términos sustentabilidad (de sustentable) y sostenibilidad (de sostenible) son intercambiables. Mientras que el primero es más usado en América Latina, el segundo es común en España.

DESPUÉS DE LEER

1 **Comprensión** Contesta las preguntas, según el diagrama.

1. ¿Cuáles son los tres elementos básicos de la sustentabilidad?
2. ¿Con qué propósito fue elaborado este artículo?
3. ¿Cuál de las esferas del diagrama se ocupa más de la justicia?
4. ¿A cuál de las esferas le interesa más el desarrollo del comercio?
5. ¿Cuál es el mensaje central del diagrama?
6. ¿Qué relación encuentras entre el desarrollo sostenible, los avances científicos y la ética en la sociedad actual?

2 **Un ejemplo concreto** Investiga en Internet sobre un caso concreto de sustentabilidad en una comunidad de América Latina. Analiza qué es lo que hace que ese proyecto sea sustentable y de qué manera beneficia a los tres componentes de la sustentabilidad. Luego discute tus hallazgos con un grupo de compañeros/as y entre todos analicen si un proyecto similar sería viable en su comunidad.

3 **Contextualizar** Para cada uno de los elementos de la lista, indica cuál es el lugar apropiado en el siguiente diagrama de Venn. Discute tus decisiones con un(a) compañero/a.

1. las reglas de comportamiento en la escuela
2. la regulación de los negocios
3. los recursos naturales
4. la explotación de los recursos naturales (minería)
5. las implicaciones éticas de explotar los recursos naturales

Sigan el modelo de este diagrama sobre la sustentabilidad y escriban sus propios ejemplos para las siguientes esferas:

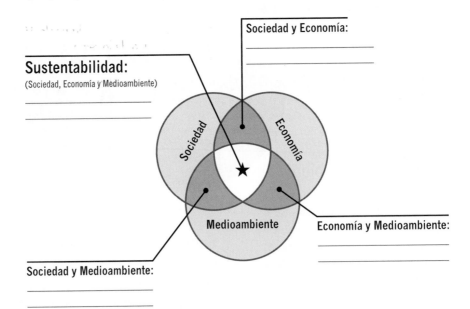

Sociedad y Economía:
_____
_____

Sustentabilidad:
(Sociedad, Economía y Medioambiente)
_____
_____

Economía y Medioambiente:
_____
_____

Sociedad y Medioambiente:
_____
_____

4 **Compara y contrasta** Observa el diagrama de Venn de la página 109 para compararlo con el diagrama siguiente. ¿En qué se parece y en qué se diferencia la información presentada en cada diagrama? ¿Cuál de los dos diagramas crees que es más efectivo? Intercambia tus observaciones con un(a) compañero/a.

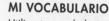
MI VOCABULARIO
Utiliza tu vocabulario individual.

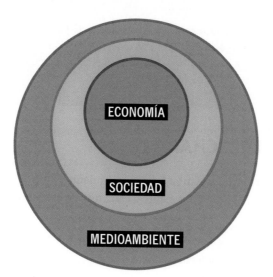

5 **En tu región** ¿Crees que el lugar donde vives es sustentable? Escribe una lista de oportunidades y desafíos que, en tu opinión, existen en tu región, y luego discute la lista con un(a) compañero/a. Finalmente, analicen con toda la clase las oportunidades y los desafíos que su región enfrenta en cuanto a la sustentabilidad. Tengan en cuenta estos aspectos y otros que consideren pertinentes:

- la disponibilidad de recursos naturales y su uso por parte de las personas
- el equilibrio entre medioambiente y desarrollo humano
- la disponibilidad de oportunidades educativas y laborales
- el crecimiento de la economía en armonía con el bienestar general de la población
- el respeto que los habitantes muestran por la flora y la fauna de la región

6 **Un artículo** Elige uno de los siguientes temas y escribe un artículo corto para una revista especializada en temas sociales y medioambientales. Menciona situaciones concretas de tu comunidad o estado.

- justicia y normatividad ambientales
- la equidad intergeneracional
- ética y medioambiente
- recursos renovables
- ética en los negocios
- comercio justo

7 **Presentación oral** Prepara una presentación oral para discutir uno de los temas siguientes. Apoya tu presentación con un diagrama de Venn.

- el desarrollo responsable para el siglo XXI
- los impuestos sobre la minería
- la sustentabilidad como principio básico de los derechos humanos
- los principios éticos que la sociedad impone para proteger el planeta y garantizar la vida de las generaciones futuras

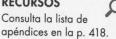
RECURSOS
Consulta la lista de apéndices en la p. 418.

Audio
Auto-graded
En fragmentos
My Vocabulary
Partner Chat
Record & Submit
Strategy
Write & Submit

GLOSARIO

quebrar
　romper, fragmentar
cobijar cubrir, hospedar,
　dar protección o refugio
imponer obligar o forzar
　a alguien a hacer algo
la búsqueda la acción de
　buscar o investigar

ESTRATEGIA

**Investigar sobre el
tema** Investiga de
antemano el tema del
audio para poder
comprender mejor sus
ideas fundamentales.

MI VOCABULARIO
Anota el vocabulario
nuevo a medida que
lo aprendes.

AUDIO ▶ EL DESARROLLO SOSTENIBLE DEBE BASARSE EN LA CIENCIA

INTRODUCCIÓN Esta grabación está tomada de *Puntos Cardinales*, un programa de noticias de la Radio ONU emitido en Nueva York. Presenta algunas opiniones de los líderes que participaron en la conferencia mundial Río + 20, y una discusión acerca de cómo la ciencia puede ayudar a solucionar los problemas medioambientales del planeta.

ANTES DE ESCUCHAR

1 **Investigación previa** Investiga sobre los siguientes tópicos clave del tema central del audio. Luego responde claramente a cada una de estas preguntas.

1. ¿Cuál es la importancia del 22 de abril?
2. ¿Qué es la ONU y qué funciones cumple?
3. ¿Qué es Río + 20? Explica cuáles son sus metas.

2 **Perspectivas personales** Con un(a) compañero/a, contesten estas preguntas dando ejemplos específicos para apoyar sus opiniones.

1. ¿Contribuye la ciencia al deterioro del medioambiente o sirve para protegerlo?
2. ¿Qué papel cumple el crecimiento económico en la salud del medioambiente?
3. ¿Cómo pueden las naciones reducir los daños causados al medioambiente?
4. ¿Cómo podemos ayudar individual o colectivamente en nuestras comunidades?

◀)) MIENTRAS ESCUCHAS

1 **Vocabulario en contexto** La primera vez que escuchas, marca cada expresión cuando aparezca.

☐ la tarea impostergable
☐ la capacidad regenerativa
☐ la columna vertebral

☐ búsqueda
☐ vincularse
☐ sobrepasa

☐ patrones
☐ imperantes
☐ asignada

2 **Escucha de nuevo** Escucha la grabación de nuevo y empareja la definición de la derecha con la expresión apropiada de la izquierda.

1. ___ impostergable
2. ___ la capacidad regenerativa
3. ___ la columna vertebral
4. ___ búsqueda
5. ___ vincularse
6. ___ sobrepasa
7. ___ patrones
8. ___ imperantes
9. ___ asignada

a. acción de buscar o investigar
b. relacionarse
c. que dominan o reinan
d. que no se puede aplazar o posponer
e. excede o supera
f. concedida u otorgada
g. que puede ser reconstruido o recuperado
h. eje del esqueleto; lo que sostiene el cuerpo
i. guías o normas

DESPUÉS DE ESCUCHAR

1 **Comprensión** Responde a las siguientes preguntas según la grabación.

1. Según Rafael Archondo, ¿cómo puede ayudarnos la ciencia a lograr el desarrollo sostenible?
2. Según Josh Farley, ¿cuál es uno de los principales responsables de la grave situación ecológica de hoy?
3. ¿En qué momento deja de ser económico el crecimiento, según Josh Farley?
4. ¿Quiénes son los responsables de «las múltiples crisis» de hoy, según Pedro Núñez Mosquera?
5. ¿Qué temas se discutieron en la conferencia Río + 20?

2 **Investigación y análisis** Usa Internet para investigar noticias sobre cómo la ciencia y la tecnología han contribuido a la protección del medioambiente. Lleva la información a la clase para analizar esta pregunta en una discusión socrática.

MI VOCABULARIO
Utiliza tu vocabulario individual.

◆ ¿Qué factores ambientales han impulsado el desarrollo y la innovación en la ciencia y la tecnología?

Para participar en la discusión, prepárate para contestar estas preguntas:

◆ ¿Cómo se llama la tecnología o el avance científico que investigaste?
◆ ¿Cómo ha contribuido a recuperar la salud medioambiental del planeta?
◆ ¿Hay cifras o estadísticas que apoyen su eficacia? ¿Tiene efectos negativos o desconocidos?
◆ ¿Qué peligros se han encontrado en su aplicación?
◆ ¿Sus efectos (positivos o negativos) se pueden percibir en la región donde vives? ¿En qué casos concretos se pueden observar?

3 **Un mensaje electrónico** Escríbele un mensaje electrónico al presidente de una empresa de tu ciudad o estado para convencerlo de que emplee una de las tecnologías comentadas durante la discusión socrática. Sigue este esquema:

◆ un saludo apropiado
◆ el propósito del mensaje
◆ la responsabilidad de la empresa con el futuro del planeta
◆ cómo este avance puede ayudar a resolver la crisis económica y medioambiental en la que nos encontramos hoy en día (con datos tomados de la discusión)
◆ un argumento para apoyar esta pregunta: ¿Cuál es el equilibrio apropiado entre el desarrollo económico y la protección de los recursos naturales?
◆ una conclusión que resuma tu postura
◆ una despedida apropiada

4 **Una intervención persuasiva** Fuiste seleccionado/a para asistir a la conferencia mundial Río + 20 y representar a los jóvenes de tu país frente a los gobiernos de las naciones participantes. Prepara una breve intervención, en la que trates de convencer a los líderes mundiales de la importancia de mantener un equilibrio adecuado entre los avances científicos y el respeto por la vida en nuestro planeta.

RECURSOS
Consulta la lista de apéndices en la p. 418.

CONEXIONES CULTURALES

Record & Submit
Virtual Chat

Miembros de Ecologistas en Acción y Greenpeace protestan ante el Ministerio de Medio Ambiente, en contra del maíz transgénico en España

Alimentos transgénicos

SANDÍAS SIN SEMILLAS, TOMATES CUADRADOS QUE CABEN mejor en sus cajones. Los alimentos transgénicos se crean añadiéndoles genes de otros seres vivos. Algunos se vuelven más resistentes a las plagas, otros crecen más, otros se siembran con más facilidad y otros son simplemente más sabrosos.

En un mundo cuya población está en crecimiento constante y en el que los alimentos son escasos, los alimentos transgénicos podrían resultar de gran ayuda. Sin embargo, mucha gente cree que el uso de alimentos transgénicos es un modelo de agricultura insostenible, y que pueden llegar a amenazar la biodiversidad y la ecología, e incluso la salud de los seres humanos.

La organización española Ecologistas en Acción reúne los intereses de muchos españoles preocupados por la salud humana, el respeto por los animales y la conservación del medioambiente. Una de sus campañas consiste en denunciar los peligros de los alimentos transgénicos con el fin de que se limite su consumo.

▲ La organización *Sobrevivencia, amigos de la tierra*, de Paraguay, mantiene una serie de ecogranjas en las que se practica una agricultura sustentable, en armonía con la naturaleza y con las culturas tradicionales. Según lo expresan sus miembros, la misión de la organización consiste en alcanzar «un planeta de sociedades soberanas y solidarias que interactúan conquistando bienestar, dignidad y plenitud, que se sienten parte íntegra del ambiente y viven en equidad».

▶▶ La iniciativa *Conservación y biocomercio de plantas medicinales*, en el estado Barinas, Venezuela, fomenta el cultivo y el aprovechamiento de plantas medicinales en huertas de familias campesinas. Busca además revalorizar y rescatar las estrategias tradicionales de manejo ambiental.

 Presentación oral: comparación cultural

Prepara una presentación oral sobre este tema:

◆ ¿Cuál es la importancia de la sustentabilidad ambiental en relación con los derechos humanos?

Compara los problemas del uso de los alimentos transgénicos en países hispanohablantes que te sean familiares con su uso en tu comunidad.

PUNTOS DE PARTIDA

Los fenómenos naturales son acontecimientos que forman parte del proceso de cambio continuo que existe en la naturaleza. La salida del sol, la erosión de la tierra, la lluvia y el cambio de estaciones son algunos ejemplos. Sin embargo, algunos fenómenos naturales pueden tener consecuencias catastróficas. Se pueden originar bajo la tierra, como las erupciones volcánicas; en la atmósfera, como los tornados; en el océano, como los tsunamis; a nivel microscópico, como las epidemias, o en el espacio exterior, como el impacto de un asteroide.

◢ ¿De qué manera la especie humana y todas las especies de la Tierra estamos definidas por los fenómenos naturales?

◢ ¿Qué factores ambientales han impulsado el desarrollo y la innovación en ciencia y tecnología?

◢ ¿Cuáles son las actividades humanas que más influyen en el clima y quiénes son los más afectados por los eventos climáticos extremos?

DESARROLLO DEL VOCABULARIO  Auto-graded My Vocabulary

MI VOCABULARIO
Anota el vocabulario nuevo a medida que lo aprendes.

1 **Las catástrofes naturales** Elige la mejor descripción para cada fenómeno natural.

1. ___ un alud
2. ___ un derrumbe de tierra
3. ___ una erupción volcánica
4. ___ un huracán
5. ___ una inundación
6. ___ una nevasca
7. ___ una sequía
8. ___ un terremoto
9. ___ una tormenta eléctrica

a. caída de mucha nieve con vientos fuertes
b. lluvia fuerte con vientos, truenos y relámpagos
c. temblor de tierra muy fuerte
d. periodo de tiempo con muy poca lluvia
e. emisión violenta de materias sólidas, líquidas y gaseosas del interior de la tierra
f. desplazamiento de una gran masa de nieve (o tierra) en las montañas
g. caída de tierra causada por lluvias fuertes
h. fuertes vientos originados en zonas tropicales
i. abundancia excesiva de aguas

2 **Las soluciones tecnológicas** Con un(a) compañero/a, señalen cuáles pueden ser las alternativas tecnológicas para mitigar el daño de estos desastres naturales:

1. incendios forestales
2. lluvia ácida
3. inundaciones
4. huracanes
5. calentamiento global
6. acidificación del océano

MODELO terremoto

Posibles soluciones: *mejorar la construcción y el diseño de los edificios para soportar el efecto devastador de los terremotos*

3 **Los fenómenos naturales** Contesta estas preguntas sobre los fenómenos naturales.

1. ¿Cuáles son las ventajas y desventajas de desarrollar soluciones tecnológicas para los problemas ambientales a los que nos enfrentamos?
2. ¿Cuáles son los fenómenos naturales que no debemos intentar controlar? ¿Por qué?
3. ¿Cuáles fenómenos naturales son influidos por la actividad humana? ¿De qué manera?
4. ¿Cómo podemos reducir nuestro impacto negativo sobre el medioambiente?
5. ¿Crees que la tecnología podrá mejorar nuestro equilibrio con la naturaleza? Explica.

Auto-graded
My Vocabulary
Record & Submit
Strategy
Write & Submit

LECTURA 4.1 ▸ DÍA DE LA TIERRA: SEMÁFORO AMBIENTAL DE ARGENTINA

SOBRE LA LECTURA El siguiente artículo, publicado un 22 de abril, Día Internacional de la Tierra, describe los problemas que tienen que ver con el medioambiente en Argentina. En él se describen las medidas que ha tomado y que está tomando el gobierno del país para mitigarlos. La organización gráfica de este artículo nos permite analizar qué medidas han tenido éxito, cuáles están todavía pendientes y cuáles medidas están en peligro de empeorar. La fundación Vida Silvestre Argentina, que se encarga de presentar este semáforo ambiental, fue fundada en 1977 y trabaja para exponer y solucionar los principales problemas ambientales de este país.

ANTES DE LEER

ESTRATEGIA

Utilizar lo que sabes
Cuando encuentras una palabra nueva, busca elementos que te sean familiares: semejanzas con palabras inglesas, prefijos y sufijos, y raíces comunes con otras palabras del español.

1 **Deducciones** Intenta descifrar el significado de las palabras en negrilla con base en la palabra que aparece a su lado. Luego escribe una oración que demuestre que comprendes el significado de cada palabra.

afirmar	⟷	**afirmación**	profundo	⟷	**profundizar**
conservar	⟷	**conservación**	reglamentar	⟷	**reglamentada**
derretir	⟷	**derretimientos**	resultar	⟷	**resultante**
disponer	⟷	**disponibilidad**	sanción	⟷	**sancionada**
húmedo	⟷	**humedales**	seleccionar	⟷	**selectividad**
implementar	⟷	**implementación**	tratar	⟷	**tratamiento**

MI VOCABULARIO

Utiliza tu vocabulario individual.

2 **Comparte tu opinión** Con un(a) compañero/a, describan los efectos negativos que puede tener el medioambiente contaminado sobre los siguientes seres vivos o lugares. Luego comenten sobre este tema con otras parejas.

EFECTOS NOCIVOS DE LA CONTAMINACIÓN	
las personas	
los animales	
los bosques	
los ríos y los mares	
los espacios verdes de una ciudad	
las grandes ciudades	

Día de la Tierra:
Semáforo ambiental de Argentina

En el Día de la Tierra, la Fundación Vida Silvestre Argentina volvió a armar su semáforo con una selección de los problemas ambientales más urgentes **(rojo)**; los temas pendientes de definición **(amarillo)** y las buenas noticias relacionadas con el ambiente **(verde)**.

ROJO

Un fondo vacío para la Ley de Bosques

La correcta implementación de la Ley de Bosques (**sancionada** en 2007 y **reglamentada** en 2009) es una cuenta **pendiente** y urgente, dado que apenas se le **asignó** a la conservación de nuestros bosques nativos el 8,5% de lo estipulado en la Ley: entre 2010 y 2015 recibieron 1.239 millones de pesos ("Informe de estado de implementación 2010 – 2015" del Ministerio de Ambiente y Desarrollo Sustentable de la Nación) en vez de los 14.750 millones que le correspondían.

5

Humedales: un proyecto de ley que sigue esperando

A pesar de que existen proyectos de ley con estado parlamentario para proteger los humedales, sumado al anuncio del gobierno nacional de dar prioridad para su tratamiento en el inicio de las sesiones parlamentarias, no se ha avanzado en la sanción y no se percibe un **articulado** sistema de consulta para que la ley resultante cuente con la licencia social que facilite la implementación.

10

Prácticas pesqueras no responsables

En la pesquería de merluza, al menos, un 20% de lo que se captura se tira muerto al mar según la FAO (Organización de las Naciones Unidas para la Alimentación y la Agricultura) por falta de dispositivos de selectividad que modifican las artes de pesca y permiten el escape de ciertas especies no comerciales y ejemplares pequeños. Esta afirmación cobra relevancia si se tiene en cuenta que en 2015 se pescaron 251.000 toneladas de merluza común en aguas nacionales, según el Ministerio de Agroindustria.

15

20

AMARILLO

Un acuerdo para cambiar el cambio climático

En el Día Mundial de la Tierra, hoy los líderes mundiales se reúnen en la sede de Naciones Unidas en Nueva York para firmar el Acuerdo del Clima de París con el **compromiso** de tomar medidas para mantener el calentamiento global por debajo de los 1,5ºC y evitar mayores impactos del cambio climático. Al menos 55 países que producen el 55% de las emisiones globales necesitan ratificarlo a nivel nacional para que pueda **entrar en vigor**.

25

GLOSARIO

sancionar autorizar o aprobar
reglamentar sujetar a la ley
pendiente no resuelto/a
asignar destinar, adjudicar
articular acoplar, integrar
el compromiso promesa
entrar en vigor poner en práctica

GLOSARIO

encarar acercarse a, enfrentar
el fomento estímulo
el repunte recuperación

MI VOCABULARIO

Anota el vocabulario nuevo a medida que lo aprendes.

Argentina llevó a París metas que plantean un piso del 15% de reducción de emisiones a 2030, con un potencial de alcanzar un 30% condicionado a financiamiento internacional. Estas metas no demuestran un claro compromiso y voluntad por **encarar** el problema del cambio climático, ni aprovecha el potencial del país para lograr reducciones mayores a las planteadas para mitigar el cambio climático. En esta línea, el gobierno tiene la oportunidad de introducir modificaciones que permitan alcanzar metas más ambiciosas y que, a la vez, sean el producto de un proceso de análisis y toma de decisiones más participativo y vinculante para gobiernos, sector privado y sociedad civil.

Sumar renovables y eficiencia a la matriz energética

La disponibilidad de energía es estratégica en un mundo afectado por el cambio climático y la escasez previsible de los combustibles convencionales. En este sentido, la reglamentación de la Ley 27.191/15 "Régimen de **fomento** nacional para el uso de fuentes renovables de energía destinadas a la producción de energía eléctrica" es un paso firme hacia la soberanía energética. Esta Ley elevará la participación de fuentes renovables en la energía eléctrica nacional de un 1% actual a un 8% en 2017 y un 20% en 2025. Sin embargo, es necesario profundizar las políticas de eficiencia energética que aún resultan parciales e insuficientes.

Antártida, continente amenazado

Una reciente investigación de la revista *Nature* demuestra que el aumento de la temperatura media anual está produciendo derretimientos irreversibles al oeste de la placa antártica con un aumento del nivel medio del mar de entre 10 y 20 centímetros. Si no se aplican políticas para reducir las emisiones de gases de efecto invernadero, el deshielo en la Antártida tiene el potencial de sumar más de un metro al aumento del nivel del mar para 2100 y más de 15 metros para el 2500.

El yaguareté es una de diez especies de felinos silvestres que habitan en Argentina y una de las seis que habitan en la provincia de Misiones. La palabra *yaguareté* es del idioma indígena guaraní y está compuesta de los vocablos *yaguar* (el felino conocido como el jaguar en español) y *ete* («verdadero»). El yaguareté es el escudo y símbolo del equipo argentino de rugby.

Yaguareté: de 43 a 68 en la selva misionera

El Plan Nacional de Conservación del Yaguareté está en etapa de cierre y aprobación final por parte del Ministerio de Ambiente y Desarrollo Sustentable de la Nación y la Administración de Parques Nacionales. En 2014 la población de yaguaretés en la selva misionera y parte de Brasil registró un ligero **repunte**: se estima que pasó de 43 individuos promedio registrados en 2004 a 68 en 2014.

Más superficies de plantaciones forestales certificadas en Misiones

En el último año Misiones paso de 1,5% a un 32% de plantaciones ubicadas en el Bosque Atlántico del Alto Paraná misionero (centro-norte de la provincia) con certificación FSC (Forest Stewardship Council, por sus siglas en inglés) que garantiza un manejo sustentable. El FSC es el sello de certificación forestal con mayor credibilidad para los consumidores a nivel mundial, alcanzando una superficie forestal certificada a nivel mundial de 183.103.140 hectáreas. ●

DESPUÉS DE LEER

1 **Comprensión** Contesta las preguntas según el texto.

1. ¿Qué simbolizan los semáforos que usó la Fundación Vida Silvestre Argentina?
2. ¿Qué fallo tiene la Ley de Bosques?
3. ¿Por qué están en peligro los humedales?
4. Describe una práctica pesquera no responsable que se hace en Argentina.
5. ¿Qué es el Acuerdo del Clima de París?
6. ¿Qué meta tiene Argentina con respecto a la reducción de emisiones?
7. ¿Cuántos países tienen que ratificar el Acuerdo del Clima de París para que la ley sea vigente?
8. ¿Para qué sirve la Ley 27.191/15?
9. ¿Qué pruebas hay de que se están produciendo derretimientos en la Antártida?
10. ¿Va aumentando o disminuyendo la población de yaguaretés? ¿Qué pruebas hay de ello?

2 **El medioambiente** ¿Qué palabras vienen a la mente cuando piensas en el medioambiente? ¿Piensas que hay más problemas que soluciones? Con un(a) compañero/a, identifiquen los problemas a nivel local y sus posibles soluciones, y hagan una lista de ellos. Compartan sus listas con otra pareja y entre los cuatro escojan el problema que más relevancia tiene para su comunidad y propongan su correspondiente solución. Compartan el resultado de su discusión con toda la clase.

3 **Acuerdos** Investiga otros tratados, acuerdos, convenios o protocolos internacionales que tienen que ver con temas ambientales, por ejemplo el Protocolo de Kyoto, la Carta de la Tierra o el Tratado de Agua Dulce. Prepara un breve informe detallando la historia y los objetivos de dicho acuerdo y si ha cumplido o sigue cumpliendo sus objetivos. Comparte tus hallazgos con la clase.

4 **El Día Mundial de la Tierra** En grupos pequeños van a organizar el Día Mundial de la Tierra en la escuela. Piensen en qué tipo de información sería imprescindible para que el público comprenda mejor el tema y la importancia de proteger el planeta. Describan también algunas actividades que les ayuden a sus compañeros/as a discutir y familiarizarse con el tema.

5 **¡Salva mi hábitat!** Usa Internet para investigar una especie de planta o animal que está en peligro o en vías de extinción y lo que se está haciendo para protegerla. Prepara una breve presentación oral en la que comentes si los esfuerzos para salvarla han tenido éxito o no, e incluye otros detalles de interés ambiental.

6 **Ensayo persuasivo** Escribe un ensayo de por lo menos cuatro párrafos en el que expongas las causas del calentamiento global y las posibles soluciones para combatirlo. Explica si el calentamiento es un hecho científico o no (cita ejemplos). Menciona hechos que desacrediten o acrediten, dependiendo de tu posición, a los que afirman que combatir el calentamiento global no es una prioridad.

MI VOCABULARIO
Utiliza tu vocabulario individual.

RECURSOS
Consulta la lista de apéndices en la p. 418.

Auto-graded
My Vocabulary
Partner Chat
Strategy
Write & Submit

LECTURA 4.2 ▶ CAZADORES DE TORNADOS

SOBRE LA LECTURA Este artículo trata de los estudios de un grupo de investigadores que persiguen tornados, equipados con potentes instrumentos. Su objetivo es entender mejor la estructura y el comportamiento de estos fenómenos naturales. Escrito por Miguel Ángel Criado, el artículo fue publicado en la sección «Ciencias» de *público.es*, un diario digital español fundado en 2007.

En el artículo se narra cómo los investigadores de VORTEX2 (el nombre que ha recibido esta misión científica establecida en varios territorios de Estados Unidos) se empeñan en descubrir los mecanismos que activan la formación de estos terribles y a la vez sorprendentes fenómenos.

ANTES DE LEER

1

En tu región En parejas, hablen de los fenómenos naturales que ocurren en la región donde ustedes viven. Elijan fenómenos de la lista y añadan otros que consideren necesarios. Describan cómo afectan a la gente, los negocios, el terreno, la infraestructura y la cultura de la comunidad. ¿Qué medidas de seguridad ponen en marcha las autoridades antes y después del acontecimiento? ¿Cómo interviene la tecnología en la protección de las personas?

aludes o deslizamientos	nevascas
erosión	sequías
erupciones volcánicas	terremotos
huracanes	tormentas eléctricas
inundaciones	tornados

MI VOCABULARIO
Utiliza tu vocabulario individual.

2

Una experiencia personal Con un(a) compañero/a de clase, describe una vivencia personal en la que experimentaste condiciones naturales fuertes o peligrosas. Utilicen las siguientes preguntas como guía:

1. ¿Qué pasó?
2. ¿La situación representó un peligro grave?
3. ¿Cómo reaccionaste tú?
4. ¿Cómo reaccionaron las otras personas?
5. ¿Hubo una respuesta oficial dentro de la comunidad? Explica.
6. ¿Qué aprendiste de la experiencia? ¿Dejó alguna impresión (física, emocional o cultural) que perdura en tu vida o en la de una persona conocida?

3 **Consejos** Teniendo en cuenta la experiencia que has relatado en la actividad anterior, escribe una lista de consejos para ayudar a una persona que se encuentre en una situación semejante.

◄ ► ⟳ 🎙 http:// ★

Portada
Opinión
Internacional
España
Dinero
Ciencias
Culturas
Deportes
Comunicación
Vivienda

CAZADORES DE TORNADOS

Un ejército de 100 científicos a bordo de 40 vehículos recorre las grandes llanuras de EE.UU. persiguiendo a estos fenómenos esquivos y destructores

por **Miguel Ángel Criado**

Más de un centenar de científicos de una docena de universidades se han echado literalmente a la carretera para **cazar** a uno de los fenómenos meteorológicos más destructivos.

La misión VORTEX2 (siglas en inglés de Experimento de Verificación del
5 Origen de la Rotación en Tornados) **recorre** las **planicies** desde Texas hasta Minnesota. Los estados que hay entremedias forman el llamado *callejón de los tornados*. Forman un gigantesco valle entre las **cordilleras** de las Montañas Rocosas, al oeste, y los Apalaches, al este, y sobre sus cielos chocan las corrientes de aire que vienen de Canadá y las que suben desde el golfo de
10 México: aire frío contra caliente, la explosiva mezcla de la meteorología.

«Sabemos mucho y apenas sabemos de los tornados», explica el investigador y responsable de VORTEX2, Josh Wurman. Con esta expedición quieren

ESTRATEGIA

Utilizar lo que sabes
Cuando veas palabras nuevas, busca semejanzas con otras palabras en español que ya sabes.

GLOSARIO

cazar
   perseguir para atrapar
recorrer atravesar, viajar
la planicie
   terreno plano y extenso
el callejón
   paso estrecho entre
   edificios o montañas
la cordillera
   una serie de montañas

GLOSARIO

suscitar provocar o generar

colgar estar suspendido o atado a un punto, sin tocar el suelo

desentrañar averiguar, descubrir información oculta

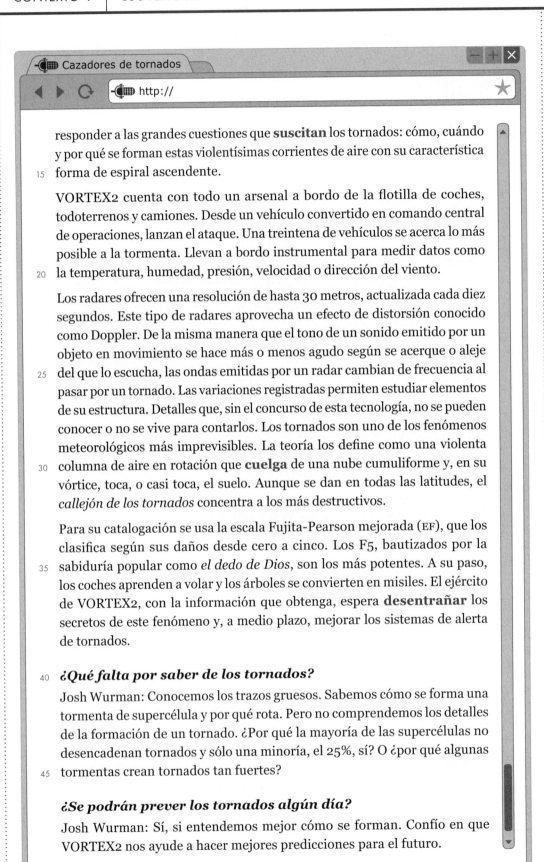

Cazadores de tornados

http://

responder a las grandes cuestiones que **suscitan** los tornados: cómo, cuándo y por qué se forman estas violentísimas corrientes de aire con su característica 15 forma de espiral ascendente.

VORTEX2 cuenta con todo un arsenal a bordo de la flotilla de coches, todoterrenos y camiones. Desde un vehículo convertido en comando central de operaciones, lanzan el ataque. Una treintena de vehículos se acerca lo más posible a la tormenta. Llevan a bordo instrumental para medir datos como 20 la temperatura, humedad, presión, velocidad o dirección del viento.

Los radares ofrecen una resolución de hasta 30 metros, actualizada cada diez segundos. Este tipo de radares aprovecha un efecto de distorsión conocido como Doppler. De la misma manera que el tono de un sonido emitido por un objeto en movimiento se hace más o menos agudo según se acerque o aleje 25 del que lo escucha, las ondas emitidas por un radar cambian de frecuencia al pasar por un tornado. Las variaciones registradas permiten estudiar elementos de su estructura. Detalles que, sin el concurso de esta tecnología, no se pueden conocer o no se vive para contarlos. Los tornados son uno de los fenómenos meteorológicos más imprevisibles. La teoría los define como una violenta 30 columna de aire en rotación que **cuelga** de una nube cumuliforme y, en su vórtice, toca, o casi toca, el suelo. Aunque se dan en todas las latitudes, el *callejón de los tornados* concentra a los más destructivos.

Para su catalogación se usa la escala Fujita-Pearson mejorada (EF), que los clasifica según sus daños desde cero a cinco. Los F5, bautizados por la 35 sabiduría popular como *el dedo de Dios*, son los más potentes. A su paso, los coches aprenden a volar y los árboles se convierten en misiles. El ejército de VORTEX2, con la información que obtenga, espera **desentrañar** los secretos de este fenómeno y, a medio plazo, mejorar los sistemas de alerta de tornados.

40 **¿Qué falta por saber de los tornados?**

Josh Wurman: Conocemos los trazos gruesos. Sabemos cómo se forma una tormenta de supercélula y por qué rota. Pero no comprendemos los detalles de la formación de un tornado. ¿Por qué la mayoría de las supercélulas no desencadenan tornados y sólo una minoría, el 25%, sí? O ¿por qué algunas 45 tormentas crean tornados tan fuertes?

¿Se podrán prever los tornados algún día?

Josh Wurman: Sí, si entendemos mejor cómo se forman. Confío en que VORTEX2 nos ayude a hacer mejores predicciones para el futuro.

DESPUÉS DE LEER

1

Comprensión Contesta las preguntas según el texto.

1. ¿Qué tipo de texto es «Cazadores de tornados»?
   a. Narrativo
   b. Expositivo
   c. Religioso
   d. Argumentativo

2. ¿Qué podemos deducir de la entradilla (las dos líneas introductorias debajo del título)?
   a. El proyecto de cazar tornados reúne a un gran grupo de especialistas.
   b. El ejército de Estados Unidos es el que lidera el proyecto.
   c. Los tornados son un fenómeno exclusivo de las grandes llanuras de Estados Unidos.
   d. El texto es una historia de ciencia ficción.

3. ¿Cuál es el propósito del artículo?
   a. Informar y entretener con información técnica pero interesante
   b. Advertir a los lectores sobre los peligros de los tornados
   c. Explicar los orígenes de los tornados más fuertes
   d. Ofrecer soluciones prácticas para las personas que viven en la región afectada

4. ¿Por qué a los tornados F5 se les llama «el dedo de Dios»?
   a. Porque en Texas y Minnesota existe una leyenda sobre el Dios de los tornados.
   b. Porque son los más destructivos y parecen un dedo que desciende del cielo.
   c. Porque Josh Wurman los bautizó así.
   d. Porque son un castigo de Dios para la humanidad.

5. ¿Qué significa la frase «los coches aprenden a volar»?
   a. Los científicos están desarrollando coches inteligentes que pueden volar.
   b. Los científicos estudian los tornados en coches voladores.
   c. La gente maneja muy rápidamente para escapar de los tornados.
   d. La fuerza del viento levanta los coches por los aires.

6. Según Josh Wurman, líder de VORTEX2, ¿para qué se cazan los tornados?
   a. Para poder capturar los tornados algún día y prevenir la destrucción que causan
   b. Para hacer mejores predicciones en el futuro con respecto a los tornados
   c. Porque es emocionante estar en medio de una tormenta tan poderosa
   d. Para diseñar coches que puedan volar como los tornados

2

La influencia humana Reflexiona sobre los cambios medioambientales que se presentan en la actualidad. Luego contesta estas preguntas y discute las respuestas con toda la clase.

1. ¿Qué cambios medioambientales son influidos por la actividad humana?
2. ¿Qué desastres naturales actuales pueden estar relacionados con cambios medioambientales?
3. ¿Hay algunos países más responsables que otros por los cambios medioambientales? ¿Cuáles se ven más afectados por estos cambios?
4. ¿Afectan los desastres naturales más a las poblaciones pobres? ¿Por qué?
5. ¿Cómo se puede minimizar el impacto de la actividad humana sobre el medioambiente?
6. ¿Los desastres naturales pueden causar cambios culturales?

CONCEPTOS CENTRALES

Hacer deducciones
Para deducir información de un texto, utiliza los datos que se proporcionan en él. La respuesta correcta debe contener información que *no esté explícitamente expuesta* en el escrito.

3

Investigar Elige una cultura indígena tradicional de Latinoamérica para investigar sobre ella. Busca información en Internet para contestar estas preguntas.

1. Describe sus creencias con respecto a la naturaleza o a las fuerzas de la naturaleza.
2. ¿Sus prácticas o costumbres están influidas por estas características?
   - la geografía
   - el clima
   - el desarrollo industrial o la tecnología moderna
   - los acontecimientos naturales
3. ¿Qué conocimiento tradicional le ha sido útil a esta población?
4. ¿Qué podemos aprender nosotros de su cultura?
5. ¿Qué puedes inferir acerca de la influencia de las condiciones naturales sobre su manera de vivir y en la formación de sus perspectivas culturales?

4

Comparación cultural Compara la información que encontraste en la Actividad 3 con la de un(a) compañero/a de clase. Haz una lista de las semejanzas y diferencias entre las culturas que han investigado y la cultura de Estados Unidos.

MI VOCABULARIO
Utiliza tu vocabulario individual.

5

Cazadores Con un(a) compañero/a, conversen en torno a estas dos preguntas:

1. ¿Te gustaría ser uno de los científicos que participa en la misión VORTEX2?
2. ¿En qué otra misión científica te gustaría participar?

Para su respuesta, tengan en cuenta estos aspectos:

- sus intereses personales y académicos
- el nivel de riesgo que implica esta actividad
- lo novedoso o extraño del tema a investigar
- la posibilidad de tener que estar lejos de sus seres queridos para poder participar en la misión

RECURSOS
Consulta la lista de apéndices en la p. 418.

6

Ensayo persuasivo ¿Hay un equilibrio ideal entre el hombre y la naturaleza? Escribe un ensayo persuasivo en el que presentes y defiendas un tema relacionado con esta pregunta. Debes discutir los tres puntos que se indican a continuación. Para cada punto, puedes contestar las preguntas que consideres pertinentes.

1. Describe la relación actual entre el hombre y la naturaleza.
   - ¿Cómo influyen los fenómenos naturales en la manera como vivimos?
   - ¿Cómo influye la actividad humana en los cambios medioambientales y en la frecuencia o intensidad de los desastres naturales?
2. Explica qué relación debemos tener con la naturaleza en el futuro.
   - ¿Debemos intentar minimizar nuestro impacto sobre la naturaleza?
   - ¿Debemos buscar soluciones tecnológicas para reparar el daño que hacemos?
3. Explica cómo podemos utilizar las lecciones del pasado para evitar catástrofes irreparables en el futuro.
   - ¿Cómo podría ayudarnos la sabiduría del pasado?
   - ¿Qué conocimientos tradicionales todavía existen en algunas culturas de Latinoamérica y cómo podemos utilizarlos?

AUDIO ▶ LAS SEQUÍAS: EL PELIGRO NATURAL MÁS DESTRUCTIVO DEL PLANETA

Audio
En fragmentos
My Vocabulary
Strategy
Write & Submit

INTRODUCCIÓN En esta grabación, el locutor Carlos Martínez, de las Naciones Unidas, entrevista al agrometeorólogo Óscar Rojas, de la Organización de la ONU para la Alimentación y la Agricultura (FAO), acerca del peligro natural más destructivo del mundo: las sequías. La entrevista fue realizada en la ciudad de Ginebra (Suiza) durante un encuentro de expertos de distintas agencias especializadas.

ANTES DE ESCUCHAR

1 **Conocimiento previo** Con un(a) compañero/a, analicen el problema de las sequías en su país y en el mundo y respondan a estas preguntas.

1. ¿Vives en una zona con propensión a las sequías?
2. ¿Por qué crees que ocurren las sequías? ¿Cuáles son los principales problemas que causan?
3. ¿Qué partes del mundo crees que son las más afectadas?
4. ¿Qué podemos hacer para mitigar el problema de las sequías?

2 **Red semántica** Rellena los nodos de una red semántica como esta. En los recuadros azules, escribe tres áreas que, en tu opinión, se ven muy afectadas por las sequías (por ejemplo: el campo, la industria o la economía). En los recuadros verdes, escribe tres maneras como la sequía afecta a cada área.

◀)) MIENTRAS ESCUCHAS

1 **Predice el contenido** Antes de escuchar la primera vez, lee las preguntas de comprensión de la página siguiente para predecir la información que debes buscar. No tomes apuntes esta vez, solamente concéntrate en escuchar.

2 **Escucha y apunta** Lee las preguntas una vez más. Al escuchar la segunda vez, toma apuntes sobre estos temas, lo cual te ayudará a contestar las preguntas más adelante:

- la muerte y el desplazamiento de personas
- la causa principal del aumento y la intensidad de las sequías
- el propósito del encuentro de expertos en la ciudad de Ginebra
- los sistemas de alerta temprana
- el sistema global de monitoreo de sequías

GLOSARIO

la sequía tiempo seco, sin lluvias, de larga duración

la agrometeorología ciencia que estudia las condiciones meteorológicas, climáticas e hidrológicas y su interrelación con la producción agrícola

repercutir causar un efecto o un resultado

mitigar moderar o reducir un problema

prever ver con antelación

afrontar resistir algo negativo; enfrentar

amenaza peligro

ESTRATEGIA

Utilizar organizadores gráficos Una red semántica es una representación gráfica del conocimiento, compuesta por nodos y líneas para mostrar la relación de significado entre los elementos o conceptos. Úsala para organizar una lluvia de ideas sobre un tema.

DESPUÉS DE ESCUCHAR

1

Comprensión En grupos pequeños, contesten y discutan las siguientes preguntas. Usen sus tablas de apuntes como referencia y citen datos de la grabación para sustentar sus respuestas.

1. ¿En qué se asemeja el efecto que tienen los ciclones, las inundaciones y los terremotos con los efectos que tienen las sequías?
2. ¿A qué se debe que las sequías vayan a aumentar en frecuencia e intensidad en el futuro?
3. Óscar Rojas menciona algunos países y regiones en donde la sequía tuvo grandes efectos durante los años 2011 y 2012. ¿Cuáles son?
4. ¿Para qué sirven los sistemas de alerta temprana?
5. ¿Qué países o regiones han establecido sistemas de alerta temprana?
6. ¿En qué consiste el sistema global de monitoreo de sequías?

2

Completar Con un(a) compañero/a, escucha de nuevo la grabación e intenta completar las siguientes oraciones de la entrevista (recuerda que las oraciones pueden tener alguna variación con respecto a lo que los interlocutores realmente dicen). Luego reúnanse con otra pareja y compartan sus respuestas para completar la información que les falte.

1. La mayoría de los países no tienen políticas eficaces para…
2. Diversos expertos se encuentran reunidos esta semana en Ginebra para…
3. La sequía no solo repercute en la disponibilidad de alimentos sino también en…
4. Se deben definir las políticas a niveles nacionales dependiendo de…
5. Algunos países ya tienen alguna experiencia en el análisis de los datos para…
6. La idea es que las instituciones puedan intercambiar métodos e información para…

RECURSOS
Consulta la lista de apéndices en la p. 418.

3

Un ensayo Sigue estos pasos para escribir un ensayo corto sobre la tecnología y las sequías.

1. Analiza estas preguntas esenciales:
   ◆ ¿Qué factores crees que contribuyen a la falta de lluvias? ¿Son solo factores naturales o crees que los seres humanos también contribuyen?
   ◆ ¿Qué pueden hacer los seres humanos para prevenir y afrontar una sequía?
   ◆ ¿Qué podemos hacer en nuestros hogares o en las escuelas para evitar las sequías?

2. Investiga en Internet los desarrollos e innovaciones tecnológicos que:
   ◆ han ayudado a conservar agua en zonas de sequías.
   ◆ han ayudado a los gobiernos del mundo a prepararse y mitigar las posibles amenazas naturales, como las sequías.

3. Escribe un párrafo que resuma los resultados de tu investigación. Incluye cifras para cuantificar y apoyar tus afirmaciones.

MI VOCABULARIO
Utiliza tu vocabulario individual.

4

Discusión socrática Participa en una discusión socrática con toda la clase en la que compartas los resultados de tu investigación para contestar las preguntas esenciales de la actividad anterior.

CONEXIONES CULTURALES

Record & Submit
Virtual Chat

Santiago de Chile, terremoto del 27 de febrero de 2010. Unas estructuras más débiles hubiesen colapsado

Edificios que protegen

LA NATURALEZA ES FUENTE DE VIDA, PERO TAMBIÉN POSEE una fuerza incontrolable y devastadora. Los terremotos, los huracanes, las epidemias y los aludes son solo algunos ejemplos de los desafíos que deben enfrentar todos los seres vivos de nuestro planeta en algún momento de su existencia.

La República de Chile es el país más sísmico del mundo. Su ubicación geográfica sobre el denominado «Cinturón de fuego del Pacífico» lo hace especialmente propenso a los sismos. Debido a la larga historia de terremotos que han asolado al país, los ingenieros y arquitectos chilenos han desarrollado métodos de construcción sumamente resistentes a los terremotos. De esta manera, aunque los edificios queden dañados con los temblores y posteriormente sea necesario derrumbarlos, no colapsan, y así evitan que sus habitantes queden atrapados. Es por eso que, aunque en 2010 Chile sufrió el quinto terremoto más fuerte de la historia (8,8 grados en la escala de Richter), solo el 1% de sus edificios sufrieron daños estructurales mayores.

◢ Por su ubicación geográfica, El Salvador es una de las principales víctimas de las inundaciones provocadas por los huracanes. El país está haciendo esfuerzos para instalar sistemas de alerta temprana en las zonas de mayor riesgo.

◢ Las islas Galápagos, de Ecuador, son famosas por su fauna. Sin embargo, debido a su aislamiento durante miles de años, muchas de sus especies ahora están en peligro por epidemias que llegaron desde otros lugares por diversos medios. El gobierno ha establecido protocolos para los turistas y los científicos con el objetivo de prevenir la introducción de epidemias.

◢ Durante la temporada de lluvias, Colombia suele sufrir aludes (desprendimientos de tierra y piedras que son bastante destructivos). Esto se debe, en parte, al proceso de deforestación que sufre la región. El gobierno está invirtiendo dinero en diversas medidas para prevenir la destrucción que causan los aludes.

 Presentación oral: comparación cultural

Prepara una presentación oral sobre este tema:

◆ ¿De qué manera la especie humana y todas las especies de la Tierra estamos definidas por los fenómenos naturales?

Compara los fenómenos naturales que afectan alguna región hispanohablante que te sea familiar con los de la región donde vives. Describe las medidas preventivas que se toman en cada región ante una alerta.

Además de las reglas básicas de acentuación presentadas en el **Tema 1 (p. 62)**, existen ciertos casos especiales en los que utilizamos el acento (o tilde) para diferenciar palabras que se escriben y pronuncian igual, pero que tienen distinto significado (**homónimos**). Este tipo de acento se llama **acento diacrítico**.

A **mí** no me gusta.
(**mí** = pronombre personal)

Aquel es **mi** coche.
(**mi** = adjetivo posesivo)

do, re, **mi**, fa, sol, la, si
(**mi** = nota musical)

Yo le decía que nunca robara nada que le hiciera falta a alguien para comer, y **él** me hacía caso.
(**él** = pronombre personal)

El padre examinó la calle distorsionada por la reverberación, y entonces comprendió.
(**el** = artículo definido)

¡ATENCIÓN!
Como regla general, las palabras monosílabas (consistentes de una sola sílaba) no llevan tilde (**bien, mal, no, gris, sol, pie**). En algunas obras literarias antiguas podemos encontrar palabras monosílabas acentuadas que no siguen las reglas actuales de acentuación de monosílabos.

ACENTO DIACRÍTICO		
aun aún	adverbio de concesión (=**incluso**)	**Aun** cuando hace calor uso chaqueta.
	adverbio de tiempo (=**todavía**)	**Aún** no hemos llegado.
de dé	preposición	Una mesa **de** madera.
	verbo	Espero que me **dé** la mano.
el él	artículo definido	Devuélveme **el** libro que te presté.
	pronombre personal	Saldré en cuanto **él** me llame.
mas más	conjunción	Quise tranquilizarla, **mas** no fue posible.
	adverbio	Necesito **más** tiempo.
mi mí	adjetivo posesivo	¿Por qué no me esperas en **mi** casa?
	pronombre personal	Esta carta es para **mí**.
se sé	pronombre personal	**Se** bebió toda el agua.
	verbo (**saber, ser**)	No **sé** qué decir. / **Sé** amable con ellos.
si sí	conjunción	**Si** hace frío, necesitaremos el abrigo.
	adverbio/ pronombre personal	Dile que **sí**. / Siempre habla de **sí** misma.
te té	pronombre personal	**Te** lo he dicho mil veces: no llegues tarde.
	sustantivo	¿Te apetece un **té**?
tu tú	adjetivo posesivo	¿Dónde has puesto **tu** corbata?
	pronombre personal	**Tú** nunca dices mentiras.

◢ Los pronombres, adjetivos y adverbios que tienen un sentido interrogativo o exclamativo llevan acento diacrítico. Este tipo de palabras pueden estar en oraciones interrogativas o exclamativas indirectas. Por consiguiente, pueden aparecer en oraciones sin signos de interrogación (¿?) o exclamación (¡!).

Cuando llegaron, me preguntaron **qué** estaba haciendo.
Todos sabemos **cuántas** calamidades ha sufrido.
Desconocemos **cuál** es el motivo.
Desde el primer día me explicaron **cómo** querían que hiciera mi trabajo.

◢ Los pronombres y adverbios relativos siguen las reglas de acentuación generales; es decir, no llevan tilde porque son monosílabos o palabras llanas terminadas en **s** o vocal.

> El libro **que** te presté es muy interesante.   Son pocas las personas en **quienes** confío.

◢ Los adverbios terminados en **-mente** se acentúan igual que el adjetivo a partir del cual están formados. Si el adjetivo lleva tilde, entonces el adverbio también la lleva. Si el adjetivo no lleva tilde, el adverbio se considera una palabra llana terminada en vocal; por lo tanto, no lleva tilde.

> **rá**pida ⟶ **rá**pidamente   en**fá**tica ⟶ en**fá**ticamente
> lenta ⟶ lentamente   feliz ⟶ felizmente

◢ En algunas palabras, la sílaba acentuada cambia al formar el plural.

> carácter ⟶ caracteres

◢ Los demostrativos **este, ese, aquel, esta, esa, aquella** y sus variantes en plural solían acentuarse cuando funcionaban como pronombres. Igualmente, a la palabra **solo** se le ponía tilde cuando equivalía a **solamente**. Según las nuevas reglas, estas palabras nunca necesitan tilde, ni siquiera en caso de ambigüedad. En estos casos, se recomienda evitar usos que provoquen ambigüedad y usar otras estructuras.

> Me dijo que **ésta** mañana se irá.   Me dijo que **esta** mañana se irá.
> (ésta = la persona que se irá   (esta = determina al sustantivo *mañana*)
> mañana; en este caso es mejor usar
> **ella** o escribir **Me dijo que esta**
> **se irá mañana.**)

◢ Antes se escribía con tilde la conjunción **o** cuando aparecía entre dos números, a fin de evitar confundirla con el número cero (0), pero esta regla también está en desuso.

> 3 **o** 4 personas   en 1991 **o** al año siguiente

¡ATENCIÓN!
Algunas palabras pueden perder o ganar una tilde al pasar de su forma singular a su forma plural o al añadir pronombres o sufijos. Simplemente debemos aplicar las reglas de acentuación básicas para saber si llevan o no llevan tilde.

canción ⟶ canciones
camión ⟶ camiones
acción ⟶ acciones
tirolés ⟶ tiroleses
dame ⟶ dámelo
cabeza ⟶ cabezón

PRÁCTICA

1 Completa las oraciones con la opción correcta.

1. Antes de arreglar el jardín, consulta con _____ (el/él).
2. _____ (Esta/Ésta) novela es muy interesante.
3. Creo que _____ (tu/tú) madre quiere verte.
4. Confía en _____ (mi/mí).
5. Confía en _____ (mi/mí) experiencia.
6. ¿Quieres que tomemos un _____ (te/té)?
7. No _____ (te/té) lo tomes tan en serio.
8. No quiero estar _____ (solo/sólo).
9. Necesito nueve dólares _____ (mas/más).
10. _____ (Sí/Si) te cuento lo que pasó, debes guardar el secreto.
11. Cuando le dijo que _____ (sí/si), se echó a llorar.
12. En cuanto me _____ (de/dé) permiso, me tomaré unas vacaciones _____ (de/dé) dos semanas.

◢ El uso de los signos de puntuación presentados en **Tema 1 (p. 63)** es muy parecido en español y en inglés. Sin embargo, algunos signos de puntuación se comportan de forma diferente en cada idioma.

◢ En español, siempre debemos colocar la puntuación correspondiente a la misma oración detrás de las comillas y del paréntesis de cierre. Sin embargo, en inglés, el punto siempre se coloca delante de las comillas y del paréntesis.

> Y a continuación Eva dijo: «no quiero que me llames nunca más».
> (Seguramente estaba muy enfadada).
> *And then Eva said: «I don't want you to call me ever again.»*
> *(She was probably very upset.)*

La raya

USOS	EJEMPLOS
Para aislar aclaraciones que interrumpen en el discurso de una oración.	Emilio —gran amigo mío— viene a visitarme siempre que tiene ocasión.
Para indicar cada intervención en un diálogo, sin escribir el nombre de la persona que habla.	—¿Cuánta gente crees que lo sabrá? —No tengo ni idea.
Para introducir o aislar los comentarios del narrador sobre las intervenciones de los personajes de un diálogo. Si la oración continúa después del comentario del narrador, es necesario utilizar una raya de cierre al final del comentario.	—Espero que no sea grave —dijo Ramón con gesto preocupado— porque no me apetece tener que volver al hospital.
Para indicar la omisión de una palabra que se repite varias veces en una lista.	Adjetivos demostrativos —posesivos —calificativos —explicativos —interrogativos

◢ La raya de apertura va separada por un espacio de la palabra que la antecede y pegada (sin espacios) a la primera palabra del texto que interrumpe la oración. La raya de cierre va pegada a la palabra que la precede y separada por un espacio de la palabra que sigue.

> Entró **—era el hombre más grande que había visto—** y se sentó en la barra del bar.

Las comillas

◢ En español hay tres tipos diferentes de comillas: las comillas angulares (« »), las comillas inglesas (" ") y las comillas simples (' '). Generalmente, puede utilizarse cada tipo de comillas de forma indistinta. Sin embargo, se alternan cuando se utilizan las comillas en un texto ya entrecomillado. El punto va siempre colocado detrás de las comillas.

> Al acabarse las bebidas, Ana comentó «menudo "problemita" tenemos ahora».

> Cuando llegó Raúl con su motocicleta, Ricardo me dijo «ni se te ocurra montarte en esa "tartana" oxidada».

◢ Las comillas se utilizan en los siguientes casos:

USOS	EJEMPLOS
Para reproducir citas textuales.	El aduanero dijo: «por favor, el pasaporte».
Para reproducir el pensamiento de los personajes en textos narrativos.	«Esto pasa hasta en las mejores familias», pensó el padre en silencio.
Para indicar que una palabra es inapropiada, vulgar, de otra lengua o utilizada con ironía.	Estaba muy ocupado con sus «asuntos importantes».
Para citar títulos de artículos, poemas y obras de arte.	En este museo podemos ver «Las Meninas» de Velázquez.
Para comentar una palabra en particular de un texto.	Antes, para referirse a una farmacia, se utilizaba el término «botica».
Para aclarar el significado de una palabra.	«Espirar» ('expulsar aire') no es lo mismo que «expirar».

Los paréntesis y los corchetes

◢ Los paréntesis se utilizan para encerrar aclaraciones o información complementaria dentro de una oración. El punto debe colocarse detrás del paréntesis de cierre.

> La tía de Julio (una excelente cocinera) nos preparó una cena inolvidable.
> El año en que nació (1988) es el mismo en que murió su abuela.
> Todos sus amigos viven en Tenerife (España).

◢ Los corchetes se utilizan de forma similar a los paréntesis, para añadir información complementaria o aclaratoria en una oración que ya va entre paréntesis.

> La última vez que vi a Mario (creo que fue en el verano que nos graduamos [1992]) le dije que me escribiera.

Los puntos suspensivos

USOS	EJEMPLOS
Para indicar una pausa transitoria que expresa duda, temor o suspenso.	No sé qué hacer… estoy confundido.
Para interrumpir una oración cuyo final ya se conoce.	A caballo regalado…
Para insinuar expresiones malsonantes.	Eres un…
Con el mismo valor que la palabra **etc**.	Puedes ir a donde quieras: Europa, América, Asia…
Para enfatizar y alargar emotivamente una expresión.	Ay… la juventud… divino tesoro.
Entre corchetes, para indicar la supresión de un fragmento en una cita. Esta supresión también se llama «elipsis».	«En un lugar de la mancha […] no ha mucho tiempo que vivía un hidalgo de los de lanza en astillero, adarga antigua, rocín flaco y galgo corredor».

¡ATENCIÓN!
Tras los puntos suspensivos pueden colocarse otros signos de puntuación, sin dejar entre ambos signos ningún espacio de separación:

> Pensándolo bien…: mejor que no venga.

PRÁCTICA

1 Reescribe el siguiente diálogo utilizando rayas para diferenciar las intervenciones de cada personaje. Añade las palabras que están entre corchetes a los comentarios del narrador sobre las intervenciones de los personajes.

> **MODELO** ▶ Inés: ¡Qué sorpresa! [sorprendida]
> —*¡Qué sorpresa! —dijo Inés sorprendida.*

Pablo	Hola, Inés. ¡Cuánto tiempo hace que no nos vemos!
Inés	¡Qué sorpresa! [sorprendida] La última vez que nos vimos éramos solamente unos niños.
Pablo	Es cierto. No puedo creer que todavía te acuerdes de mí [emocionado]. ¿Te apetecería que almorzáramos juntos un día de estos?
Inés	Me encantaría; y así podríamos contarnos todo lo que nos ha pasado durante estos años.
Pablo	Perfecto. ¿Te viene bien el domingo por la tarde?
Inés	No, lo siento. El domingo tengo una fiesta de cumpleaños [apenada]. ¿Qué te parece el sábado por la tarde?
Pablo	El sábado por la tarde es ideal. ¿A qué hora quedamos?
Inés	A las doce y cuarto en el café Pascual [con tono seguro].

2 Reescribe las oraciones colocando comillas donde sea preciso.

1. El policía nos preguntó: ¿Tienen ustedes algo que declarar?
2. No comprendo muy bien qué es eso de la movida madrileña.
3. Los delincuentes se escondieron en un bosque.
4. El poema que mejor recuerdo es Canción del jinete.
5. La historia comienza así: Érase una vez un niño muy curioso.
6. Según dice el refrán: A buen entendedor, pocas palabras.
7. Mi profesor siempre me decía: ¿Otro día sin el libro?
8. ¿Todavía no sabe el abecedario?, le preguntó el profesor.

3 Reescribe las oraciones colocando los paréntesis que faltan.

1. El próximo campeonato mundial de fútbol 2022 será en Catar.
2. La ONU Organización de las Naciones Unidas se fundó en 1945.
3. Creo haberte dicho ya y si no, lo digo ahora que quien mucho abarca poco aprieta.
4. Los seres humanos estamos compuestos en gran parte por agua.
5. La célebre batalla de Vitoria fue perdida por José Bonaparte Pepe Botella.
6. Juan Ramón Jiménez nació en Moguer Huelva.

4 Elige un párrafo de «Cazadores de tornados» (pp. 121-122) y acórtalo realizando algunas elipsis. Recuerda que el párrafo acortado debe tener sentido y debe poder leerse correctamente.

PUNTOS DE PARTIDA

Todos los aspectos de nuestra vida dependen de la tecnología. Entre otras cosas, esta forma parte de nuestra educación, vivienda, alimentación, salud, transporte, comunicación y comodidad. Sin embargo, el nivel de acceso a ella es distinto en cada cultura del mundo.

⬛ ¿Cómo se relacionan las personas con la tecnología en su vida cotidiana?

⬛ ¿Cómo se compara la vida de las personas de países desarrollados con la vida de las personas de países en donde el acceso a la tecnología es más limitado?

⬛ ¿Debería el avance tecnológico ser un derecho fundamental de todos los seres humanos?

DESARROLLO DEL VOCABULARIO

1 **La importancia de la tecnología** Con un(a) compañero/a elaboren una lista de los cinco avances tecnológicos que, en su opinión, son los más importantes en sus vidas, y señalen cuáles son sus características o funciones principales.

MODELO ▶ **El teléfono celular: agiliza las comunicaciones; es muy útil en emergencias.**

2 **La falta de acceso a la tecnología** En grupos de tres, digan cuáles creen que son los motivos principales por los que no todas las personas tienen acceso fácil a la tecnología. Sean específicos. Por ejemplo, ¿qué problemas de acceso a la tecnología pueden tener las personas con discapacidades físicas o las que viven en zonas rurales?

MI VOCABULARIO
Utiliza tu vocabulario individual.

AMPLIACIÓN

1 **Internet: ¿Derecho fundamental?**
Según la información incluida en esta gráfica, la mitad de la población del mundo opina que el acceso a Internet es un derecho fundamental. ¿Cómo habrías respondido tú a la misma pregunta? ¿Estás de acuerdo? En tu opinión, ¿qué beneficios aporta Internet a las personas? ¿Cómo crees que los gobiernos pueden garantizar el acceso de los ciudadanos a Internet?

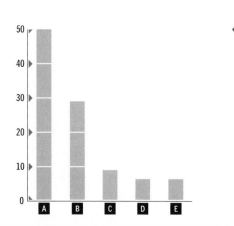

A Completamente de acuerdo
B Más o menos de acuerdo
C Más o menos en desacuerdo
D Completamente en desacuerdo
E No sabe / No responde

Fuente: GlobeScan/promedio de 26 países, 2010

2 **Internet en el mundo** Se calcula que, en Norteamérica, el 88,1% de la población tiene acceso a Internet. En Latinoamérica y el Caribe, el 59,6% tiene acceso a la red (datos de 2017 del sitio internetworldstats.com). ¿A qué crees que se debe esta diferencia? ¿Qué factores influyen para que se presenten estas grandes diferencias entre los países?

PUNTOS DE PARTIDA

Las innovaciones tecnológicas buscan satisfacer las necesidades de la sociedad mediante un uso nuevo y original de una tecnología ya conocida.

◢ ¿Cuál es la relación entre los términos *inventar, mejorar* e *innovar*?

◢ ¿Para qué sirven las innovaciones tecnológicas?

◢ ¿Son necesarias las innovaciones tecnológicas? ¿O son solo una comodidad?

DESARROLLO DEL VOCABULARIO

1 **Los teléfonos inteligentes** Una de las innovaciones más populares actualmente son los teléfonos celulares inteligentes. Respondan a estas preguntas en pequeños grupos y luego compartan sus respuestas con el resto de la clase.

1. ¿Por qué se les llama teléfonos «inteligentes»?
2. Además de hacer llamadas telefónicas, ¿qué otras funciones tienen estos aparatos?
3. ¿Qué otras funciones o aplicaciones creen que deberían tener los teléfonos inteligentes?
4. ¿Cuáles necesidades sociales pueden satisfacer estos aparatos?
5. ¿Cómo van a evolucionar estos teléfonos en el futuro?

AMPLIACIÓN

MI VOCABULARIO
Anota el vocabulario nuevo a medida que lo aprendes.
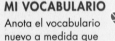

1 **Las patentes hispanoamericanas** Esta gráfica ilustra el número de patentes que solicitó cada país hispanoamericano entre 2001 y 2008. Con un(a) compañero/a, observen la gráfica y respondan a las preguntas que siguen.

1. ¿Qué es una patente?
2. ¿Hay una relación directa entre el tamaño de un país y la cantidad de patentes que ese país solicitó?
3. ¿Qué otros factores crees que contribuyen al desarrollo de las innovaciones tecnológicas en un país?

Fuente: Guillermo A. Lemarchand (ed.), *National Science, Technology and Innovation Systems in Latin America and the Caribbean*, UNESCO, 2010.

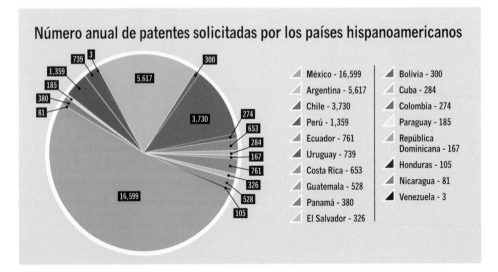

Número anual de patentes solicitadas por los países hispanoamericanos

México - 16,599
Argentina - 5,617
Chile - 3,730
Perú - 1,359
Ecuador - 761
Uruguay - 739
Costa Rica - 653
Guatemala - 528
Panamá - 380
El Salvador - 326

Bolivia - 300
Cuba - 284
Colombia - 274
Paraguay - 185
República Dominicana - 167
Honduras - 105
Nicaragua - 81
Venezuela - 3

2 **Tres centros de innovación** Como se puede apreciar en la gráfica, los tres países de Hispanoamérica que más patentes solicitaron en la primera década de este siglo fueron México, Argentina y Chile. Haz una investigación en Internet sobre una empresa dedicada a la innovación en uno de estos países y presenta la información ante la clase. Considera las siguientes ideas:

◆ ¿Qué tipo de empresa es?
◆ ¿Se dedica a un solo producto o a varios?
◆ ¿En qué ciudad está ubicada?
◆ ¿Se encuentra en una región que apoya de manera especial la innovación?
◆ ¿Por qué elegiste esa empresa en particular?

Estas son algunas de las empresas, pero puedes elegir otra que te interese:

◆ México: Sidengo, Atumesa, Soisa, Aonori Aquafarms, Space
◆ Argentina: Grupo Newsan, BGH, Grupo Mirgor, Famar, Carrier
◆ Chile: Agent Piggy, bContext, Decurate, Fantaxico, Fanwards

3 **Tu propia patente** Con un(a) compañero/a, diseñen un objeto, procedimiento o servicio que les gustaría patentar. Puede ser un invento propiamente dicho o una innovación para algo que ya existe, que busque resolver una necesidad colectiva en su entorno. Tengan en cuenta los siguientes aspectos:

◆ Expliquen claramente en qué consiste el objeto, procedimiento o servicio.
◆ Especifiquen cuál necesidad social permite solucionar.
◆ Indiquen a qué tipo de personas está dirigida su innovación (por ejemplo, ancianos, personas discapacitadas o ciertos profesionales en particular).

Comenten su patente con toda la clase.

4 **Latinoamericanos eminentes** En América Latina hay algunos científicos sobresalientes que han patentado importantes inventos o innovaciones. Por ejemplo, el médico colombiano Manuel Elkin Patarroyo patentó la vacuna contra la malaria y en lugar de venderla la donó para que muchas personas pobres se pudieran beneficiar de ella.

Con un (a) compañero/a busquen información en Internet sobre otro latinoamericano que haya patentado algún invento importante y presenten esta información ante toda la clase.

RECURSOS 🔍
Consulta la lista de apéndices en la p. 418.

5 **Una lista de ideas** Como puedes observar en la gráfica de la página 134, algunos países hispanoamericanos registran menos de cien patentes al año (por ejemplo, Nicaragua y Venezuela). En parejas, elaboren una lista de ideas que en su opinión pueden servir para aumentar la capacidad innovadora de estos países. Piensen, por ejemplo, en temas como la educación o el apoyo a la investigación y a la creación de empresas. Luego compartan su lista con toda la clase.

cinemateca

Un atajo, un camino

Auto-graded
My Vocabulary
Partner Chat
Strategy
Video
Write & Submit

A PRIMERA VISTA

Según la foto, ¿cuál crees que es la profesión del hombre? ¿Cuál crees que es el tema de este cortometraje?

SOBRE EL CORTO Dirigido por Mariana Flores Villalba, *Un atajo, un camino* (México, 2012) describe el proyecto de un grupo de jóvenes ingenieros que procuran iluminar, con energía renovable, las vidas de tres millones de mexicanos que no tienen el servicio de energía en sus hogares. *Un atajo, un camino* fue uno de los cortos ganadores del Festival Ecofilm 2012, en el que concursaron más de quinientos documentales.

ANTES DE VER

1 Reflexión preparatoria Reflexiona sobre la disponibilidad de los servicios públicos: ¿Cómo sería tu vida si no hubiera energía eléctrica en tu casa? ¿Qué aspectos de tu vida cotidiana serían distintos? ¿Cómo afectaría eso tu vida en general? Discute tus ideas con un(a) compañero/a.

2 Fuentes de energía En pequeños grupos, describan en qué consisten estos tipos de energía: solar, fósil, hidráulica, eólica (del aire), geotérmica y nuclear. ¿Cuáles son renovables y cuáles no? ¿Cuáles son las más comunes en la región donde ustedes viven?

▶ MIENTRAS MIRAS

Narradora: «En México, 60% de los gases que causan el **efecto invernadero** provienen de la producción de energía».

1. ¿Cuáles son los combustibles fósiles que menciona el narrador?

2. En México, ¿qué porcentaje de energía eléctrica proviene actualmente de fuentes renovables?

Manuel: «El no tener energía te **margina** en muchos aspectos. Tiene un impacto en la educación, en la salud, en la equidad, en la seguridad y en la pobreza».

1. ¿Qué ejemplos de energía no sustentables y no renovables menciona Manuel?

2. ¿Cuál era el problema con los jóvenes muy **movidos** que conocía Manuel?

Gerardo: «¿Qué energía puedes llevar a una comunidad que está en la montaña, donde no hay manera de que lleves **postes**?».

1. En la camiseta de Gerardo se lee «Iluméxico». Según el video, ¿qué es Iluméxico?

2. ¿Cuáles son las ventajas de la energía solar?

GLOSARIO

el efecto invernadero elevación de la temperatura atmosférica causada por la acumulación de gases

marginar aislar; relegar a una posición sin importancia en la sociedad

ser muy movido/a (en México) participar en acciones o movimientos sociales

dañino/a que causa daño, lastima o produce enfermedades

el poste columna colocada verticalmente que sirve como apoyo

la pila batería eléctrica

el atajo camino que hace más corta una distancia

el rezago atraso; falta de desarrollo

el entorno lo que nos rodea; el medioambiente

DESPUÉS DE VER

1

Comprensión Indica si las siguientes oraciones son **verdaderas** o **falsas.**

1. La gente de la ciudad sabe que existen personas que no tienen electricidad.
2. En México hay casi un millón de personas sin electricidad.
3. Manuel conocía a jóvenes muy movidos, pero que solo se quejaban con el gobierno.
4. Nery dice que el no tener luz era triste y dañino.
5. Gerardo dice que la energía renovable se puede dar en cualquier lugar.
6. Iluméxico promueve el desarrollo a través de la electrificación rural.
7. Al proyecto solo le interesa el impacto inmediato de la electricidad.
8. Los ingenieros dudan de que haya luz en todas las casas de México antes de 2050.

2

Interpretación Responde a las siguientes preguntas con un(a) compañero/a.

1. ¿Qué opinan las personas de la ciudad sobre cómo sería la vida si no tuvieran luz?
2. ¿Cómo afecta la falta de electricidad la vida diaria de las familias que no tienen luz?
3. ¿Qué impactos sociales sufren las familias que no tienen luz?
4. ¿Cuáles son las dificultades de llevar fuentes de energía tradicional a lugares remotos?
5. ¿Qué relación tiene el consumo de energía con la degradación del planeta?
6. ¿Por qué decidieron los jóvenes de Iluméxico empezar su proyecto? ¿Cómo se diferencian de otros jóvenes también muy movidos?
7. ¿Por qué la energía renovable es tan accesible en México, aun en los lugares remotos?
8. ¿Cuál es el objetivo de Iluméxico a largo plazo?

3

¿Qué quieren decir? Explica por escrito las siguientes citas del video.

1. **Gerardo:** «Mientras más consumimos energía, mientras más consumimos cosas que tienen que ver con energía, más vamos degradando el planeta».
2. **Manuel:** «¿Por qué no como juventud o como ingenieros podemos tratar de hacer algo nosotros?»
3. **Martín:** «Ven su recibo de luz supersubsidiado y dicen: "¿Para qué me meto en problemas, para qué arreglo algo que no se ha roto?"».

4

Un anuncio persuasivo Trabaja con un(a) compañero/a para preparar una presentación persuasiva con una de las siguientes metas:

◆ convencer a tu gobierno local, un instituto académico, un grupo de ingenieros o una compañía eléctrica para que lidere un programa de energía renovable en tu estado
◆ convencer a alguna organización para que financie un proyecto de energía renovable que ustedes mismos quieren empezar en su comunidad con sus amigos
◆ crear un anuncio de televisión para concienciar a la gente de la importancia de la energía renovable, sustentable y limpia para el futuro del planeta

Expongan su presentación ante la clase.

5

Ahorrar energía Piensa en todas las acciones que la gente puede tomar para ahorrar electricidad en la casa. Haz una búsqueda en Internet para recopilar varias ideas y sugerencias fáciles de implementar en el hogar o en la escuela. Luego, escribe un folleto detallado para distribuir en tu comunidad.

RECURSOS
Consulta la lista de apéndices en la p. 418.

MI VOCABULARIO
Utiliza tu vocabulario individual.

EL INFORME DE INVESTIGACIÓN

El informe de investigación busca expresar una realidad compleja en forma clara y objetiva, mediante la descripción y el análisis de diversos datos. La información se acompaña de gráficos, tablas y mapas, para construir un ensayo claro y coherente.

La estadística utiliza distintos tipos de gráficos para mostrar clara y ágilmente los datos que se relacionan y comparan. Los más comunes son los de barras comparativas horizontales o verticales (ver **p. 133**), los gráficos de líneas y los circulares o de áreas. Siempre debe citarse la fuente de los datos estadísticos presentados.

Tema de composición

Lee de nuevo las preguntas esenciales del tema:

▲ ¿Qué impacto tiene el desarrollo científico y tecnológico en nuestras vidas?
▲ ¿Qué factores han impulsado el desarrollo y la innovación en la ciencia y la tecnología?
▲ ¿Qué papel cumple la ética en los avances científicos?

Utilizando las preguntas como base, escribe un informe de investigación sobre algún aspecto del tema.

ANTES DE ESCRIBIR

El informe de investigación exige mucha investigación previa y, en segundo lugar, organización y claridad tanto de la información como en la exposición. Busca los datos, gráficos u otro material que necesites para ilustrar el tema que elegiste. Cuando ya lo hayas revisado todo, decide qué quieres decir y concéntrate en eso.

ESCRIBIR EL BORRADOR

Organiza el contenido según la estructura de introducción, análisis y conclusión; concéntrate en exponer los datos progresivamente. Distribuye los cuadros y gráficos en tu texto. Cuando el borrador esté terminado, organicen una lectura en grupo para editar sus borradores y comprobar si han logrado comunicar con claridad el tema elegido.

ESCRIBIR LA VERSIÓN FINAL

Relee tu borrador con espíritu crítico. Realiza las correcciones que tus compañeros te sugirieron, siempre y cuando estés de acuerdo con ellas. Una vez incluidos los cambios, revisa otra vez la exposición y la gramática: el orden de los datos debe ser progresivo, el lenguaje tiene que ser claro y conciso, y los gráficos deben resultar útiles para la exposición. Asegúrate de haber citado correctamente las fuentes.

ESTRATEGIA

Citar fuentes
Al recopilar datos de las fuentes que has usado, toma notas sobre la importancia de cada dato y la manera en que lo vas a utilizar en tu informe. Es importante interpretar y sacar conclusiones de las fuentes que citas y no simplemente citar datos.

Tema **3**

La belleza y la estética

▶▶ *La Fuente de Reding*, Guillermo Gómez Gil

PUNTOS DE PARTIDA

Cada persona tiene sus propios gustos y sus propias opiniones de la belleza, las cuales han cambiado a lo largo de la historia. Pero, ¿las definiciones de la belleza son subjetivas o hay estándares objetivos? Diversos estudios sugieren que la percepción de la belleza está influida por la moda, la cultura y hasta por la evolución.

◢ ¿Qué nos permite percibir la belleza?

◢ ¿Cuáles concepciones antiguas de la belleza han perdurado? ¿Por qué?

◢ ¿Cuáles factores culturales influyen en las percepciones de la belleza y en la actitud de las personas hacia ella?

DESARROLLO DEL VOCABULARIO

MI VOCABULARIO

Anota el vocabulario nuevo a medida que lo aprendes.

1 **¿Es bello?** Observa los términos incluidos en estas tres columnas y considera si los relacionas con el concepto de la belleza. Luego añade a cada columna uno o dos elementos más que, en tu opinión, son inspiradores de belleza.

la pintura	la amistad	el cuerpo humano
la música	el amor	la actividad física
la literatura	el humor	la actividad intelectual
la arquitectura	las experiencias	los descubrimientos
la naturaleza	lo difícil	la fe
los fenómenos naturales	lo inesperado	lo cotidiano
el espacio exterior (las estrellas)	lo desconocido	lo auténtico

2 **Descripciones** Elige cinco términos de la actividad anterior. Para cada uno de ellos, describe un ejemplo específico y explica por qué lo relacionas con el concepto de la belleza.

> MODELO ▶ lo inesperado
>
> *El año pasado tuve que realizar un proyecto académico con una compañera nueva. Inicialmente yo no quería hacer el trabajo con ella porque me parecía que éramos muy distintas y no creía que nos fuéramos a llevar bien. Pero terminamos divirtiéndonos mucho y ahora somos buenas amigas. Lo inesperado de nuestra relación me parece bello y me encanta tener una amiga tan distinta a mí.*

3 **Comparar** Habla con un(a) compañero/a sobre sus reacciones a los términos de la Actividad 1. Utiliza estas preguntas como guía.

1. ¿Cuáles términos de la Actividad 1 *no* relacionas con el concepto de la belleza? ¿Por qué?

2. ¿Cuáles de esos términos relacionas más estrechamente con el concepto de la belleza?

3. ¿Cuáles son los términos de tu lista que más se diferencian entre sí? Explica cómo puedes sentir la belleza en lugares tan distintos.

LECTURA 1.1 ▸ IMAGINARIOS DE BELLEZA EN AMÉRICA LATINA

SOBRE LA AUTORA Esther Pineda nació en Caracas, Venezuela, en 1985. Tiene un posdoctorado en Ciencias Sociales, una maestría en Estudios de la Mujer, y es socióloga en la Universidad Central de Venezuela. Ella escribe sobre temas de género, justicia social y fiscal, racismo y cultura. Además de ser fundadora de EPG Consultora de Género y Equidad, es escritora y columnista en varios periódicos, como *La Red 21* (Uruguay), donde apareció este artículo en la sección «Mujer».

ANTES DE LEER

1 **Cualidades de la belleza** Observa esta lista y señala los aspectos que consideras característicos de la belleza. Luego añade algunos términos que en tu opinión son cualidades de la belleza.

la armonía	la generosidad	la libertad	
la creatividad	la gracia	la naturalidad	
la eficiencia	la honestidad	la originalidad	
el equilibrio	la integridad	la simetría	
la fluidez de movimiento	la justicia	la simplicidad	

MI VOCABULARIO
Anota el vocabulario nuevo a medida que lo aprendes.

ESTRATEGIA

Utilizar lo que sabes
Cuando encuentras una palabra nueva, busca elementos que te sean familiares: semejanzas con palabras inglesas, prefijos y sufijos, y raíces comunes con otras palabras del español.

2 **Comparar** Con un(a) compañero/a, vuelvan a observar los términos de la actividad anterior. Explica por qué elegiste algunos términos y otros no, y comenten las palabras que agregaron.

3 **El canon de belleza** El canon de belleza es el conjunto de características que conforman el concepto de belleza en una sociedad. Con un(a) compañero/a, contesta estas preguntas y luego compartan sus respuestas con la clase.

1. Según el canon de belleza en Estados Unidos, ¿cómo debe lucir una mujer? ¿Cómo debe lucir un hombre?
2. ¿Son estándares que se pueden alcanzar fácilmente?
3. ¿Tienen los medios de comunicación algo que ver con los estándares de belleza? Explica.
4. ¿Hay presión para ajustarse a ciertos estándares de belleza en tu comunidad?
5. ¿De dónde viene esa presión?
6. ¿Qué consejos le darían a un(a) amigo/a que se preocupa mucho por expectativas poco realistas con respecto a su aspecto físico?

4 **Tu definición de la belleza** Escribe en un breve párrafo tu definición personal de la belleza en términos generales. Trata de incluir no solo apreciaciones subjetivas, sino también datos que has aprendido en lecturas, clases o conversaciones sobre el tema. Conserva este párrafo para ampliarlo o mejorarlo en una actividad posterior.

MI VOCABULARIO
Utiliza tu vocabulario individual.

GLOSARIO

aunado/a unido/a, conectado/a

la medición medida (de altura, longitud, etc.)

la calificación nota, determinación de calidad

▼ Imaginarios de belleza en América Latina

◀ ▶ ↻ ▼ http://

≡ | INICIO MUNDO ECONOMÍA CULTURA HOMBRE MUJER CIENCIA | f 🔊 🐦 📷 🔍

Imaginarios de belleza en América Latina

MUJER

Si bien es cierto que cada país posee características particulares atribuibles a su idiosincrasia, así como a los procesos organizativos de cada sociedad, la realidad es que la implantación de estereotipos y cánones de belleza, **aunado** a la insatisfacción estética de las mujeres, ha sido
5 universalizada e introducida a través de diversos agentes socializadores en las múltiples y diversas sociedades que conocemos. Esto puede evidenciarse en hechos concretos como que las mujeres africanas utilizan extensiones de cabello liso e intentan blanquearse la piel, las estadounidenses quieren lucir curvas como las latinas, y las asiáticas
10 cambian sus facciones mediante cirugías para parecer occidentales.

En el caso de América Latina —y con mayor énfasis en los países caribeños—, este hecho cobra un carácter preocupante que coquetea con lo patológico, pues en nuestros países la feminidad se construye irrefutablemente a través y a partir del canon de belleza. En la sociedad
15 latinoamericana existe una exacerbación de la belleza, de la cultura *miss*, que es implantada desde los primeros años y legitimada en las diferentes etapas de la vida mediante la elección de reinas en los colegios, universidades, espacios de trabajo, comunidades y otros espacios en los que las mujeres hacen vida, exponiendo a las niñas y mujeres a la **medición**
20 y **calificación** de la belleza, al mismo tiempo que condicionando su aceptación y valoración social a la adecuación o no al canon de belleza.

En la región existe una permanente y sistemática sobreestimulación de la belleza; las mujeres se encuentran constantemente bombardeadas desde la televisión y la publicidad, así como por la mirada inquisidora de
25 familiares, grupos de pares y la pareja. En el grupo familiar, principalmente por parte de las madres, la belleza también es transmitida a las hijas como un valor supremo, como un "deber ser" de su condición de mujer, como el medio que garantiza el éxito social y amoroso; así mismo, las mujeres encuentran presión por parte de la pareja para responder al canon de
30 belleza europeizado e **imperante**, pues los hombres también han sido socializados con los imaginarios de mujeres irreales, con características físicas específicas y —en la mayoría de los casos— **inalcanzables**. Estos hechos crean las condiciones para que las mujeres no puedan identificarse consigo mismas y, por tanto, sean incapaces de reconocer su belleza,
35 autenticidad y diversidad, en una sociedad en la que la belleza ha sido moldeada, prefabricada y manufacturada de forma masiva.

Esta presión para la **homogenización** de la belleza tiene graves consecuencias en la vida de las mujeres, pues contribuye a la pérdida de la autoestima y la confianza, y crea sensaciones de inseguridad y
40 ansiedad —situación ante la cual algunas mujeres optan por la realización de procedimientos estéticos para **adecuarse** a ese canon y satisfacer esas expectativas estéticas de la sociedad—. Algunas mujeres lo intentan recurriendo a estrategias no quirúrgicas como dietas, entrenamientos, maquillaje y vestimenta; sin embargo, muchas optan por someterse
45 a procedimientos quirúrgicos.

En este escenario, se convierte en un reto para las mujeres latinoamericanas ejercer resistencia y no sucumbir a la presión de la belleza, dado que
50 quienes no se adecúen al imaginario de "lo bello" construido, transmitido y reproducido por los medios se exponen a la sanción social, expresada en críticas, cuestionamientos, la burla e incluso el
55 rechazo. Asimismo, con frecuencia las mujeres que no reproducen los estereotipos de belleza tradicionales, socialmente promovidos y exigidos, se enfrentan a comentarios en los que se les considera **descuidadas** y se cuestiona su feminidad, se pone en duda la heterosexualidad, siendo frecuente las exhortaciones a ser más "femenina", arreglarse más y
60 hacer un esfuerzo por verse "bien"; es decir, a reproducir el canon, considerado como la única forma válida de belleza y de feminidad. ∎

> "Las mujeres se encuentran constantemente bombardeadas desde la televisión y la publicidad, así como por la mirada inquisidora de familiares, grupos de pares y la pareja".

GLOSARIO

imperante dominante

inalcanzable fuera de posibilidad, imposible de realizar

la homogenización creación de uniformidad o semejanza

adecuar ajustar, adaptar

descuidado/a que no presta cuidado o atención (por ejemplo, a su apariencia personal)

DESPUÉS DE LEER

1 **Comprensión** Según el artículo, elige la mejor respuesta para cada pregunta.

1. ¿Qué evidencia existe para mostrar que los cánones de belleza han sido universalizados?
   a. las mujeres africanas utilizan extensiones de cabello liso e intentan blanquearse la piel
   b. las estadounidenses quieren lucir curvas como las latinas
   c. las asiáticas cambian sus facciones mediante cirugías para parecer occidentales
   d. todas las anteriores

2. Especialmente en los países del Caribe, ¿cómo se construye la feminidad?
   a. mediante el canon de belleza
   b. a partir de la niñez en las comunidades educativas
   c. a través de los anuncios en la televisión y otros medios de comunicación
   d. a través de los productos que ofrecen oportunidades para cambiar el aspecto físico

3. Según el texto, ¿qué contribuye a la pérdida de autoestima y las sensaciones de inseguridad entre niñas y mujeres?
   a. los procedimientos estéticos
   b. el ambiente profesional
   c. la presión para la homogenización de la belleza
   d. la presión de los hombres

4. ¿Cuál es una de las consecuencias para las mujeres que rechazan el canon de belleza?
   a. la pérdida de confianza y sensaciones de inseguridad
   b. el cuestionamiento de su feminidad y heterosexualidad
   c. el rechazo de sus familias
   d. la pérdida de oportunidades profesionales

ESTRATEGIA ▶

Evaluar la objetividad del autor Al leer un artículo, es importante decidir si quien escribe muestra alguna preferencia a favor o en contra del tema. En ese caso, ¿cuál es la postura de la autora frente al tema? ¿Te parece neutral? ¿Qué tan subjetiva es su postura?

2 **Análisis** Lee y analiza esta cita de la lectura.

« Esta presión para la homogenización de la belleza tiene graves consecuencias en la vida de las mujeres, pues contribuye a la pérdida de la autoestima y la confianza, y crea sensaciones de inseguridad y ansiedad. »

Usa evidencia textual para responder a las siguientes preguntas.

1. ¿Cómo puede contribuir la homogenización de la belleza a la pérdida de autoestima y confianza?
2. ¿Cuáles son los mensajes que las niñas y mujeres reciben con respecto a la belleza?
3. ¿De dónde vienen estos mensajes que definen el canon de belleza?
4. ¿Crees que la presión es igual para los hombres y las mujeres? ¿Cuáles son algunas diferencias entre los estándares para muchachos y muchachas?

3 **Comparación** Lee de nuevo la lectura, especialmente la descripción de los factores que contribuyen a los estándares de belleza y las expectativas de las niñas y mujeres con respecto a la belleza en la cultura latina (líneas 14-32). Compara esos factores con las normas que existen en la cultura de tu país o comunidad. Luego, comenta tus apreciaciones con un grupo de tres o cuatro compañeros/as.

LECTURA 1.2 ▶ ENCUESTA SOBRE LA BELLEZA

Auto-graded
My Vocabulary
Partner Chat
Strategy
Write & Submit

SOBRE LA LECTURA A veces, la mejor manera de entender la variedad de perspectivas sobre un asunto es consultar a diversas personas.

Andrew Mayek, quien trabaja como misionero en Filipinas, comparte en este texto las diferentes respuestas que obtuvo en una encuesta que él mismo realizó acerca de la belleza. En su encuesta, Mayek entrevistó a personas de ambos sexos, de diferentes edades y de diversas procedencias, con el fin de tener una visión lo más amplia posible del tema y dejar que el lector juzgue por sí mismo. Los resultados de la encuesta fueron publicados en la sección «Reflexiones» de la revista digital *Conéctate* (en inglés, *Activated*), un sitio que publica artículos en los que se tratan conceptos espirituales con el fin de resaltar su aplicación práctica.

ANTES DE LEER

1 **Cualidades atractivas** ¿Cuáles cualidades de esta lista encuentras atractivas?

- ☐ la alegría
- ☐ la amabilidad
- ☐ la autoestima
- ☐ la autosuficiencia
- ☐ el color del pelo
- ☐ la confianza

- ☐ la coquetería
- ☐ la delicadeza
- ☐ la naturalidad
- ☐ los ojos
- ☐ el optimismo
- ☐ la sencillez

- ☐ el sentido del humor
- ☐ la seguridad
- ☐ la simpatía
- ☐ la sonrisa
- ☐ la vanidad
- ☐ la voz

MI VOCABULARIO
Anota el vocabulario nuevo a medida que lo aprendes.

2 **Comparación de los géneros** Comenta esta pregunta con un(a) compañero/a, preferiblemente del género opuesto.

Según la edad y el género, ¿cómo afecta a las personas la presión social por ser atractivas? Expliquen y defiendan sus respuestas para cada categoría. Utilicen la tabla para registrar sus resultados.

MI VOCABULARIO
Utiliza tu vocabulario individual.

EDAD	MUJERES	HOMBRES
Niños (< 10 años)		
Jóvenes (12-18 años)		
Mayores de 25 años		
Mayores de 60 años		

1. ¿Hay personas que no sienten ninguna presión por ser atractivas?

2. ¿La edad y el género influyen en nuestras percepciones sobre la belleza? ¿De qué manera lo hacen?

3. ¿Qué otros factores sociales o culturales influyen en nuestras percepciones u opiniones sobre la belleza?

Encuesta sobre la belleza

http://

Inicio   **Encuestas**   Investigación   Estadísticas   Contacto

Encuesta sobre la BELLEZA

por Andrew Mayek

Dicen que la belleza es relativa, que todo es según el color del cristal con que se mira. Así que se me ocurrió entrevistar a unas cuantas personas de ambos sexos, de todas las edades y de diferentes extracciones culturales, para averiguar lo que encuentran atractivo en los demás.

5 Mi encuesta no fue nada del otro mundo, pero desde luego hubo consenso en que la verdadera belleza no **radica** en los atributos físicos, la vestimenta o el maquillaje; viene de dentro.

A continuación, algunas de sus respuestas:

10 *Lo que me parece más atractivo de una mujer es que no esté excesivamente pendiente de lo que los demás piensan de ella, que actúe con naturalidad.*

Raimundo (29 años)

Si una persona tiene un espíritu amable y considerado, para mí es bella, cualesquiera que sean sus rasgos físicos.

15 **Melody** (21 años)

*Mi definición de una mujer hermosa ha ido cambiando con el tiempo. En mis años **mozos** era una rubia **despampanante**; más adelante fue una mujer madura, **afable**, conversadora y con buen sentido del humor; y hoy en día sería una mujer que se contenta con sentarse a mi lado a ver la televisión.*

20

Esteban (70 años)

En muchos casos, la voz de una mujer es lo primero que me indica si me resultará atractiva o no.

25 **Jimmy** (38 años)

*Un factor por el que determino si una mujer es bonita es si sonríe y revela alegría en la mirada. De ser así, para mí es bonita, aunque no tenga figura de modelo ni sea particularmente **agraciada**.*

30 **Tim** (20 años)

Dicen que los ojos son el espejo del alma. Es cierto. La primera vez que vi a mi marido, lo que me atrajo de él fueron sus ojos. Tenía una mirada hermosa y penetrante.

Joyce (46 años)

35

La amabilidad, la delicadeza, el optimismo, la convicción y el sentido del humor son algunas de las cualidades que hacen atractiva a una persona.

Armina (27 años)

En mi opinión, lo que hace bella a una mujer es su carácter, sus reacciones ante la gente y las situaciones que la rodean.

40

Nathan (24 años)

La belleza física tiene su lugar; pero si una chica es encantadora, graciosa y fácil de tratar, para mí es bonita. O si tiene buen sentido del humor, si es espontánea, aventurera, apasionada y afectuosa, me resulta atractiva.

45

Santiago (17 años)

DESPUÉS DE LEER

1 **Comprensión** Contesta las preguntas según el texto.

1. ¿Con qué propósito el autor realizó su encuesta y para qué publicó sus resultados?
2. ¿A qué conclusión llegó el autor después de hacer su encuesta?
3. ¿A qué tipo de personas entrevistó el autor?
4. ¿A cuántas personas cita en su artículo?
5. ¿Cuántas tienen entre veinte y treinta años?
6. ¿Cuántas son chicas?
7. En la cita de Santiago (17 años), ¿qué significa la frase «fácil de tratar»?

2 **Interpretar** Esta cita es tomada de la lectura y se refiere a un dicho popular en Hispanoamérica. Léela y contesta las preguntas.

《 Todo es según el color del cristal con que se mira. **》**

1. ¿Qué significado tiene la cita?
2. ¿Estás de acuerdo con este dicho? Explica.
3. Da un ejemplo de la vida real en el que se pueda aplicar este dicho popular.
4. ¿Hay algún dicho popular similar en inglés? ¿Cuál es y cómo lo traducirías al español?

3 **Analizar** En parejas, vuelvan a leer los comentarios de Esteban (70 años) y comenten las preguntas.

1. ¿Cómo cambiaron con el tiempo sus opiniones sobre la belleza?
2. ¿Sus comentarios representan las opiniones típicas de un hombre joven?
3. ¿Representan las opiniones típicas de un hombre adulto?
4. En tu opinión, ¿por qué cambió su idea de belleza con la edad?
5. ¿Crees que tus ideales de belleza cambiarán con el tiempo? Explica cómo.

ESTRATEGIA

Inferir
El sitio donde se publica un artículo puede revelar mucho sobre el propósito del autor. Las expectativas que se generan en el lector influyen en el contenido del mensaje. Considera los intereses religiosos, políticos o comerciales de la publicación para interpretar mejor el mensaje del autor.

4 **Inferir** Con un(a) compañero/a, hagan inferencias sobre la lectura y contesten estas preguntas.

1. ¿Hay alguna moraleja implícita en el artículo?
2. ¿El autor hace algún comentario explícito sobre la manera como debemos interpretar la belleza?
3. ¿Qué nos puede revelar la publicación donde apareció la encuesta con respecto a las opiniones que presenta?
4. ¿A qué público está dirigida la encuesta?
5. Resume tus inferencias sobre el mensaje del autor.

5 **Comentar** Con un(a) compañero/a, entablen una conversación en torno a estas dos preguntas:

◆ ¿Qué factores culturales influyen en la presión social por ser atractivo/a en nuestro medio?
◆ ¿El concepto de belleza cambia según el lugar y el tiempo?

6 **Evaluar la encuesta** Contesta las preguntas para evaluar la objetividad y la calidad de la encuesta.

1. ¿Crees que el autor entrevistó a un número suficiente de personas?
2. ¿Crees que las personas entrevistadas representan una adecuada variedad de la población?
3. ¿Crees que las respuestas representan variedad cultural?
4. ¿Crees que las personas encuestadas dicen la verdad?
5. Según las respuestas, ¿la conclusión del autor te parece correcta?
6. Según el propósito del autor, ¿crees que la encuesta fue efectiva?

7 **Un mensaje electrónico** Escríbele un mensaje electrónico al autor para comunicarle lo que opinas de su iniciativa y su encuesta. Incluye estos elementos en tu mensaje:

◆ algo que te gustó de su artículo y por qué
◆ algo que no te gustó y por qué (o una crítica constructiva)
◆ una pregunta en la que le pidas su opinión sobre otro aspecto del mismo tema

RECURSOS
Consulta la lista de apéndices en la p. 418.

8 **Tu propia encuesta** En grupos pequeños, escriban una serie de preguntas para hacer su propia encuesta sobre la belleza. Encuesten a sus compañeros de clase y saquen algunas conclusiones teniendo en cuenta las respuestas obtenidas. Luego compartan sus hallazgos con toda la clase.

9 **Comparar** Compara las concepciones de belleza presentadas en la encuesta con tu propia concepción de belleza. ¿Estás de acuerdo con estas opiniones?

1. «Lo que me parece más atractivo de una mujer es que [...] actúe con naturalidad», Raimundo (29 años).
2. «Si una persona tiene un espíritu amable y considerado, para mí es bella», Melody (21 años).
3. «Un factor por el que determino si una mujer es bonita es si sonríe y revela alegría en la mirada», Tim (20 años).

Explica si las respuestas presentadas en la encuesta representan las opiniones más comunes de hoy en día.

10 **Retoma tu párrafo** Al comienzo de este Contexto escribiste un párrafo en el que definías la belleza con tus propias palabras (Actividad 4 de la página 143). Ahora retoma tu párrafo y considera tu definición inicial. Vuelve a redactarlo, o complétalo, teniendo en cuenta lo que has aprendido con las dos lecturas de este contexto.

11 **Ensayo persuasivo** Escribe un análisis sobre el concepto de la estética en tu país o comunidad. Incluye estos aspectos:

◆ los factores que influyen en las perspectivas sobre la belleza
◆ un resumen de las perspectivas comunes que has observado
◆ los factores que contribuyen a la variedad de perspectivas que has observado
◆ las influencias del pasado sobre las perspectivas contemporáneas

AUDIO ▸ BELLEZA Y AUTOESTIMA

Audio
Auto-graded
En fragmentos
My Vocabulary
Partner Chat
Strategy
Write & Submit

GLOSARIO

desplegarse exhibirse, manifestarse

sensible susceptible, receptivo, que puede percibir o sentir fácilmente

cotidiano/a habitual, de todos los días

conmover inquietar o enternecer; provocar emociones o sentimientos

la queja lamentación; expresión de disgusto o pena

INTRODUCCIÓN Este audio pertenece a un *podcast* de Parentepsis, un sitio español dedicado a la psicología y la formación, con énfasis en la autoestima y el crecimiento personal. Esta reflexión psicológica, hecha por el psicólogo Miguel Ángel Paredes, explora las conexiones entre el concepto de la belleza y la autoestima del individuo.

ANTES DE ESCUCHAR

1 **Reflexión personal** Reflexiona sobre el tema de la autoestima y responde a estas preguntas.

1. ¿Cómo defines la autoestima?
2. ¿Qué relación existe entre la belleza y la autoestima?
3. ¿Qué relación existe entre las capacidades personales y la autoestima?
4. ¿Cómo puede una persona aumentar su autoestima?

2 **Discusión** Con un(a) compañero/a de clase, conversa sobre estas preguntas.

1. ¿Qué quiere decir la expresión «La belleza está en los ojos de quien mira.»? ¿Qué otras expresiones similares sobre la belleza conoces?
2. ¿Dónde observas la belleza en tu vida cotidiana?
3. ¿Cómo te afecta o te conmueve esta belleza?

◀)) MIENTRAS ESCUCHAS

1 **Escucha una vez** Lee las preguntas antes de escuchar el audio por primera vez, para tener una guía de los temas a los que deberás prestar atención. Luego, mientras escuchas, toma notas para contestarlas.

1. ¿Cómo define el locutor la belleza?
2. ¿Bajo qué condiciones eres capaz de descubrir la belleza del universo?
3. Según el locutor, ¿cuáles son las conexiones entre la autoestima y la belleza?
4. ¿En qué aspectos de la vida se puede ver la belleza?
5. ¿Quiénes son menos sensibles a la belleza y por qué?
   Apuntes: _____

ESTRATEGIA

Visualizar Visualiza mentalmente lo que escuchas para tener más claridad sobre el tema.

▸**2** **Escucha de nuevo** Al escuchar la segunda vez, cierra los ojos y visualiza las descripciones y los consejos incluidos en el *podcast*. Después, corrige o completa tus apuntes respondiendo a las preguntas con oraciones completas.

DESPUÉS DE ESCUCHAR

1 **Llena los espacios** Lee las oraciones que provienen del audio y llena cada espacio en blanco con la palabra apropiada del banco de palabras.

amanecer	canto	correspondido	despliega	ignorancia	sentirse
amas	capaz	cotidianos	dignidad	percepción	sufrimiento
autoestima	conmueve	creación	gesto	sensibles	tesoro

1. «La belleza es el reflejo de tu _____ y cuando te sientes bien y te quieres eres _____ de descubrir toda la belleza del universo y cómo esta se _____ y fluye a tu alrededor».

2. «Precisamente porque te _____ te sientes bien y porque te sientes bien, tus ojos son _____ a las maravillas de la creación».

3. «Eres capaz de sentirla en todo: En la luz que entra a través de la ventana, en las flores, en el _____ de los pájaros […] en los pequeños detalles _____, o en cómo te recibe tu perro cuando llegas a casa».

4. «Decía Erich Fromm que la belleza es una de las pocas cosas que _____ el corazón de los hombres».

5. «La _____ y reconocimiento de la belleza hace que cambie tu frecuencia emocional».

6. «Porque la belleza hace que te sientas bien, te devuelve la _____ y el valor que siempre te han _____».

7. «Y es imposible _____ mal y apreciarla en todo su esplendor».

8. «Toda esa belleza está ahí, siempre ha estado ahí, cubierta bajo el velo de la _____ o el _____».

9. «Busca activamente la belleza, como quien busca un _____».

10. «Está en cada _____, en cada _____ amable, en todos los colores, olores, sonidos y texturas de la _____».

2 **Discusión grupal** Vuelve a leer las preguntas de la Actividad 1 de la sección Mientras escuchas. En pequeños grupos, contesten las preguntas según lo que se dice en el audio y en relación con sus experiencias personales.

3 **Ensayo filosófico** Escribe un ensayo filosófico en el que analices esta pregunta: ¿Cómo se establecen las percepciones de la belleza en el individuo? Incluye estas partes en tu ensayo:

1. Una introducción en la que:
   - declaras la tesis de tu ensayo
   - explicas por qué es importante la belleza y la estética en la vida

2. El cuerpo de información que apoya tu tesis, que incluye:
   - el desarrollo de tu análisis con razonamientos lógicos
   - evidencia del audio y de las otras fuentes de este contexto

3. Una conclusión en la que:
   - resumes tu tesis
   - ofreces consejos para mirar la belleza del mundo

ESTRATEGIA

Llenar los espacios
Consigue una grabación breve y transcríbela dejando algunos espacios en blanco (tu profesor(a) puede ayudarte a conseguirla). Luego intercambia el texto transcrito con un(a) compañero/a para que cada quien complete los espacios vacíos. Esto te permitirá escuchar el audio varias veces y pensar más profundamente en el tema que trata.

MI VOCABULARIO
Anota el vocabulario nuevo a medida que lo aprendes.

RECURSOS
Consulta la lista de apéndices en la p. 418.

CONEXIONES CULTURALES

Record & Submit
Virtual Chat

Restos históricos procedentes de Teotihuacán, México

La percepción de la belleza

«¡QUÉ FEA PINTURA!», «¡QUÉ CHICO MÁS GUAPO!». TODO
el tiempo evaluamos la belleza (o la fealdad) de lo que nos rodea. Si bien esas apreciaciones son subjetivas, existen ciertos factores externos que las condicionan, como los medios de comunicación, la cultura, la educación ¡y hasta la biología!

Los medios de comunicación nos transmiten permanentemente ideales de belleza inalcanzables o ajenos al común de las personas. Sin embargo, uno de los grandes éxitos de la televisión colombiana de los últimos años fue *Yo soy Betty, la fea*. El aspecto de la protagonista distaba mucho de lo que la sociedad de consumo nos impone como bello: era desgarbada, se vestía de manera anticuada y usaba unos anteojos enormes. Pero la inmensa popularidad de la telenovela se debió a la bondad y a la personalidad encantadora de Betty, con lo cual se demuestra una vez más que la belleza esencial es invisible a los ojos.

▶▶ En La Paz, Bolivia, anualmente se elige a «Miss Cholita». Se trata de un concurso de mujeres indígenas en el que no importa el físico sino la personalidad, la belleza de la vestimenta y el grosor de las trenzas.

◀ La escuela educa en valores. Por eso el gobierno ecuatoriano prohibió los concursos de belleza en las escuelas, porque realzan la apariencia física en lugar de hacer énfasis en otros rasgos que hacen parte de la belleza, como la solidaridad, el talento o la simpatía.

◀ Un aspecto de singular importancia en el concepto de belleza entre los pueblos aborígenes latinoamericanos es el cabello. En la mayoría de las regiones latinoamericanas el pelo largo entre hombres y mujeres es sinónimo de abundancia y prestancia, y cuanto más largo se tiene mayor presencia da.

 Presentación oral: comparación cultural

Prepara una presentación oral sobre este tema:

◆ ¿Cuál es la importancia de los factores culturales en la percepción de la belleza?

Compara tus observaciones de una región del mundo hispanohablante que te sea familiar con las de las comunidades en las que has vivido u otra comunidad.

PUNTOS DE PARTIDA

Los estilos y las tendencias varían muchísimo —de año en año, de lugar en lugar, de persona en persona—. Los diseñadores, entre otros profesionales, como los comunicadores y los publicistas, influyen mucho en la ropa y en otros productos que resultan populares, y de esa manera definen las tendencias. Cada cultura tiene normas y costumbres de vestir que pueden reflejar el clima de la región, el estilo de vida, la riqueza y a veces los valores comunes.

▲ ¿De qué manera el modo de vestirse puede ser un reflejo de la actitud, los valores o la personalidad de los individuos?

▲ ¿Cuál es la importancia de la moda en la vida social de las personas?

▲ ¿Cómo ven el mundo los diseñadores y quienes lideran el mundo de la moda?

DESARROLLO DEL VOCABULARIO  My Vocabulary

1 **Dibujar** Haz un dibujo a partir de cada una de las siguientes descripciones.

1. Es una persona baja con sombrero alto. Sus ojos son grandes, pero usa lentes pequeños. Lleva pantalones cortos muy largos y una camiseta que no puede cubrir la barriga; calza unas zapatillas cómodas.

2. Es una persona flaca y alta que camina de puntillas. Tiene piernas y brazos largos y lleva ropa apretada. La hebilla del cinturón es casi tan grande como su cabeza pequeña. Su pelo y su bufanda vuelan en la brisa.

2 **Peinados** En grupos de cuatro, elijan un conjunto de estilos de peinado para investigar y presentar a la clase.

A	B	C	D
afro	bollo	colmena	alas
cola de caballo	*mullet*	*pompadour*	*bob*
jopo	rastas	luces	corte de tazón
mohicano	flequillo	trenza africana cosida	rapado

3 **Los ingredientes de un *hipster*** Para ti, ¿qué significa ser un *hipster*? Piensa en un(a) *hipster* típico/a y escribe una lista de características relacionadas con cada uno de estos aspectos.

1. su aspecto físico
2. su ropa
3. sus accesorios
4. sus intereses
5. sus valores
6. sus cualidades y defectos
7. sus lugares favoritos
8. sus actividades favoritas

4 **Ropa para cada ocasión** La ropa transmite mucha información. Para cada una de estas ocasiones, describe la manera de vestirse y presentarse que tú consideras apropiada. Después, compara tus respuestas con las de un(a) compañero/a.

1. la escuela
2. un servicio religioso
3. una cena con los abuelos
4. una entrevista de trabajo
5. un entrenamiento deportivo
6. una cita con tu novio/a
7. un concierto de música
8. una exposición de arte

MI VOCABULARIO
Anota el vocabulario nuevo a medida que lo aprendes.

Auto-graded
My Vocabulary
Partner Chat
Record & Submit
Strategy
Write & Submit

LECTURA 2.1 ▸ *HIPSTERS*, LA MODA DE NO ESTAR A LA MODA

SOBRE LA LECTURA El término *hipster* se asocia con una subcultura y con individuos que rechazan lo que consideran como convencionalmente popular. Sin embargo, es una designación llena de ironía, y pocas personas admiten ser *hipsters*. En sí, no es un término peyorativo, pero en general se usa de ese modo. Sugiere que una persona pretende ser auténtica de manera consciente, y eso mismo, precisamente, la hace falsa.

El tema de los *hipsters* ha sido tratado con cierto humor, como en el dibujo «Cómo ser un *hipster*», que ha aparecido en varios blogs, incluso en *dtm Toluca*, de México. El artículo que sigue, escrito por Fernando Massa, fue publicado en el periódico *La Nación* de Argentina.

ANTES DE LEER

MI VOCABULARIO
Anota el vocabulario nuevo a medida que lo aprendes.

1 Describir la vestimenta Describe la ropa que puede llevar cada una de estas personas.

1. un hombre de negocios
2. una mujer ejecutiva
3. un roquero
4. una modelo
5. un filósofo
6. una chica gótica
7. un *hipster*
8. una fanática del teatro
9. un empollón (o «nerd»)
10. un hombre metrosexual

2 Adivina quién es Con un(a) compañero/a de clase, túrnense para leer las descripciones de la Actividad 1. Uno(a) de ustedes lee una de las descripciones y el/la otro(a) adivina de quién se trata.

3 Los círculos sociales Contesta estas preguntas con toda la clase para discutir acerca de los círculos sociales de tu escuela.

1. ¿En tu escuela hay tribus urbanas (subculturas como la *hipster* o la gótica)?
2. ¿Cuáles son los distintos grupos sociales?
3. ¿Cómo se distinguen esos grupos?
4. ¿Cómo se pueden identificar los miembros de un grupo social según su vestimenta, sus intereses o los lugares donde pasan su tiempo libre?
5. ¿Cuáles modas son populares en cada grupo?
6. ¿Cuáles marcas de ropa son populares en cada grupo?

4 ¿Qué transmite la ropa? Observa la foto del recuadro Sobre la lectura. Luego, con un(a) compañero/a, discutan estas dos preguntas: ¿De qué manera la ropa influye en las percepciones que tenemos de las personas? ¿En qué sentido nuestros prejuicios acerca de una persona pueden ser erróneos?

Hipsters,
la moda de no estar a la moda

Cómo ser un HIPSTER

Sombrero Fedora

Los lentes deben parecer de los que son MUY caros, que parecen roscas de **luca**, pero nunca ser de luca, que se las den de los que parecen caros

Actitud "Eres muy *mainstream*", o quizás mira a una mujer que es muy "Guapa"

Los audífonos cubrirán gran parte del cráneo. Mientras más exclusiva la marca, mejor aún. Skullcandy es rasca...

El *grunge* ya pasó, pero la camisa debe ser tipo la que se usa en Estados Unidos, y mientras más única y fea sea la combinación de colores, mejor

Polera sin estampado American Apparel de 18 **lucas**

Pantalón de mujer

En estos momentos escucha un grupo que él escuchó primero y que se fundó hace 16 horas en Arkansas. Los GENIALES "Antartic Almighty Dollar"

Los zapatos deben ser una mezcla entre zapatilla, zapato, sandalia y chalas de andar por la casa. ¿Calcetines? No, no, muy *mainstream*

El Sharper come muy poco porque debe mantenerse flaco. Ser hipster y no estar en forma no van juntos

Muy atentos a los fenómenos de consumo, se imponen como la más moderna subcultura
por Fernando Massa

Lo primero que puede llamar la atención es el *look*. Ella, un vestido de **feria americana**, **flequillo**, unos anteojos Wayfarer o Clubmaster, de Ray Ban, típicos de los años cincuenta, 5 y una cartera de un diseñador importante con un iPhone adentro. Él puede llegar a tener un sombrero Fedora, como el que usaba Indiana Jones, el pelo cortito a los costados, 10 **jopo** a elección, barba, o mejor bigote, una remera gastada con un saco arriba, pantalones chupines y una tradicional libreta Moleskine en el bolsillo por si lo sorprende una idea creativa. 15

Se trata de los *hipsters*, un fenómeno que atraviesa muchos síntomas de esta época, una subcultura en ascenso.

Pero fuera de ese estilo cuidado, 20 para ellos, sin duda el valor agregado pasa por otro lado. Es esa banda de

ESTRATEGIA

Analizar el tono
Mientras lees, considera el tono de los autores. ¿Presentan información de manera positiva, negativa, cómica, crítica, sarcástica o respetuosa? ¿Qué opinan los autores del tema que presentan? Analizando el tono se puede interpretar mejor el texto y encontrarle más sentido.

GLOSARIO
la luca tipo de metal muy caro
la polera camiseta, remera
lucas dinero; en algunos países, 1000 pesos
la feria americana venta de ropa usada
el flequillo pelo sobre la frente
el jopo flequillo peinado hacia arriba

Fuente: Agradecemos al blog informativo de dtm Toluca por permitirnos la publicación de la ilustración del *hipster*.

GLOSARIO

tener la posta tener razón (informal)

culto que viene de afuera y toca para no más de 500 personas lo que los hace estar
25 un paso adelante de lo que pronto será tendencia.

Y ni se les ocurra etiquetarlos porque eso sí que no les gusta. Y menos que los llamen *hipsters*. Lo suyo
30 justamente es huir de lo establecido, de eso que le gusta a la mayoría —lo *mainstream*.

Ser un *hipster* es la moda de escaparle a la moda y, de alguna manera, implantar la propia. Sin imperativos, pero con el 35 convencimiento de que **tienen la posta**. Nunca va a decirte que es mejor, pero seguramente lo piensa. ∎

DESPUÉS DE LEER

1 **Comprensión** Contesta las preguntas según el texto.

1. ¿Cuál es la característica que mejor define la moda de un *hipster*?
2. ¿Cómo se caracteriza la preferencia musical de un *hipster*?
3. ¿Qué opina un *hipster* de los demás?
4. ¿Con qué país se asocia más la subcultura *hipster*?
5. Haz una lista de cinco productos o marcas con los cuales se asocian los *hipsters*.
6. ¿Cómo presenta el autor a los *hipsters*?

2 **Regionalismos** Busca información sobre los regionalismos del texto que aparecen en la siguiente tabla. Indica de dónde son y escribe una oración original para demostrar su uso correcto.

REGIONALISMO	PAÍS DE ORIGEN	EJEMPLO
1. polera		
2. remera		
3. chupines		
4. chalas		
5. tener la posta		

3 **Comentario cultural** Con un(a) compañero/a, contesten las siguientes preguntas.

1. ¿Cuáles valores de la cultura *hipster* se reflejan en el estilo de vestir?
2. ¿Cómo crees que la ropa puede expresar una actitud positiva o negativa?
3. En tu opinión, ¿de qué manera la ropa refleja la personalidad?
4. ¿Qué tipo de información cultural o personal puede revelar la ropa?

4 El tono del artículo Contesta estas preguntas para analizar el tono del autor.

1. ¿Qué tono utiliza el autor al presentar información sobre los *hipsters*?
2. ¿Cuáles palabras o frases revelan mejor el tono utilizado?
3. ¿Qué parece opinar de los *hipsters*?
4. ¿Influye la opinión del autor en la forma de presentar el tema? Explica.

5 Ser un *hipster* En pequeños grupos, analicen esta cita de la lectura. ¿Están de acuerdo con esta afirmación? ¿Se podría aplicar a otros grupos urbanos?

« Ser un *hipster* es la moda de escaparle a la moda y, de alguna manera, implantar la propia. »

6 Tribus urbanas Busca información sobre una tribu urbana del mundo hispanohablante. Encuentra la imagen de una persona que represente dicha tribu y descríbela en un pequeño párrafo. Incluye estos aspectos en tu descripción:

- ◆ su apariencia general
- ◆ su ropa (marca, estado)
- ◆ sus accesorios
- ◆ su peinado
- ◆ sus intereses
- ◆ sus valores

7 Presentación oral Elige una moda o una subcultura que no sea la *hipster*. Realiza una presentación en la que describas los elementos que la conforman: ropa, peinados, accesorios, intereses, valores, actividades y lugares preferidos. Incluye elementos visuales que apoyen tu explicación.

MI VOCABULARIO
Utiliza tu vocabulario individual.

ESTRATEGIA

Expresarse claramente Cuando te diriges a un grupo, asegúrate de hablar en voz alta y clara. Para que te entiendan, es importante que todos te oigan y que pronuncies bien las palabras. No hables demasiado rápido. Tómate tu tiempo e intenta relajarte.

ESTRUCTURAS

Ser y estar

Observa estas descripciones de los *hipsters* para analizar los usos de los verbos **ser** y **estar**.

Para cada una de las siguientes oraciones, explica el uso del verbo.

> MODELO «Eres muy *mainstream*». **Describe una característica inherente de una persona.**

1. Los lentes parece que son de luca.
2. Los zapatos son una especie de híbrido para un día de playa.
3. Su grupo favorito es «Antarctic Almighty Dollar».
4. El próximo concierto es en la sala de su vecino.
5. La tarjeta de crédito es de su padre.
6. Su iPhone está en una cartera de diseñador.
7. La remera está gastada.
8. Su moda es alternativa.
9. Su ropa no está de moda.

RECURSOS 🔍
Consulta las explicaciones gramaticales del **Apéndice A**, pp. 419-421.

Auto-graded
My Vocabulary
Partner Chat
Strategy
Write & Submit

LECTURA 2.2 ▸ ENCUESTA: «¿QUÉ OPINAS DE LAS MARCAS DE MODA?»

SOBRE LA LECTURA Después de leer los resultados de una investigación sobre las razones por las que los jóvenes eligen ropa de marca, Daniel Martínez Pérez, el autor de esta lectura, realizó una encuesta acerca de las marcas de moda y publicó un artículo con los resultados en la sección «Cajón de sastre» del sitio Trendenciashombre.com, una publicación de Weblogs SL.

Este artículo muestra los resultados de la encuesta de Martínez y las conclusiones a las que él llegó. La información se presenta de manera visual, mediante gráficas que indican las opiniones de los jóvenes sobre las marcas de moda.

ANTES DE LEER

MI VOCABULARIO
Anota el vocabulario nuevo a medida que lo aprendes.

1 **Cierto o falso** Indica si estás de acuerdo o no con las siguientes afirmaciones.

	Estoy de acuerdo	No estoy de acuerdo
1. Para los jóvenes es importante llevar ropa de marca.	☐	☐
2. El modo de vestir es una manera importante de expresar la propia identidad.	☐	☐
3. La ropa indica pertenencia a un grupo social.	☐	☐
4. Los jóvenes eligen ropa que refleja sus valores e intereses.	☐	☐
5. Algunas marcas demuestran ciertos valores e intereses.	☐	☐
6. Las marcas que uno elige expresan su individualidad.	☐	☐
7. No es necesario usar ropa de marca para ir a la moda.	☐	☐
8. Las marcas más caras aportan más prestigio y estatus.	☐	☐
9. Los jóvenes prefieren marcas con logos visibles.	☐	☐
10. Las marcas más raras aportan más prestigio y estatus.	☐	☐

2 **Comparar y comentar** Con un(a) compañero/a, discute las respuestas a estas preguntas.

1. Expliquen sus reacciones a las afirmaciones de la Actividad 1.
2. ¿Aportan las marcas mucho estatus social en su escuela?
3. Para ustedes, ¿cuáles son las mejores marcas de ropa?

3 **Una encuesta** En pequeños grupos, elaboren una encuesta para averiguar si a los estudiantes de español les gusta llevar ropa de marca y por qué; qué marcas son sus favoritas y qué opinan de las personas que no eligen ropa en función de la marca.

Después de obtener sus respuestas, organicen los resultados visualmente en un cuadro o con barras estadísticas.

GLOSARIO
fiable que inspira confianza o seguridad
la casilla recuadro para marcar una respuesta

Encuesta: "¿Qué opinas de las marcas de moda?"

por Daniel Martínez Pérez

Dos semanas hemos estado con la encuesta sobre ¿qué opinas de las marcas de moda? Y han sido 1051 respuestas las que hemos recibido.* Lo que nos puede dar datos bastante **fiables** sobre lo que opináis de las marcas de moda.

¿Eliges la ropa por su marca?

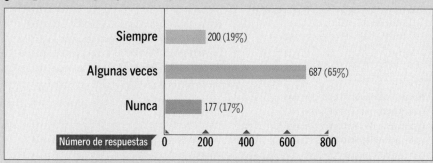

¿Crees que una marca es sinónimo de prestigio?

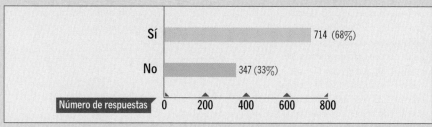

¿Las marcas proporcionan más calidad?

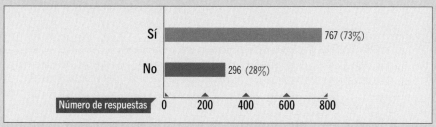

*La gente puede seleccionar más de una **casilla**, por lo que los porcentajes pueden ascender a más del 100%.

GLOSARIO

proporcionar
proveer, ofrecer

la prenda de vestir
pieza de ropa

presumir
alardear, ostentar

discrepar
disentir, oponerse

un vistazo una
mirada rápida

o sea es decir

ajeno/a que pertenece
a otra persona

la prestancia distinción,
elegancia, refinamiento

Como podéis observar en los **resultados**, una mayoría absoluta de los que han respondido piensan que las marcas sí **proporcionan** más calidad y además proporcionan más prestigio que otras **prendas de vestir**. Sin embargo, es mayoría quien solo en algunas ocasiones compra marcas. ¿Cuál es la razón?

Lo que se puede ver en los **comentarios** dejados [es que] la principal causa puede ser los precios más altos de las marcas de moda que otro tipo de ropa. En conclusión, podemos decir que las marcas cumplen una función clara y es que venden la percepción de que son mejores, de más calidad y más prestigio. Lo demás ya depende de la opinión personal de cada uno.

Algunos comentarios que **rechazan las marcas**:

« Odio llevar algo que lleve la marca de la ropa a la vista, de hecho nunca compro nada así. Creo que hay productos de calidad que no tienen por qué llevar necesariamente la marca; y no le veo el sentido en llevarlo sólo para **presumir** ».

« Las marcas son en la mayoría de ocasiones sinónimo de diseño. Muchos creen que diseño va de la mano de calidad y creo que se debería huir de este tópico ».

Algunas **posiciones intermedias** son:

« Estoy de acuerdo con que una marca transmite el status o el nivel económico de la persona que la viste, pero **discrepo** totalmente con la importancia del logo. Personalmente opino que la elegancia es discreta, y la gente que realmente entiende, y no viste una marca por mera presunción, sabe distinguir perfectamente unos zapatos de Prada o un bolso de Gucci con sólo **un vistazo**. De hecho, creo que el logo algunas veces es contraproducente, **o sea** una excesiva ostentación. Ejemplo de ello son chicos con camisetas con un logo enorme de D&G, que en lugar de atraer miradas producen vergüenza **ajena** ».

« Las marcas en sí no te dan clase, estilo o glamour, nada. Con eso, o naces o no naces. Simplemente, y no siempre, es por la calidad, que se supone que tienen. No es lo mismo comprarte unos pantalones de verano de Chanel, que comprártelos de Zara. No es igual un pantalón al que le han dedicado su tiempo, que un pantalón que se hace sin mirar, mediante una máquina y *out*. Que también, pero vamos, ante todo calidad ».

Y finalmente **quien defiende las marcas** lo hace con estos argumentos:

« Sin duda, las prendas de marca dan un aire de estilo y **prestancia** a quien las viste. Y claramente, ¡como te ven te tratan!!!! »

« A diferencia de la mayoría de la encuesta yo utilizo ropa de marca porque aumenta mi autoestima y me hace sentir mejor conmigo mismo, también por la calidad aunque no lo hago por querer demostrar ningún tipo de estatus ya que sería un tanto hipócrita ».

DESPUÉS DE LEER

1 **Comprensión** Contesta las preguntas según el texto.

1. ¿Qué tipo de información crees que buscaba el autor en la encuesta?
2. ¿A quiénes entrevistó?
3. Según el resumen del autor, ¿cuáles son los dos beneficios de las marcas?
4. Según las gráficas, ¿cuántas personas dijeron que la ropa de marca no es de mejor calidad? ¿Qué porcentaje de encuestados nunca compra ropa por su marca?
5. Según el autor, ¿por qué los encuestados no compran ropa de marca con más frecuencia?
6. ¿Cuáles datos de las gráficas sugieren que los encuestados quieren comprar ropa de marca con más frecuencia?
7. Además de los datos de la encuesta, ¿qué información le ayuda al autor a llegar a sus conclusiones?

2 **Evaluar el proceso** Contesta estas preguntas para evaluar la efectividad y los alcances de la encuesta.

1. ¿Cuál fue el propósito de la encuesta?
2. ¿En qué página web fue publicada?
3. ¿Cuántas respuestas recibió?
4. ¿Qué sabemos de las personas que respondieron?
5. En tu opinión, ¿cómo sería un lector típico de esta columna?
6. ¿Recibió la encuesta suficientes respuestas para ser fiable?
7. ¿Por qué los datos de la encuesta no representan la opinión del público en general?
8. ¿Tendría éxito esta encuesta como experimento científico? ¿Por qué?
9. ¿Cumple esta encuesta el propósito del autor de manera efectiva y rigurosa? ¿Por qué?

3 **Identificar las conclusiones** Vuelve a leer la encuesta para apuntar las conclusiones que obtuvo el autor. Resúmelas en un párrafo que incorpore estos puntos:

- la cantidad de datos que recibió
- el contenido de los resultados (su resumen de la opinión mayoritaria)
- la causa principal por la que la gente no compra ropa de marca con más frecuencia
- la función que cumplen las marcas

4 **Evaluar las conclusiones** Para cada una de las conclusiones que apuntaste en la Actividad 3, contesta las siguientes preguntas con el fin de evaluar su validez.

1. ¿Refleja correctamente los resultados presentados en las gráficas?
2. ¿Es lógico su razonamiento?
3. ¿Presentan los comentarios evidencias que apoyan la conclusión?
4. ¿Estás de acuerdo con la conclusión? ¿Por qué?
5. ¿Qué crítica se le puede hacer?

5 **Compara y comenta** Compara y comenta tus respuestas de las Actividades 3 y 4 con un(a) compañero/a de clase. Juntos/as, critiquen la encuesta y luego compartan sus razonamientos con toda la clase.

ESTRATEGIA

Evaluar las conclusiones El autor saca conclusiones basadas en los datos de su encuesta. ¿Estás de acuerdo con ellas? Debes evaluar el proceso y la lógica que siguió el autor, y analizar los datos para decidir si tienen sentido. Si no, debes sacar tus propias conclusiones.

6 **¿De acuerdo o no?** En parejas, lean estas afirmaciones y expliquen si están de acuerdo o no con ellas y por qué. Algunas de las afirmaciones son citas directas de los comentarios de la encuesta.

1. Odio llevar una prenda que tenga la marca a la vista.
2. El diseño no va de la mano de la calidad.
3. La elegancia es discreta.
4. A veces, el logo es una excesiva ostentación.
5. A veces, un logo produce vergüenza ajena.
6. Se nace con el estilo o sin él.
7. Las personas que compran ropa de marca son frívolas y superficiales.
8. Invertir mi dinero en ropa de marca me hace sentir bien.
9. Como te ven te tratan.
10. Llevar una marca por querer demostrar estatus es una actitud hipócrita.

7 **Tus opiniones** Con un(a) compañero/a, hablen sobre sus preferencias en cuanto a la moda y las marcas. Discutan preguntas como estas:

◆ ¿Para ti son importantes las marcas?
◆ ¿Crees que en verdad dan estatus o prestancia?
◆ ¿Te fijas en las marcas que llevan otras personas?
◆ ¿Te gusta vestirte a la moda o es algo que te es indiferente?

 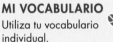
8 **Responder a un comentario** Elige uno de los comentarios del artículo y escribe tu propia opinión en un párrafo. Incluye estos dos elementos:

◆ Identifica un aspecto del comentario con el que estés de acuerdo y otro con el que discrepes.
◆ Explica tu razonamiento.

9 **Otras modas** Con toda la clase, discutan las tendencias y preferencias que existen en su escuela o comunidad en relación con otro tipo de artículos diferentes a las prendas de vestir. Elijan algunas de las siguientes preguntas para empezar a guiar la discusión.

◆ ¿Qué influencia tiene la publicidad sobre el tipo de aparatos tecnológicos que usamos (como computadoras, teléfonos o tabletas)?
◆ ¿Cuáles son las marcas de teléfono más populares?
◆ ¿Cuáles de esas marcas conllevan más estatus social?
◆ ¿Qué importancia social tiene el tipo de auto que se conduce?

10 **Ensayo persuasivo** ¿Cuál es el propósito de un código de vestuario? ¿Cómo son las reglas con respecto a la vestimenta de los estudiantes en tu escuela? ¿Deben ser más o menos estrictas? Presenta tus opiniones en un ensayo persuasivo que incluya:

1. las ventajas y desventajas de un código de vestuario
2. las funciones que puede cumplir
3. un análisis de las reglas de tu escuela con respecto a la vestimenta
    ◆ ¿Cuál es el propósito de las reglas?
    ◆ ¿Cumplen el propósito?
    ◆ ¿Qué opinan los estudiantes de estas reglas?
    ◆ ¿Cómo podrías mejorarlas?

AUDIO ▸ FRANCISCO CANCINO: VIVIR DE LA MODA EN MÉXICO

Audio
En fragmentos
My Vocabulary
Record & Submit
Strategy
Write & Submit

INTRODUCCIÓN Este audio fue emitido en el sitio digital de *Expansión*, una revista mexicana dedicada a difundir noticias de economía, finanzas y negocios. En él, escuchamos hablar a Francisco Cancino, joven emprendedor y diseñador de moda de la marca Yakampot, empresa fundada en Chiapas, México. Esta empresa busca promover y desarrollar el patrimonio cultural mexicano mediante el diseño, elaboración y comercialización de ropa de moda para mujeres sofisticadas. En esta grabación, Francisco Cancino explica su herencia y el legado cultural con respecto al diseño de moda.

ANTES DE ESCUCHAR

1 **Investigación preliminar** Usa Internet para buscar información básica sobre alguno de estos diseñadores (u otro que te interese). Luego, infórmale a tu clase sobre sus orígenes, su área de desempeño y su importancia en el mundo del diseño.

- ◆ Cristóbal Balenciaga
- ◆ Manolo Blahnik
- ◆ Rubén Fontana
- ◆ Carolina Herrera
- ◆ Ágatha Ruiz de la Prada
- ◆ Ángel Sánchez

2 **Predecir el contenido** Estudia el mapa de conceptos al final de esta página para identificar lo que debes comprender y apuntar.

◀)) MIENTRAS ESCUCHAS

1 **Mapa de conceptos** Escucha una vez y escribe palabras clave en cada uno de los recuadros. Luego, escucha una segunda vez y completa el mapa de conceptos con base en lo que has escuchado.

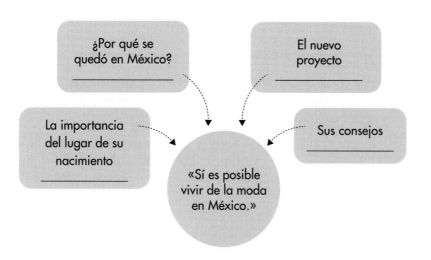

GLOSARIO

el acercamiento aproximación, unión

la indumentaria ropa, vestuario, vestimenta

despuntar destacar, surgir, manifestar, sobresalir

crudo/a difícil, complicado, duro

claudicar rendirse, abandonar los sueños y metas, ceder

rodear circundar, circuir, envolver

derribar demoler, arruinar, destruir

ESTRATEGIA

Usar mapas de conceptos
Utiliza mapas de conceptos para predecir y organizar la información que escuchas y para captar las relaciones entre las ideas presentadas.

DESPUÉS DE ESCUCHAR

 1 Trabajo en equipo En grupos pequeños, compartan la información que han escuchado y que han anotado en sus mapas de conceptos.

- Un voluntario comienza con el primer recuadro (La importancia del lugar de su nacimiento) y comparte la información que ha apuntado.
- La persona a su derecha añade sus apuntes <u>si son diferentes</u>. El resto del grupo continúa.
- Pasen al siguiente recuadro (¿Por qué se quedó en México?) y sigan el mismo proceso.
- Sigan hasta que hayan compartido toda la información que han apuntado.

MI VOCABULARIO
Utiliza tu vocabulario individual.

2 Interpretación y análisis Contesta las preguntas y discútelas con la clase.

1. ¿Cómo es tu lugar de nacimiento en comparación con el del diseñador? ¿Qué semejanzas y diferencias encuentras entre los dos lugares?
2. ¿Cómo el ambiente y la ubicación de la región natal de Francisco Cancino contribuyeron a su decisión de hacerse diseñador de ropa?
3. ¿Piensas permanecer y establecer tu vida en tu comunidad actual? Explica con detalles.
4. ¿Qué quiere comunicar Francisco Cancino al decir: «Rodearte de las personas indicadas para trabajar, y no dejarte derribar.»? ¿Por qué es apropiada esta cita en la vida del diseñador y en la de otros?
5. ¿Cómo interpretas esta cita del sitio web de la empresa Yakampot?

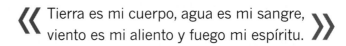

« Tierra es mi cuerpo, agua es mi sangre, viento es mi aliento y fuego mi espíritu. »

RECURSOS
Consulta la lista de apéndices en la p. 418.

 3 Presentación oral: Comparación Vuelve a retomar el/la diseñador(a) que presentaste en la Investigación preliminar. Ahora investiga sobre su vida y su formación profesional. ¿Qué tiene en común con la formación de Francisco Cancino? Prepara una presentación oral en la que menciones:

- el enfoque de tu presentación
- las semejanzas y diferencias entre la vida temprana, las influencias y el ambiente regional del/de la diseñador(a) y la de Francisco Cancino
- una conclusión que resuma tu análisis

  4 Un ensayo comparativo Teniendo en cuenta las opiniones de Francisco Cancino, escribe un ensayo en el que compares la profesión del diseñador de modas con otra profesión relacionada con las artes (arquitecto, pintor, músico...). Incluye estos aspectos en tu ensayo:

- semejanzas y diferencias entre la forma de arte que elegiste y el diseño de modas
- las aptitudes que requiere y los privilegios que puede tener
- la manera como esta profesión desafía y refleja las perspectivas culturales

CONEXIONES CULTURALES

Record & Submit
Virtual Chat

Muchos jóvenes hispanoamericanos se interesan por el diseño de moda

Aprender a crear

DISEÑAR ROPA O ZAPATOS ES ALGO QUE, EN PRINCIPIO, todos podríamos hacer. Se trata de ser creativos y dejar volar nuestra imaginación, jugando con diferentes combinaciones de colores, texturas y formas para crear nuevos diseños o modificar los ya existentes. Sin embargo, como todo arte, la mejor manera de perfeccionarlo es aprender de los grandes maestros para seguir sus enseñanzas y después explorar nuestras propias ideas.

La Universidad Jannette Klein, en México, es una institución que ofrece distintas especializaciones para aquellas personas interesadas en el diseño y la publicidad de la moda. Como parte de su oferta educativa, la universidad organiza eventos y congresos estudiantiles, y tiene convenios con otras instituciones especializadas de países como Italia, Francia y Estados Unidos, de modo que los estudiantes puedan conocer de cerca el trabajo de los grandes diseñadores del mundo. Sus creadores son Jannette Klein y Xavier Reyes, dos reconocidas figuras en el escenario de la moda.

▶▶ ¿Qué pensarías si alguien te dice que cose vidrio, plástico y metal? Pues la alta costura también se hace con esos materiales. Por ejemplo, el diseñador vasco Paco Rabanne supo incorporarlos en sus diseños.

◢ En Venezuela, se celebra anualmente el *Caracas Fashion Show*, un evento en el que muchos diseñadores nuevos exponen sus trabajos más recientes para que otros más experimentados les den sus opiniones y los orienten.

◢ La moda, la belleza y el arte siempre fueron de la mano. Esto lo sabe mejor que nadie Olga Piedrahita, la diseñadora colombiana que fue solista del ballet de Medellín y ahora diseña indumentaria para bailarinas.

Presentación oral: comparación cultural

Prepara una presentación oral sobre este tema:

◆ ¿Cómo ven el mundo los diseñadores y quienes lideran el mundo de la moda?

Compara tus observaciones de una región del mundo hispanohablante que te sea familiar con las de las comunidades en las que has vivido u otra comunidad.

▲ Las conjunciones son expresiones invariables que enlazan elementos sintácticamente equivalentes (conjunciones coordinantes) o que encabezan enunciados que dependen de la oración principal (conjunciones subordinantes).

> Raúl estudia filosofía **y** Lucía trabaja en un banco.
> Me molestó **que** no me lo dijeras.

▲ En la primera oración, la conjunción **y** enlaza dos oraciones de igual valor sintáctico para construir una oración mayor. En la segunda, la conjunción **que** encabeza la parte dependiente de la oración, subordinándola a la oración principal. Tanto las conjunciones coordinantes como las subordinantes se dividen en varios subgrupos, como se detalla a continuación.

Conjunciones coordinantes

TIPO	USOS	EJEMPLOS
Copulativas: **y, e, ni, que**	Enlazan dos elementos equivalentes para formar una oración mayor.	Vinieron los padres **y** los hijos. No fue a visitar a su tío **ni** me acompañó. Ella ríe **que** ríe.
Adversativas: **pero, sino, sino que, mas**	Contraponen de forma parcial o total dos partes de la misma oración.	Creo que son primos, **pero/mas** no estoy seguro. No llegué tarde porque perdí el autobús, **sino** porque me quedé dormido.
Disyuntivas: **o (bien), u**	Unen oraciones o palabras que expresan una elección entre opciones.	No sabe si caminar **o** ir en tren. Puedes escoger este **u** otro tema para tu tesis.

Conjunciones subordinantes

▲ La conjunción subordinante más común es **que**. Equivale al inglés *that*, pero no puede omitirse.

> Por favor, dime **que** lo harás.   Me parece **que** hoy va a nevar.

▲ Las conjunciones subordinantes se dividen en varias categorías; las más comunes son: causales, temporales y concesivas.

TIPO	USOS	EJEMPLOS
Causales: **pues, porque, a causa de**	Encabezan oraciones subordinadas que indican causa, razón o motivo.	Sabía perfectamente de qué estaba hablando, **porque** estaba bien informado. Lo escuché detenidamente, **pues** me interesaba conocer su opinión.
Temporales: **cuando, antes (de) que, después (de) que, enseguida que**	Enlazan oraciones según su relación de precedencia en el tiempo.	Te llamaré por teléfono **después (de) que** terminemos de estudiar. Trataré de lavar el auto **antes (de) que** se haga de noche.
Concesivas: **aunque, por más que, a pesar de que**	Expresan una concesión o un consentimiento.	**Por más que** trabajes, nunca te harás rico. **Aunque** te disculpes mil veces, nunca te perdonará.

TIPO	USOS	EJEMPLOS
Consecutivas: **así que, por (lo) tanto, pues, conque, por consiguiente**	Encabezan una oración subordinada que expresa una consecuencia de lo antes expresado.	Ya estamos todos; **por consiguiente**, comencemos la reunión. No has cumplido con tu parte del trato, **por (lo) tanto**, no puedes pedirnos nada.
Finales: **para que, a fin de que**	Encabezan una subordinada que indica propósito o finalidad.	**Para que** no te quejes más, te voy a conceder lo que me pediste. **A fin de que** no haya más problemas, hemos decidido no volver a verlos.
Modales: **igual que, como, según, conforme, de la misma forma**	Indican la forma o manera en que se produce la acción principal.	Realizó la tarea **según** le indicaron. Se viste **igual que** una estrella de cine.
Condicionales: **si, en caso de que, a menos que, como, con tal de que, siempre y cuando**	Encabezan subordinadas que dependen de la acción en la oración principal.	Te acompaño a la fiesta **con tal de que** me presentes a Juan. **Como** no me digas la verdad, me voy a enojar mucho.

¡ATENCIÓN!
Además de las conjunciones, también podemos unir oraciones mediante el uso de otras expresiones de transición que sirven como enlaces para introducir ideas (**como se puede ver, sin duda, al contrario, por ejemplo, al igual que, en cambio, en resumen, claro que,** etc.). Véanse pp. 236-237.

PRÁCTICA

1 Completa las siguientes oraciones con la conjunción correcta.

1. ¿Puedes llamar a Ramón _____ (u/o) a Inés, por favor?
2. Ese pintor tiene mucho talento _____ (y/e) imaginación.
3. Ana esquía bien, _____ (pero/porque) no sabe nadar.
4. No solo llegaron tarde _____ (pero/sino/sino que) me insultaron.
5. Luis quiere un deportivo blanco _____ (porque/o/bien) rojo.
6. La cesta pesa bastante, _____ (e/pues/u) tiene naranjas.
7. Hoy vamos al teatro, _____ (e/ya que/u) Sara compró los boletos.

2 Completa el párrafo con conjunciones de la lista.

a causa del	de la misma forma	igual que	por más que	u
cuando	e	pero	porque	y

Los idiomas evolucionan (1)_____ que evolucionan la ciencia (2)_____ la técnica. Hoy en día no hablamos el español (3)_____ se hacía en la época de Cristóbal Colón o Calderón de la Barca. Los idiomas evolucionan (4)_____ se enriquecen, (5)_____ los avances de la ciencia aportan nuevas palabras (6)_____ incorporan vocablos de otros idiomas (7)_____ no tienen uno equivalente. Esta evolución enriquecedora es positiva, (8)_____ no tiene nada que ver con la degeneración de un idioma.

3 Escribe un párrafo usando al menos cinco de las conjunciones de la lista.

conforme	enseguida que	por lo tanto	siempre y cuando
e	para que	pues	u

◢ Los topónimos son los nombres propios de un lugar, de una ciudad, de un país o de una región. Los gentilicios, por su parte, son las palabras que nombran a la gente de un lugar, ciudad, país o región. Por ejemplo, la palabra **peruano** es el gentilicio del topónimo **Perú**.

◢ En español, a diferencia del inglés, los gentilicios siempre se escriben con minúscula inicial.

China ⟶ chino/a *Chinese*
Uruguay ⟶ uruguayo/a *Uruguayan*

◢ Generalmente los gentilicios se forman añadiendo un sufijo a los topónimos. Los sufijos más comunes se pueden apreciar en esta tabla.

-ENSE	-ANO/A	-EÑO/A	-ÉS/-ESA	-INO/A; -ÍNO/A
parisiense	colombiano/a	panameño/a	cordobés/cordobesa	bilbaíno/a
londinense	ecuatoriano/a	brasileño/a	barcelonés/barcelonesa	alicantino/a
nicaragüense	boliviano/a	salvadoreño/a	berlinés/berlinesa	florentino/a
costarricense	sevillano/a	hondureño/a	danés/danesa	granadino/a
canadiense	italiano/a	extremeño/a	finlandés/finlandesa	neoyorquino/a

◢ Algunos gentilicios son palabras totalmente diferentes a sus topónimos. Estos son algunos ejemplos:

TOPÓNIMO	GENTILICIO
Alcalá de Henares	complutense
Río de Janeiro	carioca
Dinamarca	danés/danesa

TOPÓNIMO	GENTILICIO
Suiza	helvético/a
Puerto Rico	boricua
Buenos Aires	porteño/a

◢ Algunos topónimos tienen más de un gentilicio.

Suiza ⟶ suizo/a, helvético/a
Puerto Rico ⟶ puertorriqueño/a, boricua

◢ Otros gentilicios irregulares, al añadir su terminación correspondiente, provocan un ligero cambio en la raíz de su topónimo.

TOPÓNIMO	GENTILICIO
Venezuela	venezolano/a
Cádiz	gaditano/a
Lugo	lucense

TOPÓNIMO	GENTILICIO
Londres	londinense
Grecia	griego/a
Salamanca	salmantino/a

◢ Algunos topónimos idénticos tienen gentilicios diferentes.

Santiago de Chile ⟶ santiaguino/a
Santiago de Cuba ⟶ santiaguero/a
Santiago del Estero ⟶ santiagueño/a
Santiago de Compostela ⟶ santiagués, santiaguesa

¡ATENCIÓN!

La mayoría de los gentilicios varían en género y número, con la excepción de los terminados en **-a**, **-í** y **-e**, que varían solo en número.

un(a) marroquí
dos marroquíes

◢ Cuando un lugar tiene ya un nombre establecido en español, se debe usar ese topónimo. Por ejemplo: **Florencia, Londres, Nueva York, Nueva Jersey, Carolina del Norte…**

◢ **México** y otros topónimos y gentilicios de origen mexicano deben escribirse con **x**. Esta **x** debe pronunciarse como una **j** y no **/ks/**. Existen algunas excepciones, como **jalapeño**. Asimismo, coexisten **tejano/a** y **texano/a**; sin embargo, es más común con **x**.

México	⟶	mexicano/a
Texas	⟶	texano/a, tejano/a
Xalapa	⟶	xalapeño/a, jalapeño
Oaxaca	⟶	oaxaqueño/a

¿Hispano, latino o latinoamericano?

◢ En Norteamérica, se alterna entre el uso de **hispano/a** o **latino/a** para referirse a las personas que provienen de países hispanohablantes. Ambos términos son correctos y la preferencia por uno u otro obedece a percepciones personales sobre diferencias entre ambas palabras. Fuera de Norteamérica, se recomienda el uso de **hispano/a**, ya que **latino/a** se refiere a todos los pueblos europeos y americanos que hablan idiomas derivados del latín.

◢ **Latinoamericano/a** se refiere a las personas de los países americanos de habla española, portuguesa y francesa, mientras que **hispanoamericano/a** alude exclusivamente a los países americanos de habla española. **Iberoamericano/a** abarca a las personas de los países americanos de habla española y portuguesa, o puede incluir también a España y Portugal. Estas distinciones se aplican también a los topónimos correspondientes.

PRÁCTICA

1 Completa las siguientes oraciones con los gentilicios correctos.

1. La Universidad de Salamanca fue fundada en 1218. Los _____ presumen de tener la universidad más prestigiosa de España.
2. La economía _____ (Nicaragua) depende principalmente del turismo.
3. La mayoría de los _____ (Buenos Aires) son fanáticos del fútbol.
4. Los ciudadanos _____ (Dinamarca) gozan de un nivel de vida superior al resto de los europeos.
5. Desde 1989 los _____ (Berlín) disfrutan de una ciudad sin divisiones.
6. Se dice que los _____ (Nueva York) viven en la ciudad que nunca duerme.
7. Los _____ (Barcelona) están muy orgullosos de la arquitectura modernista de la ciudad.
8. Jorge Icaza era un conocido escritor _____ (Ecuador).

2 Como corresponsal de una prestigiosa cadena de noticias, debes escribir un párrafo en el que informes sobre varias noticias internacionales. Utiliza al menos cinco gentilicios y cinco topónimos al redactar tus noticias.

¡ATENCIÓN!

Aunque su uso sea opcional, se recomienda anteponer el artículo al nombre de aquellos países que tradicionalmente lo llevan en español, como en los casos de **la India, el Líbano,** etc. También se debe anteponer el artículo a los topónimos que empiezan por una palabra que indica un tipo de división política o su forma de organización política: **los Países Bajos, los Emiratos Árabes Unidos, el Reino Unido, la República Dominicana,** entre otros.

¡ATENCIÓN!

Existen varios topónimos para referirse a las partes del continente americano.

Norteamérica/ América del Norte

Centroamérica/ América Central

Sudamérica/Suramérica/ América del Sur

PUNTOS DE PARTIDA

De todos los modos de expresión, la palabra es uno de los más antiguos y arraigados en la vida del hombre. Bien sea como parte de la tradición oral o en su forma escrita, la literatura es un aspecto fundamental de la cultura de todos los pueblos. Narraciones, poemas, ensayos y obras dramatúrgicas son algunas de las formas que asume el lenguaje para comunicar creencias, sentimientos e ideas, una necesidad esencial en la vida de los individuos y de los pueblos.

◢ ¿Cómo puede la literatura generar vínculos entre los seres humanos?

◢ ¿Por qué es fundamental la literatura en el mundo contemporáneo?

◢ ¿Cuál es la importancia del lenguaje y la literatura en la cultura de un país?

DESARROLLO DEL VOCABULARIO

My Vocabulary
Partner Chat

MI VOCABULARIO
Anota el vocabulario nuevo a medida que lo aprendes.

1 **Los dos universos** Clasifica las palabras según las asocies con el universo de la literatura, de la vida real o con ambos.

la ciencia	la magia	el recuerdo
la comunicación	la imaginación	la sociedad
el desarrollo	la identidad	la solidaridad
los descubrimientos	los logros	el sueño
la educación	los pasatiempos	el tema
el espíritu	el personaje	la trama
la fantasía	el prejuicio	los valores
la fe	la realidad	la verdad

2 **El lenguaje de la literatura** Al discutir una obra literaria, se habla casi siempre de los personajes, la trama y los temas. Crea un organizador gráfico para cada uno de estos elementos. Luego, en parejas, compartan las ideas que asocien con cada uno de ellos.

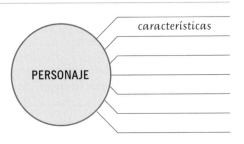

características

PERSONAJE

3 **La literatura y la cultura** Lee las siguientes oraciones y analiza si estás de acuerdo con ellas. Luego, en parejas, elijan una oración y discutan sus opiniones. Para defender sus puntos de vista, den ejemplos de su propia experiencia y de sus lecturas previas.

1. La literatura de un país o de una región siempre refleja su cultura.
2. Es imposible que una persona de habla inglesa escriba una novela ambientada en un país de habla hispana y que sea auténtica.
3. La ficción puede ser un vehículo más efectivo para retratar la realidad que la literatura de no ficción.
4. Los escritores de obras de ficción viven en un mundo de fantasía y están desconectados de la realidad.

LECTURA 3.1 ▶ LA NUEVA PROMESA DE LA LITERATURA FANTÁSTICA

Auto-graded
My Vocabulary
Record & Submit
Strategy
Write & Submit

SOBRE LA LECTURA Este artículo apareció en la revista *Brando*, una publicación del diario argentino *La Nación*. Trata sobre el autor Martín Felipe Castagnet (La Plata, Argentina, 1986), quien trabaja como profesor en la Universidad Nacional de La Plata y como traductor de novelas y editor de una revista bilingüe. Con la publicación de su primera novela, *Los cuerpos del verano* (2012), ganó el VII Premio a la Joven Literatura Latinoamericana. En 2017 publicó su segunda novela, *Los mantras modernos*, y fue seleccionado para Bogotá 39, un evento literario que reúne los 39 mejores autores menores de 40. Es considerado como uno de los autores jóvenes con más potencial en Latinoamérica.

ANTES DE LEER

1 **La literatura para mí** ¿Cuál es tu experiencia personal con la literatura? Elige las palabras que asocies con esta experiencia y añade otras que te puedan ser útiles. Compara y discute tus resultados con tus compañeros/as.

el aburrimiento	la conexión	la diversión	la imaginación	el placer
el aprendizaje	la curiosidad	la evasión	la intensidad	la relajación
la compasión	la dificultad	la identificación	la magia	el trabajo

MI VOCABULARIO
Anota el vocabulario nuevo a medida que lo aprendes.

2 **Lecturas de infancia** ¿Recuerdas ese libro que leíste en tu infancia (o que tus padres te leían) y que tanto te gustaba? En grupos pequeños, túrnense para hablar de esas primeras experiencias literarias. Al describir tu libro, responde a estas dos preguntas:

◆ ¿Por qué recuerdas tanto esa lectura?
◆ ¿Qué enseñanzas de vida te transmitió?

3 **Géneros y movimientos literarios** Busca información en línea para definir los siguientes géneros y movimientos literarios. Añade otros géneros literarios modernos que creas que falten y discute cuáles son los géneros que más te gustan con tus compañeros/as.

literatura fantástica	realismo literario
ciencia ficción	realismo mágico
novela romántica	novela de detectives

4 **La literatura que me gusta** ¿Prefieres leer libros de fantasía? ¿Novelas de amor? ¿Novelas históricas? Escribe un ensayo en el que relates cómo ha sido tu relación con la literatura y tu género preferido. Menciona las características que más te atraen de ese género y describe una de tus obras favoritas.

RECURSOS
Consulta la lista de apéndices en la p. 418.

ESTRATEGIA

Avanzar y volver atrás Al encontrar una palabra desconocida, pasa sobre ella y lee hasta el final de la oración o del párrafo. Usando el contexto, vuelve a la oración y léela de nuevo para deducir el significado de la palabra.

GLOSARIO

distópico/a se dice del lugar o estado imaginado en que todo es malo o desagradable

el eje centro de rotación, parte fundamental de algo

mutante que cambia

indomable que no se puede dominar

el frasco recipiente pequeño

la conserva comida enlatada

etéreo/a no concreto/a, vago/a

La nueva promesa de la literatura fantástica

Elegido como uno de los mejores escritores de Latinoamérica, en su segunda novela, *Los mantras modernos*, plantea un mundo **distópico** con **eje** en la desaparición de los cuerpos.

No parece una casualidad que Martín Felipe Castagnet se ubique como uno de los mejores escritores jóvenes de la actualidad. Desde muy temprana
5 edad resolvió que se iba a dedicar a tres cosas importantes: a la lectura, a la escritura y, sobre todo, a la literatura fantástica, como uno de los géneros más complejos, **mutantes** e
10 **indomables** que existen. Explica con mucha claridad esta decisión vital: "Es que el mundo en el que vivimos es realmente fantástico. Además, la mayoría de mis influencias evaden
15 una clasificación genérica formal, y no solo las literarias: en los videojuegos, las series animadas y las historietas no existe el realismo. ¿A cuántos géneros pertenece Moby
20 Dick? Existen la aventura y la imaginación; todo lo demás son etiquetas de **frascos** de **conserva**. Creo en la ficción y en las emociones que nos hace sentir".
25   Su primera aparición pública fue notable: **con su novela *Los cuerpos del verano* ganó un importante premio en Francia.** Un texto de ciencia ficción que hacía de internet
30 un sitio donde ir a vivir luego de la muerte. Castagnet cuenta sobre el

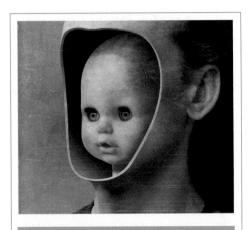

Los cuerpos del verano
Martín Felipe Castagnet

FACTOTUM EDICIONES

origen de esta narración: "Era 2011 y estaba bastante cansado de «lo digital» como algo **etéreo** y abstracto. Trabajaba en una oficina del Estado 35 y me dolía el brazo de tipear todo el día, lo envolvía en una bufanda para darle calor. «Lo digital» es siempre físico: teclados con teclas duras, 40 celulares calientes, monitores brillosos que cansan la vista, cables que se enredan, el pegote en el mouse y el polvo dentro del cooler. De eso se trata *Los cuerpos del verano*: de 45 devolverle las **tripas** a la red".

Ahora, Castagnet, **hincha** de Gimnasia y Esgrima de La Plata, **acaba de sacar su segunda novela,** ***Los mantras modernos* (Sigilo),** 50 **donde aborda un territorio distópico en el que la búsqueda y las desapariciones toman un tinte político y cercano.** La prosa cristalina de Castagnet se enlaza con un argumento inteligente para lograr 55 una novela sólida, y que representa un camino con aliento de futuro en la literatura argentina. Esto también fue visto por el prestigioso festival Bogotá 39 que reúne a los mejores 60 escritores latinoamericanos. Castagnet está entre ellos: "Los premios aumentan los posibles lectores, sobre todo, cuando te permiten viajar y acceder a 65 lugares donde el libro no llegaría. También confunden: hacen creer que lo bueno sos vos, cuando lo bueno es la obra".

> *La tecnología no es racional; con suerte, es un caballo desbocado que echa espuma por la boca e intenta desbarrancarse cada vez que puede. Nuestro problema es que la cultura está enganchada a ese caballo.*

Los cuerpos del verano, Martín Felipe Castagnet

En los planes de Castagnet, que 70 se gana la vida como editor, docente e investigador, hay un par de novelas que están esperando ser escritas: "El buen artesano sabe elegir cuál es el proyecto que 75 más lo necesita. Hay que saber escuchar el *timing*, lo que está zumbando, pero todavía no leíste. Si ya lo leíste en otro lado, no lo escribas. Cuando empecé a escribir 80 estas novelas, había un vacío en torno de internet que quise llenar y me lo tomé con toda la libertad que pude. Las próximas intentan dar un paso más allá". 85

DESPUÉS DE LEER

1 **Comprensión** Contesta las preguntas, de acuerdo con el artículo.

1. De joven, ¿a qué se dedicaba Martín Felipe Castagnet?
2. ¿Cómo se llama la primera novela que publicó Castagnet?
3. ¿A qué género pertenece su primera novela?
4. ¿Qué le motivó a escribir su primera novela?
5. ¿Por qué la fantasía es tan importante para el autor?
6. Según Castagnet, ¿cuál es una ventaja y una desventaja de los premios literarios?

ESTRATEGIA

Evaluar
Reflexiona sobre el contenido del texto mientras lees. Forma tus opiniones acerca de la información que se presenta para determinar si estás de acuerdo o no con el autor.

2 **Interpretar** Vuelve a leer las citas siguientes. Explica en tus propias palabras qué quiere decir Castagnet con ellas. ¿Estás de acuerdo con él? ¿Por qué?

◆ «Es que el mundo en el que vivimos es realmente fantástico». (líneas 12-13)
◆ «[E]n los videojuegos, las series animadas y las historietas no existe el realismo». (líneas 16-18)

3 **Elementos esenciales de la literatura** Hay muchos géneros, movimientos y estilos dentro de la literatura moderna. Trabaja con un(a) compañero/a de clase para crear una lista de los elementos de la literatura que ustedes creen que son esenciales.

4 **Los videojuegos como medios modernos** Castagnet dice que en los videojuegos no existe el realismo. ¿Los videojuegos pueden ser literarios? Vuelve a ver la lista de elementos esenciales que hiciste para la actividad anterior. ¿Cuáles de los elementos que enumeraste existen en videojuegos que te sean familiares? Defiende la idea de que los videojuegos pueden ser o no considerados como un género literario.

5 **Elecciones** Hay muchas razones por las cuales buscamos leer determinada obra (para aprender, para divertirnos, por curiosidad…). Con un(a) compañero/a, escriban una lista con los criterios que los llevan a elegir un libro de ficción y otra con los criterios que tienen en cuenta cuando van a elegir un texto científico.

MI VOCABULARIO
Utiliza tu vocabulario individual.

6 **Tu propia versión del cuento** Escribe una historia corta en la que empieces con la idea que Castagnet usó para su primera novela: después de la muerte, las almas pueden seguir viviendo en Internet. Una vez tengas listo el texto escrito, intercámbialo con un(a) compañero/a para editar las historias, y luego compártanlas con la clase.

RECURSOS
Consulta la lista de apéndices en la p. 418.

7 **Presentación oral** Vuelve a leer la cita de *Los cuerpos del verano* en la página 175. Reflexiona sobre las siguientes preguntas y expresa tus puntos de vista en una presentación oral sólida y convincente. Puedes utilizar las siguientes preguntas para guiar tu presentación.

◆ ¿Cómo interpretas la cita de Castagnet? ¿Por qué compara a la tecnología con un caballo?
◆ ¿Crees que la literatura, que junto con la historia, documenta el pensamiento y el comportamiento humanos, dejará algún día de formar parte de la experiencia humana?
◆ El mundo audiovisual y digital, ¿acabará devorando el espacio de la lectura o puede haber una complementariedad entre ambos medios?
◆ ¿Tiene sentido «perder» varios días en la lectura de una novela de setecientas páginas? ¿Hay un equilibrio entre el esfuerzo y el tiempo invertidos y la recompensa obtenida?

LECTURA 3.2 ▸ COMO LA VIDA MISMA

Auto-graded
My Vocabulary
Partner Chat
Record & Submit
Strategy
Write & Submit

SOBRE LA AUTORA Rosa Montero Goya nació en Madrid en 1951. Es periodista, escritora y columnista frecuente de *El País*, España. Ha escrito docenas de novelas y sus libros están traducidos a más de veinte lenguas. Ha entrevistado a muchas personas influyentes del mundo, como Yasser Arafat, Indira Gandhi, Julio Cortázar y Malala Yousafzai. En 1978 ganó el Premio Mundo de Entrevistas y en 2017 fue galardonada con el Premio Nacional de las Letras Españolas por el Ministerio de Cultura de España.

SOBRE LA LECTURA El cuento «Como la vida misma» fue publicado como «El arrebato» en 1982. Relata la experiencia de una persona que intenta llegar a tiempo a su destino.

ANTES DE LEER

1

El enfado del conductor Piensa en un momento en el que hayas experimentado enfado hacia otros conductores en la calle (sea como conductor(a) o pasajero/a). Reflexiona sobre esa experiencia y discute estas preguntas con un(a) compañero/a de clase.

MI VOCABULARIO
Utiliza tu vocabulario individual.

1. ¿Adónde ibas?
2. ¿Por qué ibas allí?
3. ¿Con quién estabas? ¿Quién conducía?
4. ¿Había mucho tráfico? ¿Por qué?
5. ¿Por qué te enfadaste?
6. ¿Cómo te sentías después de llegar a tu destino?
7. ¿Por qué se dan los embotellamientos de tráfico en una ciudad?
8. Si fueras el alcalde de una ciudad con muchos carros, ¿qué propondrías para solucionar los embotellamientos?

2

Experiencia de peatón Piensa en un momento en el que hayas disfrutado de la libertad de estar a pie, en bicicleta o en moto en vez de metido/a en medio de un embotellamiento. Reflexiona sobre esa experiencia y discute estas preguntas con un(a) compañero/a de clase.

1. ¿Dónde estabas?
2. ¿Por qué estabas allí?
3. ¿Con quién estabas?
4. ¿Cómo te sentías al pasar los coches?
5. ¿Cómo crees que se sentían las personas en los coches? ¿Por qué?
6. ¿Qué crees que significa la expresión «furia al volante»? ¿Qué la puede generar?
7. ¿Por qué hay personas que se vuelven agresivas al manejar? ¿Cómo pueden controlar esa ira?

3

La cultura colectivista vs. la individualista Busca información en línea para escribir una definición y una lista de valores que caracterizan las culturas colectivistas e individualistas. Luego, compara lo que encontraste con un(a) compañero/a de clase y discutan las diferencias.

MI VOCABULARIO
Anota el vocabulario nuevo a medida que lo aprendes.

5

10

GLOSARIO

la mandíbula uno de los huesos que conforman la boca y permite su movimiento

arrancar acelerar, avanzar, despegar

la derrota pérdida de una batalla

la indignación gran enfado

CONCEPTOS CENTRALES

La hipérbole
En un texto literario se utiliza la hipérbole para exagerar o disminuir cualidades, características o situaciones de las que se habla: «Doscientos mil coches junto al tuyo». Con este recurso, el/la autor(a) le da una mayor fuerza expresiva o un toque humorístico a sus descripciones.

COMO LA VIDA MISMA
por **Rosa Montero**

LAS NUEVE menos cuarto de la mañana. Semáforo en rojo, un rojo inconfundible. Las nueve menos trece, hoy no llego. ¡Embotellamiento de tráfico! Doscientos mil coches junto al tuyo. Tienes la **mandíbula** tan tensa que entre los dientes aún está el sabor del café del desayuno. Miras al vecino. Está intolerablemente cerca. La chapa de su coche casi roza la tuya. Verde. Avanza, imbécil. ¿Qué hacen? No **arrancan**. No se mueven, los estúpidos. Están paseando, con la inmensa urgencia que tú tienes. Doscientos mil coches que salieron a pasear a la misma hora solamente para fastidiarte. ¡Rojjjjo! ¡Rojo de nuevo! No es posible. Las nueve menos diez. Hoy desde luego que no llego-o-o-o… El vecino te mira con odio. Probablemente piensa que tú tienes la culpa de no haber pasado el semáforo (cuando es obvio que los culpables son los idiotas de delante). Tienes una premonición de catástrofe y **derrota**. Hoy no llego. Por el espejo ves cómo se acerca un chico en una motocicleta, zigzagueando entre los coches. Su facilidad te causa **indignación**, su libertad te irrita.

Beijing Crowd, Aleth Manière

Mueves el coche unos centímetros hacia el vecino [...] Das un salto, casi arrancas. De pronto ves que el semáforo sigue aún en rojo. ¿Qué quieres, que salga con la luz roja, imbécil? [...] De pronto, la luz se pone verde y los de atrás **pitan** desesperadamente. Con todo ese ruido reaccionas, tomas el **volante**, al fin arrancas. Las nueve menos cinco. Unos metros más allá la calle es mucho más estrecha; sólo cabría un coche. Miras al vecino con odio. Aceleras. Él también. Comprendes de pronto que llegar antes que el otro es el objeto principal de tu existencia. Avanzas unos centímetros. Entonces, el otro coche te pasa victorioso. Corre, corre, gritas, fingiendo gran desprecio. ¿Adónde vas, idiota? Tanta prisa para adelantarme sólo un metro. Pero la derrota duele. A lo lejos ves una figura negra, una vieja que cruza la calle lentamente. Casi la **atropellas**. "Cuidado, abuela", gritas por la ventanilla; estas viejas son un peligro, un peligro. Ya estás llegando a tu destino, y no hay posibilidades de aparcar. De pronto descubres un par de metros libres, un pedacito de ciudad sin coche; frenas, el corazón te late apresuradamente. Los conductores de detrás comienzan a tocar la bocina: no me muevo. Tratas de estacionar, pero los vehículos que te siguen no te lo permiten. Tú miras con angustia el espacio libre. De pronto, uno de los coches para y espera a que tú aparques. Tratas de retroceder, pero la calle es angosta y la cosa está difícil. El vecino da marcha atrás para ayudarte, aunque casi no puede moverse porque los otros coches están demasiado cerca. Al fin aparcas. Sales del coche, cierras la puerta. Sientes una alegría infinita, una enorme gratitud hacia el anónimo vecino que se detuvo y te permitió aparcar. Caminas rápidamente para alcanzar al generoso conductor, y darle las gracias. Llegas a su coche; es un hombre de unos cincuenta años, de mirada melancólica. Muchas gracias, le dices en tono exaltado. El otro se sobresalta, y te mira sorprendido. Muchas gracias, insistes. "Pero, ¿que quería usted? ¡No podía pasar por encima de los coches! No podía dar más marcha atrás". Tú no comprendes. "Gracias, gracias" piensas. Al fin murmuras: "Le estoy dando las gracias de verdad, de verdad…" El hombre se pasa la mano por la cara, y dice: "Es que… este tráfico, estos nervios…" Sigues tu camino, sorprendido, pensando con filosófica tristeza, con genuino asombro. ¿Por qué es tan agresiva la gente? ¡No lo entiendo! ▸

(líneas: 15, 20, 25, 30, 35)

GLOSARIO

pitar hacer sonar un pito o la bocina de un coche

el volante rueda que permite conducir el coche

atropellar derribar, chocar, pasar por encima

ESTRATEGIA

Relacionar sentidos Las obras literarias suelen incluir expresiones que apelan a los diferentes sentidos. Mientras lees, presta atención a los términos relacionados con colores, sabores, olores o sonidos. Esto te permitirá conectarte con las sensaciones de los personajes.

DESPUÉS DE LEER

1 **Comprensión** Elige la mejor respuesta para cada pregunta, según el texto.

1. ¿Por qué el chico en motocicleta causa indignación?
   a. Porque no arranca.
   b. Porque puede zigzaguear entre los coches.
   c. Porque el ruido que hace es irritante.
   d. Porque está demasiado cerca de los coches.

2. ¿Por qué el otro coche sale victorioso?
   a. Porque logra pasar al/a la narrador(a).
   b. Porque evita el tráfico.
   c. Porque no tiene que esperar más.
   d. Porque va a llegar rápido a su destino.

3. ¿Cuál de las siguientes opciones describe mejor el registro que usa la autora en la voz del/de la narrador(a)?
   a. Usa su propia voz, en la forma «yo».
   b. Es un(a) narrador(a) omnipresente, en la tercera persona.
   c. Usa la forma «tú».
   d. Usa la tercera persona para contar el cuento desde la perspectiva de otra persona.

4. ¿Por qué a veces se usa la forma «yo» en la narración?
    a. Para enfatizar un punto importante.
    b. Para articular los pensamientos del/de la narrador(a).
    c. Para confundir al/a la lector(a).
    d. Para contrastarla con el uso de «tú».

5. ¿Qué hace el hombre anónimo para ayudar?
    a. Deja que el/la narrador(a) le pase.
    b. Permite que el/la narrador(a) entre en la fila de coches antes que él.
    c. Le sonríe al/a la narrador(a).
    d. Mueve su coche hacia atrás para dejar que el/la narrador(a) pueda aparcar el suyo.

6. ¿Al final del cuento, por qué está confundido el hombre cuando el/la narrador(a) le habla?
    a. No puede encontrar un lugar para aparcar.
    b. No entiende por qué hay tanto tráfico.
    c. Está perdido.
    d. No está acostumbrado a la cortesía.

2   **Palabras repetidas**   La autora usa mucho la repetición en este cuento. A continuación encontrarás frases y palabras que se repiten al menos una vez en la lectura. Para cada palabra o frase indica qué quería expresar la autora al repetirla.

    ◆ hoy no llego
    ◆ rojo
    ◆ doscientos mil coches
    ◆ arrancar
    ◆ la hora: nueve menos…
    ◆ idiota
    ◆ peligro
    ◆ centímetros y metros

¿Qué tema común puedes identificar en las palabras repetidas? ¿Qué efectos tienen dichas repeticiones en el lector?

MI VOCABULARIO
Utiliza tu vocabulario individual.

3   **Actitudes**   La actitud del/de la narrador(a) es un tema importante en el cuento. Reflexiona sobre las actitudes descritas a lo largo del cuento y luego contesta las siguientes preguntas con un(a) compañero/a.

1. ¿Cómo era la actitud del/de la narrador(a) al principio del cuento?
2. ¿Cómo y en qué momento cambia su actitud? ¿Por qué cambia?
3. Describe la actitud del/de la narrador(a) al final del cuento.
4. ¿Cómo contrasta con la actitud del hombre de mirada melancólica? ¿Por qué?

4   **Tu cultura**   Repasa la información que encontraste para la Actividad 3 de la página 177. Identifica las características de una cultura individualista y una cultura colectivista que se revelan en «Como la vida misma». Luego, responde y discute las siguientes preguntas con un(a) compañero/a:

    ◆ ¿Cuáles son los factores que contribuyen a una cultura individualista o colectivista?
    ◆ ¿Cómo es la cultura de su comunidad? ¿Individualista o colectivista? ¿Por qué crees que es así? ¿En qué situaciones podemos verla reflejada?

5

Interpretación Lee la siguiente cita del cuento de Rosa Montero.

《 Comprendes de pronto que llegar antes que el otro es el objeto principal de tu existencia. 》

En grupos pequeños, discutan sus interpretaciones de la cita y discutan las siguientes preguntas:

- ◆ ¿Están de acuerdo con esta afirmación? ¿Por qué?
- ◆ ¿En qué situaciones de la vida cotidiana pueden ver reflejada esta cita?

6

La continuación del cuento Imagina la continuación del cuento. Descríbela en 100 palabras o más utilizando alguna de las siguientes ideas:

- ◆ Lo que pasa cuando el/la narrador(a) llega a su destino.
- ◆ Lo que pasa cuando el/la narrador(a) sube a su carro para regresar a casa.
- ◆ Lo que pasa el próximo día cuando el/la narrador(a) hace el mismo viaje.
- ◆ Otra escena que imaginas para este personaje.

7

Para reflexionar Reflexiona sobre la importancia de asumir una actitud saludable y relajada en tu vida. ¿Alguna vez perdiste la calma y mostraste una actitud demasiado competitiva, agresiva o intensa? ¿Qué tan importantes son los valores como la paciencia y la tolerancia en la vida cotidiana? ¿Qué podemos aprender de este cuento con respecto a la importancia de mantener la calma? Escribe tu reflexión o anécdota en un texto de al menos dos párrafos.

8

Presentación oral Piensa en un cuento o una novela que hayas leído que trate uno o varios temas semejantes al cuento de Rosa Montero. Prepara una presentación oral en la que describas la narración, sus personajes y temas principales y cómo se relaciona con la historia de Rosa Montero. Sigue estos pasos:

- ◆ Menciona el título de la obra, el autor o la autora y su nacionalidad.
- ◆ Indica cuándo la leíste y por qué; es decir, ¿fue una tarea para una de tus clases o decidiste leerla por iniciativa propia?
- ◆ Explica por qué la elegiste y qué es lo que más te gusta de la obra.
- ◆ Señala cuáles son las semejanzas y diferencias con «Como la vida misma».

ESTRATEGIA

Repetir y reformular Cuando expresas conceptos complejos, es natural que necesites repetir tus ideas de otra manera para hacerte entender. Utiliza expresiones similares a estas: «como ya dije», «como dije antes» o «como decía anteriormente» para repetir ideas y expresarlas de otro modo.

RECURSOS
Consulta la lista de apéndices en la p. 418.

Audio
En fragmentos
My Vocabulary
Partner Chat
Record & Submit
Strategy
Write & Submit

AUDIO ▸ ISABEL ALLENDE: ESCRIBIR ES IGUAL QUE ENAMORARSE

INTRODUCCIÓN Esta grabación contiene tres fragmentos de una entrevista con la autora chilena Isabel Allende, después de la publicación de su novela *El cuaderno de Maya*. En el programa, emitido en Radio Nacional de España, la autora explica su proceso de creación literaria, además de reflexionar sobre la importancia personal de su producción creativa.

GLOSARIO

la mente capacidad intelectual, pensamiento, cerebro

dispuesto/a preparado/a, listo/a, presto/a

encerrarse confinarse, aislarse, retirarse de otras personas

atroz terrible, inhumano, horrible, cruel

el guión texto o esquema escrito; plan ordenado

ANTES DE ESCUCHAR

1

Isabel Allende Usando Internet, investiga la vida y producción literaria de Isabel Allende. Escribe los cinco datos más importantes que encuentres. Debes buscar información tanto personal como profesional. Luego, con toda la clase, compartan los datos reunidos y tomen apuntes de sus contribuciones.

2

La literatura y la vida Con un(a) compañero/a de clase, comenta los siguientes temas:

◆ la influencia de la literatura en la vida de Allende u otros autores destacados que conozcan del mundo hispanohablante

◆ la influencia de la vida en la literatura de Allende o en la de otros autores destacados del mundo hispanohablante

◆ los requisitos o el proceso para ganar un premio de literatura, como el premio Planeta en España o el Premio Nobel de Literatura.

◀)) MIENTRAS ESCUCHAS

1

Preguntas de anticipación Antes de escuchar la primera vez, considera estas preguntas clave. Después, escucha el audio con el propósito de entender la información necesaria para contestar las preguntas. No tomes apuntes todavía.

1. ¿Cómo responde Allende al comentario «Gracias por seguir escribiendo»? ¿Por qué?
2. ¿Qué importancia tiene el 8 de enero para la escritora?
3. ¿Cómo es el ambiente que ella requiere para escribir? ¿Qué evita ella y qué necesita?
4. ¿Cómo arregla su vida complicada para poder cumplir con su meta de crear un libro?
5. ¿Qué conexión existe entre la protagonista de su nueva novela y su vida actual?
6. ¿De dónde vino la inspiración para su protagonista? ¿Qué dice de su mundo?
7. Según Allende, ¿cuál ha sido la influencia de la escritura para ella personalmente?
8. ¿Cuáles son los personajes centrales de *El cuaderno de Maya*?
9. ¿Por qué declara Allende que está muy agradecida con *La casa de los espíritus*?

MI VOCABULARIO
Anota el vocabulario nuevo a medida que lo aprendes.

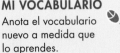

2

Palabras clave Al escuchar la segunda vez, escribe las palabras o expresiones clave que sirvan para contestar las preguntas.

DESPUÉS DE ESCUCHAR

 1 Contestar Teniendo en cuenta lo que Isabel Allende expresa en la entrevista, reúnanse en pequeños grupos para contestar las Preguntas de anticipación de la página anterior.

 2 Inferir y sintetizar Con un(a) compañero/a, discutan esta cita de la grabación para inferir cuál es el propósito de la autora y sintetizar su mensaje, añadiendo sus propias ideas.

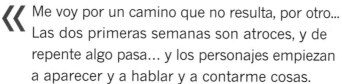 « Me voy por un camino que no resulta, por otro... Las dos primeras semanas son atroces, y de repente algo pasa... y los personajes empiezan a aparecer y a hablar y a contarme cosas. »

 3 Análisis Escucha una vez más la entrevista con Isabel Allende «Escribir es igual que enamorarse», y escribe un ensayo para contestar esta pregunta: ¿Por qué es fundamental la literatura en el mundo contemporáneo?

El ensayo debe incluir al menos tres párrafos:

1. Un párrafo de introducción que:
   ◆ presente el contexto del ensayo
   ◆ incluya una oración que responda a la pregunta, la cual será tu tesis

2. Uno o dos párrafos de explicación en los que:
   ◆ expongas uno o dos argumentos que apoyan tu tesis
   ◆ cites evidencia de los textos presentados
   ◆ des ejemplos o razones personales o sociales que sustenten tus argumentos

3. Un párrafo de conclusión que:
   ◆ resuma los argumentos que llevan a la tesis
   ◆ vuelva a plantear la tesis en otras palabras

4 Comparación cultural Teniendo como referencia lo que has aprendido sobre Isabel Allende en esta lección, busca información sobre una autora estadounidense que tenga semejanzas con ella (por ejemplo, edad o trayectoria similar, un nivel de reconocimiento parecido, o algunos temas en común) y prepara una presentación para tu clase, en la que compares a ambas autoras. En tu presentación incluye estos elementos:

   ◆ semejanzas y diferencias entre las dos autoras
   ◆ los temas que tratan ambas escritoras en sus obras
   ◆ información sobre una obra similar a *El cuaderno de Maya*

ESTRATEGIA

Inferir y sintetizar
Inferir es una habilidad necesaria para la comprensión e implica varios procesos que tienen lugar simultáneamente mientras escuchas. A veces el locutor no dice claramente lo que quiere comunicar y deja al oyente concluir o inferir el significado, o «leer entre líneas». Sintetizar implica mostrar la comprensión y también añadir tus propias conclusiones e ideas.

RECURSOS
Consulta la lista de apéndices en la p. 418.

CONEXIONES CULTURALES

Record & Submit
Virtual Chat

Hernando Nossa Cuadros, *Macondo I*, 2008. Acrílico sobre lienzo, 0.80 x 1.20 cms

El posboom de la literatura latinoamericana

MUCHAS VECES DECIMOS QUE LA REALIDAD SE CONFUNDE con la ficción. En Latinoamérica, la ficción se confunde con la realidad. Numerosos autores del *posboom* literario latinoamericano, también conocido como novísima literatura, inventan narraciones basadas en hechos históricos. Este género —la novela histórica— existe en todo el mundo, pero en Latinoamérica floreció a finales de la década de los setenta del siglo XX, con narradores como el uruguayo Eduardo Galeano, el mexicano Fernando del Paso o el peruano Alfredo Bryce Echenique.

Muchos de los representantes del *posboom* escriben desde el exilio, huyendo de las dictaduras y desilusionados al ver destruidas sus esperanzas de una sociedad justa. Y son ellos mismos quienes, con su inventiva, han contribuido a crear un mundo mejor para vivir.

◢ Algunos escritores inventan mundos, mientras que otros inventan ciudades. El condado de Yoknapatawpha, imaginado por el escritor estadounidense William Faulkner, inspiró a Macondo, escenario de muchas narraciones del colombiano Gabriel García Márquez, en especial su novela más representativa, *Cien años de soledad*.

◢ La escritora mexicana Laura Esquivel escribió el guión de la película *Como agua para chocolate*, basada en su propia novela con el mismo título. Esta obra, ambientada en la época de la Revolución Mexicana, hace uso del llamado realismo mágico para combinar lo sobrenatural con lo mundano. Como su nombre lo indica, el tema de la cocina mexicana es central en la narración.

◢ En obras como *Poemas de oficina* y *Montevideanos*, el escritor uruguayo Mario Benedetti criticó, un poco en broma y mucho en serio, la burocracia pública de Uruguay, de la que irónicamente formaba parte. Otras obras en las que Benedetti asume una posición crítica son, por ejemplo, *Inventario* y *Noción de patria*.

 Presentación oral: comparación cultural

Prepara una presentación oral sobre este tema:

◆ ¿Cuál es la importancia del lenguaje y la literatura en la cultura de un país?

Compara tus observaciones de una región del mundo hispanohablante que te sea familiar con las de las comunidades en las que has vivido.

PUNTOS DE PARTIDA

El arte cumple muchas funciones para los individuos y las comunidades; puede enriquecer tanto como desafiar, criticar y también determinar la cultura. Ya sean visuales o parte de un espectáculo, las artes ofrecen una alternativa para la expresión humana, que puede abarcar los temas más variados, desde el mundo de la imaginación o el aprecio de la belleza, hasta el comentario político y social.

◢ ¿Por qué es importante tener instituciones públicas que apoyen y promocionen las artes?
◢ ¿En qué sentido es el arte una imitación de la vida o una reacción a la realidad?
◢ ¿Qué influencia tienen las circunstancias políticas y las experiencias personales sobre la expresión artística?

DESARROLLO DEL VOCABULARIO

Auto-graded
My Vocabulary
Partner Chat
Write & Submit

1 **Definiciones** Elige la mejor definición para cada término.

1. ___ el/la pintor(a)
2. ___ el/la escultor(a)
3. ___ el autorretrato
4. ___ la arquitectura
5. ___ la entrada
6. ___ la exposición
7. ___ el espectáculo
8. ___ la cinematografía
9. ___ el arte efímero
10. ___ estrenar

a. forma de arte conceptual y activa en que la participación de los espectadores es esencial
b. técnica artística basada en la reproducción de imágenes en movimiento
c. artista que usa pigmentos de colores para crear imágenes
d. representar o mostrar un espectáculo por primera vez
e. artista que usa varios materiales para crear formas dimensionales
f. billete para ver una exposición, un concierto u otro tipo de espectáculo
g. representación de una persona, realizada por ella misma
h. actuación de un drama u otra forma de arte escénico para entretener a un público
i. arte y técnica de diseñar edificios y otras estructuras
j. presentación o exhibición de obras para ser vistas por el público

MI VOCABULARIO
Anota el vocabulario nuevo a medida que lo aprendes.

2 **Las virtudes del arte** Esta lista contiene algunas de las virtudes que las artes pueden aportar a una comunidad. Reflexiona sobre su significado y escribe un párrafo en el que expliques cómo contribuye el arte al desarrollo de cada una de esas virtudes.

la creatividad	la habilidad técnica	la innovación
la expresión	la identidad	la preservación

3 **El papel de las artes** Con un(a) compañero/a, discutan el papel que las artes tienen en sus vidas y qué formas artísticas disfrutan. Expliquen por qué las artes son importantes (o no lo son) para ustedes. Hablen, además, de las obras de arte que han visto recientemente (pinturas o conciertos, por ejemplo) y qué impresión les han causado.

RECURSOS
Consulta la lista de apéndices en la p. 418.

Auto-graded
My Vocabulary
Partner Chat
Record & Submit
Strategy
Write & Submit

LECTURA 4.1 ▶ MUSEO NACIONAL DE BELLAS ARTES

SOBRE LA LECTURA El Museo Nacional de Bellas Artes (MNBA) de Santiago, Chile, se considera uno de los principales centros artísticos de Suramérica. Fue fundado en 1880 y está ubicado en el Palacio de Bellas Artes. Diseñado por el arquitecto franco-chileno Emile Jécquier y construido para celebrar el centenario del país, el edificio en sí es un monumento histórico. El patrimonio artístico del museo incluye importantes colecciones de esculturas y pinturas chilenas desde la época colonial, además de colecciones europeas y africanas.

Este artículo trata de los servicios y proyectos del museo, el cual no solo se ocupa de exponer obras de arte, sino también de promocionar la cultura y educar al público.

ANTES DE LEER

1 **Una visita a un museo** Una estudiante chilena visita tu comunidad y quiere ver un museo de arte. Planea una excursión para ella y escríbele en un mensaje los detalles. Incluye esta información:

- ◆ el nombre de un museo de arte que esté cerca de tu comunidad
- ◆ una breve descripción del museo y un poco de historia sobre el mismo
- ◆ el lugar donde está ubicado y cómo puede llegar allí
- ◆ el precio de la entrada, los horarios del museo y las exposiciones permanentes

MI VOCABULARIO
Anota el vocabulario nuevo a medida que lo aprendes.

2 **Una atracción local** Busca más información sobre una de las atracciones de tu museo local y contesta estas preguntas.

1. ¿Cuál es la atracción más destacada del museo y por qué es interesante?
2. Describe el género y la técnica artística (por ejemplo, óleo sobre lienzo).
3. ¿Cuál es su importancia cultural, histórica o artística?
4. ¿En qué sentido es representativa de tu comunidad o región?

3 **El arte en tu comunidad** Con un(a) compañero/a, contesta estas preguntas.

1. ¿Cuáles son algunos ejemplos de arte visible al público en tu comunidad (murales, esculturas u otras formas de expresión)? Opinen sobre ellos.
2. ¿Creen que las instituciones públicas deben apoyar el arte? Expliquen su respuesta.
3. ¿Por qué es importante tener clases de arte en la escuela?

RECURSOS
Consulta la lista de apéndices en la p. 418.

4 **Un mural** Busca la imagen de un mural famoso en Chile o en otro país latinoamericano, y prepara una presentación para compartirlo con la clase. Incluye información como: nombre del muralista, el sitio donde se encuentra, una breve descripción de su contenido y la simbología o el significado de la obra.

MUSEO NACIONAL BELLAS ARTES | INFORMACIÓN PARA VISITANTES

MISIÓN Y OBJETIVOS

Misión:

El Museo Nacional de Bellas Artes tiene como misión contribuir al conocimiento y difusión de

5 las prácticas artísticas contenidas en las artes visuales según los códigos, la época y los contextos en que se desarrollan.

Objetivos:

- Conservar, proteger, investigar, recuperar y
10 **difundir** el patrimonio artístico nacional a través de diversas actividades como exposiciones, charlas, conferencias y seminarios.
- Educar estéticamente al público a través de nuevas metodologías de acercamiento
15 e interpretación del arte del pasado y del presente.
- Organizar exposiciones del **patrimonio artístico** nacional e internacional en sus diversas manifestaciones y épocas.
20 - **Resguardar** el patrimonio arquitectónico del Museo.
- Apoyar y colaborar con la difusión de la cultura y el arte en las regiones de Chile.

MEDIACIÓN Y EDUCACIÓN

El área de mediación y educación tiene la labor de facilitar el diálogo del público con las obras 25 de arte y generar instancias de reflexión en torno a las colecciones, las exposiciones del MNBA y las artes visuales en general.

Distintos talleres, cursos, visitas guiadas, seminarios y encuentros organizados por el área 30 están dirigidos a todos los visitantes del museo, desde el público infantil y familiar, al público joven y adulto y estudiantes, desde el nivel pre-básico en adelante. El equipo de mediación y educación también elabora material didáctico e 35 informativo sobre la exposición permanente y las exposiciones temporales.

En el programa anual 2012 se ha iniciado el ciclo «Diálogos con la obra» que consiste en encuentros con el público, en las salas de 40 exposiciones y frente a una obra, con artistas, curadores, académicos, científicos y profesionales que han contribuido al desarrollo del país desde sus respectivas áreas del conocimiento.

45 ### UBICACIÓN
Parque Forestal s/n.
Casilla 3209, Santiago, Chile
Teléfono mesa central: (+562) 2499 1600

HORARIOS
50 - De martes a domingo de 10:00 a 18:45 horas
- Cerrado días lunes
- Horario de Biblioteca: Martes a viernes de 10:00 a 17:45 horas

VALOR ENTRADA
- Martes a sábado 55
  Público general: $600
  Estudiantes de enseñanza superior y adultos mayores: $300
  Menores de 18 años, estudiantes de arte y **convenio** ICOM[1] **acreditados**, entrada **liberada** 60
- Días domingo: entrada liberada o aporte voluntario
- Acceso a Biblioteca es gratuito

1 El International Council of Museums (ICOM) es una organización dedicada a preservar en el mundo el patrimonio cultural y natural, actual y futuro, tangible e intangible, a asegurar su continuidad y a comunicar su valor a través de los museos.

DESPUÉS DE LEER

1 Comprensión Contesta las preguntas según el texto.

1. ¿Cuántos días a la semana está abierta la biblioteca?
2. ¿Cuánto cuesta la entrada para los estudiantes de arte?
3. ¿Dónde tienen lugar los encuentros del ciclo «Diálogos con la obra»?
4. ¿Cómo intenta el museo difundir información sobre sus colecciones de arte?
5. ¿En qué aspectos intenta el museo educar al público?
6. ¿Quién elabora el material didáctico sobre las exposiciones?

2 Mensaje electrónico Tu tía se encuentra de visita en Santiago de Chile y tú le recomiendas que visite el Museo Nacional de Bellas Artes. Consulta la página web del museo y escríbele un mensaje electrónico con la siguiente información:

◆ información general sobre el museo (ubicación, horarios, precios, etc.)
◆ breve reseña biográfica sobre un(a) artista que forme parte de la colección permanente del museo
◆ una recomendación de una exposición temporal
◆ un dato interesante sobre el edificio donde se encuentra el museo

3 La misión del museo Con un(a) compañero/a, contesta las siguientes preguntas.

1. ¿Cómo contribuye el Museo Nacional de Bellas Artes al conocimiento de las prácticas artísticas?
2. ¿Qué servicios ofrece el museo para educar al público?
3. ¿Qué podría hacer el museo para difundir la cultura y el arte fuera de Santiago?
4. Describe cómo crees que sería una sesión del ciclo «Diálogos con la obra».
5. ¿Cuáles son los objetivos más importantes del Museo Nacional de Bellas Artes?

4 Un museo en la clase Para crear un museo virtual en tu salón de clases, sigue estos pasos. Consulta la página web del Museo Nacional de Bellas Artes, o de otro museo de tu elección, para obtener ideas e inspiración.

Organización
◆ Elijan a un(a) estudiante para que sea el/la director(a) del museo.
◆ Decidan cuántas exposiciones tendrán.
◆ Formen varios grupos (uno para cada exposición).
◆ Cada grupo debe elegir a un(a) representante, que se comunicará con el/la director(a) y los representantes de otros grupos.

Elaboración de una propuesta
Cada grupo necesita preparar una propuesta escrita para entregar al/a la director(a). Esta propuesta debe incluir:
◆ tres temas posibles para su exposición (pueden estar basados en un concepto, un(a) artista, un estilo o un movimiento artístico)
◆ un plan para organizar el espacio
◆ un plan para presentar las obras (por ejemplo, en pantalla o en papel)

Aprobación de la propuesta
El/La director(a) debe aprobar las propuestas asegurándose de que cada sala presentará un tema diferente y tendrá un espacio adecuado para su exposición.

5 **Preparar la exposición** Trabaja con tu grupo de la Actividad 4 para planear su exposición en el museo. Sigan estos pasos:

Demostrar conocimiento
A medida que aprendes sobre un tema, es importante que puedas articular y demostrar tu conocimiento. Utiliza la información que has obtenido para hablar como experto/a. ¡Presenta lo que sabes con confianza!

- Obtengan la aprobación del/de la director(a) del museo para:
  - ☐ el tema de su exposición
  - ☐ el plan para organizar el espacio
  - ☐ el plan para presentar las obras de arte

- Decidan qué obras van a exhibir.
- Decidan a qué público se dirige la exposición.
- Elaboren un folleto dirigido a ese público, con información relevante sobre la exposición.
- Expliquen su tema y por qué lo eligieron.
- Escriban una breve biografía de los artistas destacados.
- Escriban una breve descripción de cada obra, en la que informen sobre su estilo artístico y su relación con el tema.
- Exhiban las obras y la información, y abran la exposición al público.

6 **Diálogos con la obra** Trabajen de nuevo con los grupos de la Actividad 5 para preparar un encuentro del ciclo «Diálogos con la obra» y discutir una obra de su exposición con el público (los demás compañeros/as de clase). Sigan estas instrucciones:

1. Consulten la página web del MNBA para conocer más detalles sobre alguna de sus sesiones de «Diálogos con la obra».
2. Elijan la obra que quieren presentar.
3. Asignen los roles de cada miembro del grupo: artista, curador, académico u otro profesional con conocimiento relevante.
4. Cada miembro del grupo prepara la información que presentará sobre la obra. Utilicen sus propias ideas o sigan estas sugerencias:
   - artista: técnicas utilizadas, movimiento artístico que representa, propósito de la obra y simbología de la misma
   - curador: información biográfica del artista, significado de la obra dentro del mundo del arte; maneras de protegerla o restaurarla
   - académico: influencias políticas, sociales y culturales; análisis e interpretación
   - coleccionista de arte: historia de los dueños pasados; valor de la obra
   - otro profesional: información relevante, según su especialidad
5. Empiecen el diálogo. Cada miembro del grupo representa el papel de un experto y ofrece información sobre la obra desde la perspectiva de ese experto, demostrando un conocimiento apropiado y relevante. Prepárense para contestar las preguntas que el público pueda tener.

7 **Carta persuasiva** El gobierno estatal está pensando reducir los fondos que sostienen el museo de arte de tu comunidad. Escríbele una carta persuasiva a tu representante local para convencerlo/a de que luche por el arte y apoye el financiamiento gubernamental del museo público. En tu carta puedes mencionar estos aspectos u otros que consideres relevantes:

RECURSOS
Consulta la lista de apéndices en la p. 418.

- la importancia del arte y la cultura para la educación de las personas
- la necesidad del museo como un lugar de encuentro para la comunidad y como un atractivo turístico de la ciudad
- el arte como parte esencial en la vida de los seres humanos

LECTURA 4.2 ▶ REMEDIOS VARO

Auto-graded
My Vocabulary
Record & Submit
Strategy
Write & Submit

SOBRE LA LECTURA Para comprender e interpretar una obra de arte es necesario entender las circunstancias bajo las cuales fue creada: las influencias de determinado movimiento artístico, las experiencias personales o las condiciones presentes en la vida del artista. Esta biografía de María de los Remedios Varo Uranga fue escrita por Josefa Zambrano Espinosa, ensayista y narradora venezolana que, además de dedicarse a la docencia universitaria, ha publicado varios libros de ensayos y relatos, entre los que sobresalen *Magia de Páramo, Al día siguiente todos los caminos amanecen abiertos* y *Malaventuras*. Estas obras son evidencia de su agudo talento como narradora. En este texto no solo relata los acontecimientos de una vida, sino que también ofrece percepciones profundas para entender mejor el contexto histórico, artístico y personal que influyó el arte de Varo. Esta lectura es un fragmento del artículo «Lo mágico, enigmático y místico en el arte de Remedios Varo», publicado en 2003 en la sección «Arte y cultura» del sitio Analítica.com.

ANTES DE LEER

MI VOCABULARIO
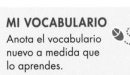
Anota el vocabulario nuevo a medida que lo aprendes.

1

Movimientos artísticos Escribe el nombre del movimiento artístico correspondiente al lado de cada una de las siguientes descripciones.

el cubismo	el expresionismo	el impresionismo	el simbolismo	el surrealismo

1. Se desarrolló en Francia en 1905. Rompe con la idea de representar un solo punto de vista. Se caracteriza por la descomposición de las figuras y el uso de formas geométricas.
2. Se desarrolló en Alemania a principios del siglo xx. Se preocupa por la representación subjetiva de la realidad, para transmitir emociones y sentimientos profundos.
3. Se desarrolló en París a mediados del siglo xix. En vez de pintar formas con detalles concretos, intenta representar la luz y el movimiento para capturar un instante.
4. Se desarrolló en Francia en la década de 1920. Busca representar el inconsciente y descubrir una verdad psicológica más allá de lo real.
5. Se desarrolló en Francia y Bélgica a finales del siglo xix. Su originalidad reside en el contenido de las obras y en la posibilidad de una interpretación personal.

2

Factores influyentes Con un(a) compañero/a de clase, comenta de qué manera podrían influir en el trabajo de un(a) artista los siguientes factores:

- el amor (y su pérdida)
- la guerra o la violencia
- la muerte de un pariente
- ideas o perspectivas nuevas
- la opresión política o la censura

- el cambio social (por ejemplo, las nuevas libertades)
- la depresión
- una experiencia cercana a la muerte

MI VOCABULARIO
Utiliza tu vocabulario individual.

3

Un(a) artista famoso/a Investiga sobre un(a) artista hispano/a famoso/a y prepara una presentación oral para la clase. Incluye información precisa, como datos biográficos relevantes, obras principales, eventos políticos o artísticos significativos en la vida del/de la artista, o experiencias personales y familiares que influyeron en él/ella y se reflejan en su obra.

GLOSARIO
ingresar entrar, matricularse en una institución
la vanguardia movimiento de artistas que presentan cambios o avances innovadores
estallar comenzar un conflicto, explotar

Rv Lo mágico, enigmático y místico en el arte de Remedios Varo

◀ ▶ ↻ *Rv* http:// ★

Remedios Varo

Inicio | Noticias | Opinion | Multimedia | Interactivo

La creación de las aves, Remedios Varo

María de los Remedios Varo Uranga, hija de la extravagante unión de un librepensador ingeniero hidráulico y de una devotísima católica, nació en Anglés, España, en 1908.

Debido a la profesión del padre, la familia viajaba frecuentemente a través
5 de las geografías española y norteafricana. Para mantener entretenida a la niña, el padre la sentaba a su lado mientras trazaba los planos y diseñaba los aparatos mecánicos de sus proyectos hidráulicos.

Cuando la familia se estableció en Madrid en 1924, el padre, conocedor de su aptitud para la pintura, la estimula para que **ingrese** a la Academia
10 de San Fernando, donde se convirtió en una de las primeras mujeres estudiantes de arte. En San Fernando fue condiscípula de Dalí y de Gregorio Lizarraga, con quien se casó. Juntos se marcharon a París y a Barcelona, y allí se vincularon con otros artistas de **vanguardia**. Al **estallar** la guerra civil española, Remedios se separó de Lizarraga y retornó a París.
15 París era luz y arte, y el arte era surrealista. Conoció a Benjamín Peret y se unieron en 1937. Peret la introdujo en el círculo de los surrealistas

GLOSARIO

acogido/a admitido/a
y protegido/a

amalgamar
mezclar, combinar

el malabarismo acción
de tirar objetos al aire
y recogerlos

la decalcomanía técnica
artística que consiste en
transferir grabados de
una superficie a otra

el fumage técnica que
consiste en hacer
impresiones por humo
o vela

el frottage técnica de
frotar un lápiz sobre un
objeto bajo papel para
conseguir la impresión
de su forma

insólito/a raro/a,
increíble

el arcano misterio,
secreto muy reservado
y de importancia

RV Lo mágico, enigmático y místico en el arte de Remedios Varo

RV http://

e, inmediatamente, se creó la empatía y afinidad entre Breton, Eluard, Crevel, Desnos, Miró, Arp, Naville y ella.

¡Nuevamente la guerra! Peret y Varo [cayeron] tras las rejas del gobierno
20   de Vichy, en un campo de concentración hasta finales de 1941 cuando pudieron escapar a México, donde serían **acogidos** por la inmensa comunidad de artistas exiliados en ese país.

Según Luis Martín Lozano (el crítico que por conocer mayormente su obra ha sido el curador de la exposición en el MNMA),[1] «tiene un pie en la tradición y el
25   otro en la experimentación, pues sus cuadros son como enigmáticas preguntas que no tienen una respuesta específica». Realmente, ante sus obras el espectador se tropieza con elementos que le resultan sumamente familiares y comienza a preguntarse: ¿dónde he visto este cuadro antes? [...] lo ya visto está en las iluminaciones y las miniaturas medievales y, desde luego, en el arte surrealista.

30   En su obra se **amalgaman** los sueños, los recuerdos de la infancia, las vivencias femeninas y los temores y horrores de la guerra; la búsqueda del conocimiento y la verdad a través de la ciencia, la religión y la filosofía. Su espíritu explora y se adentra en las teorías que van desde la de la gravitación universal hasta la de la relatividad; en el misticismo, el tantrismo y el
35   budismo zen; en el psicoanálisis y, especialmente, los trabajos de Jung.[2]

El lenguaje visual de Remedios Varo ilumina con su color y su magia la posibilidad de acceder a una realidad más allá de la cotidiana; de transportarse a fantásticos mundos en los cuales los hombres se transmutan en gatos, porque de ellos será el paraíso; las mujeres viajan en extrañas barcas o alimentan con
40   puré de estrellas a la luna o reciben llamadas para ascender a otros planos de la existencia; los juglares hacen **malabarismos** con la piedra filosofal; las naturalezas muertas resucitan y en las nubes la Jerusalén celestial gira sin detener jamás su movimiento.

Para Varo todo es posible. Al hacer uso de la **decalcomanía**, el *fumage* y
45   el *frottage* metaforiza el mundo interior y los cambios existenciales. Nada la detiene en su búsqueda de nuevas dimensiones metafísicas y espaciales, y al trastocar los conceptos de tiempo, energía y cosmos, se aleja de la racionalidad de las ciencias, penetra en el reino de la metapsíquica y logra **insólitos** efectos visuales. Ante la obra de Remedios Varo hay que admitir que las tonalidades,
50   el movimiento, la alegría, la luz y los enigmas han hecho de su imaginario una expresión de lo maravilloso, por eso en sus autorretratos «La llamada» (1961) y «Exploración de las fuentes del río Orinoco» (1959), su radiante figura avanza portando el divino elixir o navega en beatífica gracia, pues sabe que definitivamente ha abierto la «puerta de piedra» y revelado los **arcanos** de
55   la existencia donde, como decía Breton, «solamente lo maravilloso es bello».[3]

1 Museo Nacional de las
Mujeres en las Artes, en
Washington, D.C.

2 Psiquiatra suizo que fundó
la escuela de psicología
analítica

3 El texto completo de este
artículo aparece en las
páginas 484-485.

DESPUÉS DE LEER

1

Comprensión Elige la mejor respuesta para cada pregunta, según el texto.

1. ¿Por qué el padre de Remedios Varo quería que asistiera a la Academia de San Fernando?
   a. Él tenía que trabajar mucho y no podía estar en casa con ella.
   b. Quería mantener entretenida a la niña.
   c. Quería protegerla de la guerra.
   d. Reconocía su talento artístico.

2. ¿Con qué clase de artistas se encontró Varo en Barcelona?
   a. Surrealistas
   b. De vanguardia
   c. Impresionistas
   d. Cubistas

3. ¿Por qué Varo decidió quedarse en México?
   a. Para evitar la guerra civil
   b. Porque quería casarse con Peret
   c. Por la comunidad de artistas que encontró allí
   d. Para aprender nuevas técnicas artísticas

4. ¿A qué se refiere la frase «lenguaje visual» (línea 36)?
   a. A la manera de representar ideas y pensamientos de forma visual
   b. A la forma de comentar las imágenes que vemos
   c. Al modo en el que vemos o imaginamos el lenguaje
   d. A los términos necesarios para discutir el arte

5. ¿Cuál frase resume mejor la manera como la autora caracteriza a Varo?
   a. Líder de la vanguardia femenina
   b. Exploradora de lo enigmático
   c. Reina de tonalidades
   d. Perdida en la fantasía

CONCEPTOS CENTRALES

Deducir
Usa lo que sabes sobre el tema de la lectura para deducir el significado de una palabra o frase desconocida.

2 **Influencias biográficas** Busca en el texto los cinco acontecimientos más importantes en la vida de Remedios Varo y explica cuáles fueron las posibles influencias que tuvieron en su obra.

3 **La creación de las aves** Observa la obra *La creación de las aves* de Remedios Varo (en la página 191) y contesta estas preguntas para describir el contenido de la obra.

1. ¿Quién (o qué) es el personaje representado?
2. Describe su apariencia física y la expresión de su rostro.
3. ¿Qué tiene en las manos? ¿Qué hace con estas herramientas?
4. ¿Qué lleva como collar?
5. ¿Dónde tiene lugar esta escena?
6. ¿Qué hace el aparato que hay a la derecha del personaje?

MI VOCABULARIO
Utiliza tu vocabulario individual.

4 **Las características de la obra** Lee de nuevo las descripciones que Zambrano Espinosa usa para caracterizar el arte de Varo. Subraya las frases que son más evidentes en *La creación de las aves*.

5

Interpretación de la obra Con un(a) compañero/a de clase, contesta las siguientes preguntas para interpretar *La creación de las aves*.

1. Consulta en una enciclopedia o en un diccionario qué es un símbolo.
2. ¿Cuáles objetos de la obra pueden ser simbólicos?
3. ¿Qué simbolizan?
4. ¿Qué influencia pudieron haber tenido las circunstancias familiares en la obra de Varo? ¿Y los eventos históricos y políticos? ¿Y los movimientos artísticos e intelectuales?
5. ¿De qué manera esta obra se puede considerar representativa del estilo surrealista?
6. ¿Qué sugiere la obra sobre la manera como Varo ve el mundo?

6

Discusión: El propósito del arte En pequeños grupos, contesten las siguientes preguntas y dialoguen para expresar sus puntos de vista y razonamientos.

1. ¿Cuál es el propósito del arte?
2. ¿De qué manera el arte puede enriquecer la vida de un individuo?
3. ¿En qué sentido el arte refleja la experiencia humana?
4. ¿Por qué la habilidad artística es útil fuera del mundo de las artes?
5. ¿Cómo sería vivir en un mundo sin arte?
6. ¿La expresión artística debe ser limitada o censurada de alguna manera?

7

Ensayo analítico Escribe un análisis comparativo de dos obras de artistas hispanoamericanos. Incluye estos elementos:

1. Una oración en la que expongas tu tesis
2. Una descripción de cada artista:
    ◆ biografía breve
    ◆ influencias artísticas
    ◆ estilo artístico

3. Una breve interpretación de cada obra:
    ◆ contexto histórico
    ◆ ideas o temas expresados
    ◆ simbología utilizada

4. Semejanzas y diferencias entre ambos artistas
5. Algunas conclusiones

ESTRUCTURAS

 Adjetivos
Examina el texto para encontrar los siguientes usos de los adjetivos:

1. un adjetivo después del sustantivo
2. un adjetivo antes del sustantivo, que intensifica la característica
3. un adjetivo antes del sustantivo, que implica un juicio
4. un adjetivo que es un número ordinal
5. dos adjetivos con un mismo sustantivo
6. un superlativo absoluto

AUDIO ▸ EL *GUERNICA*: SÍMBOLO DE UNA HISTORIA

Audio
En fragmentos
My Vocabulary
Record & Submit
Strategy
Video
Write & Submit

INTRODUCCIÓN Este audio viene de una animación didáctica producida en Granada, España, donde se narra el horror del bombardeo del pueblo de Guernica. Se oye la supuesta voz de Picasso, interpretando las figuras de la obra, además de los sonidos del bombardeo y las víctimas. Considerado un símbolo de los horrores de la guerra, esta animación enfatiza la pura destrucción y la gran pérdida que supone la guerra.

GLOSARIO

consternar causar pena y tristeza, perturbar, afligir

clamar quejarse, lamentarse, gritar, exclamar, gemir

bramar la acción de gritar o llorar con agonía la voz de un caballo, toro u otro animal salvaje

pisotear pisar repetidamente, patear, poner la pata (el pie) sobre algo

echar raíces plantear, quedarse de una manera permanente, afincarse

el rechazo oposición, retroceso, negación

ANTES DE ESCUCHAR

1 **Lluvia de vocabulario** En parejas, piensen en el vocabulario que conocen para hablar del tema de la guerra y anoten palabras y expresiones relacionadas con dicho tema. Recordar y repasar este vocabulario les ayudará a comprender mejor el texto.

2 ### Cuadro SQA: La Guerra Civil Española

Completa las primeras dos columnas del cuadro SQA para identificar lo que ya sabes y lo que quieres saber de la Guerra Civil Española. Compara tu información con la de un(a) compañero/a de clase.

- época en la que ocurrió
- el Frente Popular
- Francisco Franco
- nacionalistas y republicanos
- los exiliados
- Guernica, pueblo del País Vasco
- *Guernica* de Picasso
- ¿Cuál lado triunfó?

LO QUE SÉ	LO QUE QUIERO SABER	LO QUE APRENDÍ

ESTRATEGIA

Completar un cuadro SQA
Un cuadro SQA (saber, querer saber, aprender) te permite identificar lo que ya sabes y lo que quieres saber sobre determinado tema. Después de investigar la información que te falta podrás completar la tercera columna con lo que has aprendido.

MIENTRAS ESCUCHAS

1 **Símbolos** Examina las categorías de la tabla que verás a continuación. Mientras escuchas, escribe apuntes en ella para identificar y describir las figuras centrales de la obra. Agrega las figuras faltantes en la tabla y toma los apuntes correspondientes. Luego, compara y comparte tus notas con la clase.

FIGURA	DESCRIPCIÓN/SIMBOLISMO
la madre	
el toro	
el caballo	

ESTRATEGIA

Visualizar Visualiza lo que escuchas para tener una idea más clara del contexto. Visualizar lo que se narra te permitirá crear una imagen más vívida de lo que se dice y, en este caso, te permitirá imaginar la escena del bombardeo como si estuvieras observándolo en vivo.

DESPUÉS DE ESCUCHAR

MI VOCABULARIO
Utiliza tu vocabulario
individual.

1

Cuadro SQA   Con lo que has aprendido después de escuchar la grabación, completa la tercera columna del cuadro SQA. Luego investiga en Internet los datos que todavía te queden incompletos de la columna «Lo que quiero saber». Finalmente, mediante una discusión grupal, compara con otros miembros de la clase lo que has podido añadir.

2

Comparaciones   Observa las dos viñetas de Quino. Después, en una discusión de clase, presenta tus impresiones sobre estos dos aspectos:

1. De la primera viñeta: El desorden del salón de la casa comparado con el desorden de la escena del *Guernica* de Picasso.

2. En qué se diferencian las dos viñetas y cuáles son las posibles interpretaciones de cada una.

Caricatura de Quino (humorista
gráfico argentino-español
nacido en 1932)

RECURSOS
Consulta la lista de apéndices en la p. 418.

3 **Ensayo analítico** Investiga la historia del municipio de Guernica y anota más datos importantes para comprender los efectos de la tragedia del 26 de abril de 1937. Imagina que has asistido a una exposición del *Guernica* en el Museo Reina Sofía y que has visitado los salones adyacentes. Escribe un ensayo analítico en el que contestes una de estas preguntas:

◆ ¿En qué sentido el arte es una reacción o una imitación de la vida?
◆ ¿Qué influencia tienen las circunstancias políticas y las experiencias personales sobre la expresión artística?

Organiza el ensayo en distintos párrafos bien desarrollados, con una tesis, dos o tres argumentos que sustenten la tesis y una conclusión que resuma tu posición. Usa este organizador gráfico para ordenar tus ideas:

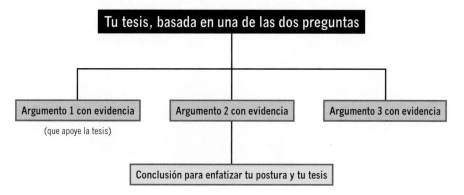

Tu tesis, basada en una de las dos preguntas

Argumento 1 con evidencia (que apoye la tesis) | Argumento 2 con evidencia | Argumento 3 con evidencia

Conclusión para enfatizar tu postura y tu tesis

En el ensayo debes presentar datos e información del *Guernica* de Picasso y explicar cómo sirve para apoyar tu postura. Al referirte a las fuentes investigadas, el audio o las lecturas de esta unidad, identifícalas apropiadamente.

4 **Una caricatura crítica** Consigue una obra de un(a) caricaturista hispanoamericano/a para que la presentes ante la clase. Incluye estos temas en tu presentación:

◆ una breve descripción de la caricatura
◆ una breve presentación del autor
◆ el tema de la caricatura y la crítica social o política que presenta
◆ tu interpretación personal de la caricatura y el motivo por el que la elegiste

5 **La caricatura** En grupos pequeños, hagan una discusión sobre el valor artístico y social de la caricatura. Pueden hacer referencia a estos temas o a otros que consideren relevantes:

◆ la caricatura como forma de arte
◆ la caricatura como forma de expresión personal
◆ la importancia de la caricatura como crítica social
◆ la manera como se puede llamar la atención sobre la realidad política y social mediante la caricatura
◆ Mencionen caricaturistas populares en su país y expliquen por qué su trabajo merece destacarse.

CONEXIONES CULTURALES

Record & Submit
Virtual Chat

Foto del Festival Iberoamericano de Teatro de Bogotá

Un festival para todo el mundo

¡CUANDO SE ABRE EL TELÓN, COMIENZA LA MAGIA!
Desde la época de los griegos, el teatro ha reunido a multitudes que se entretienen y reflexionan con las representaciones de los actores en las tablas. Y aún en el siglo XXI, esta expresión artística nos sigue cautivando con su magia. Ese es el caso del Festival Iberoamericano de Teatro de Bogotá, una fiesta de las artes escénicas que se celebra cada dos años durante el mes de marzo en la capital colombiana, reuniendo artistas y espectadores de los cinco continentes durante dos semanas completas.

Desde 1988 este festival se ha convertido en un escenario de mezclas culturales en donde el arte, la música y los colores se vuelven el idioma de todos, tanto en teatro de sala como en representaciones callejeras.

Aunque su nombre lleva el título de «Iberoamericano», realmente es un festival para todo el mundo, pues presenta obras de todos los países, si bien cada año hay un país invitado especial. En 2018, el invitado de honor fue Argentina.

◢ Curiosamente, la fundadora y promotora del Festival Iberoamericano de Teatro de Bogotá no es de nacionalidad colombiana sino argentina. Fanny Mickey (Buenos Aires, 1930–Cali, 2008) se trasladó desde muy joven a Colombia, donde vivió el resto de su vida dedicada al teatro, y donde dio vida a uno de los encuentros teatrales más importantes del mundo.

◢ Otro importante evento donde el teatro ocupa un lugar central es el Festival Internacional Cervantino (FIC), que se realiza desde 1972 en la ciudad de Guanajuato, México. En sus orígenes, en él se representaban obras de teatro de Miguel de Cervantes (de ahí su nombre), y posteriormente se añadieron otras actividades artísticas.

◢ ¿Cansado/a de ver paredes estropeadas con pintura? En muchas ciudades de Latinoamérica los jóvenes pintan las paredes para embellecerlas. El grupo Kiñe, de Chile, viaja por distintas ciudades pintando murales, organizando talleres artísticos para niños y adultos, y acercando el arte a la comunidad.

 Presentación oral: comparación cultural

Prepara una presentación oral sobre este tema:

◆ ¿Cuál es el papel de las artes visuales y escénicas en la sociedad?

Compara tus observaciones de una región del mundo hispanohablante que te sea familiar con las de las comunidades en las que has vivido. En tu presentación, puedes referirte a lo que has estudiado, vivido u observado.

▲ En los relatos periodísticos, los ensayos y los trabajos académicos es común recurrir a citas como ejemplos o para respaldar un argumento. Las citas extraídas directamente de los materiales en los que se basa un ensayo o relato son uno de los tipos de evidencia a los que puede recurrir un escritor.

> [S]u radiante figura avanza portando el divino elixir o navega en beatífica gracia, pues sabe que definitivamente ha abierto la «puerta de piedra» y revelado los arcanos de la existencia donde, **como** decía Breton, «solamente lo maravilloso es bello».

▲ La manera más común de introducir una cita es utilizando un verbo seguido de dos puntos o un verbo seguido de **que**. También se pueden usar expresiones como **según, de acuerdo con** u oraciones introducidas por **como**. En estos casos, se debe usar una coma antes de la cita.

> **Según** Luis Martín Lozano, «[Remedios Varo] tiene un pie en la tradición y el otro en la experimentación, pues sus cuadros son como enigmáticas preguntas que no tienen una respuesta específica».

> Luis Martín Lozano **sostiene**: «[Remedios Varo] tiene un pie en la tradición y el otro en la experimentación, pues sus cuadros son como enigmáticas preguntas que no tienen una respuesta específica».

> Luis Martín Lozano **sostiene que** «[Remedios Varo] tiene un pie en la tradición y el otro en la experimentación, pues sus cuadros son como enigmáticas preguntas que no tienen una respuesta específica».

▲ Las citas pueden ser directas o indirectas. A su vez, una cita directa puede ser completa o parcial.

> **Cita directa completa**
> Como dice Luis Martín Lozano, «[Remedios Varo] tiene un pie en la tradición y otro en la experimentación».

> **Cita directa parcial**
> Luis Martín Lozano considera que la artista española «tiene un pie en la tradición y otro en la experimentación».

> **Cita indirecta**
> En el texto, Luis Martín Lozano sostiene que Remedios Varo se basa tanto en lo tradicional como en lo experimental.

▲ Las citas directas o textuales deben estar entre comillas. (Véase **p. 130**.) Si se omiten partes internas de la cita, es necesario indicar la elipsis mediante tres puntos entre corchetes. (Véase **p. 131**.)

> Luis Martín Lozano explica que Remedios Varo «tiene un pie en la tradición y el otro en la experimentación, pues sus cuadros son como enigmáticas preguntas que no tienen una respuesta específica».

> Luis Martín Lozano explica que Remedios Varo «tiene un pie en la tradición y el otro en la experimentación, pues sus cuadros [...] no tienen una respuesta específica».

▲ Los corchetes también se utilizan cuando en una cita textual el escritor modifica alguna palabra, ya sea para corregir un error en la cita original o para aclarar información para los lectores.

> Luis Martín Lozano explica que «[Remedios Varo] tiene un pie en la tradición y el otro en la experimentación, pues sus cuadros son como enigmáticas preguntas que no tienen una respuesta específica».

◢ En las citas indirectas, a veces resulta necesario hacer cambios en los tiempos verbales y en otros referentes. (Véanse **pp. 461-464**.) Esto se produce en particular cuando la cita se introduce por medio de un verbo en tiempo pasado.

> «Los cambios **se deben** en gran parte a factores introducidos desde el exterior».

> En su ensayo, Perla Petrich afirmó que los cambios **se debían** sobre todo a factores introducidos desde fuera.

◢ Es importante evitar el uso constante del mismo verbo (por ejemplo, el verbo **decir**) al introducir citas. Este cuadro presenta varias alternativas.

VERBOS PARA INTRODUCIR CITAS				
afirmar	confirmar	defender	informar	opinar
anunciar	contar	explicar	insistir	preguntar
asegurar	decir	expresar	manifestar	reiterar
aseverar	declarar	indicar	mantener	sostener

PRÁCTICA

1 Compara las palabras textuales de Perla Petrich **(pp. 37-38)** con las citas hechas por otra persona. Corrige los errores en las citas.

PALABRAS TEXTUALES DE PERLA PETRICH	CITAS
1. «Hasta el 2000, ir de Panajachel a San Pedro suponía un viaje de dos horas y media en barco y, si se quería llegar antes, se debía alquilar una lancha privada y pagar entre cien y ciento veinte quetzales ($20). Hoy en día, el viaje directo, en grupo, cuesta poco más de un dólar por persona. El trayecto toma sólo veinte minutos.»	1. Según Perla Petrich, «hasta el 2000 ir de Panajachel a San Pedro suponía un viaje de dos horas y media en barco y hoy toma sólo veinte minutos».
2. «Otro factor de gran importancia fue la llegada de la televisión y, con ella, el acceso a una visión mediatizada del exterior.»	2. La profesora Petrich sostiene «Otro factor de gran importancia fue la llegada de la televisión y con ella, el acceso a una visión mediatizada de las otras regiones».

2 Reescribe la primera cita como cita parcial y la segunda como cita indirecta.

1. «La región del lago Atitlán se encontró en el epicentro de un conflicto de extrema violencia entre 1980 y 1992 como consecuencia de los enfrentamientos entre la guerrilla y el ejército. Una vez normalizada la situación, los pueblos se incorporan mal que bien a la corriente de "modernidad" que los sacó con precipitación excesiva del inmovilismo en el que los había sumido el terror y la falta de comunicación con el exterior.»

2. «El desarrollo del turismo en los últimos diez años creó trabajos asalariados en la hotelería y en las casas de fin de semana; facilitó la venta de artesanías, hizo conocer las drogas e introdujo nuevos hábitos alimenticios y vestimentarios.»

contexto **5**

EN BREVE

La arquitectura

Auto-graded
My Vocabulary
Partner Chat
Record & Submit
Write & Submit

PUNTOS DE PARTIDA

La belleza en la arquitectura está relacionada con ciertas reglas de orden y equilibrio. Sin embargo, varias de las obras arquitectónicas más importantes y bellas de la historia pertenecen a arquitectos que han roto deliberadamente con estas reglas.

▲ ¿Por qué algunas obras arquitectónicas les parecen muy bellas a ciertas personas y a otras no?

▲ ¿La belleza es inherente a la obra arquitectónica o está «en el ojo de quien la contempla»?

▲ ¿Qué tienen en común las obras arquitectónicas más bellas del mundo?

DESARROLLO DEL VOCABULARIO

1 **Lenguaje arquitectónico** Empareja las palabras de la izquierda con su correspondiente definición en el listado de la derecha.

1. ___ abadía
2. ___ acueducto
3. ___ alcázar
4. ___ arco
5. ___ campanario
6. ___ capilla
7. ___ cúpula
8. ___ fachada
9. ___ ladrillo
10. ___ mosaico

a. torre de las iglesias donde van las campanas
b. obra hecha con una mezcla de piedras o vidrios, generalmente de varios colores
c. bóveda en forma de media esfera que suele cubrir un edificio o parte de él
d. piedra artificial de color rojo, usualmente hecha de barro
e. sistema de irrigación que permite transportar agua en un flujo continuo
f. edificio donde vive una comunidad religiosa
g. término español de origen árabe para designar un castillo o palacio fortificado
h. elemento constructivo lineal de forma curvada
i. la parte principal exterior de un edificio
j. edificio contiguo a una iglesia o parte integrante de ella, con altar y oratorio

MI VOCABULARIO
Anota el vocabulario nuevo a medida que lo aprendes.

2 **Espacios para vivir** Haz una lista de los cinco aspectos más importantes que debe tener un espacio para ser habitable (por ejemplo, luminosidad, amplitud o ventilación). Luego comparte tu lista con toda la clase y entre todos decidan cuáles son los tres aspectos más importantes y por qué.

3 **¿Qué obra es?** Piensa en una obra arquitectónica mundialmente famosa (como las pirámides de Egipto o la Torre Eiffel). Escribe sus características más importantes: ¿Quién la diseñó? ¿Cuándo fue construida? ¿Es una obra funcional, ornamental o ambas cosas? ¿Por qué crees que es famosa? ¿Qué es lo que más te gusta de esa obra, o lo que más te llama la atención? Después, descríbesela a un(a) compañero/a, pero sin decirle el nombre de la obra. Tu compañero/a debe adivinar a qué obra te refieres.

MI VOCABULARIO
Utiliza tu vocabulario individual.

4 **Arquitectura local** Con un(a) compañero/a, elijan una obra arquitectónica de la ciudad o la comunidad en la que viven. Describan por qué les parece bella. ¿Qué aspectos son los más hermosos? ¿Cómo se distingue de otros edificios? ¿Qué relación hay entre esa obra y los ciudadanos del lugar?

AMPLIACIÓN

Sagrada Familia,
Antoni Gaudí [1]

« La pintura, a través del color, y la escultura, mediante la forma, representan los organismos existentes. »

« Todo sale del gran libro de la naturaleza. »

---

1 **Arquitectura naturalista** Busca en Internet la obra más famosa de Gaudí, la *Sagrada Familia*. Relaciona las dos citas mencionadas (que también son de Gaudí) con su trabajo arquitectónico, para luego publicar tus observaciones en tu blog personal. ¿Crees que Gaudí se inspiró en la naturaleza para crear la *Sagrada Familia*? ¿Qué aspectos del naturalismo encuentras en la obra? ¿Cuál es tu impresión de esta catedral? ¿Te gusta su diseño arquitectónico? ¿Es bello? ¿Qué emociones te provoca? Explica tus respuestas.

RECURSOS 🔍
Consulta la lista de apéndices en la p. 418.

2 **Descripción persuasiva** Haz una búsqueda en Internet sobre algún arquitecto contemporáneo de un país hispanohablante. Escoge algunas de sus obras que te parezcan bellas y escribe un ensayo para describirlas y convencer a tus lectores de su belleza. ¿Qué tipo de arquitectura es? ¿Qué función tiene su arquitectura (por ejemplo, urbana u ornamental)? ¿Por qué te gusta su obra? ¿Cómo se compara su obra con la arquitectura de la ciudad o la comunidad en donde vives? ¿Crees que es una obra universalmente bella?

Puedes escribir sobre alguno de los siguientes arquitectos o sobre cualquier otro de un país hispanohablante que te interese:

- ♦ Luis Barragán (México)
- ♦ Santiago Calatrava (España)
- ♦ Eladio Dieste (Uruguay)
- ♦ César Pelli (Argentina)
- ♦ Rogelio Salmona (Colombia)
- ♦ Fruto Vivas (Venezuela)

---

[1] **Antoni Gaudí (1852-1926)** fue un arquitecto español representante del modernismo. Diseñó algunas de las obras más originales y famosas de la historia moderna, entre ellas la *Sagrada Familia*, la *Casa Calvet* y el *Parque Güell*.

3 **Una obra sobresaliente** Elige una obra arquitectónica famosa en el mundo hispanohablante y prepara una presentación para tu clase. Incluye datos sobre el arquitecto, la época en la que fue construida la obra, su significado para la cultura y para la humanidad en general, y tus opiniones personales sobre la obra.

contexto 6

EN BREVE

Definiciones de la creatividad

My Vocabulary
Partner Chat
Write & Submit

PUNTOS DE PARTIDA

La creatividad es la tendencia a generar o reconocer ideas, alternativas o posibilidades que pueden ser útiles para resolver problemas, expresar nuestras ideas o sentimientos y entretenernos.

◢ ¿Es la creatividad una característica innata? Es decir, ¿las personas creativas lo son desde su nacimiento o aprendieron a ser creativas?

◢ ¿Somos todas las personas potencialmente creativas o la creatividad es una característica de algunas pocas personas afortunadas o privilegiadas?

◢ ¿Cómo se puede manifestar la creatividad en nuestra vida cotidiana?

DESARROLLO DEL VOCABULARIO

1 **La persona creativa** Piensa en dos o tres personas reconocidas por ser muy creativas y describe la personalidad de cada una de ellas. ¿Son apasionadas o tranquilas? ¿Extrovertidas o tímidas? ¿Fantasiosas o realistas? Luego compara tu lista de características con la lista de un(a) compañero/a. ¿Encontraron características en común?

MI VOCABULARIO
Anota el vocabulario nuevo a medida que lo aprendes.

AMPLIACIÓN

1 **Índice de creatividad**

RECURSOS
Consulta la lista de apéndices en la p. 418.

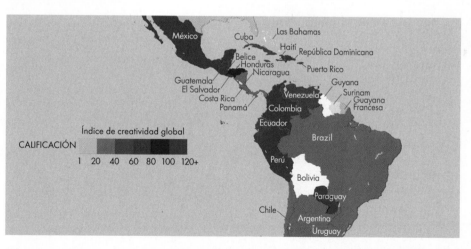

Fuente: Martin Prosperity Institute y Universidad de Toronto

El *Martin Prosperity Institute* de la Universidad de Toronto publicó los resultados globales de su **Índice de Creatividad 2015**, basado en el porcentaje de estudiantes con título universitario, la inversión en investigación y la tolerancia de cada país. En América, los países más creativos son Estados Unidos, seguido por Uruguay, Argentina y Brasil. ¿Cómo crees que la inversión en investigación puede impactar en la juventud de una determinada sociedad? ¿Por qué crees que la tolerancia es uno de los factores en los que se basa el Índice de Creatividad? ¿De qué otra(s) forma(s) puede interpretarse la gráfica? Escribe tus ideas en un ensayo de una página y apoya tus ideas con ejemplos concretos de tu comunidad y de los países de lengua hispana que te sean familiares.

Auto-graded
Partner Chat
Strategy
Video
Write & Submit

Y salían en ciertas épocas a cazar enemigos...

Basado en el cuento de **Julio Cortázar**

La Noche Boca Arriba

También en 3D

Un cortometraje Stop Motion dirigido por **Hugo Covarrubias**

A PRIMERA VISTA

¿Quién es el hombre del póster? ¿Hacia dónde va? ¿Qué tiene de especial la carretera por la que transita?

SOBRE EL CORTO *La noche boca arriba* es un cortometraje dirigido por el chileno Hugo Covarrubias, basado en un cuento del mismo nombre del escritor argentino Julio Cortázar. La animación del corto está hecha con la técnica cinematográfica llamada *stop-motion*. La elaboración de *La noche boca arriba* requirió de 28 mil fotogramas, siete grandes escenarios y once meses de trabajo.

ANTES DE VER

1 **Investigación preparatoria** Haz una investigación en Internet para responder a estas preguntas: ¿Quiénes eran los mexicas? ¿En dónde vivían? ¿Qué lengua hablaban? ¿En qué siglo fundaron su ciudad? ¿Qué eran las guerras floridas? ¿Cuál era su propósito? ¿Por qué los mexicas practicaban el sacrificio humano?

2 **Sueños y pesadillas** Discutan las siguientes preguntas en parejas.

¿Qué es un sueño? ¿Qué es una pesadilla? En su opinión, ¿cuál es el origen de los sueños y las pesadillas? ¿Se originan en la vida real o en la fantasía?

▶ MIENTRAS MIRAS

1

Hombre en el hospital: «¿Una pesadilla, vecino? Eso pasa por dormir boca arriba».

1. ¿Cómo sabe el hombre que el protagonista estaba teniendo una pesadilla?
2. ¿Qué estaba soñando el protagonista? ¿Cuál era su pesadilla?

2

Protagonista: «Creí que ese enorme animal de metal que vibraba entre mis piernas me llevaba a otro mundo».

1. ¿Qué lengua está hablando el protagonista?
2. ¿A qué «enorme animal de metal» se refiere? ¿Cuál es el «otro mundo»?

3

Protagonista: «Mi cuerpo servirá a dioses ajenos. A la guerra florida».

1. ¿Quién es el hombre que tiene el puñal? ¿Qué va a hacer?
2. ¿A qué se refiere el protagonista con que su «cuerpo servirá a dioses ajenos»?

GLOSARIO
alucinar tener fantasías que parecen reales
boca arriba estar de espaldas sobre una superficie
desmayarse perder el conocimiento
el/la guerrero/a persona que pelea en una guerra
el pasillo corredor largo y estrecho
la pesadilla sueño que produce miedo o angustia
el puñal cuchillo para matar animales o personas
el sacerdote persona a cargo de los ritos de una religión
la selva terreno con muchos árboles y plantas

DESPUÉS DE VER

1

Comprensión Indica si las siguientes oraciones son **verdaderas** o **falsas**. Corrige las oraciones falsas.

1. El protagonista tiene un accidente por causa de un grupo de personas.
2. El protagonista puede ver el techo del pasillo, pero también la selva y la luna.
3. El médico que examina la mano del protagonista es una alucinación del protagonista.
4. Los indígenas mexicas matan al protagonista con un puñal en la selva.
5. El otro paciente que está en el hospital cree que el protagonista tiene pesadillas por dormir boca arriba y porque tiene fiebre.
6. El protagonista quiere beber agua, pero el vaso está vacío.
7. El protagonista habla español y una lengua indígena.
8. El protagonista muere en el hospital por causa de su accidente.

2

Dos historias En el cortometraje ocurren dos historias paralelas: la historia en la calle y el hospital, y la historia en la selva. Escribe números del 1 al 7 para organizar los eventos en cada una de las historias.

EN LA CALLE Y EL HOSPITAL

___ se llevan al protagonista al hospital
___ un paciente le sugiere que no duerma boca arriba
___ la enfermera le pone una inyección
___ hay un accidente de motocicleta
___ el protagonista intenta tomar agua, pero no puede
___ un médico examina el brazo del protagonista
___ la enfermera trae una sopa

EN LA SELVA

___ un sacerdote mata al protagonista con un puñal
___ el protagonista toma su puñal
___ suben al protagonista al templo
___ unos indígenas atacan al protagonista
___ el protagonista pisa una rama de un árbol
___ el protagonista ve la luna por primera vez
___ el protagonista está sobre una piedra de sacrificios

3

Otra perspectiva El protagonista describe la motocicleta como un «animal de metal» y los semáforos como «luces verdes y rojas que arden sin llama ni humo». En grupos pequeños, imaginen que son indígenas mexicas y describan, con sus propias palabras, los siguientes objetos del mundo moderno.

1. una televisión
2. una bicicleta
3. un rascacielos (un edificio muy alto)
4. un ascensor
5. un avión
6. un teléfono inteligente
7. un globo rojo
8. una inyección para la fiebre

MI VOCABULARIO
Utiliza tu vocabulario individual.

4

El mundo de los sueños Escribe una composición para narrar **un sueño agradable** o **una pesadilla** que hayas tenido. Si prefieres, puedes usar tu imaginación. Narra los eventos y explica cómo te sentías durante el sueño y qué sentiste al momento de despertarte. A continuación hay una lista de posibles emociones que puede ayudarte con tu composición.

alivio	decepción	miedo	rabia
alegría	felicidad	placer	tranquilidad
angustia	frustración	preocupación	tristeza

ENSAYO NARRATIVO

En la vida cotidiana, a menudo contamos historias desde nuestro punto de vista. Algo parecido sucede en un ensayo narrativo: puede tratarse de un evento histórico, un suceso autobiográfico o un evento de ficción; lo importante es presentar una tesis que se examina y se demuestra mediante la referencia a hechos históricos o una historia personal. Generalmente el ensayo adopta el punto de vista de la primera persona para establecer una conexión más íntima entre escritor y lector.

Tema de composición

Lee de nuevo las preguntas esenciales del tema:

▲ ¿Cómo se establecen las percepciones de la belleza y la creatividad?
▲ ¿Cómo influyen los ideales de la belleza y la estética en la vida cotidiana?
▲ ¿Cómo las artes desafían y reflejan las perspectivas culturales?

Decide cuál de las preguntas tiene un sentido personal para ti. Elige un evento que ejemplifique tus pensamientos sobre el tema escogido y escribe un ensayo narrativo.

ANTES DE ESCRIBIR

Escribe el tema y el evento que hayas elegido y piensa cuál es tu objetivo al contar esta historia: el ensayo narrativo tiene como propósito encontrar un sentido, una lección, una verdad universal o personal a partir del evento narrado.

ESCRIBIR EL BORRADOR

Sin preocuparte todavía por las formas o estructuras, comienza a escribir lo que se te ocurra a partir de estos dos elementos: el tema y el significado que tiene para ti.

Cuando esté terminado, vuelve a leer tu borrador y trata de contestar estas preguntas:

◆ ¿Cuál es la columna vertebral de tu ensayo?
◆ ¿Encontraste el hilo que mantiene unidos con coherencia todos los hechos que contaste? ¿Pudiste expresarlo con claridad?

ESCRIBIR LA VERSIÓN FINAL

Cuando estés satisfecho con tu borrador, organiza el contenido: introducción, desarrollo y conclusión. Revisa el vocabulario y la longitud de las oraciones para eliminar repeticiones. Edita el texto: si hay demasiados detalles y descripciones que hagan perder el hilo, bórralos. ¿Fluye la narración? ¿Se entiende bien el objetivo?

Tema **4**

La vida contemporánea

PREGUNTAS ESENCIALES

◢ ¿Cómo definen los individuos y las sociedades su propia calidad de vida?

◢ ¿Cómo influyen los productos culturales, las prácticas y las perspectivas de la gente en la vida contemporánea?

◢ ¿Cuáles son los desafíos de la vida contemporánea?

CONTENIDO

▶▶ Viaducto del Metro de Medellín (Colombia) a su paso por el Palacio de la Cultura Rafael Uribe Uribe

PUNTOS DE PARTIDA

Vivimos en un mundo que cambia con una rapidez sin precedentes. Mientras que la población crece y las distancias aparentan ser más cortas, la tecnología parece estar en todas partes, cada vez más pequeña y poderosa. Enfrentar los desafíos del mundo moderno requiere un nuevo conjunto de habilidades, por lo que las escuelas también necesitan adaptarse y estar al día. Solo de esta manera pueden preparar a los estudiantes para un mundo muy complejo pero con grandes oportunidades.

◢ ¿Cómo pueden las escuelas de hoy preparar a los estudiantes para los desafíos y las oportunidades del futuro?

◢ ¿Cómo influyen los factores sociales y culturales en la elección de la carrera universitaria?

◢ ¿Cuál es la importancia de la equidad de género en la docencia?

DESARROLLO DEL VOCABULARIO

Auto-graded
My Vocabulary
Partner Chat

MI VOCABULARIO
Anota el vocabulario nuevo a medida que lo aprendes.

1 **Identificar la profesión** Relaciona cada una de las siguientes profesiones con la oración que describa mejor las habilidades necesarias para realizarla.

a. abogado/a	c. empresario/a	e. maestro/a	g. periodista
b. mecánico/a	d. ingeniero/a	f. médico/a	h. arquitecto/a

1. ___ aptitud para las ciencias, especialmente la biología; deseo de ayudar a otros
2. ___ aptitud para el debate; habilidad de expresarse con argumentos lógicos
3. ___ aptitud para las matemáticas y las ciencias, especialmente la física; pasión por la tecnología
4. ___ habilidad para visualizar conceptos abstractos en tres dimensiones; entendimiento del proceso y las materias necesarias para la construcción
5. ___ aptitud para escribir; curiosidad e interés en los sucesos del momento
6. ___ aptitud para la electrónica y la resolución de problemas; habilidad para trabajar con las manos y entender cómo funcionan las máquinas
7. ___ habilidad para tolerar el riesgo, tomar iniciativa y relacionarse bien con la gente; pasión por crear cosas nuevas; persistencia
8. ___ habilidad para relacionarse con jóvenes; paciencia; pasión por el conocimiento

2 **Los cambios en el futuro** Con un(a) compañero/a, comenta los desafíos que existirán en el futuro para cada una de estas carreras.

1. abogado: los derechos de propiedad y las descargas de Internet
2. arquitecto: la construcción fuera del planeta Tierra
3. empresario: la necesidad de innovar y, más que productos, ofrecer servicios
4. ingeniero: la tecnología robótica y la necesidad de dar soluciones a los cambios climáticos
5. maestro: la demanda de educación personalizada y la enseñanza virtual
6. mecánico: el desarrollo de vehículos alternativos
7. médico: la integración de la nanotecnología con la biomedicina
8. periodista: la demanda de noticias personalizadas

3 **Nuestras carreras** Comparte con un(a) compañero/a tus deseos para tu carrera universitaria y tu profesión en el futuro. Explica por qué la has elegido y cómo crees que cambiará en los próximos veinte años. ¿Hay algún reto en común en sus planes?

LECTURA 1.1 ▸ LAS ESCUELAS QUE SIGUEN A LOS CHICOS

Auto-graded
My Vocabulary
Partner Chat
Record & Submit
Strategy

SOBRE LA LECTURA Aprender es un proceso sumamente personal: el estilo de aprendizaje, los temas de interés, las fortalezas y las debilidades son diferentes para cada persona. Históricamente, los estudiantes se han debido adaptar a una forma de enseñanza y no al revés: ahora la situación está cambiando y las escuelas tratan de encontrar soluciones innovadoras para las necesidades de sus estudiantes. Este artículo, escrito por Ana Laura Abramowski, presenta un ejemplo de este nuevo enfoque en Argentina, donde se ha implementado una manera alternativa de educar a los jóvenes. El artículo apareció en *El monitor*, una publicación del Ministerio de Educación de Argentina.

ANTES DE LEER

1 **Cambios educativos** Para cada ejemplo de la educación tradicional, escribe un cambio que definirá la educación del futuro.

MI VOCABULARIO
Anota el vocabulario nuevo a medida que lo aprendes.

LA EDUCACIÓN TRADICIONAL	LA EDUCACIÓN DEL FUTURO
Los alumnos se sientan en filas y escuchan a su maestro/a.	
Las aptitudes más importantes para aprender son: leer, escribir, hacer operaciones matemáticas y memorizar.	
Las fuentes principales de información son el/la maestro/a y el libro de texto.	

2 **La educación alternativa** Con un(a) compañero/a, contesten las preguntas y comenten los caminos alternativos para educarse en el mundo actual y futuro.

1. ¿Cómo se puede aprovechar la tecnología para adquirir destrezas no académicas?
2. ¿Cuáles son las desventajas de las escuelas virtuales? ¿Es posible recibir una educación equivalente a la de una escuela tradicional por medio de Internet?
3. ¿Cuáles aspectos de la educación tradicional **no** deben cambiar?
4. ¿Cómo debería cambiar el modo en que usamos la tecnología para mejorar la educación?

3 **Interpretaciones** ¿Cómo interpretas el título del artículo? Elabora tu propia idea sobre el tema y describe cómo sería para ti «una escuela que sigue a los chicos».

MI VOCABULARIO
Utiliza tu vocabulario individual.

4 **El delta del Paraná** Busca información en Internet sobre la región del delta del río Paraná. ¿Dónde está ubicado? ¿Cómo es el clima allí? ¿A qué se dedican los habitantes de la región?

Las escuelas que siguen a los chicos

http://

Inicio   Conversaciones   **La escuela**   Galería   Contáctenos

Las escuelas que siguen a los chicos

por Ana Laura Abramowski

No hace mucho tiempo, si se solicitaba a cualquier niño que dibujara una escuela era muy probable que esbozara las formas de un edificio, una especie de casita con bandera apoyada en una línea: podía ser
5 verde, simulando **pasto**; marrón o gris, si la intención era representar una **vereda**.

Pero desde hace algunos años, recurriendo a sus lápices y marcadores, los chicos vienen diseñando novedosos bocetos escolares. Es posible encontrar dibujos en los
10 cuales la escuela tiene cierto **vaivén**, se mueve, flota.

Las «escuelas flotantes» son, literalmente, escuelas que flotan en el agua. Un folleto titulado «Escuelas del agua que siguen a los chicos» explica, a partir de una serie de planos, que las escuelas flotantes son construcciones montadas sobre plataformas, a su vez apoyadas en flotadores, que se **amarran** a la costa. No tienen propulsión
15 propia —es decir, motor— pero pueden desplazarse con barcazas o lanchones.

La primera escuela flotante [Argentina] se construyó en 1983 y en este momento hay seis de ellas desperdigadas por las aguas del Predelta del río Paraná. Dos son los beneficios principales de este peculiar invento. Por su flotación, estas escuelas no se inundan pues la plataforma sube y baja con el nivel del río. Esta particularidad
20 posibilita que haya escuelas allí donde los terrenos, al ser inundables, no resultan aptos para la edificación de escuelas permanentes. Por otra parte, la posibilidad de su desplazamiento permite que «las escuelas sigan a los chicos» y que se instalen en lugares donde hay niños en edad escolar. Por las características económicas de la zona, las poblaciones migran periódicamente, razón por la cual las escuelas
25 construidas sobre pilotes en terrenos isleños, incluso si no son tapadas por las aguas, muchas veces quedan sin matrícula por el movimiento de las familias.

La Escuela 40

De paredes de madera, pintada de blanco, la escuela tiene barandas con enrejado, también blancas pero algo despintadas, que dibujan el perímetro de la plataforma
30 protegiendo a los «tripulantes» de posibles caídas.

GLOSARIO

el día hábil día laboral

desempeñarse realizar un trabajo o ejercer una profesión

Las flotantes deben cumplir con los mismos requisitos normativos que las escuelas asentadas en tierra firme, pero cuentan con algunas prerrogativas que les permiten contemplar tardanzas y compensar días perdidos: trabajar en contraturno o abrir sus puertas los fines de semana. El calendario de estas escuelas
35 se altera como mínimo una vez por mes. Olga [la maestra de la Escuela 40] cuenta que necesita al menos un **día hábil** disponible para viajar a Victoria a buscar el gas, las provisiones para el comedor y cobrar su sueldo.

La mayoría de las escuelas flotantes son de personal único y multigrado. Olga dice que ella **se desempeña** como una maestra particular, brindando enseñanza
40 personalizada: «Cuando hay exámenes, muchas veces los chicos vienen a la tarde a estudiar acá, y yo les tomo la lección. También vienen a hacer la tarea porque no les gusta llevarse las carpetas».

La decisión de mover las escuelas la toma la Supervisión Departamental de Educación de Victoria, tanto a partir de la solicitud de los padres como de constatar
45 la existencia de niños en edad escolar que no están recibiendo educación sistemática. «Donde se trasladan los papás con los chicos, ahí va la escuela», dice la supervisora. Una política en la que resuenan ecos de aquel dicho: «Si Mahoma[1] no va a la montaña, la montaña va a Mahoma». ∎

DESPUÉS DE LEER

1 **Comprensión** Contesta las preguntas según el texto.

1. ¿Cuál podría ser el doble sentido (literal y figurativo) de la frase «cierto vaivén» en la línea 10?
2. ¿Cómo siguen las escuelas flotantes a los estudiantes?
3. ¿Cuáles son los dos desafíos de la región que las escuelas flotantes buscan resolver?
4. ¿Cómo se altera el calendario de las escuelas flotantes?
5. ¿Qué responsabilidades, aparte de enseñar, tiene Olga, la maestra de la Escuela 40?
6. Explica el dicho que aparece al final del artículo: «Si Mahoma no va a la montaña, la montaña va a Mahoma». ¿Qué significa y cómo se relaciona con el tema de estas escuelas?

MI VOCABULARIO
Utiliza tu vocabulario individual.

2 **Las escuelas en tu país** Discute las siguientes preguntas en grupos pequeños y compara las escuelas de tu país o comunidad con las escuelas flotantes de la lectura.

1. ¿Cuándo se usan estructuras temporales en tu país o comunidad?
2. ¿Cuáles son las ventajas y desventajas de una construcción temporal?
3. ¿Qué pasa en tu país cuando la población cambia y no hay suficientes niños para ocupar las escuelas? ¿Qué sucede con esos edificios?

1 **Mahoma:** profeta y fundador del islamismo

ESTRATEGIA

Tratar a fondo el tema Elige un tema que puedas tratar a fondo. Usa detalles y ejemplos específicos para apoyar tu punto central. La presentación debe ser informativa y completa. Evita temas que sean muy generales o que requieran una gran especialización para poderlos explicar adecuadamente.

MI VOCABULARIO
Utiliza tu vocabulario individual.

3 **Presentación oral** Elige un aspecto de la región del delta del río Paraná para investigarlo un poco más a fondo. Prepara una presentación de dos minutos para ofrecer información detallada sobre la ecología, la historia, la población, la cultura, las actividades turísticas o algún otro tema de interés.

Incluye estos elementos:

◆ un mínimo de tres imágenes para apoyar tu presentación
◆ un mapa para identificar los lugares mencionados
◆ las opciones educativas y laborales para los jóvenes de la región
◆ las actividades económicas más comunes en la región y las razones por las que las personas se dedican a ellas
◆ el dato más sorprendente o interesante que aprendiste

4 **Las escuelas de aula única** En muchos países existe la tradición de tener escuelas de aula única. En grupos de tres o cuatro, comenten las siguientes preguntas relacionadas con este tipo de escuelas.

1. ¿Qué tipo de ambiente es necesario en una escuela de aula única con un solo maestro?
2. ¿Qué responsabilidades tienen los estudiantes mayores y avanzados?
3. ¿Cuáles pueden ser algunos de los desafíos de una escuela de aula única?
4. ¿Cómo influirían estos desafíos en la filosofía educativa de la escuela?
5. ¿Cuáles son algunas de las ventajas y desventajas de una escuela de aula única?

5 **Un modelo de escuela** Con un(a) compañero/a de clase, comenta y contesta estas preguntas.

1. ¿En qué sentido las escuelas flotantes son un modelo digno de seguir?
2. Hagan una lista de las tres lecciones más valiosas que la Escuela 40 ofrece con su ejemplo.
3. ¿De qué manera esta escuela prepara a sus estudiantes para enfrentar los desafíos del futuro y aprovechar sus oportunidades?

ESTRUCTURAS

 Oraciones adjetivas relativas
El uso de las oraciones adjetivas relativas (cláusulas subordinadas) es muy común en los textos descriptivos. Observa los ejemplos de pronombres relativos (*que, quien, cual, donde, como*) que introducen oraciones adjetivas en la lectura «Las escuelas que siguen a los chicos».

Busca los pronombres relativos que introducen una oración adjetiva. Subraya la oración adjetiva relativa y rodea con un círculo el antecedente que modifica.

RECURSOS
Consulta las explicaciones gramaticales del **Apéndice A,** pp. 431-433.

MODELO (Las escuelas) que siguen a los chicos

LECTURA 1.2 ▶ PREPÁRESE: EN EL FUTURO, TODOS AUTÓNOMOS

Auto-graded
My Vocabulary
Partner Chat
Strategy
Write & Submit

SOBRE LA LECTURA Durante las últimas décadas, los avances tecnológicos han transformado drásticamente la manera en que vivimos, trabajamos, aprendemos y nos comunicamos. Este artículo, publicado en el sitio web del periódico español *El País*, nos ofrece una vista de cómo será el panorama laboral en un futuro no muy lejano. Según los analistas y diferentes estudios al respecto, los oficios más demandados y mejor remunerados del futuro ya no serán los típicos de hoy en día, como médico o abogado, sino profesiones con descripciones y nombres propios de la ciencia ficción. Según este artículo, nuestro porvenir laboral estará protagonizado por profesionales como los nanomédicos, los *webgardeners* o los fabricantes de órganos humanos, entre muchos otros.

ANTES DE LEER

1 **Tecnologías del futuro** ¿Cuáles de las siguientes tecnologías serán más útiles en los próximos años? Ordénalas según su probable orden de importancia en el futuro. Luego, conversa sobre la lista con un grupo o con la clase entera.

— la nanotecnología: tecnología que utiliza objetos extremadamente pequeños
— la robótica: construcción de máquinas que pueden ejecutar operaciones o movimientos
— la arquitectura fuera del planeta Tierra: diseño y construcción de edificios en el espacio o en otros planetas
— los coches que vuelan: diseño y construcción de vehículos voladores
— la ingeniería genética: tecnología para controlar y corregir información del ADN
— la ingeniería biónica: la integración de aplicaciones tecnológicas con organismos vivos o funciones naturales
— la medicina regenerativa: fabricación de órganos o partes del cuerpo

MI VOCABULARIO
Anota el vocabulario nuevo a medida que lo aprendes.

2 **Los desafíos del futuro** En parejas, piensen en un desafío relacionado con cada uno de los siguientes factores problemáticos, y sugieran una posible solución para cada uno de ellos.

FACTORES PROBLEMÁTICOS	DESAFÍOS	POSIBLES SOLUCIONES
cambios climáticos		
los ciberataques		
la escasez de agua potable		
la propagación de epidemias		
el robo de la propiedad intelectual		

GLOSARIO

el jeque (entre los pueblos musulmanes) persona que manda o gobierna

el porvenir futuro

la apuesta predicción

el/la adivino/a persona que predice el futuro

pronosticar predecir

codiciado/a deseado/a, anhelado/a

el anhelo deseo, aspiración

PREPÁRESE:
EN EL FUTURO,
TODOS AUTÓNOMOS
por BENJAMÍN PRADO

¿Cuáles serán las profesiones más demandadas y más lucrativas en el futuro? ¿Qué trabajos nos ofrecerán más salidas dentro de dos décadas? Acuicultor, nanomédico, *webgardeners*, microemprendedores, policía medioambiental, *narrowcastes*, bioinformático… Hoy parecen palabras incomprensibles; mañana, las tendremos todo el día en los labios.

Vivimos tiempos veloces e imprevisibles, en los que los avances de la tecnología y los retrocesos de la historia lo transforman todo de forma continua y el presente ha
5 cambiado tanto que el futuro tampoco es ya lo que era. ¿Cómo será la Tierra cuando Europa y Estados Unidos vivan a la sombra de Asia y los dólares o euros sean papel mojado frente al yen? ¿Qué sustituirá al
10 petróleo y quiénes serán los **jeques** de las energías renovables? ¿Qué va a ocurrir cuando un avatar o un holograma nos represente y haga de nosotros en una reunión virtual celebrada por videoconferencia, o
15 incluso en la oficina? ¿Qué consecuencias tendrán las migraciones masivas o el envejecimiento radical de la población? ¿Con qué armas nos enfrentaremos a la contaminación atmosférica?
20 Aparte de todo lo demás, esas dudas afectan también al mundo laboral, cuyo **porvenir** está lleno de preguntas para las que de momento no existen respuestas, sino solo **apuestas**: ¿cuáles serán las
25 profesiones más importantes y más lucrativas dentro de una o dos décadas, cuando ya no sea tan lógico soñar con ser médico, abogado o ingeniero de telecomunicaciones?
30 Los analistas, que en este terreno son una mezcla de sociólogos y **adivinos**, **pronostican** que algunos oficios que hoy parecen simple ciencia-ficción, como los de fabricante de órganos humanos, acuicultor
35 en plantaciones submarinas, banquero

de tiempo, bioinformático, creador de identidades digitales o nanomédico, estarán el día de mañana entre los más **codiciados** y mejor pagados. Aunque todos
40 ellos serán muy solitarios, porque lo que sí parece evidente es que para entonces la mayoría de los ciudadanos serán lo que ya se conoce como *e-lancers*, es decir, personas que ofrecerán sus servicios por libre y desde sus casas, conectados unos a
45 otros y con sus clientes a través de Internet. En cualquier caso, parece obvio que ha llegado el momento de prepararse para lo desconocido.
50 Si uno se fija bien, sin embargo, los nombres exóticos de muchas de esas profesiones ocultan **anhelos** muy normales y, por encima de todos ellos, como es natural, el de la supervivencia, tanto biológica como económica, que
55 por otra parte cada vez parecen más insolidariamente unidas: la buena salud es y será para los que pueden pagársela. Para demostrarlo, un estudio de la consultora **Fast Future** pronostica que entre las 20
60 profesiones que mejor se adaptarán a los avances científicos y tecnológicos que se avecinan de aquí al año 2030 están las de granjero farmacéutico —que se dedicará a cultivar plantas modificadas genéticamente
65 para que tengan a la vez propiedades alimenticias y terapéuticas—, instructor para la tercera edad, geomicrobiólogo —cuyo fin será crear microorganismos que ayuden a eliminar la polución—, policía
70

medioambiental —un agente de la ley que luchará contra los ladrones de nubes y controlará el lanzamiento de **cohetes** de yoduro de plata para provocar lluvias, algo
75 que ya se hace en India y en China— y las ya mencionadas de nanomédico —una mezcla de doctor e informático que, entre otras cosas, nos podrá implantar microchips que aumenten nuestra memoria, igual que
80 se hace con un ordenador— y fabricante de órganos, que será un reparador de la salud capaz de combinar cirugía plástica, mecánica robótica y clonación genética para remplazar las partes dañadas de
85 nuestro cuerpo.

Pero todo cambio requiere personas dispuestas a organizarlo y por eso también estarán en primera línea los vendedores de talento, que buscarán a los profesionales
90 mejor preparados y los colocarán en organizaciones de todo el planeta; o los **gerentes** del bienestar, encargados de la salud laboral en las empresas.

nuestra integración social en Internet; o, como consecuencia de todo eso, para los psicólogos a distancia, que tratarán las adicciones y síndromes que los internautas 115 puedan contraer mientras navegan. También les irá bien a los telecomunicólogos, que serán quienes mantengan la interconexión masiva de computadoras en un mundo en el que prácticamente nadie carecerá de 120 una; y, por supuesto, a los creadores de videojuegos. Todo lo cual vuelve a decirnos que en el fondo van a cambiar más las formas que los moldes: los intermediarios se llamarán gestores, y poco más. 125

Para terminar, diremos que hay malas perspectivas para los medios de comunicación, donde parece que la actividad con más futuro será la de narrowcaster, es decir, la de experto en 130 segmentación informativa, un profesional que combinará el periodismo, la publicidad y las relaciones públicas para dar noticias a la carta, destinadas a grupos específicos

 ¿cuáles serán las profesiones más importantes y más lucrativas dentro de una o dos décadas, cuando ya no sea tan lógico soñar con ser médico, abogado o ingeniero de telecomunicaciones?

Parece evidente que el kilómetro cero
95 del futuro está en la palabra tecnología y, por eso, según **vaticinan** el estudio sobre las profesiones del futuro encargado por el Gobierno británico a Fast Future y otros, hechos por la empresa Iberestudios o por
100 las universidades de Oxford y Barcelona, se acercan buenos tiempos para los abogados virtuales y los controladores de datos-basura, que nos protegerán de los hackers mezclando el Derecho
105 y la Ingeniería Informática; y para los desarrolladores de aplicaciones para teléfonos móviles, los webgardeners, que se encargan de actualizar los contenidos de la Red, y los ayudantes de networking,
110 que serán mitad educadores sociales, mitad relaciones públicas con objeto de mejorar

de personas y adaptadas a sus intereses, 135 teniendo en cuenta su nivel de vida, su religión, su estado civil, su lugar de residencia, etcétera. No parece que la palabra objetividad tenga sitio en ese proyecto con aires de plan de **fuga**. 140

El mundo cambia deprisa y el futuro, ese «espacio negro para muchos sueños, / espacio blanco para toda la nieve», según lo describió el poeta Pablo Neruda, empieza a dejarse ver en el horizonte. Cuando estemos 145 allí, tendremos todo el día en los labios esas palabras que ahora suenan tan extranjeras, acuicultor, nanomédico, webgardeners, microemprendedores, bioinformático… Y a los que puedan ser definidos con alguna de 150 ellas parece que les va a ir muy bien. El futuro ya no es lo que era, como dijo Paul Valéry. ■

DESPUÉS DE LEER

1

Comprensión Contesta las preguntas según el texto.

1. ¿Cuál será la moneda predominante en el futuro?
   a. El euro
   b. El dólar
   c. El yen
   d. La cibermoneda

2. ¿Cuáles de los siguientes profesionales serán los más demandados y mejor pagados en el futuro, según el artículo?
   a. Médicos, abogados e ingenieros de comunicaciones
   b. Granjeros farmacéuticos, geomicrobiólogos y periodistas
   c. *Hackers*, telecomunicólogos y relaciones públicas
   d. Fabricantes de órganos, banqueros de tiempo y nanomédicos

3. Según el artículo, ¿en qué consistirá el trabajo del granjero farmacéutico?
   a. En cultivar plantas con el fin de que tengan propiedades nutritivas y curativas
   b. En crear pastillas que contengan el alimento diario necesario para los individuos
   c. En modificar genéticamente las plantas para mejorar sus propiedades
   d. En implantar microchips a las plantas para acelerar su crecimiento

4. ¿Qué profesionales se encargarán de los aspectos sociales?
   a. Los nanomédicos y los *e-lancers*
   b. Los ayudantes de *networking* y los psicólogos a distancia
   c. Los telecomunicólogos
   d. Los microemprendedores y los terapeutas en línea

5. ¿Qué frase resume mejor el propósito del artículo?
   a. Informar al lector sobre el panorama profesional del futuro, según diferentes estudios y análisis
   b. Hacer recomendaciones a estudiantes que necesitan elegir una carrera
   c. Predecir la situación de los trabajadores autónomos en las próximas décadas
   d. Compartir con el lector los resultados de un estudio sobre el porvenir de la tecnología

2 **Categorizar las profesiones** Para cada una de las categorías de la siguiente tabla, escribe al menos dos profesiones mencionadas en el artículo.

LA SEGURIDAD	LOS SERVICIOS MÉDICOS	LOS SERVICIOS PERSONALIZADOS	INGENIERÍA / PRODUCTOS NOVEDOSOS
1.	1.	1.	1.
2.	2.	2.	2.

3 **La tecnología necesaria** Con un(a) compañero/a, analiza los trabajos y las profesiones que se describen en el artículo. Identifiquen cuáles creen que son posibles hoy en día, o que incluso son ya una realidad. Seleccionen cinco profesiones que todavía no son posibles por falta de la tecnología necesaria y expliquen qué se necesitaría para hacerlas realidad.

4 **Lugares diferentes** ¿Serán iguales las necesidades de una gran ciudad que las de un pueblo pequeño? Con un(a) compañero/a, describe la importancia relativa que tendría cada una de las profesiones de la lista en estos dos lugares:

◆ Buenos Aires, Argentina: ciudad moderna, tecnológica e industrial
◆ Roatán, Honduras: una isla en el mar Caribe, con infraestructura mínima

granjero farmacéutico	fabricante de órganos
geomicrobiólogo	abogado virtual
policía medioambiental	controlador de datos-basura
nanomédico	*webgardener*

5 **Mensaje electrónico** De la profesiones incluidas en la lectura, elige la que más te interese. Escríbele un mensaje electrónico a un potencial empleador para solicitarle trabajo (recuerda dirigirte a él/ella de manera formal y respetuosa). Tu mensaje debe incluir un saludo y una despedida y contestar estas preguntas:

◆ ¿Cuál es el trabajo que quieres?
◆ ¿Por qué te interesa el trabajo?
◆ ¿Cuáles habilidades te cualifican para el trabajo?
◆ ¿Cuál es una idea novedosa que podrías aportar al trabajo?

 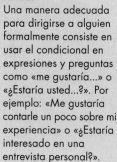
6 **Una entrevista de trabajo** En parejas, representen una entrevista de trabajo basándose en la actividad anterior. Discutan las siguientes preguntas en su entrevista (u otras que consideren necesarias) e intercambien los papeles. Recuerden que esta debe ser una conversación formal.

1. ¿Cuál es el trabajo que le gustaría obtener?
2. ¿Qué experiencia lo/la ha preparado para el trabajo?
3. ¿Cuáles son las fortalezas que lo/la cualifican para esta labor?
4. ¿Cuál es el desafío más difícil que ha enfrentado en su vida? ¿Cómo reaccionó a ese desafío? ¿Cómo lo superó?
5. ¿Cuál es su expectativa salarial?

7 **Discusión grupal** Contesta y comenta estas preguntas con toda la clase.

1. ¿Cuáles son las dificultades más graves a las que nos enfrentaremos como especie durante los próximos veinte años?
2. ¿Cuáles serán las causas de esas dificultades?
3. ¿Cómo las resolveremos?
4. ¿Cuál será el avance tecnológico más significativo en veinte años?

8 **Ensayo argumentativo** ¿Cómo pueden las escuelas y universidades de hoy preparar a los estudiantes para el éxito en el mundo laboral a largo plazo? Escribe un ensayo argumentativo en el que incluyas:

◆ una breve descripción de los cambios más significativos en el mundo
◆ las habilidades y cualidades necesarias para el éxito profesional
◆ la manera en que las mejores escuelas preparan a sus estudiantes
◆ una comparación entre el mundo actual y el que podría ser en veinte años

Audio
En fragmentos
My Vocabulary
Partner Chat
Record & Submit
Strategy
Write & Submit

AUDIO ▶ LA EQUIDAD DE GÉNERO EN LA DOCENCIA

GLOSARIO

la remuneración pago o salario

redundar resultar en algo; producir un efecto

la trata humana tráfico o comercio de personas

la equidad igualdad, tratamiento imparcial

la pauta norma o patrón

INTRODUCCIÓN Esta grabación es un fragmento de una entrevista a Mary Guinn Delaney, directora suplente de la oficina de la UNESCO en Santiago de Chile, en la que comenta la importancia de la igualdad de género en la profesión docente (el tema central del Día Mundial de los Docentes, que se celebra cada cinco de octubre). La entrevista fue emitida en Nueva York, en Radio ONU, un servicio de noticias de radio de las Naciones Unidas.

ANTES DE ESCUCHAR

ESTRATEGIA

Hacer predicciones
El título y la información preliminar de un audio ayudan al oyente a predecir el contenido. Lee el título de la grabación y la descripción introductoria para prever los temas que se tratarán en la grabación.

1 Predicciones Observa el título, la introducción y el gráfico que acompaña a esta grabación (en la siguiente página) para predecir el tema central o contenido general de la grabación. Haz una lista de tus predicciones y anota algunas palabras clave que te permitan sustentarlas.

2 El género y la docencia Comenta con un(a) compañero/a la importancia del género en la eficacia e influencia de los maestros. ¿Creen que esta situación varía según el nivel educativo (primaria, secundaria o educación superior)? ¿Influye de alguna manera el género de los alumnos? Incluyan ejemplos de sus propias experiencias para sustentar sus opiniones.

MI VOCABULARIO
Anota el vocabulario nuevo a medida que lo aprendes.

◀)) MIENTRAS ESCUCHAS

1 Identifica cognados Mientras escuchas la primera vez, escribe palabras y expresiones que te parezcan cognados. Antes de escuchar la segunda vez, trata de inferir el significado de los términos que no conoces pero que quieres aprender. Luego busca el significado de estas palabras en el diccionario para verificar tus predicciones iniciales.

2 Relacionar Mientras escuchas la segunda vez, traza una línea para relacionar cada elemento de la primera columna con el elemento correspondiente en la segunda columna.

- ◆ 1966
- ◆ más de 60%
- ◆ las condiciones de la profesión docente
- ◆ la presencia de mujeres docentes
- ◆ 2.000.000
- ◆ educación universal para todos
- ◆ 2015

- ◆ número de maestros adicionales necesarios
- ◆ fecha para cumplir con la meta del milenio
- ◆ meta del milenio
- ◆ están deteriorándose
- ◆ firma de la Recomendación Conjunta de la UNESCO y la OIT relativa a la condición del personal docente
- ◆ resulta en muchas ventajas sociales
- ◆ número de mujeres docentes mundialmente

DESPUÉS DE ESCUCHAR

1

La presencia femenina en el cuerpo docente Con un(a) compañero/a, analiza el gráfico y examina el estado de la presencia femenina en el cuerpo docente. ¿Es igual en todas las regiones del mundo? ¿A qué creen que se deben esas diferencias?

La presencia femenina en el cuerpo docente va en aumento desde 1990 ◀◀

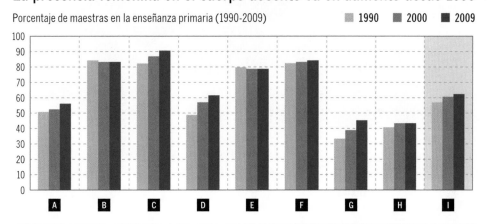

Porcentaje de maestras en la enseñanza primaria (1990-2009)   ▨ 1990 ▨ 2000 ▩ 2009

A Estados Árabes
B Europa Central y Oriental
C Asia Central
D Asia Oriental y el Pacífico
E América Latina y el Caribe
F América del Norte y Europa Occidental
G Asia Meridional y Occidental (*)
H África subsahariana
I Mundo

(*) Los datos de Asia Meridional y Occidental corresponden al año 2007

Fuente: Instituto de Estadística de la UNESCO

2

Resumen Escribe un resumen del mensaje central de la entrevista. Debes incluir datos del audio y del gráfico para sustentar tu resumen. Considera las siguientes preguntas como guía.

1. ¿Cuáles son las condiciones de trabajo de las mujeres docentes en general?
2. ¿Qué ventajas sociales se desprenden de la presencia de las mujeres en la docencia? Cita ejemplos específicos expresados por la especialista de la UNESCO.
3. ¿Cómo estaba el progreso de Latinoamérica con respecto a los objetivos del milenio para el año 2015?
4. ¿Cuál debe ser el aspecto más importante para cumplir con la meta del milenio en Latinoamérica?

3

Comparación cultural ¿Por qué la equidad de género en la docencia debe ser una prioridad internacional? Explora en Internet el estado de la educación en un país hispanohablante. Investiga en español para encontrar datos sobre estos temas:

RECURSOS 🔍
Consulta la lista de apéndices en la p. 418.

- la docencia y la equidad de género en ese país
- los avances destacados durante los últimos años
- el acceso a la enseñanza para hombres y mujeres
- las causas de las inequidades
- los beneficios posibles u observados al mejorar el acceso a la educación

Haz una presentación formal para compartir los resultados de tu investigación y contestar la pregunta inicial.

4

Discusión grupal Con toda la clase, comparen el estado de la educación en varios de los países investigados por sus compañeros. Después compartan sus respuestas a esta pregunta: ¿Cuál fue el dato que más te llamó la atención y por qué?

CONEXIONES CULTURALES

Record & Submit
Virtual Chat

Estudiantes de la Universidad de Las Palmas de Gran Canaria diseñan un robot submarino con sistema de telepresencia

Elección del futuro

LA ELECCIÓN DE UNA CARRERA UNIVERSITARIA ES UNA receta cuyo ingrediente principal es la vocación, pero que también lleva una cucharada de visión de futuro y una pizca de sentido de la aventura. Sin embargo, en México, por ejemplo, ya sea por mantener una tradición familiar, buscar prestigio social o simplemente por una falsa percepción de las oportunidades laborales, muchos jóvenes eligen carreras tradicionales, como abogacía, psicología o arquitectura, sin tener en cuenta que en esas carreras existen más de 135.000 egresados por cada puesto de trabajo disponible. Esta situación hace que muchos de ellos deban trabajar en áreas diferentes de aquellas que estudiaron, que ganen un salario inferior a sus expectativas o que permanezcan desempleados.

Distinta es la perspectiva de quienes se animan a explorar nuevos horizontes, como la ingeniería aeronáutica en manufactura. De hecho, los egresados de esa carrera figuran entre los que perciben mayores ingresos en el país.

◢ ¿Están relacionados los paisajes y la vocación? ¡Claro! Por ejemplo, en la Universidad de Las Palmas de Gran Canaria, en España, la carrera de Ciencias y Tecnologías Marinas figura entre las más elegidas, pues la situación geográfica y oceánica de las islas es estratégica para estudiar e investigar los temas relacionados con el mar.

◢ Uno de los principales productos de exportación de Honduras es el café y hacían falta expertos en la materia. Por eso, la Universidad Nacional Autónoma de Honduras creó la carrera de Técnico en Control de Calidad del Café, con el objetivo de formar profesionales capaces de evaluar la calidad del grano. Esta es una carrera pionera e innovadora en Centroamérica.

◢ El programa Becas Bicentenario fue creado para incentivar a los jóvenes argentinos a estudiar carreras científicas y técnicas, consideradas prioritarias para el desarrollo económico del país. De esta manera, a la vez que se apuesta por el mejoramiento de la nación, se les da apoyo a los estudiantes de menos recursos.

 Presentación oral: comparación cultural

Prepara una presentación oral sobre este tema:

◆ ¿Cómo influyen los factores externos en la elección de la carrera universitaria?

Compara tus observaciones de una región del mundo hispanohablante que te sea familiar con las de las comunidades en las que has vivido. En tu presentación, puedes referirte a lo que has estudiado, vivido u observado.

PUNTOS DE PARTIDA

No importa la edad, el nivel de educación o el estatus económico, todos queremos gozar de la vida. La música, el baile, los deportes y la cocina que preferimos; los espectáculos populares (de arte, cine, teatro o televisión), los pasatiempos y las bromas que compartimos; las situaciones que provocan la risa y la emoción... representan, mejor que nada, quiénes somos. Para entender bien cualquier cultura, hay que entender sus fuentes de diversión.

◢ ¿Cómo se reflejan las perspectivas culturales en las formas de diversión y entretenimiento?

◢ ¿Cuál es el valor cultural de la música y el cine?

◢ ¿Por qué es difícil entender las bromas de un idioma y una cultura que no sean los propios?

DESARROLLO DEL VOCABULARIO  My Vocabulary

1 **Formas de entretenimiento** Reflexiona sobre las formas de entretenimiento y las diversiones que prefieres. Elige las cuatro que más te gustan y contesta las preguntas.

MI VOCABULARIO
Anota el vocabulario nuevo a medida que lo aprendes.

ver películas	leer
escuchar música	ver la televisión
cocinar	conversar con amigos
practicar deportes en equipo	hacer excursiones al campo
tocar música	bailar
jugar videojuegos	ver espectáculos
mirar programas de deportes	ir de compras
hacer ejercicio (que no sea de equipo)	hacer proyectos creativos

1. ¿Qué tipo o género de actividades prefieres?

2. ¿Cuál es tu (artista, juego, deporte, programa, etc.) favorito?

3. ¿Cuánto tiempo pasas disfrutando de esta forma de entretenimiento por semana?

4. ¿En qué momento de la semana te dedicas a ella? ¿Con quién?

5. ¿Por qué te gusta más que cualquier otra?

2 **Comentar las diversiones** Túrnense con un(a) compañero/a para comentar las formas de entretenimiento y las diversiones que más les gustan de la Actividad 1. ¿Qué tienen en común y en qué se diferencian?

3 **Lluvia de ideas** Hay muchos factores que influyen en las preferencias personales. Pero, ¿cuánto influye nuestra forma de ser única y personal, y cuánto nuestro ambiente: familia, amigos, cultura, experiencias y oportunidades? Haz una lista de tus preferencias personales y clasifícalas según sean una parte integral de tu forma de ser o estén influidas por tu ambiente.

MI FORMA DE SER	MI AMBIENTE
1. Me gusta reírme.	1. Hablo mucho en clase.
2.	2.

LECTURA 2.1 ▶ LOS «GAMERS» DE LOS eSPORTS

SOBRE LA LECTURA Los deportes electrónicos o eSports son competiciones de videojuegos cada vez más populares en todo el mundo. Hay torneos internacionales, espectadores, fans, *gamers* famosos, premios y una industria muy lucrativa. En cuanto a los *gamers* de eSports, estos se entrenan y se preparan con una disciplina similar a la de los deportistas profesionales. En la siguiente lectura se explora esta pregunta: si los *gamers* son jugadores profesionales, ¿pueden ser también deportistas profesionales?

ANTES DE LEER

1

Conversación preliminar En parejas, respondan a las siguientes preguntas.

1. ¿Te interesan los videojuegos?
2. ¿Qué tipos de videojuegos conoces? ¿Cuáles son tus preferidos?
3. ¿Te gustan los videojuegos de tema deportivo? ¿Cuáles conoces?
4. ¿Qué deportes pueden «practicarse» con videojuegos?
5. ¿Cuál es la diferencia entre un jugador y un deportista?
6. En tu opinión, ¿son deportistas las personas que juegan videojuegos de tema deportivo?

2

Diferencias y similitudes Trabaja con un(a) compañero/a. Miren la lista de características relacionadas con los deportes tradicionales y los llamados eSports. Conversen acerca de cada una de las características y digan si corresponden a los deportes tradicionales, a los eSports o a ambas disciplinas. Agreguen categorías no mencionadas.

EL/LA JUGADOR(A)...	LOS DEPORTES TRADICIONALES	LOS eSPORTS
Puede competir por un club o un equipo.		
Tiene un(a) entrenador(a).		
Necesita preparación física o mental.		
Debe comer sanamente.		
Puede ser retribuido económicamente.		

3

Anglicismos Los siguientes anglicismos ya forman parte del español contemporáneo en el mundo de los eSports. En parejas, escriban una definición en español para cada uno de los términos. Comparte tus respuestas con la clase.

1. *eSport*
2. *gamer*
3. *caster*
4. juegos MMO
5. fiestas LAN
6. videojuegos MOBA
7. Liga ESL
8. *gaming house*

LOS 'GAMERS' DE LOS ESPORTS: ¿JUGADORES PROFESIONALES PERO NO DEPORTISTAS?

Seguro que recuerdan las imágenes de estadios de fútbol y auditorios repletos de gente en aquellos maravillosos conciertos de The Beatles por los años '60 y '70 con John Lennon y George
5 Harrison a la guitarra, Paul McCartney al bajo y Ringo Starr a la batería y la pandereta. Si por aquel entonces les dijéramos a sus fans que unos años más tarde un tipo llamado David Guetta, con tan solo una mesa de mezclas y sin ningún tipo de
10 instrumento, podría hacer música —electrónica— y llenar los mismos estadios y auditorios, ¿qué pensarían? Quizá este ejemplo sirva para entender que la sociedad cambia rápidamente y con ello nuestros gustos y hábitos, dentro de los cuales
15 se encuentra la afición por los videojuegos. Una afición que está dando lugar a los eSports frente a los deportes tradicionales.

El crecimiento de esta industria parece **imparable**, circunstancia que ha llamado la
20 atención de los principales organizadores de eventos deportivos del mundo. Ya son varias las **ligas** que en mayor o menor medida han dado a conocer la creación de Ligas de eSports: la NHL, la NBA o La ligue 1 francesa. Y otras como la Bundesliga alemana
25 y la Premier League trabajan ya en crear sus propias competiciones de cara a un futuro cercano.

Los protagonistas de los eSports son fundamentalmente los clubes y los jugadores, y precisamente estos últimos están alcanzando
30 **cuotas** de popularidad similares a las estrellas de fútbol o de la NBA, fundamentalmente en países como Corea del Sur o EEUU.

Los *gamers* —como así se llaman a los jugadores de eSports— compiten a favor de un
35 club, dentro de una disciplina de equipo, cuentan con un alto grado de profesionalización, de dedicación y entrenamiento, tienen una gran exigencia y disponen de equipos técnicos que les ayudan a crecer en sus carreras profesionales como
40 **entrenadores**, analistas, preparadores físicos… Y por supuesto son retribuidos por ello.

¿Pueden ser deportistas profesionales?

En consecuencia, estos son ya considerados jugadores profesionales. Pero, ¿se pueden
45 considerar deportistas profesionales?

Clubes y jugadores suelen formalizar su relación contractual mediante contratos mercantiles; sin embargo, en la realidad en la prestación de servicios de los *gamers* concurren
50 todas y cada una de las notas que definen a una

relación laboral: dependencia, **voluntariedad**, retribución, ajenidad y regularidad. Es decir, los *gamers* tienen que cumplir con una serie de obligaciones propias de una actividad laboral,
55 entre otras, cumplir con las horas de entrenamiento determinadas, **acatar** la disciplina interna del club, utilizar la equipación y recursos aportados por el club, atender a las instrucciones e indicaciones del cuerpo técnico, etc.
60 Por tanto, puede afirmarse que son jugadores profesionales, cosa distinta es que puedan ser o no considerados como deportistas profesionales. Una circunstancia que al día de hoy no sería posible conforme a una legislación que define al
65 deportista profesional como "el que de forma regular y voluntaria se dedica a la práctica del deporte por cuenta y dentro del ámbito de organización y dirección de un club o entidad deportiva a cambio de una retribución".
70 Dentro de esta definición, los puntos en conflicto serían por un lado "la práctica del deporte", en la medida que los eSports no están reconocidos como modalidad deportiva. Eso sí,

> **"LOS *GAMERS* [...] COMPITEN A FAVOR DE UN CLUB, DENTRO DE UNA DISCIPLINA DE EQUIPO, CUENTAN CON UN ALTO GRADO DE PERSONALIZACIÓN, DE DEDICACIÓN Y ENTRENAMIENTO".**

75 este requisito podría salvarse gracias a la interpretación amplia del concepto "práctica deportiva" que han hecho los tribunales en los últimos años, considerando cumplido este requisito en el caso de entrenadores, segundos entrenadores, coordinadores técnicos, etc.
80 Más difícil de cumplir sería la realización de esta práctica deportiva "dentro del ámbito de organización y dirección de un club o entidad deportiva" en la medida en que, conforme a la legislación vigente, se entienden como clubes
85 deportivos los clubes básicos, elementales, así como las sociedades anónimas deportivas, etc., formas **jurídicas** que, por lo general, no están presentes actualmente en los clubes de eSports. ▲

DESPUÉS DE LEER

1

¿Cierto o falso? Lee las siguientes afirmaciones y di si son **ciertas** o **falsas**, de acuerdo con la lectura. Si son falsas, corrígelas.

1. Para explicar la velocidad con la que cambia la sociedad, el autor de la lectura se refiere a la evolución de la música.
2. La industria de los eSports se mantiene estable.
3. Todas las ligas de deportes tradicionales rechazan los eSports.
4. Algunos jugadores de eSports son tan populares como las estrellas de fútbol.
5. Los *gamers* son jugadores de eSports profesionales.
6. Los *gamers* son particularmente populares en Corea del Norte y China.
7. Si una persona es jugadora profesional, necesariamente es deportista profesional.
8. Los *gamers* tienen responsabilidades específicas, como el entrenamiento, la instrucción y la disciplina.
9. Actualmente, los eSports son considerados una práctica deportiva.
10. Actualmente, los clubes de eSports no tienen sociedades anónimas deportivas.

2

Conversación Teniendo en cuenta la información de la lectura, trabaja con un(a) compañero/a para responder a las siguientes preguntas.

1. ¿Qué diferencia principal hay entre un concierto de The Beatles de hace algunas décadas y un concierto contemporáneo de David Guetta?
2. ¿Qué han hecho algunas ligas de deportes tradicionales como consecuencia del crecimiento de la industria de los eSports?

3. En tu país, ¿cómo es la popularidad de los *gamers* en comparación con la de los deportistas profesionales?
4. ¿Por qué los *gamers* son considerados jugadores profesionales?
5. ¿Cuál es la definición de un deportista profesional?
6. ¿Cómo han ampliado los tribunales la definición de «práctica deportiva»?
7. En conclusión, ¿cómo responde la lectura a la pregunta de si los *gamers* son deportistas profesionales o no lo son?

3

Controversia Prepara una presentación oral de tres minutos acerca de la pregunta de la lectura: «¿Son los *gamers* deportistas profesionales?». Decide si apoyas esta premisa o cómo vas a refutarla. Utiliza ejemplos para justificar tus ideas y no olvides dar tu conclusión.

MI VOCABULARIO
Utiliza tu vocabulario individual.

4

Entrevista a un(a) *gamer* famoso/a Lee la siguiente lista de preguntas para un(a) *gamer* ficticio/a. Luego, escribe las posibles respuestas. Escribe al menos otras dos preguntas más con sus respectivas respuestas.

1. ¿Cuál es tu nombre de *gamer*? ¿Qué significa tu nombre?
2. ¿Por qué te gustan los eSports?
3. ¿Cuál es tu eSport favorito y por qué?
4. ¿Cuál ha sido tu éxito profesional más grande?
5. ¿Qué consejos puedes darles a los/las *gamers* más jóvenes que están empezando?
6. ¿Consideras que los/las *gamers* son deportistas profesionales? ¿Por qué?
7. ¿Qué diferencias y qué similitudes hay entre los eSports y los deportes tradicionales?

5

Trivia Trabajen en grupos pequeños. Adivinen las respuestas a las siguientes preguntas de acuerdo con su propio conocimiento y experiencia con los videojuegos. Después, con ayuda de su profesor(a) consulten las respuestas correctas en Internet. Ganará el grupo que tenga más respuestas correctas.

1. ¿Cuál es la edad promedio de un(a) jugador(a) de videojuegos en Estados Unidos?
2. ¿Qué porcentaje de estadounidenses juega videojuegos al menos tres horas por semana?
3. ¿Qué porcentaje de estadounidenses tiene al menos una consola de videojuegos en casa?
4. ¿Qué porcentaje de *gamers* son mujeres?
5. ¿Qué porcentaje de *gamers* son menores de 18 años?
6. Aproximadamente, ¿cuánto dinero al año ganan los *gamers* con más éxito?

6

Presentación oral Escoge uno de los siguientes temas para hacer una breve presentación en clase.

Tema A: Haz una investigación en Internet acerca de algún/alguna *gamer* hispano/a famoso/a. Puedes encontrar varios nombres en Wikipedia y YouTube. Escribe de dónde es, por qué es famoso/a y toda la información que te parezca relevante. Si quieres, puedes presentar un video breve sobre este/a *gamer*.

Tema B: Haz una presentación sobre un videojuego que te guste o interese. Explica por qué elegiste este juego y cómo se juega. También puedes hablar sobre tu experiencia personal con este juego. Si no conoces un juego en particular, puedes hacer una investigación en Internet.

ESTRATEGIA

Corregir errores
Si cometes un error cuando hablas, intenta corregirlo. Puedes usar una expresión como *Digo* o *Quiero decir* para introducir la corrección. La autocorrección demuestra que entiendes el lenguaje y que te importa hablar bien.

Auto-graded
My Vocabulary
Record & Submit
Strategy
Write & Submit

LECTURA 2.2 ▶ «RESIDENTE»: LA PELÍCULA DE RENÉ PÉREZ DE CALLE 13

SOBRE LA LECTURA El puertorriqueño René Pérez Joglar se hizo famoso con su grupo musical Calle 13. Aunque su música es ecléctica, tiene una gran influencia del reguetón. A lo largo de una década, Calle 13 ganó 25 premios Grammy, pero en 2015, el grupo se separó. A partir de entonces, Pérez Joglar se ha dedicado a la creación de proyectos artísticos individuales. Uno de esos proyectos, el documental «Residente», ha tenido mucho éxito. En el documental, Pérez Joglar viaja por todo el mundo para aprender sobre sus ancestros —de acuerdo con un análisis de sus genes— y encontrar la inspiración para componer nuevas canciones. El siguiente artículo nos describe los detalles del documental.

ANTES DE LEER

MI VOCABULARIO
Anota el vocabulario nuevo a medida que lo aprendes.

1

Historia personal Escribe dos o tres párrafos para describir tu historia personal. Puedes usar las siguientes preguntas como guía. Si prefieres, puedes inventar tu propia historia.

1. ¿Dónde nacieron tus padres y abuelos? ¿Y tus bisabuelos?
2. ¿Cuáles son las razas, etnias o nacionalidades de tus ancestros?
3. ¿Crees que el origen de tus ancestros tiene influencia sobre tu manera de pensar y actuar? Explica con ejemplos.
4. ¿Qué tradiciones culturales hay en tu familia? Por ejemplo, ¿hay un tipo de comida especial para ustedes? ¿Algún tipo de música? ¿Alguna celebración que no sea común en todo el país?

2

Origen genético Trabaja con un(a) compañero/a. Discutan las siguientes preguntas. Después, compartan sus opiniones con el resto de la clase.

1. ¿Conocen a alguien que se haya hecho un análisis de ADN (es decir, un análisis genético)?
2. ¿Por qué creen que algunas personas desean conocer el origen racial de su ADN? ¿Qué beneficios puede tener este análisis?
3. Si nunca te has hecho un análisis de ADN, ¿te gustaría hacerlo? ¿Por qué sí o por qué no?

ESTRATEGIA

Hacer una investigación preparatoria te ayuda a comprender la información cultural presentada en un artículo periodístico.

3

Música popular Responde a las siguientes preguntas. En algunos casos, tendrás que hacer una investigación en Internet. Luego, forma un grupo con otros dos o tres estudiantes y comparen sus respuestas.

1. ¿Te gusta la música? ¿Qué tipo de música escuchas normalmente?
2. ¿Qué tipo de música escuchan tus padres o abuelos? ¿En qué aspectos se parece su música a la tuya y en qué aspectos es diferente?
3. ¿Conoces el reguetón? ¿Cuál es el origen musical del reguetón?
4. Busca en Internet el video de la canción «Latinoamérica» del grupo musical Calle 13. Escribe tus primeras impresiones. ¿Te gusta ese estilo de música? ¿Por qué sí o por qué no? ¿Se parece al tipo de música que escuchas comúnmente? ¿Qué semejanzas y diferencias hay entre esta canción de Calle 13 y la música popular de tu país?

"Residente", la película de René Pérez de Calle 13, una de las atracciones del BAFICI

Entre las paradas obligadas del Bafici[1] 2017, que entre el 19 de abril y el 30 de abril desbordará la ciudad de cine con más de 400 films para todos los gustos, se encuentra "Residente", la primera película de René Pérez Joglar, fundador y voz del grupo Calle 13.

Después de una década, 25 premios Grammy y decenas de éxitos, a mediados de 2015 la mítica banda puertorriqueña integrada por los hermanos Residente, Visitante e ILE decidió
5 hacer una pausa, argumentando la necesidad de generar un espacio para que sus miembros emprendan proyectos individuales.

Ahora, casi dos años después de aquella despedida, René exhibe los frutos de esa decisión
10 con un álbum, una página web interactiva, un esperado libro —que prometen llegará hacia fin de año— y un documental, que se estrenará en Argentina en el marco del Bafici, donde **plasma** la **travesía** que emprendió durante casi dos años por cuatro continentes, y más de 14 países, para 15 conocer los componentes de su ADN.

Primer film del artista como director, la película, que fue presentada internacionalmente en el **célebre** festival South by Southwest (SXSW), nos muestra a René Perez en lugares 20

GLOSARIO
plasmar darle forma a las cosas
la travesía viaje con aventuras
célebre famoso/a

1 BAFICI o el Buenos Aires Festival Internacional de Cine Independiente, uno de los festivales de cine independiente más importantes de América Latina.

GLOSARIO
disímil diferente
la huella marca que deja una persona al caminar
la impronta sinónimo de *huella*

▌AUDIOVISUALES

como China, África, España, Inglaterra y Puerto Rico, dialogando y creando junto a locales, reflejando realidades bien **disímiles**, y sentando posición frente a la actualidad del mundo, siempre bajo la premisa de lograr un sonido distinto, que se salga de las leyes del mercado.

Como germen de esa travesía, hace unos seis años, y a propuesta de un amigo, Pérez Joglar se realizó un análisis de ADN para conocer a sus ancestros y tres años después retomó los resultados de ese estudio para hacer arte con su **huella** genética, en un viaje que lo llevó a convivir con cazadores en Siberia, ver la guerra de cerca en Osetia o Burkina Faso y Ghana, conjugar sus estrofas con la música de la Orquesta Sinfónica de Moscú, y con la Ópera de Pekín en China.

Obviamente, Puerto Rico, su tierra natal, ocupa hacia el final del film un lugar especial en la aventura y habilita un registro donde el relato histórico y la denuncia se fusionan, dándoles voz a quienes actualmente desde la isla luchan por la independencia, después de cinco siglos de ser una colonia "pisoteada y esclava".

Igualmente, como plus, y tal vez cristalización de este nuevo camino creativo, el documental también tiene un fuerte contenido autobiográfico, a partir del que podemos conocer en un relato en primera persona parte de la infancia del músico, saber sobre su déficit de atención e hiperactividad (TDAH), y los orígenes de su banda.

"Quería hacer algo que fuese lo más cercano posible, lo más real, lo más honesto posible", dijo el compositor en la presentación de la película sobre su decisión de reflejar en ella también aspectos íntimos de su historia, y combinarlos fiel a su **impronta**, con fuertes denuncias contra la guerra, la explotación y el colonialismo.

« **Somos mezcla**, ahora que está de moda ser raza pura.»

"Nos parecemos en lo distinto que somos. Entonces eso se traduce en todo, en la música, es como distinta pero al mismo tiempo es igual. Quizá el tempo es distinto en algunos países, pero hacen cosas similares. Somos mezcla, ahora que está de moda ser raza pura", finalizó el cantante adelantándonos, tal vez, la conclusión central de esta película, un recorrido sentido, pleno y, por supuesto, musical, que ningún fan de Residente puede darse el lujo de no ver en la pantalla grande. ▌

DESPUÉS DE LEER

1

Comprensión Lee las siguientes oraciones y di si son **ciertas** o **falsas**. Corrige las oraciones falsas.

1. René Pérez Joglar es, principalmente, un director de cine famoso.
2. Pérez Joglar ha ganado muchos premios Grammy con su nuevo documental.
3. Para aprender sobre sus ancestros, Pérez Joglar viajó a cinco continentes.
4. La idea de viajar por el mundo es consecuencia de un análisis de ADN que se hizo Pérez Joglar.
5. El propósito del viaje de Pérez Joglar es crear una música que tenga mucho éxito comercial.
6. Cuando está en Puerto Rico, Pérez Joglar habla con personas que quieren la independencia de su país.

2

Análisis del texto Trabaja con un(a) compañero/a. Contesten las siguientes preguntas sobre el artículo.

MI VOCABULARIO
Utiliza tu vocabulario individual.

1. «...casi dos años después de aquella despedida...» (líneas 8-9) ¿A qué despedida se refiere?
2. «...lograr un sonido distinto, que se salga de las leyes del mercado». (líneas 25-26) ¿A qué creen que se refiere el autor del artículo con «las leyes del mercado»? En su opinión, ¿cuáles son «las leyes del mercado» de la música?
3. «Como germen de esa travesía...» (línea 27) ¿A qué travesía se refiere el texto? ¿Cuál es el «germen»?
4. «...hacer arte con su huella genética...» (líneas 31-32) Expliquen, con sus propias palabras, qué es una «huella genética».
5. «Nos parecemos en lo distinto que somos». (línea 59) ¿Qué quiere decir Pérez Joglar con esto?
6. «...adelantándonos [...] la conclusión central de esta película...» (líneas 65-66) ¿Cuál es, según el artículo, esta conclusión?

3

Un mensaje electrónico En los próximos días vas a entrevistar a René Pérez Joglar para el periódico de tu escuela. Piensa en las preguntas que quisieras hacerle y escríbele un mensaje electrónico para iniciar la entrevista. En tu mensaje, debes:

- presentarte brevemente
- explicar el motivo de la entrevista
- mencionar los aspectos que admiras de su trabajo
- pedirle permiso para publicar sus respuestas
- hacerle un mínimo de cinco preguntas
- despedirte

ESTRATEGIA

Usar el registro adecuado
Hay que saber elegir el registro apropiado cuando te diriges a alguien. Por ejemplo, debes usar la forma *Ud.* cuando te diriges a una persona desconocida y probablemente mayor que tú.

4

El avance Busca en Internet el avance (el tráiler) del documental «Residente» y escribe cinco cosas que te llamaron la atención. Luego, compara tus ideas con las de un(a) compañero/a. Finalmente, discutan si les interesaría ver el documental completo y por qué.

5 **Tus propias palabras** A lo largo de su travesía, Pérez Joglar compuso música con personas de distintos países y culturas. Una de esas canciones es «Hijos del cañaveral». Busca en Internet la letra y la música de la canción. Luego, interpreta las siguientes citas de la canción con tus propias palabras.

1. «Nuestra mancha del plátano salió del mismo racismo».
2. «Somos un pueblo con dientes de leche[1]».
3. «[Somos] los hijos del trabajo sin merienda».
4. «Somos como una botella de vidrio que flota».
5. «Aprendimos a caminar [...] con un pie descalzo[2] y el otro con zapato».
6. «Pa' que sientas el calibre de un caballo sin jinete mira cómo corre libre.»
7. «Viene el huracán y le rezamos a la cruz».
8. «Los palos[3] de guanábana[4] no dan manzanas».
9. «Esta carreta ya se mueve sin bueyes».>

6 **Interpretación musical** Ahora, compara tus respuestas de la Actividad 5 con un(a) compañero/a de clase y respondan a las siguientes preguntas.

1. ¿En qué se parecen sus interpretaciones?
2. ¿En qué se diferencian sus interpretaciones?
3. En su opinión, ¿quiénes son los «hijos del cañaveral» de quienes habla la canción?
4. ¿Cuál es el tema principal de la canción? ¿O hay más de un tema?
5. ¿Cómo se podría comparar esta canción con «Latinoamérica», la canción que escucharon para hacer la Actividad 3 de Antes de leer?
6. Entre «Hijos del cañaveral» y «Latinoamérica», ¿cuál les gusta más y por qué?

7 **Mi propia canción** Lee la lista de algunos de los temas que Pérez Joglar explora en su documental. Escoge un tema (o más) que te interese. Escribe la letra de una canción para expresar tus sentimientos acerca del tema (o los temas) que escogiste. No es necesario que los versos de tu canción rimen.

♦ la música en mi vida
♦ las tradiciones de mi gente
♦ mis genes y mis ancestros
♦ el futuro de mi gente
♦ mi biografía
♦ las dificultades con las que vive mi gente
♦ soy una mezcla de razas y etnias
♦ todos somos diferentes, todos somos iguales
♦ (otro tema no mencionado en esta lista)

8 **Presentación oral** Prepara una presentación oral para toda la clase sobre la canción que escribiste en la Actividad 7. Sigue el siguiente esquema.

1. Di brevemente qué tema escogiste.
2. Explica por qué ese tema es importante para ti.
3. Lee la letra de tu canción o comparte las estrofas o líneas que más te gusten. Si prefieres, puedes cantarla.
4. Describe cómo la canción se relaciona con tu forma de ser o qué influencia tiene en tu vida.

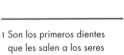

AUDIO ▸ QUÉ DIFÍCIL ES HABLAR EL ESPAÑOL

Audio
Auto-graded
En fragmentos
My Vocabulary
Partner Chat
Record & Submit
Strategy

INTRODUCCIÓN Este audio incluye varias estrofas de una canción subida a Internet desde Bogotá, Colombia, por el dúo Inténtalo Carito, integrado por dos hermanos. En su canción hacen una apreciación cultural y lingüística del idioma español, pero de una manera muy entretenida y, por supuesto, musical. Hacen referencia especial a la experiencia de aprender el español.

ANTES DE ESCUCHAR

1 **Encuesta personal** Lee estas oraciones y señala si estás de acuerdo o no con ellas. Explica por qué y da ejemplos para sustentar tus respuestas.

1. Es más fácil aprender inglés que español.
2. Es más fácil entender el inglés que el español.
3. Es más fácil pronunciar el inglés que el español.
4. El inglés se pronuncia tal y como se escribe.
5. El español no se pronuncia tal y como se escribe.

2 **Opiniones** En grupos pequeños, comparen sus respuestas de la Actividad 1. Luego, según las ideas que te aportaron tus compañeros, decide si cambiarías algunas de tus respuestas.

3 **Anglicismos** Con un(a) compañero/a, analicen los anglicismos (palabras provenientes del inglés) que aparecen en la siguiente estrofa de la canción e intenten deducir a cuáles palabras inglesas se refieren. Luego, investiguen otros cinco ejemplos de anglicismos (por ejemplo, bluyín [de *blue jean*] o parquin [de *parking*]) y compártanlos con toda la clase.

« El que cuida tu edificio es un «guachimán», y con los chicos de tu barrio sales a «janguear». Y la glorieta es un «rompoy», y te vistes con «overol». »

◀)) MIENTRAS ESCUCHAS

1 **Escucha una vez** Al escuchar la primera vez, escribe todos los sustantivos que hacen referencia a lugares geográficos del mundo hispanohablante.

2 **Escucha de nuevo** Al escuchar la segunda vez, escribe todas las palabras y expresiones que hacen referencia a la comunicación, la gramática o el vocabulario del idioma en general.

ESTRATEGIA

Explorar el léxico
Identificar palabras relacionadas con un tema específico te ayudará a captar el mensaje global.

DESPUÉS DE ESCUCHAR

1

Comprensión Indica si lo que dice cada oración es **cierto** o **falso** según la canción.

1. La lengua materna de los cantantes es el inglés.
2. A veces ellos cantan con un acento extranjero.
3. Según la canción, los regionalismos en el idioma español facilitan su comprensión.
4. La canción habla de una persona que intentó aprender el español durante un año.
5. Es fácil aprender español.
6. Saber palabras en inglés no te ayuda a entender el español.

2

Interpretar y explicar En grupos de tres o cuatro compañeros/as, vuelvan a escuchar la canción y discutan sus respuestas a estas preguntas.

1. La lengua materna de los cantantes es el español. ¿Cómo se sabe?
2. En la canción, ¿adónde fue la persona después de México? ¿Qué referencia geográfica te lleva a esta conclusión?
3. ¿Cómo interpretas: «me esforcé por hablar el idioma, pero yo nunca lo conseguí...»?
4. ¿Por qué dice también «Yo ya me doy por vencido, para mi país me voy»?
5. La canción afirma que con tantos anglicismos todo es más complicado. ¿Qué quiere decir esto? ¿Puedes identificar ejemplos en la canción?

3

Pensamiento crítico Mira de nuevo las respuestas que escribiste para la Actividad 3 de la sección Antes de escuchar. Analiza el tono y la letra de la canción. Luego, con un grupo de tres compañeros/as, discutan las preguntas otra vez.

MI VOCABULARIO
Utiliza tu vocabulario individual.

4

El aprendizaje del español Conversa con un(a) compañero/a sobre tus experiencias con el aprendizaje del idioma español. Hablen de sus motivaciones para estudiarlo, de alguna anécdota divertida y de las mayores dificultades que han encontrado en su proceso de aprendizaje. Mencionen también algunas diferencias culturales que han observado, según sus estudios o por experiencias personales, entre algunos países hispanoparlantes y expliquen cómo han complicado su aprendizaje.

RECURSOS
Consulta la lista de apéndices en la p. 418.

5

Presentación oral Para tu presentación oral, primero reflexiona sobre esta pregunta: ¿Por qué es difícil entender las bromas de otra lengua y otra cultura? Compara tus observaciones acerca de tu comunidad con tus observaciones de una región del mundo hispanohablante. Debes demostrar tu comprensión de aspectos culturales en el mundo hispanohablante y organizar tu presentación de manera clara, teniendo en cuenta los siguientes aspectos:

◆ incluir una tesis o declaración del propósito de tu presentación
◆ comparar tu propia comunidad con una región del mundo hispanohablante y explicar las semejanzas y diferencias
◆ citar ejemplos de lo que has aprendido y de tus experiencias para sustentar las ideas que presentas
◆ usar conectores para dar fluidez a tu presentación
◆ concluir con comentarios que resuman el tema o propósito

CONEXIONES CULTURALES

Festival del Viento y las Cometas, Villa de Leyva, Colombia

El Festival del Viento y las Cometas

SIENTES QUE EL VIENTO TE HARÁ VOLAR; ENSEGUIDA MIRAS el cielo y ¿qué ves? Tiburones, cóndores, dragones, dinosaurios, mariposas gigantes... y todo de los más vivos colores. ¿Estás soñando? No. En el pueblo colombiano Villa de Leyva, aprovechando sus característicos vientos, desde 1975 se celebra cada agosto el Festival del Viento y las Cometas.

Construir una cometa, un artefacto que ha acompañado al hombre por más de veinticinco siglos, puede ser un entretenimiento pasajero más para muchos, pero para los habitantes de Villa de Leyva es un evento que se espera incluso un año entero. El festival es un espectáculo para todos los gustos. Hay profesionales que hacen demostraciones que impresionan tanto a los lugareños como a los turistas, que llegan de distintas partes del mundo. Pero también hay aficionados que aprovechan la ocasión para volver a ser niños, aunque solo sea por una tarde, y alzan sus cometas al cielo.

◢ El Akông es un juego tradicional de Guinea Ecuatorial que se parece a las damas. Una característica muy interesante de este juego es que todos los espectadores son «árbitros», lo que hace que sea muy participativo y divertido.

◢ Desde hace más de un siglo se celebran los Carnavales Tradicionales de El Callao, en Venezuela. En este pequeño pueblo minero en el estado de Bolívar, cada año las comparsas desfilan al ritmo del calipso ante los ojos de miles de visitantes de todo el mundo.

◢ El Encuentro Nacional de Juegos Autóctonos, en México, es una excusa para practicar y aprender juegos tan difundidos como el trompo o el balero y otros menos conocidos, como los juegos de pelota de mayas y aztecas. El encuentro se realiza cada año en una ciudad diferente y tiene como objetivo fomentar las tradiciones deportivas y recreativas.

 Presentación oral: comparación cultural

Prepara una presentación oral sobre este tema:

◆ ¿Cómo se reflejan las perspectivas culturales en las formas de diversión y entretenimiento?

Compara tus observaciones de una región del mundo hispanohablante que te sea familiar con las de las comunidades en las que has vivido. En tu presentación, puedes referirte a lo que has estudiado, vivido u observado.

RECURSOS
Consulta las explicaciones gramaticales en las pp. 168-169.

◢ Además de las conjunciones, se pueden utilizar otras expresiones de transición para enlazar oraciones e indicar los diferentes tipos de relaciones que existen entre ellas. Estas palabras y expresiones marcan la relación lógica entre las ideas y se suelen situar al principio o cerca del inicio de la oración. Las expresiones de transición se pueden dividir en categorías.

PARA ENLAZAR O AÑADIR IDEAS

además de *in addition to* **así/de ese modo** *so/in that way* **asimismo** *also, in addition* **como se puede ver** *as you/we/one can see* **con relación/respecto a** *regarding* **de hecho** *in fact* **por desgracia/suerte** *(un)fortunately* **por lo general** *generally*	**Además de** no permitirnos entrar, nos dijo que no volviéramos. **Así,** con paciencia y dedicación resolveremos nuestros problemas. **Con relación a** las normas de circulación, es imprescindible cumplirlas. **Por desgracia,** no hay nadie que pueda ayudarnos. **Por lo general,** siempre hay gente dispuesta a colaborar.

PARA COMPARAR Y CONTRASTAR

al igual que *like* **a diferencia de** *unlike* **en cambio/por el contrario** *in contrast* **en vez/lugar de** *instead of* **no obstante/sin embargo** *however* **por una parte/un lado** *on the one hand* **por otra (parte)/otro (lado)** *on the other hand*	**A diferencia de** los empleados con mayor antigüedad, a nosotros nos pagan menos. Intentamos entablar conversación; **en cambio,** él no nos dijo nada. Los individualistas, **en vez de** pedir ayuda, tienden a trabajar en solitario. **Por una parte,** me conviene el nuevo horario; pero, **por otra,** me costará acostumbrarme.

PARA MOSTRAR RELACIONES CAUSA-EFECTO

a causa de *because of* **como resultado/consecuencia** *as a result* **debido a** *due to, on account of* **entonces/por lo tanto** *therefore* **por eso/por ese motivo/por esa razón** *for that reason*	**Debido al** precio del petróleo, las tarifas de vuelos han subido. No tuve tiempo de estudiar. **Como consecuencia,** no aprobé el examen. Pasé las vacaciones en la playa; **por eso** estoy tan bronceado.

PARA MOSTRAR ORDEN DE TIEMPO O ESPACIO

a partir de *starting* **al final** *in the end; at/toward the end* **al mismo tiempo** *at the same time* **antes de** *before* **desde que/desde entonces** *since/since then* **después/luego** *later, then* **en aquel entonces** *at that time, back then* **en primer/segundo lugar** *first/second of all* **primero** *first*	**Antes de** mudarme a Madrid en 2005, no me interesaba el fútbol. **Desde entonces,** soy un verdadero fanático. Las entradas para el circo estarán disponibles **a partir del** 12 de diciembre. No me enteré de lo que pasó **al final** de la reunión. **En aquel entonces** muy pocas mujeres asistían a la universidad. **Primero,** cocina la cebolla. **Luego,** el ajo. Los dos llamaron **al mismo tiempo.**

PARA RESUMIR

a fin de cuentas *in the end, after all*	**A fin de cuentas**, él es quien paga el alquiler.
al fin y al cabo *in the end*	**Después de todo**, te dieron todo lo
después de todo *after all*	que tenían.
en conclusión *in conclusion*	**En otras palabras**, no quiero volver a verte.
en otras palabras/es decir *that is to say*	**En resumen**, la fiesta se celebrará, con
en resumen/en resumidas cuentas *in short*	o sin dinero.
en todo caso *in any case*	**En todo caso**, aquí estaré siempre que
	me necesiten.

PRÁCTICA

1 Completa cada oración con la expresión de transición más lógica de la lista. No repitas las expresiones.

a diferencia de	ahora que	en aquel entonces	por lo general
a partir de	después de todo	por desgracia	sin embargo

1. Ayer se estropeó la calefacción; _____, no pasamos frío.
2. _____ Javier, su hermano Andrés tiene el pelo corto.
3. _____, por muy mal que os llevéis, es tu padre.
4. _____, no hay nada que se pueda hacer para mejorar la situación.
5. _____, en las casas no había agua corriente.
6. _____, el clima mediterráneo es agradable casi todo el año.
7. Mejor salgamos de casa, _____ no llueve.
8. _____ ahora, quiero que todos aporten su granito de arena.

2 Completa el párrafo con una expresión de transición adecuada. También puedes usar conjunciones.

Sí. (1)_____ yo también soy mileurista. Pertenezco a ese dilatado grupo de españoles que, (2)_____ haber cursado estudios superiores, ganamos menos de mil euros al mes. (3)_____ no contamos con un trabajo y un sueldo acordes a nuestra preparación, nos pasamos la vida en empleos temporales que no satisfacen nuestras aspiraciones. (4)_____, ante la situación económica actual, y (5)_____ cada vez hay menos puestos de trabajo, no nos queda otro remedio que conformarnos con lo que hay. (6)_____, todos tenemos que pagar el alquiler, de una forma u otra. (7)_____ esta situación, y (8)_____ los agricultores y ancianos desaparecen, podemos decir que los nuevos pobres de hoy en día somos los jóvenes. (9)_____, formamos una nueva clase social de individuos cuyo nivel de vida será peor que el de sus padres. (10)_____, no sabemos lo que será de nosotros.

3 Escribe un párrafo sobre una experiencia que hayas tenido al buscar trabajo o solicitar una pasantía (*internship*). Utiliza tantas expresiones de transición como puedas para unir e introducir oraciones.

MODELO *Todo comenzó cuando vi un aviso para un puesto de verano. Por desgracia, el periodo de inscripción había finalizado. Sin embargo...*

◤ La autora del párrafo de la página anterior acuñó una nueva palabra a partir de la expresión «mil euros».

> «El **mileurista** es aquel joven licenciado, con idiomas, posgrados, másters y cursillos (...) que no gana más de 1000 euros».

◤ Los sufijos son terminaciones que se agregan a la raíz de una palabra para añadirle información suplementaria. La nueva palabra formada se denomina **palabra derivada**. A menudo, este proceso de derivación puede suponer un cambio de categoría gramatical entre la palabra original y la palabra derivada. Dependiendo del cambio de categoría gramatical que se obtenga al añadir un sufijo, podemos dividir los sufijos en categorías. Aquí se presentan algunos ejemplos.

FORMACIÓN DE SUSTANTIVOS A PARTIR DE VERBOS		
-ada	**sentar** *to sit down* **acampar** *to camp*	**sentada** *sit-down protest* **acampada** *camping*
-ado	**peinar** *to comb* **afeitar** *to shave*	**peinado** *hairstyle* **afeitado** *shave*
-ancia	**tolerar** *to tolerate* **vigilar** *to watch*	**tolerancia** *tolerance* **vigilancia** *vigilance*
-anza	**enseñar** *to teach* **labrar** *to till*	**enseñanza** *teaching* **labranza** *tilling, farming*
-dero	**embarcar** *to embark* **fregar** *to wash*	**embarcadero** *pier* **fregadero** *sink*
-ción	**retener** *to retain* **asimilar** *to assimilate*	**retención** *retention* **asimilación** *assimilation*

FORMACIÓN DE SUSTANTIVOS A PARTIR DE ADJETIVOS		
-itud	**similar** *similar* **lento/a** *slow*	**similitud** *similarity* **lentitud** *slowness*
-ncia	**abundante** *abundant* **insistente** *insistent*	**abundancia** *abundance* **insistencia** *insistence*
-bilidad	**variable** *variable* **estable** *stable*	**variabilidad** *variability* **estabilidad** *stability*
-dad	**cruel** *cruel* **frío/a** *cold*	**crueldad** *cruelty* **frialdad** *coldness*
-ura	**loco/a** *crazy* **fresco/a** *fresh*	**locura** *craziness* **frescura** *freshness*
-ez	**redondo/a** *round* **exquisito/a** *exquisite*	**redondez** *roundness* **exquisitez** *exquisiteness*

FORMACIÓN DE ADJETIVOS A PARTIR DE SUSTANTIVOS

-íaco/a	**Austria** *Austria* **paraíso** *paradise*	**austríaco/a** *Austrian* **paradisíaco/a** *paradisiacal*
-al	**constitución** *constitution* **provisión** *provision*	**constitucional** *constitutional* **provisional** *provisional*
-ar	**polo** *pole* **luna** *moon*	**polar** *polar* **lunar** *lunar*
-ático/a	**esquema** *diagram* **enigma** *enigma*	**esquemático/a** *schematic* **enigmático/a** *enigmatic*
-ario/a	**reglamento** *regulation* **suplemento** *supplement*	**reglamentario/a** *regulatory* **suplementario/a** *supplementary*

FORMACIÓN DE ADJETIVOS A PARTIR DE VERBOS

-ado/a	**lavar** *to wash* **cualificar** *to qualify*	**lavado/a** *washed* **cualificado/a** *qualified*
-ante	**abundar** *to abound* **impresionar** *to impress*	**abundante** *abundant* **impresionante** *impressive*
-ible	**eludir** *to elude* **describir** *to describe*	**eludible** *avoidable* **descriptible** *describable*
-able	**variar** *to vary* **canjear** *to exchange*	**variable** *variable* **canjeable** *exchangeable*

¡ATENCIÓN!

Otros sufijos para formar adjetivos a partir de verbos:

llevar ⟶ lleva**dero/a** (*bearable*)

enamorar ⟶ enamora**dizo/a** (*that falls in love easily*)

FORMACIÓN DE VERBOS A PARTIR DE SUSTANTIVOS O ADJETIVOS

-ificar	**edificio** *building* **ejemplo** *example*	**edificar** *to build* **ejemplificar** *to exemplify*
-ear	**agujero** *hole* **gol** *goal*	**agujerear** *to drill a hole* **golear** *to score a lot of goals*
-ecer	**noche** *night* **rico/a** *rich* **pálido/a** *pale*	**anochecer** *to get dark* **enriquecer** *to enrich* **palidecer** *to turn pale*
-izar	**tierra** *land* **carbón** *carbon*	**aterrizar** *to land* **carbonizar** *to carbonize*

¡ATENCIÓN!

En ocasiones, cuando se añaden sufijos como **-ecer** o **-izar**, también se requiere añadir prefijos (pp. 308-309).

anoch**ece**

FORMACIÓN DE SUSTANTIVOS A PARTIR DE SUSTANTIVOS: SUFIJOS QUE INDICAN GRUPO

-ado/a	**profesor** *professor* **millón** *million*	**profesorado** *faculty* **millonada** *many millions*
-aje	**ropa** *clothes* **venda** *bandage*	**ropaje** *apparel* **vendaje** *bandages, dressing*
-edo/a	**roble** *oak tree* **árbol** *tree*	**robledo** *oak grove* **arboleda** *grove*
-ero	**refrán** *proverb* **avispa** *wasp*	**refranero** *collection of proverbs* **avispero** *wasps' nest*

FORMACIÓN DE SUSTANTIVOS A PARTIR DE SUSTANTIVOS: SUFIJOS QUE INDICAN OFICIOS O PROFESIÓN		
-ería	**pan** *bread* **ganado** *livestock*	**panadería** *bakery* **ganadería** *stockbreeding*
-ero/a	**pan** *bread* **zapato** *shoe*	**panadero/a** *baker* **zapatero/a** *shoe maker*
-ario/a	**biblioteca** *library* **función** *function*	**bibliotecario/a** *librarian* **funcionario/a** *government employee*
-ador(a)	**control** *control* **venta** *sale*	**controlador(a)** *controller* **vendedor(a)** *salesperson*
-ista	**mil euros** *a thousand euros* **flauta** *flute*	**mileurista** *a person who makes a thousand euros a month* **flautista** *flautist*

PRÁCTICA

1

Completa las analogías con las palabras adecuadas.

1. pan ⟶ panadería : helado ⟶ _____
2. hervir ⟶ hervidero : embarcar ⟶ _____
3. profesor ⟶ profesorado : elector ⟶ _____
4. triste ⟶ entristecer : rico ⟶ _____
5. asimilar ⟶ asimilación : globalizar ⟶ _____
6. llave ⟶ llavero : canción ⟶ _____
7. similar ⟶ similitud : alto ⟶ _____
8. blanco ⟶ blancura : dulce ⟶ _____
9. vigilar ⟶ vigilancia : tolerar ⟶ _____
10. brillante ⟶ brillantez : fluido ⟶ _____
11. edificio ⟶ edificar : plan ⟶ _____
12. definir ⟶ definible : elegir ⟶ _____

2

Relaciona cada definición con la palabra correcta de cada par.

1. ___ acción de perforar, agujero
2. ___ bosque de robles
3. ___ mamífero de cuatro patas con cuernos
4. ___ persona que cuida y organiza libros
5. ___ que reúne las cualificaciones necesarias
6. ___ conjunto de refranes
7. ___ grupo de profesores
8. ___ una persona con buen gusto para vestir

a. perforador/perforación
b. cualificación/cualificado
c. elegancia/elegante
d. profesorado/profesor
e. refranero/refrán
f. biblioteca/bibliotecario
g. roble/robledo
h. toro/torero

3

Escribe diez oraciones utilizando palabras derivadas de los términos de la lista.

comparar	determinar	emancipar	iniciar	precario	sentir	tiempo
desempleo	economía	euro	laborar	prever	sociedad	universidad

PUNTOS DE PARTIDA

Viajar se ha convertido en una actividad de ocio cada vez más popular y más alcanzable. La experiencia de visitar sitios nuevos y conocer personas de culturas diferentes enriquece nuestras vidas y nos ayuda a apreciar y valorar la diversidad de nuestro mundo.

⊿ ¿Cómo nos beneficiamos de las perspectivas de otras personas y culturas?

⊿ ¿Cómo mostramos respeto por los lugares que visitamos?

⊿ ¿De qué manera la ubicación geográfica de un país influye en su desarrollo turístico?

DESARROLLO DEL VOCABULARIO  Auto-graded My Vocabulary

MI VOCABULARIO
Anota el vocabulario nuevo a medida que lo aprendes.

1 **Medios de transporte** Para cada descripción, elige el medio de transporte apropiado.

	avión	barco	bicicleta
1. Necesitas usar un casco.	☐	☐	☐
2. Necesitas tener un salvavidas cerca.	☐	☐	☐
3. Necesitas abrocharte el cinturón de seguridad.	☐	☐	☐
4. Necesitas quedarte adentro.	☐	☐	☐
5. Las colinas son más difíciles.	☐	☐	☐
6. Hay que pasar por controles de seguridad.	☐	☐	☐
7. Despega y aterriza.	☐	☐	☐
8. Sale de un puerto.	☐	☐	☐
9. Es el modo de transporte más ecológico.	☐	☐	☐
10. Es el modo de transporte más rápido.	☐	☐	☐

2 **¿Adónde quisieras ir?** Elige tu destino preferido para cada uno de estos medios de transporte: *a pie, barco de vela, carro, autobús, bicicleta, crucero, avión, canoa, helicóptero, nave espacial.* Comparte tus respuestas con un(a) compañero/a.

3 **Elementos culturales** En grupos de cuatro, elijan un país hispanohablante que les interese (un país diferente para cada grupo). Cada miembro del grupo elige un aspecto cultural de dicho país e investiga ejemplos específicos de ese aspecto, apoyándose con imágenes. Finalmente, el grupo presenta a toda la clase los cuatro aspectos investigados. Estos son algunos de los elementos culturales que pueden investigar:

- el arte (una obra o un[a] artista)
- el cine (una película, un actor [actriz] o director[a])
- la arquitectura (un edificio o un[a] arquitecto/a)
- la cocina (un plato típico o un[a] cocinero/a)
- la política (tipo de gobierno o uno[a] de sus líderes)
- la historia (una época o un evento)
- la música (una canción, un[a] músico/a o un género)
- el baile (bailes populares, un[a] bailarín[a] o un género)
- los deportes (un deporte, un equipo o un[a] atleta)
- la geografía (un lugar de interés o una región)
- la flora y la fauna (la biodiversidad, una especie animal o vegetal)

LECTURA 3.1 ▶ UN MENSAJE DE MARÍA JOSÉ

SOBRE LA LECTURA Esta lectura es un mensaje electrónico que le escribió una mujer española a su amiga estadounidense en noviembre de 2012. La autora del correo, María José Barón, vive en Ginebra con su esposo y sus hijos, Guillermo (11 años) y Miguel (9 años). Su amiga Amy vive en Boston y tiene dos hijos de la misma edad. Las dos mujeres se conocieron cuando estudiaban en la Universidad de Salamanca en la década de los ochenta. Ellas y sus familias se reúnen siempre que pueden y se comunican con regularidad por correo electrónico. Comparten sus experiencias de la cultura popular, la política y la vida familiar, al mismo tiempo que mantienen el contacto y la amistad.

ANTES DE LEER

1 **Tu tiempo libre** Haz una lista de las actividades que te gusta realizar en tu tiempo libre y enumera las cinco que prefieres por orden de importancia. Luego comparte tu lista con un(a) compañero/a.

---

2 **Las películas** Habla con un(a) compañero/a sobre una película que hayas visto recientemente y que te haya gustado mucho. Además de mencionar el género, los actores y la trama, comenten por qué decidieron verla, qué sentimientos o emociones les provocó y cuáles temas de la vida humana toca.

---

3 **Registro** Como con cualquier otro texto, al escribir un mensaje electrónico debemos prestar atención al registro que usamos dependiendo de la persona a la que va dirigido el mensaje. De la siguiente lista de elementos, elige los que usarías en un correo dirigido a tu mejor amigo/a (**A**) o a un profesor (**P**).

___ lenguaje coloquial   ___ expresiones de cortesía
___ chistes   ___ lenguaje académico
___ abreviaturas   ___ emoticones
___ tuteo   ___ ejemplos y opiniones
___ buena ortografía   ___ anécdotas familiares

4 **Perspectivas culturales** Para cada frase, da una definición y explica su significado dentro de la cultura de tu país o comunidad. Después, comenten sus observaciones en grupos de cuatro o cinco estudiantes.

1. la colaboración
2. una catástrofe natural
3. el amor
4. el bienestar social
5. el bienestar financiero
6. la fuerza de la familia
7. la suerte
8. el destino

Mensaje — Recibidos   Viernes 2 de noviembre de 2012, 9:02 AM

De   María José <mariajose@mail.com>

Para   Amy

Bandeja de entrada   Responder   Reenviar

Querida Amy:

¡Qué guapos estaban los chicos en la foto de Halloween! Seguro que se lo pasaron genial. ¡A mis hijos les hubiera encantado salir con ellos para el *trick or treat*! Eso hubiera sido un sueño para Guillermo...

5 Es increíble todo lo que cuenta tu hermana sobre el huracán Sandy. Han pasado varios días y aún están sufriendo las consecuencias de estar sin **suministro** eléctrico, sin colegio y con carreteras cortadas. Espero que sigan todos bien, sobre todo tus padres por ser mayores, y dales a todos muchos recuerdos míos cuando hables con ellos. Ha sido una noticia tan **mediática** que la hemos estado
10 siguiendo minuto a minuto desde Europa.

Pero lo que más me emociona es oír la buena colaboración que ha habido entre los vecinos. Esto me hace recordar una película española que **se estrenó** en octubre pero que ha sido filmada en inglés con actores americanos por lo que probablemente también será estrenada en USA, aunque no sé cuándo. Se llama
15 *Lo imposible* y está dirigida por J. A. Bayona. Está basada en la historia real de una familia española (María Belón, su marido y sus hijos) que sufrió el tsunami de 2004 cuando pasaban unos días de vacaciones en Tailandia. Desde que se estrenó en España, **ha batido** todos los éxitos de taquilla y tal vez os gustaría ir a verla, aunque no te olvides de llevar pañuelos... Aquí a Ginebra llegará en
20 dos semanas y no quiero perdérmela. La película recrea el tsunami para hablar de la condición humana. En un momento como el actual en el que desgraciadamente comenzamos a convivir con catástrofes naturales cada vez más habitualmente, y en el que otro «tsunami» financiero está devastando el bienestar social de millones de personas, creo que **cobra más fuerza** que nunca esta historia de
25 amor, de generosidad, de la fuerza de la familia y, tristemente también, de la «suerte», de nuestro destino.

¡Mucha suerte en las próximas elecciones presidenciales!

Con mucho cariño,
María José

 Más recientes   5 de 1202   Anteriores

ESTRATEGIA

Analizar el estilo
Se puede conocer mucho de la autora y su relación con la receptora del mensaje si analizas el estilo de escritura. Mientras lees, observa el tono, el registro y los temas discutidos; busca referencias y expresiones regionales, e identifica perspectivas y comparaciones culturales. Considera lo que revela el estilo de escritura sobre la autora y su relación con la receptora.

GLOSARIO

el suministro distribución, entrega

mediático/a relativo a los medios de comunicación

estrenarse ser presentado por primera vez (en especial, un espectáculo)

batir vencer, superar un récord

cobrar fuerza adquirir poder o valor, dar energía

DESPUÉS DE LEER

1 **Comprensión** Contesta las preguntas según el texto.

1. ¿De dónde es María José y dónde vive cuando escribe la carta?
2. ¿Con qué propósito escribió la carta?
3. ¿Quién es María Belón?
4. ¿Por qué recomienda María José que lleven pañuelos a la película?
5. ¿Cuál detalle sobre las noticias del huracán Sandy le pareció más interesante a María José?
6. ¿Por qué puso entre comillas la palabra «suerte» (línea 26)?

2 **Analizar el estilo** Contesta las preguntas con un(a) compañero/a para analizar el estilo del mensaje electrónico.

1. Describe el registro de la escritura.
2. ¿Cómo cambia el tono a lo largo del mensaje?
3. Haz una lista de los diferentes temas que menciona la autora.
4. ¿A cuáles regiones o sitios hace referencia? Indica el contexto de cada referencia.
5. ¿Cuál frase demuestra (por el vocabulario) que María José es de España y no de Latinoamérica?
6. ¿Cuáles son algunas comparaciones culturales implícitas o expresas en el mensaje?

3 **Describir a la autora** Según la información de Sobre la lectura y del mensaje electrónico que has leído y analizado, describe a María José. Piensa en detalles que resulten lógicos para componer su perfil. Incluye aspectos como estos:

- edad
- familia
- educación
- profesión
- intereses y creencias
- calidad de vida
- actividades de ocio
- experiencias y circunstancias que pueden influir en sus opiniones

RECURSOS
Consulta la lista de apéndices en la p. 418.

4 **Un mensaje electrónico** Escribe una posible versión del mensaje original que Amy le escribió a María José. Al escribir el mensaje recuerda incluir estos aspectos:

- saludar a María José y hacerle una o dos preguntas sobre su vida o su familia
- describir la foto adjunta (por ejemplo, quiénes aparecen en la foto o dónde están)
- relatar las experiencias de su hermana con el huracán Sandy y la colaboración de los vecinos
- expresar preocupaciones acerca de las próximas elecciones presidenciales

5 **El destino** ¿Crees que las personas que conozcas y las experiencias que tengas en la vida forman parte de un plan predeterminado? Con un(a) compañero/a de clase, habla sobre tus creencias personales acerca del destino y la suerte, y da ejemplos de tu propia experiencia o argumentos lógicos para apoyar tu punto de vista.

6

La cultura y las celebraciones Con un(a) compañero/a de clase, compara la manera como estas ocasiones se celebran en tu país y en países hispanohablantes.

1. Halloween
   ◆ ¿Cómo le parecería la celebración de Halloween a una persona de otro país que lo experimentara por primera vez?
   ◆ ¿En qué sentido es Halloween representativa de la cultura de tu país?
   ◆ ¿Cuáles celebraciones de países hispanos tienen elementos comunes con Halloween?

2. *Columbus Day* o Día de Cristóbal Colón
   ◆ ¿Cuál es el significado de esta celebración?
   ◆ ¿Cuáles son las semejanzas y diferencias con «El día de la raza» en otras naciones?

3. Día de la Independencia
   ◆ ¿Por qué es importante celebrar esta fecha?
   ◆ ¿Cómo se celebra en Estados Unidos y cómo celebran su independencia otros países?

7

Las perspectivas personales Comenten estas preguntas en pequeños grupos.

1. ¿Cómo influyen los siguientes elementos en nuestras opiniones y en la visión que tenemos de la vida?
   ◆ la cultura popular
   ◆ los valores de nuestros padres
   ◆ la religión
   ◆ la educación
   ◆ el estatus socioeconómico del país y de nuestra familia
   ◆ las experiencias
   ◆ el lugar de origen

2. ¿Cuáles son algunos ejemplos de perspectivas diferentes entre las personas que tú conoces?
3. ¿Cuáles son los beneficios de tener amigos con opiniones diferentes?
4. ¿Qué define la calidad de vida?
5. ¿Qué condiciones culturales pueden influir en esa definición?

8

Interpretar las perspectivas La autora expresa unas ideas muy personales en la última oración de la carta. Vuelve a leerla antes de contestar y comentar las preguntas con un grupo de cinco o seis estudiantes.

1. ¿Cuáles son las preocupaciones expresadas?
2. ¿Qué aspectos de su vida podrán influir en sus preocupaciones?
3. ¿Cuáles son los significados posibles de la palabra «suerte»?
4. ¿En que sentido(s) usa la autora la palabra «suerte»?
5. ¿A qué se refiere la autora con la palabra «destino»?
6. ¿Por qué usa la autora el adverbio «tristemente» para introducir «la suerte» y «el destino»?

MI VOCABULARIO
Utiliza tu vocabulario individual.

9

Narrar la trama Elige una película o un cuento con un mensaje muy personal y profundo o con relevancia contemporánea. Usa el correo de María José como modelo para narrar la trama y compararla con sucesos contemporáneos relevantes. Incluye:

   ◆ el nombre de la película o el cuento
   ◆ un breve resumen de la trama
   ◆ por qué es relevante para ciertos eventos contemporáneos
   ◆ algo que podemos aprender, o algún aspecto inspirador o conmovedor de la historia

ESTRATEGIA

Resumir Cuando resumes la trama de un cuento o una película, necesitas decidir cuáles detalles son más importantes. Considera el público que te escucha y tus razones para compartir el resumen.

LECTURA 3.2 ▶ MUNDO DEL FIN DEL MUNDO (FRAGMENTO)

SOBRE EL AUTOR Luis Sepúlveda (n. 1949) es un aclamado autor, periodista y cineasta chileno. Llegó a ser uno de los escritores latinoamericanos más leídos en todo el mundo después de publicar su novela *Un viejo que leía novelas de amor* (1992), traducida a treinta y tres idiomas. En los años setenta, fue encarcelado por razones políticas durante la dictadura de Augusto Pinochet y luego se exilió. Desde entonces ha vivido en varios países de Suramérica, así como en Alemania y España.

SOBRE LA LECTURA Esta lectura es un fragmento del libro *Mundo del fin del mundo* (1994), en el que el narrador cuenta sus experiencias al pasar un verano a bordo de un ballenero cuando era adolescente. Fascinado con el libro *Moby Dick*, buscaba aventuras marinas similares. Décadas más tarde, regresó a las mismas aguas puras del Polo Sur como activista de Greenpeace persiguiendo piratas que mataban ballenas indiscriminadamente.

ANTES DE LEER

MI VOCABULARIO
Anota el vocabulario nuevo a medida que lo aprendes.

1 **Accidentes geográficos** Elige la mejor descripción para cada accidente geográfico.

___ un arrecife
___ una bahía
___ un cabo
___ un canal
___ una cordillera
___ una correntada
___ un iceberg
___ un islote
___ una laguna
___ un paso de mar
___ una península

a. una serie de montañas
b. una piedra grande que sobresale del agua
c. un pedazo enorme de hielo que flota en el mar
d. un estrecho marítimo que conecta dos masas de agua
e. un sitio por donde pasar en barco
f. un banco formado en el mar por piedras y corales
g. una punta de tierra que penetra en el mar
h. tierra rodeada de agua por todas las partes, menos una
i. una entrada a la mar rodeada por tierra, excepto por la apertura
j. una masa de agua, generalmente dulce; un lago pequeño
k. una corriente fuerte de agua

2 **Interpretar el título** Antes de leer el texto, trabajen en grupos de tres o cuatro estudiantes para hacer una lista de interpretaciones posibles para el título: *Mundo del fin del mundo*. ¿Cuáles son los significados posibles de «mundo» y «fin» en contextos diferentes?

3 **En el mapa** Antes de leer el texto, busca el Estrecho de Magallanes y el Paso Drake en un mapa y contesta las preguntas.

1. ¿En qué país está ubicado el Estrecho de Magallanes?
2. ¿Crees que estaría bien llamar a este lugar «el fin del mundo»? ¿Por qué?
3. Según la geografía de la zona, ¿qué parte parece la más difícil de navegar? ¿Por qué?
4. En tu opinión, ¿cuáles serían las ventajas y desventajas de navegar por el Estrecho de Magallanes en vez del Paso Drake?

4

Las partes de un barco Escribe el número que corresponde a cada parte del barco.

  ___ el ancla   ___ la popa
  ___ el babor   ___ la proa
  ___ la cubierta   ___ el puente de mando
  ___ el estribor   ___ la sala de máquinas

5

Sinónimos Encuentra un sinónimo para cada uno de estos términos entre las palabras del Glosario de las pp. 248-250:

1. sondear: _____   **4.** hondura: _____
2. embarcaciones: _____   **5.** puntudo: _____
3. partir: _____   **6.** transparente: _____

6

La ruta del narrador En un mapa, identifica los siguientes lugares del Cono Sur, que marcarán la ruta que sigue el narrador del fragmento que vas a leer:

Santiago de Chile	Isla Pacheco	Cabo Froward
Puerto Montt	Estrecho de Magallanes	Bahía Inútil
Canal de Moraleda	Península de Córdoba	Tierra del Fuego
Puerto Chacabuco	Península de Brunswick	Punta Arenas

7

Un viaje inolvidable Habla con un(a) compañero/a sobre un viaje que recuerdas de manera especial y en el cual obtuviste algún aprendizaje importante para tu vida. En su conversación, tengan en cuenta estos aspectos:

◆ qué edad tenías, dónde fue el viaje y cuánto tiempo duró
◆ con quién fuiste y qué medio(s) de transporte utilizaron
◆ qué aprendiste del viaje o de las personas que conociste allí
◆ por qué consideras que es un viaje inolvidable

MUNDO
por **Luis Sepúlveda**

(Fragmento) # DEL FIN DEL MUNDO

EN CHILE, las vacaciones de verano duran de mediados de diciembre a mediados de marzo. Por otras lecturas supe que en los confines continentales preantárticos **fondeaban** varias pequeñas **flotas** de barcos balleneros, y ansiaba conocer a aquellos hombres a los que imaginaba herederos del capitán Ahab.

Convencer a mis padres de la necesidad de ese viaje sólo fue posible gracias a la ayuda de mi Tío Pepe, quien además me financió el pasaje hasta Puerto Montt.

Los primeros mil y tantos kilómetros del encuentro con el mundo del fin del mundo los hice en tren, hasta Puerto Montt. Allí, frente al mar, se terminan bruscamente las vías del ferrocarril. Después el país se divide en miles de islas, islotes, canales, pasos de mar, hasta las cercanías del Polo Sur y, en la parte continental, las cordilleras, los **ventisqueros**, los bosques impenetrables, los hielos eternos, las lagunas, los fiordos y los ríos caprichosos impiden el trazo de caminos o de vías ferrocarriles.

En Puerto Montt, por gestiones de mi Tío benefactor, me aceptaron como tripulante en un barco que unía esa ciudad con Punta Arenas, en el extremo sur de La Patagonia, y con Ushuaia, la más austral del mundo en la Tierra del Fuego, trayendo y llevando mercancías y pasajeros.

El capitán del *Estrella del Sur* se llamaba Miroslav Brandovic, y era un descendiente de emigrantes yugoslavos que conoció a mi Tío durante sus correrías por España y luego con los maquis[1] franceses. Me aceptó a bordo como pinche de cocina y apenas **zarpamos** recibí un afilado cuchillo y la orden de pelar un costal de papas.

El viaje duraba una semana. Eran unas mil millas las que debíamos navegar para llegar a Punta Arenas, y la nave se detenía frente a varias caletas o puertos de poco **calado** en Isla Grande de Chiloé, cargaba costales de papas, de cebollas, trenzas de ajos, fardos de gruesos ponchos de lana virgen, para continuar la navegación por las siempre animadas aguas de Corcovado antes de tomar la boca norte del Canal de Moraleda y avanzar en pos del Gran Fiordo de Aysén, única vía que conduce a la apacible quietud de Puerto Chacabuco.

En ese lugar protegido por cordilleras atracaba unas horas, apenas las necesarias para aprovechar el calado que concede la pleamar, y, finalizadas las faenas de carga, casi siempre de carne, iniciaba la navegación de regreso a la mar abierta.

Rumbo oeste noroeste hasta la salida del Gran Fiordo y alcanzar el Canal de Moraleda. Entonces, con rumbo norte se alejaba de las gélidas aguas de San Rafael, del ventisquero flotante, de las infortunadas embarcaciones atrapadas entre sus tentáculos de hielo muchas veces con tripulación completa.

Varias millas más al norte el *Estrella del Sur* torcía rumbo oeste, y cruzando el Archipiélago de las Guaitecas ganaba la mar abierta para seguir con la proa enfilada al sur casi en línea recta.

Creo que pelé toneladas de papas. Me despertaba a las cinco de la mañana para ayudar al panadero. Servía las mesas de la tripulación. Pelaba papas. Lavaba platos, ollas y servicios. Más papas. Desgrasaba la carne de los bifes. Más papas. Picaba cebollas para las empanadas. Vuelta a las papas. Y las pausas que los marinos aprovechaban para roncar a pierna suelta las destinaba a aprender cuanto pudiera acerca de la vida de a bordo.

[1] Los maquis eran los guerrilleros antifacistas que opusieron resistencia al régimen de Franco. Su actividad comenzó durante la Guerra Civil Española (1936-1939).

40 Al sexto día de navegación tenía las manos llenas de callos y me sentía orgulloso. Aquel día, luego de servir el desayuno, fui llamado por el capitán Brandovic al puente de mando.

—¿Qué edad dices que tienes, **grumete**?

—Dieciséis. Bueno, pronto cumpliré los diecisiete, capitán.

45 —Bien, grumete. ¿Sabes qué es eso que brilla a babor?

—Un faro, capitán.

—No es cualquier faro. Es el Faro Pacheco. Estamos navegando frente al Grupo Evangelistas y nos preparamos para entrar al Estrecho de Magallanes. Ya tienes algo para contarle a tus nietos, grumete. ¡Un cuarto a babor y a media máquina! —ordenó el capitán Brandovic olvidándose de mi presencia.

50 Tenía dieciséis años y me sentía dichoso. Bajé a la cocina para seguir pelando papas, pero me encontré con una agradable sorpresa: el cocinero había cambiado el menú y por lo tanto no me necesitaba.

Me pasé el día entero en cubierta. Pese a estar en pleno verano, el viento del Pacífico calaba hasta los huesos, y, bien arropado con un poncho chilote, miré pasar los grupos de islas en nuestra 55 navegación rumbo este sureste.

Conocía al dedillo aquellos nombres sugerentes de aventuras: Isla Cóndor, Isla Parker, Maldición de Drake, Puerto Misericordia, Isla Desolación, Isla Providencia, Peñón del Ahorcado…

Al mediodía el capitán y los oficiales se hicieron servir el almuerzo en el puente de mando. Comieron de pie sin dejar de mirar en momento alguno la **carta de navegación**, los instrumentos, 60 y dialogando con la sala de máquinas en un lenguaje de cifras que sólo ellos comprendían.

Servía el café cuando el capitán se fijó de nuevo en mí:

—¿Qué diablos hacías helándote en cubierta, grumete? ¿Te quieres agarrar una pulmonía?

—Miraba el estrecho, capitán.

—Quédate aquí y lo verás mejor. Ahora empieza la parte jodida del viaje, grumete. Vamos a 65 tomar el estrecho en el mejor sentido de la palabra. Mira. A babor tenemos la costa de la Península de Córdoba. Está bordeada de arrecifes **filudos** como dientes de tiburón. Y a estribor el panorama tampoco es mejor. Ahí tenemos la costa sureste de Isla Desolación. Arrecifes 70 mortales y, como si no bastara, en pocas millas toparemos con las correntadas del Canal Abra, que trae toda la fuerza de la mar abierta. Ese **condenado** canal estuvo a punto de terminar con la suerte de 75 Hernando de Magallanes. Grumete, puedes quedarte pero en boca cerrada no entran moscas. No la abras sin antes haber visto el Faro de Ulloa.

El *Estrella del Sur* navegaba a la 80 mínima potencia de sus máquinas, y a eso de las siete de la tarde vimos los haces de plata del Faro de Ulloa centelleando en el horizonte de babor. Ahí se ensancha el Estrecho de Magallanes. La navegación 85 se hizo más rápida y los hombres se volvieron menos tensos.

ESTRATEGIA

Visualizar
Mientras lees, visualiza la escena que el autor describe. Forma imágenes mentales de la geografía en que se encuentra el barco, los pasos estrechos por los cuales el capitán navega, el equipaje en el puente de mando, la atmósfera tensa, el sonido del motor, el viento glacial y otros detalles.

GLOSARIO
el grumete joven aprendiz de marino
la carta de navegación mapa detallado de aguas navegables
filudo/a afilado/a, con una punta que puede cortar
condenado/a maldito/a, molesto/a

GLOSARIO

el chorro líquido, gas o luz que fluye por una apertura

diáfano/a claro/a, cristalino/a

A las once de la noche los **chorros** de luz del faro de Cabo Froward bañaron el barco con una caricia de bienvenida, el capitán Brandovic dio la orden de poner la proa con rumbo norte, y el cocinero me reclamó para servir a la tripulación hambrienta.

Luego de fregar platos y trastos subí a cubierta. El cielo **diáfano** se veía tan bajo que daban ganas de estirar un brazo y tocar las estrellas. Y las luces de la ciudad se adivinaban también muy cercanas. 90

Punta Arenas se levanta en la costa oeste de la Península de Brunswick. En esa parte el Estrecho de Magallanes tiene unas veinte millas de ancho. Al otro lado empieza la Tierra del Fuego, y un poco más al sur, las aguas de Bahía Inútil forman en el estrecho una laguna de unas 95 setenta millas de ancho.

Al día siguiente terminó el viaje de ida. Serví el último desayuno, y el capitán Brandovic se despidió de mí recordándome la fecha del regreso, en seis semanas. Me ofreció su mano fuerte de marino y un sobre con el que no contaba. En él había varios billetes. Toda una fortuna para 100 un chico de dieciséis años.

—Muchas gracias, capitán.

—Nada que agradecer, grumete. El cocinero asegura que jamás tuvo mejor ayudante a bordo.

Estaba en Punta Arenas, tenía las manos encallecidas y en los bolsillos el primer dinero ganado trabajando. Luego de vagabundear unas horas por la ciudad busqué la casa de los Brito, también conocidos de mi Tío Pepe, quienes me recibieron con los brazos abiertos. ◣ 105

DESPUÉS DE LEER

1 **Comprensión** Contesta las preguntas según el texto.

1. ¿Por qué tienen los chilenos sus vacaciones de verano durante los meses de diciembre, enero y febrero?
2. ¿En qué sentido se puede considerar a los hombres que el autor conoció como «herederos del capitán Ahab»?
3. ¿Cómo conoció el capitán al tío del narrador?
4. ¿Qué quiere decir el capitán cuando le dice al narrador: «puedes quedarte pero en boca cerrada no entran moscas»? ¿Por qué le dice eso el capitán?
5. ¿Qué recibió del capitán que no esperaba?
6. ¿Por qué la excursión fue significativa para el narrador?

RECURSOS 🔍
Consulta la lista de apéndices en la p. 418.

2 **Las cualidades personales** Contesta y comenta estas preguntas con un(a) compañero/a de clase.

1. ¿Cómo demostró el narrador las cualidades siguientes en la descripción del texto?
   ◆ la persistencia
   ◆ la humildad
   ◆ la diligencia
   ◆ la curiosidad
   ◆ el respeto por los demás
   ◆ el respeto por la naturaleza
   ◆ la responsabilidad
   ◆ la inocencia

2. ¿Cuáles fueron las cualidades que más contribuyeron a que su experiencia fuera satisfactoria?

3

Comentar las lecciones Con un(a) compañero/a, comenten las lecciones que el narrador pudo haber aprendido de sus experiencias a bordo del *Estrella del Sur*.

1. Haz una lista de cinco posibles lecciones que el narrador aprendió.
2. Explica la importancia de cada lección.
3. Describe otra manera de aprender las mismas lecciones.
4. ¿En qué sentido las lecciones aprendidas por la experiencia personal son más intensas y duraderas que las lecciones enseñadas por otros?

4

El paso a la adultez ¿En qué sentido se puede decir que la aventura del narrador representa su ingreso a la adultez? Con un(a) compañero/a, comenta los puntos siguientes, teniendo en cuenta el desarrollo personal del narrador.

1. cómo logró embarcarse en el *Estrella del Sur*
2. las experiencias que tuvo en la cocina
3. sus observaciones en cubierta y en el puente de mando
4. su cumplimiento de los deberes
5. el pago que recibió
6. las cualidades que demostró a lo largo de la travesía
7. su cumplimiento de una meta personal

5

Discutir Discute con toda la clase los temas que aborda el texto.

1. ¿Cuáles son los temas más importantes que presenta el texto?
2. ¿Cuáles son las lecciones que se pueden sacar del texto?
3. ¿Qué preguntas te gustaría hacerle al autor si tuvieras la oportunidad?
4. ¿Te gustaría hacer una excursión semejante? ¿Por qué?

MI VOCABULARIO
Utiliza tu vocabulario individual.

6

Ensayo comparativo Escribe un ensayo para explicar la diferencia entre el conocimiento adquirido de segunda mano (por ejemplo, mediante la lectura o viendo una película) y el conseguido de primera mano por la experiencia directa. Incluye estos elementos en tu ensayo:

- los beneficios, para el narrador, de ir en el *Estrella del Sur*
- un ejemplo propio en el que hayas aprendido algo por experiencia directa
- una experiencia nueva que te podría dejar aprendizajes significativos

RECURSOS
Consulta la lista de apéndices en la p. 418.

ESTRUCTURAS

Las oraciones condicionales (con *si*)
El viaje que el narrador describe podría haber terminado de forma diferente. Termina las oraciones condicionales usando la información del cuento y la forma verbal apropiada.

1. El narrador nunca se habría embarcado en aquel viaje si…
2. El narrador no habría tenido la oportunidad de mirar la navegación del Estrecho de Magallanes desde el puente de mando si…
3. El capitán le dice que no abra la boca si no…
4. El capitán no tendría que pagarle al muchacho si…
5. El narrador no va a encontrar la casa de los Brito si….

RECURSOS
Consulta las explicaciones gramaticales del **Apéndice A**, pp. 454-456.

Audio
En fragmentos
My Vocabulary
Partner Chat
Strategy
Write & Submit

AUDIO ▶ MEDIOAMBIENTE: VIAJES NATURALISTAS

GLOSARIO

sostenible que se puede defender; razonable

la propuesta idea; proposición que una persona le hace a otra

desplazarse viajar, transitar, trasladarse

el recorrido ruta o itinerario

apetitoso/a gustoso/a, sabroso/a, que excita el gusto o el apetito

el cetáceo una especie de mamífero a la que pertenecen la ballena y el delfín

INTRODUCCIÓN Este audio ha sido extraído de un *podcast* emitido por Radio 5, un canal de Radio Nacional de España. Fue subido al «audiokiosco» iVoox de Barcelona, España, el 19 de mayo de 2011. Este fragmento menciona oportunidades turísticas con el propósito de reunir al ser humano con el medioambiente y, a la vez, captar las imágenes de tales experiencias.

ANTES DE ESCUCHAR

1 **Explorar el contexto** En grupos pequeños, contesten las siguientes preguntas.

1. ¿Cuáles son algunos destinos turísticos populares que conoces? ¿Por qué son tan populares?
2. ¿Cómo eligen las personas sus recorridos vacacionales?
3. ¿Por qué son importantes las vacaciones para el ser humano?
4. Si pudieras viajar a algún lugar exótico, ¿adónde irías y por qué?

2 **El ecoturismo** Escribe una breve composición en la que definas lo que entiendes por **ecoturismo**. Incluye además las ventajas que identificas con esta práctica vacacional. Después, comparte tu composición con toda la clase.

3 **Actividades de tiempo libre** Con un(a) compañero/a de clase, habla de alguna actividad que te gustaría empezar a practicar durante tu tiempo libre. Considera tus aficiones, intereses y oportunidades para crecer personalmente, así como algunas actividades sociales. ¿Podrías practicarla durante un viaje?

🔊)) MIENTRAS ESCUCHAS

1 **Escucha una vez** Al escuchar la primera vez, escribe palabras y frases en las categorías de la tabla de la página siguiente. Después, con un color diferente, añade más al escuchar la segunda vez.

MI VOCABULARIO
Anota el vocabulario nuevo a medida que lo aprendes.

personas y organizaciones	
países, continentes, océanos y mares	
flora	
fauna	
rasgos geográficos	
actividades (sustantivos y verbos)	

DESPUÉS DE ESCUCHAR

1
Colaborar y comparar Trabaja con un(a) compañero/a de clase. Comparen sus tablas y el vocabulario apuntado, y añadan información que consideren clave para la comprensión del audio. Luego discutan esta pregunta: ¿Cuál es el propósito central de esta grabación?

2
Mensaje electrónico persuasivo Escribe un mensaje electrónico al (a la) director/a de tu escuela, para pedirle que les ofrezca a los estudiantes un viaje naturalista. Debes emplear el vocabulario que has aprendido en esta unidad temática y citar información del audio para apoyar tu solicitud y para persuadir al destinatario del mensaje.

3
Discusión socrática En grupos pequeños, contesten las siguientes preguntas y añadan otras para extender la discusión.

1. ¿Por qué dice la locutora que esta oferta de turismo es «poco convencional»? ¿Qué quiere decir exactamente esto?
2. ¿Cómo afectaría este tipo de turismo al ser humano y al medioambiente?
3. ¿Qué quiere decir la expresión «disfrutar a pleno pulmón de la naturaleza» y por qué sería provechoso para las familias?
4. ¿Te interesa este tipo de turismo? Explica tu respuesta.
5. Si tuvieras que escoger entre un viaje a Costa Rica para participar en el programa de Carlos Sánchez o un viaje a la Ciudad de México, ¿cuál escogerías y por qué?

Preguntas de seguimiento para clarificar y extender una discusión

- ◆ ¿Por qué dices eso?
- ◆ ¿Qué quieres decir?
- ◆ ¿Puedes darme un ejemplo?
- ◆ Por favor, ¿puedes explicar lo que dijiste?
- ◆ ¿Cómo llegaste a saber esto?
- ◆ ¿Son estas razones suficientemente buenas?

- ◆ ¿Qué evidencia existe para apoyar lo que estás diciendo?
- ◆ ¿Por qué es importante _____?
- ◆ ¿Qué estás insinuando?
- ◆ ¿Cuál era tu idea al formular esta pregunta?

MI VOCABULARIO
Utiliza tu vocabulario individual.

RECURSOS
Consulta la lista de apéndices en la p. 418.

ESTRATEGIA

Hacer preguntas de seguimiento
Cuando estás en una discusión, utiliza preguntas de seguimiento para clarificar (y también para cuestionar) los argumentos de tus compañeros de clase y para extender la discusión. Esto te ayudará a reflexionar sobre el tema con más profundidad.

CONEXIONES CULTURALES

Astrocamping de Verano 2017, en el Observatorio Astronómico de Panamá

Astroturismo en Panamá

¿A QUIÉN NO LE GUSTA DISFRUTAR DE UNA BUENA VISTA panorámica? El Observatorio Astronómico de Panamá brinda una vista privilegiada de las estrellas y del firmamento de noche.

El observatorio está ubicado en Penonomé, una ciudad con cielo despejado, atmósfera limpia y baja contaminación del aire, lo que permite la observación de fenómenos como los eclipses y otras maravillas de la naturaleza. Equipado con una sala de exhibiciones con pantallas LCD, este mirador celeste ofrece visitas y actividades programadas.

Penonomé representa una novedosa alternativa en Panamá, donde el turismo ya es de por sí muy importante. Muchos fanáticos de la astronomía viajan a este observatorio para ver con sus propios ojos los secretos que esconde el firmamento de noche. Tal es la pasión que despierta el turismo hacia este tipo de destinos que se ha acuñado la palabra «astroturismo».

◣ ¿Puede haber 400 años sin lluvias? En el desierto de Atacama, en Chile, sí. No te pierdas la visita a los salares y los géiseres de esa región, que es la más seca del mundo. Sin embargo, este desierto es muy importante para la economía chilena, pues es rico en recursos minerales metálicos como cobre, oro, hierro y plata.

◣ ¿Qué mejor que llegar a Machu Picchu por el Camino del Inca? Los 42 kilómetros a 4000 metros de altura permiten conocer la red de caminos de esa civilización precolombina, que supo adaptarse a aquella difícil geografía para cultivar la tierra y lograr el desarrollo de la ciudad.

◣ La isla de Providencia, en el Caribe colombiano, es un lugar ideal para bucear y descubrir la infinidad de especies que viven detrás de la tercera barrera coralina más grande del mundo. Los isleños han sabido aprovechar sus recursos para atraer turistas de todo el mundo cada año.

Presentación oral: comparación cultural

Prepara una presentación oral sobre este tema:

◆ ¿De qué manera la ubicación geográfica de un país influye en su desarrollo turístico?

Compara tus observaciones de una región del mundo hispanohablante que te sea familiar con las de las comunidades en las que has vivido. En tu presentación, puedes referirte a lo que has estudiado, vivido u observado.

PUNTOS DE PARTIDA

Los seres humanos somos sociables por naturaleza. El amor y la amistad nos nutren tanto como el agua y el alimento. Pero las relaciones personales no son fáciles. Las personas a quienes más amamos nos desilusionan a veces, y pueden llegar a inspirarnos antipatía y rencor. Para sobrevivir los inevitables altibajos, hay que aceptar a los amigos tal y como son, y comunicarse con ellos de manera honesta.

◢ ¿Cómo pueden las etapas de la vida definir nuestras relaciones?

◢ ¿Cómo pueden las emociones interferir en la comunicación entre amigos y familiares?

◢ ¿Qué gestos, acciones o palabras son manifestaciones de afecto y amistad entre las personas?

DESARROLLO DEL VOCABULARIO  My Vocabulary Partner Chat

MI VOCABULARIO
Anota el vocabulario nuevo a medida que lo aprendes.

1   **Etapas de la vida** Para cada etapa de la vida, añade información sobre la edad, las personas importantes y los intereses o actividades que la caracterizan.

ETAPA	EDAD	PERSONA(S) IMPORTANTE(S)	INTERESES O ACTIVIDADES
bebé	nacimiento – 1 año	mamá	comer y dormir
preescolar			
niñez			
juventud			
adultez			
vejez			

2   **Amigos** Con un(a) compañero/a de clase, contesta y comenta estas preguntas.

1. ¿Quién fue tu primer(a) amigo/a? ¿Cuántos años tenías cuando lo/a conociste?
2. ¿A qué les gustaba jugar? ¿Por qué peleaban ustedes?
3. ¿Cómo y dónde se conocieron? ¿Todavía son amigos/as?

3   **La influencia ajena** ¿Cómo cambia tu comportamiento cuando estás con diferentes personas? Apunta qué personas o situaciones han provocado en ti cada emoción o actitud de la lista.

- seriedad
- tontería
- responsabilidad
- competitividad

- enfado
- orgullo
- vergüenza
- rabia

- honestidad
- relajación
- comodidad
- felicidad

4   **Definir la amistad** Con un(a) compañero/a, charla sobre lo que significa la amistad para ti. Incluye ejemplos y la descripción de alguien que cumple con las características de tu definición.

Auto-graded
My Vocabulary
Record & Submit
Strategy
Write & Submit

LECTURA 4.1 ▶ LA EVOLUCIÓN DE LA AMISTAD

SOBRE LA LECTURA ¿Cómo defines tú la amistad? ¿Ha cambiado tu definición desde la niñez? En este artículo, publicado en la sección «Vida y Estilo» del sitio Terra.cl (Chile), Karen Uribarri Guzmán presenta algunas ideas sobre el proceso de formar amistades y su evolución a lo largo de la vida. La autora explora los factores que modifican la amistad, cómo estos influyen en las cualidades que buscamos en un amigo y en la importancia relativa de los amigos durante las diferentes etapas de la vida.

ANTES DE LEER

MI VOCABULARIO
Anota el vocabulario nuevo a medida que lo aprendes.

1 Diferentes amistades Elige la mejor descripción para cada tipo de relación, según tus propias experiencias.

a. la amistad pura, siempre sincera	d. una amistad perdurable que varía a lo largo de la vida
b. una relación que alterna entre el cariño y las peleas	e. una relación poco perdurable
c. una amistad circunstancial	f. una amistad forjada por experiencias compartidas

1. un(a) amigo/a del campamento de verano: _____
2. los compañeros de equipo, un club o alguna otra actividad: _____
3. el/la primer(a) novio/a: _____
4. los vecinos: _____
5. los amigos de la niñez: _____
6. los amigos que te entienden mejor: _____

2 Describir la relación Describe cómo es tu relación con cada persona de la lista. Comparte tus experiencias con un grupo pequeño.

- madre
- padre
- hermano/a mayor
- hermano/a menor
- maestro/a

- amigo/a
- novio/a
- compañero/a de clase
- vecino/a
- abuelo/a

RECURSOS
Consulta la lista de apéndices en la p. 418.

3 Una historia de amistad Describe brevemente una experiencia con la cual aprendiste el significado de la amistad en algún momento de tu vida. Incluye estos aspectos en tu descripción:

- Contexto: tu edad, dónde y con quién estabas, qué hacías en ese momento
- ¿Qué pasó? Es decir, ¿cuáles fueron las circunstancias de aquella experiencia?
- ¿Por qué fue una experiencia importante?
- ¿Qué te enseñó sobre el significado de la amistad?
- ¿De esa vivencia quedaste con una amistad que perdura?

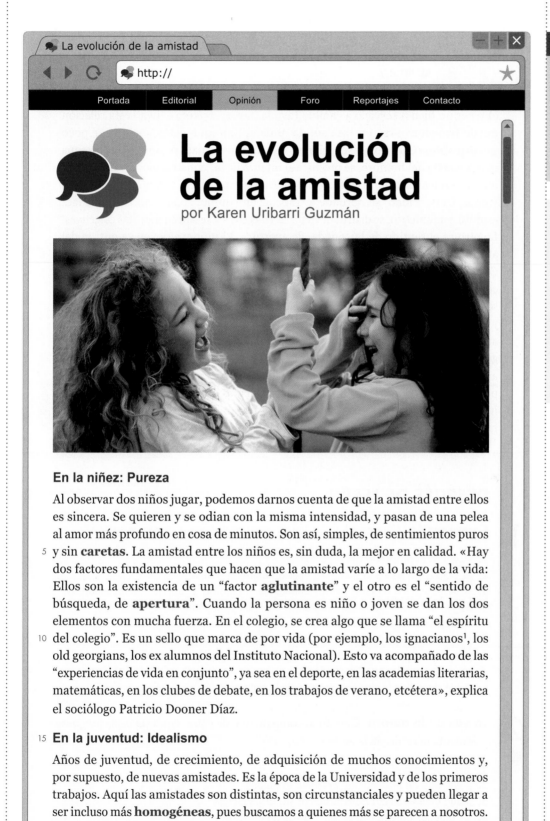

La evolución de la amistad

por Karen Uribarri Guzmán

En la niñez: Pureza

Al observar dos niños jugar, podemos darnos cuenta de que la amistad entre ellos es sincera. Se quieren y se odian con la misma intensidad, y pasan de una pelea al amor más profundo en cosa de minutos. Son así, simples, de sentimientos puros
5   y sin **caretas**. La amistad entre los niños es, sin duda, la mejor en calidad. «Hay dos factores fundamentales que hacen que la amistad varíe a lo largo de la vida: Ellos son la existencia de un "factor **aglutinante**" y el otro es el "sentido de búsqueda, de **apertura**". Cuando la persona es niño o joven se dan los dos elementos con mucha fuerza. En el colegio, se crea algo que se llama "el espíritu
10 del colegio". Es un sello que marca de por vida (por ejemplo, los ignacianos[1], los old georgians, los ex alumnos del Instituto Nacional). Esto va acompañado de las "experiencias de vida en conjunto", ya sea en el deporte, en las academias literarias, matemáticas, en los clubes de debate, en los trabajos de verano, etcétera», explica el sociólogo Patricio Dooner Díaz.

15 #### En la juventud: Idealismo

Años de juventud, de crecimiento, de adquisición de muchos conocimientos y, por supuesto, de nuevas amistades. Es la época de la Universidad y de los primeros trabajos. Aquí las amistades son distintas, son circunstanciales y pueden llegar a ser incluso más **homogéneas**, pues buscamos a quienes más se parecen a nosotros.
20 Y si bien algunas veces podemos acercarnos a un nuevo amigo por interés, por

1 Los ignacianos son alumnos o graduados de las instituciones de San Ignacio.

GLOSARIO
perdurable que
    perdura o permanece
    en el tiempo
la ductilidad
    flexibilidad o
    maleabilidad

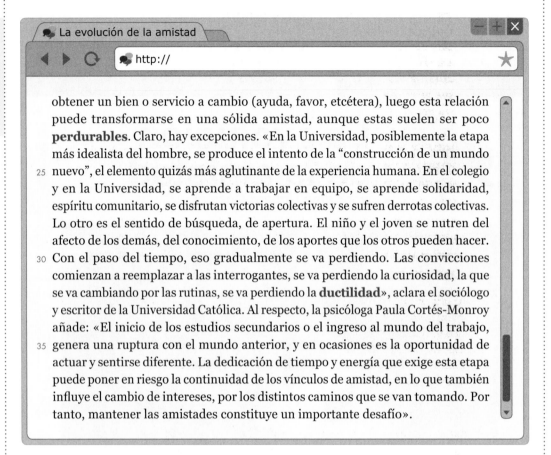

La evolución de la amistad

http://

obtener un bien o servicio a cambio (ayuda, favor, etcétera), luego esta relación puede transformarse en una sólida amistad, aunque estas suelen ser poco **perdurables**. Claro, hay excepciones. «En la Universidad, posiblemente la etapa más idealista del hombre, se produce el intento de la "construcción de un mundo nuevo", el elemento quizás más aglutinante de la experiencia humana. En el colegio
25 y en la Universidad, se aprende a trabajar en equipo, se aprende solidaridad, espíritu comunitario, se disfrutan victorias colectivas y se sufren derrotas colectivas. Lo otro es el sentido de búsqueda, de apertura. El niño y el joven se nutren del afecto de los demás, del conocimiento, de los aportes que los otros pueden hacer.
30 Con el paso del tiempo, eso gradualmente se va perdiendo. Las convicciones comienzan a reemplazar a las interrogantes, se va perdiendo la curiosidad, la que se va cambiando por las rutinas, se va perdiendo la **ductilidad**», aclara el sociólogo y escritor de la Universidad Católica. Al respecto, la psicóloga Paula Cortés-Monroy añade: «El inicio de los estudios secundarios o el ingreso al mundo del trabajo,
35 genera una ruptura con el mundo anterior, y en ocasiones es la oportunidad de actuar y sentirse diferente. La dedicación de tiempo y energía que exige esta etapa puede poner en riesgo la continuidad de los vínculos de amistad, en lo que también influye el cambio de intereses, por los distintos caminos que se van tomando. Por tanto, mantener las amistades constituye un importante desafío».

DESPUÉS DE LEER

1 **Comprensión** Contesta las siguientes preguntas con oraciones completas.

   1. ¿Cuál es el propósito del artículo?
   2. ¿Cómo caracteriza la autora la amistad entre los niños?
   3. ¿Cuáles son los factores fundamentales de la amistad y cuándo son más fuertes?
   4. Según la autora, ¿cuándo intentamos construir un mundo nuevo? ¿Por qué es esta una etapa significativa?
   5. ¿Qué es «el espíritu del colegio» (líneas 9-10)?
   6. ¿Qué tipo de amigo buscamos en la universidad y justo después?
   7. ¿Cuándo perdemos la ductilidad?
   8. ¿Qué da validez a los argumentos de la autora?

2 **La voz de la autora** Con un(a) compañero/a de clase, contesta estas preguntas y comenta el estilo de la autora.

   1. ¿De qué trata el artículo?
   2. ¿Qué tipo de información presenta la autora?
   3. ¿Qué fuentes utiliza para sustentar sus argumentos?
   4. ¿A quiénes parece representar la voz de la autora?
   5. ¿Qué ventaja y qué desventaja tiene el uso de la voz de la autora?

3 **Evaluar la información** Contesta estas preguntas para evaluar la información del artículo.

1. ¿La autora presenta opiniones o hechos?
2. ¿A quiénes está dirigida la información del artículo?
3. ¿Estás de acuerdo con las ideas presentadas por la autora?
4. ¿Las experiencias sobre la amistad que la autora presenta son semejantes a las tuyas?
5. ¿En qué datos está basado el artículo?
6. ¿El uso de «nosotros» le da autoridad a la voz de la autora? ¿Por qué?

4 **Identificar puntos de vista** Con un(a) compañero/a de clase, comenta si estas perspectivas están representadas en el artículo y de qué manera.

- el punto de vista femenino
- la perspectiva adulta
- elementos de la cultura chilena
- la visión del mundo infantil
- conceptos psicológicos
- la perspectiva del mundo digital

5 **Nuevas amistades** En pequeños grupos, analicen la siguiente oración tomada de la lectura. Expliquen si están o no de acuerdo con ella y mencionen experiencias personales o anécdotas que apoyen sus opiniones.

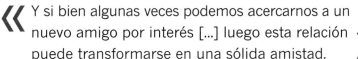

« Y si bien algunas veces podemos acercarnos a un nuevo amigo por interés [...] luego esta relación puede transformarse en una sólida amistad. »

6 **Los factores de la amistad** Describe los siguientes factores en el contexto de la amistad. ¿Qué significa cada uno para ti? ¿Cómo influyen en las relaciones?

- el factor aglutinante
- la pureza de la niñez
- el espíritu de colegio
- el uso de teléfonos celulares
- la popularidad de las redes sociales
- los valores de los padres
- el proceso de independizarse
- la experiencia universitaria

7 **Presentación oral** Imita el tono de la autora para presentar tu propia idea sobre la evolución de la amistad. Debes exponer tus ideas con autoridad, como experto/a en el tema. En tu presentación, comenta la importancia que tiene la amistad en diversas etapas de la vida y explica cómo se forman las amistades fuertes.

8 **Las amistades de la niñez** Lee de nuevo esta cita sobre las amistades entre niños.

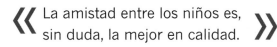

« La amistad entre los niños es, sin duda, la mejor en calidad. »

Escribe un ensayo en el que defiendas tu postura, a favor o en contra de la cita. Apoya tus opiniones con razonamientos lógicos, citas de la lectura y ejemplos de tu propia experiencia.

Auto-graded
My Vocabulary
Partner Chat
Strategy
Write & Submit

LECTURA 4.2 ▸ CARTAS DE MAMÁ

SOBRE EL AUTOR Julio Cortázar (1914-1984) nació en Bruselas, Bélgica, donde su padre era diplomático. En 1918, la familia regresó a su nativa Argentina y allí vivió Cortázar hasta 1951, año en que se mudó a París debido a su oposición al gobierno de Juan Domingo Perón. La preocupación por Argentina que vemos en sus obras revela la inquietud interna que le causó el exilio voluntario. Se destaca como autor por romper las convenciones clásicas del cuento. Estudiante del surrealismo, a Cortázar le gusta explorar el espacio del subconsciente.

SOBRE LA LECTURA «Cartas de mamá» fue publicado en el libro *La autopista del sur y otros cuentos* (1966). Como muchos de los cuentos de Cortázar, este se beneficia de una brevedad que permite la variedad de interpretaciones. Invita al lector a ser testigo de un conflicto interno en la mente del protagonista, cuyo matrimonio sufre problemas no resueltos. Cortázar ofrece la información suficiente para plantear preguntas sobre la honestidad y la mentira en una relación. Las respuestas las deja para el lector.

MI VOCABULARIO
Anota el vocabulario nuevo a medida que lo aprendes.

ANTES DE LEER

1

Elegir las características ¿Cuáles son las características que valoras más en un(a) novio/a? Elige las tres más importantes y explica por qué las has seleccionado. Comparte tus respuestas con un(a) compañero/a y añadan a la lista otros aspectos que consideren importantes.

- ◆ la lealtad
- ◆ la sinceridad
- ◆ el sentido del humor
- ◆ la inteligencia
- ◆ la belleza física

- ◆ los intereses comunes
- ◆ la generosidad
- ◆ la empatía
- ◆ la creatividad
- ◆ la pasión

2

Relaciones difíciles Con un(a) compañero/a de clase, contesten y comenten las siguientes preguntas sobre las relaciones difíciles.

1. ¿Qué haces cuando no te llevas bien con una persona?
2. ¿Qué haces cuando un(a) amigo/a te ofende o hace algo que te causa dolor?
3. ¿Hay personas a las que intentas evitar? ¿Por qué?
4. ¿Cómo resuelves las disputas con tus familiares y amigos?
5. ¿Cuándo pueden terminar en ruptura las disputas de una relación?
6. ¿Qué pasa cuando evitas a una persona después de una ruptura?
7. ¿Cómo puede un problema personal afectar tus relaciones con otras personas?
8. ¿Crees que evadir un problema puede causar aún más problemas?

3

Empezar de nuevo En grupos de tres o cuatro, contesten y comenten las preguntas sobre las oportunidades de empezar de nuevo.

1. ¿Cuáles son los posibles significados de «empezar de nuevo»?
2. ¿Cuándo es común tener una oportunidad para «empezar de nuevo»?
3. ¿Cuándo es posible borrar el pasado para «empezar de nuevo»?
4. ¿Cuáles son las ventajas y desventajas de «empezar de nuevo»?

CARTAS DE MAMÁ

por **Julio Cortázar**

(Fragmento)

E SA MAÑANA había sido una de las tantas mañanas en que llegaba carta de mamá. Con Laura hablaban poco del pasado, casi nunca del caserón de Flores. No es que a Luis no le gustara acordarse de Buenos Aires. Más bien se trataba de evadir nombres (las personas, evadidas hacía ya tanto tiempo, pero los nombres, los verdaderos fantasmas que son los nombres, esa duración **pertinaz**). […]

5 Sacó la carta del sobre, sin ilusiones: el párrafo estaba ahí, bien claro. Era perfectamente absurdo pero estaba ahí. Su primera reacción, después de la sorpresa, el golpe en plena nuca, era como siempre de defensa. Laura no debía leer la carta de mamá. Por más ridículo que fuese el error, la confusión de nombres (mamá había querido escribir «Víctor» y había puesto «Nico»), de

10 todos modos Laura **se afligiría**, sería estúpido. De cuando en cuando se pierden cartas; ojalá ésta se hubiera ido al fondo del mar. Ahora tendría que tirarla al water de la oficina, y por supuesto unos días después Laura **se extrañaría**: «Qué raro, no ha llegado carta de tu madre.» Nunca decía *tu mamá*, tal vez porque había perdido a la suya siendo niña. Entonces él contestaría: «De veras, es raro. Le voy a mandar unas líneas hoy mismo», y las mandaría, asombrándose del silencio de

15 mamá. La vida seguiría igual, la oficina, el cine por las noches, Laura siempre tranquila, bondadosa, atenta a sus deseos. Al bajar del autobús en la rue de Rennes se preguntó bruscamente (no era una pregunta, pero cómo decirlo de otro modo) por qué no quería mostrarle a Laura la carta de mamá. No por ella, por lo que ella pudiera sentir. No le importaba gran cosa lo que ella pudiera sentir, mientras lo **disimulara**. (¿No le importaba gran cosa lo que ella pudiera sentir, mientras lo

20 disimulara?) No, no le importaba gran cosa. (¿No le importaba?) Pero la primera verdad, suponiendo que hubiera otra detrás, la verdad inmediata, por decirlo así, era que le importaba la cara que pondría Laura, la actitud de Laura. Y le importaba por él, naturalmente, por el efecto que le haría la forma en que a Laura iba a importarle la carta de mamá. Sus ojos caerían en un momento dado sobre el nombre de Nico, y él sabía que el **mentón** de Laura empezaría a temblar ligeramente, y

25 después Laura diría: «Pero qué raro... ¿qué le habrá pasado a tu madre?» Y él habría sabido todo el tiempo que Laura se contenía para no gritar, para no esconder entre las manos un rostro desfigurado ya por el llanto, por el dibujo del nombre de Nico temblándole en la boca.

En la agencia de publicidad donde trabajaba como diseñador, releyó la carta, una de las tantas cartas de mamá, sin nada de extraordinario fuera del párrafo donde se había equivocado de nombre.

30 Pensó si no podría borrar la palabra, reemplazar Nico por Víctor, sencillamente reemplazar el error por la verdad, y volver con la carta a casa para que Laura la leyera. Las cartas de mamá interesaban siempre a Laura, aunque de una manera indefinible no le estuvieran destinadas. Mamá le escribía a él; agregaba al final, a veces a mitad de la carta, saludos muy cariñosos para Laura. No importaba, las leía con el mismo interés, vacilando ante alguna palabra ya retorcida por el reuma y la miopía.

35 «Tomo Saridón, y el doctor me ha dado un poco de salicilato...» Las cartas se posaban dos o tres días sobre la mesa de dibujo; Luis hubiera querido tirarlas apenas las contestaba, pero Laura las releía, a las mujeres les gusta releer las cartas, mirarlas de un lado y de otro, parecen extraer un segundo sentido cada vez que vuelven a sacarlas y a mirarlas. Las cartas de mamá eran breves, con

GLOSARIO

pertinaz duradero/a, obstinado/a

afligirse entristecerse, apenarse

extrañarse sorprenderse

disimular ocultar, encubrir algo que se siente y padece

el mentón la barbilla

40
45
50
55
60

noticias domésticas, una que otra referencia al orden nacional (pero esas cosas que ya se sabían por los telegramas de *Le Monde*, llegaban siempre tarde por su mano). Hasta podía pensarse que las cartas eran siempre la misma, escueta y mediocre, sin nada interesante. Lo mejor de mamá era que nunca se había abandonado a la tristeza que debía causarle la ausencia de su hijo y de su nuera, ni siquiera al dolor —tan a gritos, tan a lágrimas al principio— por la muerte de Nico. Nunca, en los dos años que llevaban ya en París, mamá había mencionado a Nico en sus cartas. Era como Laura, que tampoco lo nombraba. Ninguna de las dos lo nombraba, y hacía más de dos años que Nico había muerto. La repentina mención de su nombre a mitad de la carta era casi un escándalo. Ya el solo hecho de que el nombre de Nico apareciera de golpe en una frase, con la N larga y temblorosa, la o con una cola torcida; pero era peor, porque el nombre se situaba en una frase incomprensible y absurda, en algo que no podía ser otra cosa que un anuncio de senilidad. De golpe mamá perdía la noción del tiempo, se imaginaba que... El párrafo venía después de un breve **acuse de recibo** de una carta de Laura. Un punto apenas marcado con la débil tinta azul comprada en el almacén del barrio, y **a quemarropa**: «Esta mañana Nico preguntó por ustedes.» El resto seguía como siempre: la salud, la prima Matilde se había caído y tenía una clavícula sacada, los perros estaban bien. Pero Nico había preguntado por ellos.

En realidad hubiera sido fácil cambiar Nico por Víctor, que era el que sin duda había preguntado por ellos. El primo Víctor, tan **atento** siempre. Víctor tenía dos letras más que Nico, pero con una goma y habilidad se podían cambiar los nombres. Esta mañana Víctor preguntó por ustedes. Tan natural que Víctor pasara a visitar a mamá y le preguntara por los ausentes. [...]

No, no le mostraría la carta. Era **innoble** sustituir un nombre por otro, era intolerable que Laura leyera la frase de mamá. Su grotesco error, su tonta torpeza de un instante —la veía luchando con una pluma vieja, con el papel que se **ladeaba**, con su vista insuficiente—, crecería con Laura como una semilla fácil. Mejor tirar la carta (la tiró esa tarde misma) y por la noche ir al cine con Laura, olvidarse lo antes posible de que Víctor había preguntado por ellos. Aunque fuera Víctor, el primo tan bien educado, olvidarse de que Víctor había preguntado por ellos. ▲

GLOSARIO

el acuse de recibo
notificación de que se ha recibido algo (usualmente por correo)

a quemarropa
de forma directa, sin rodeos

atento/a cortés, educado/a, formal

innoble despreciable, indigno/a

ladear inclinar hacia un lado

DESPUÉS DE LEER

CONCEPTOS CENTRALES

El narrador
Un relato puede narrarse desde diferentes puntos de vista. Cuando la persona que relata los hechos es el protagonista, se dice que la narración está en *primera persona*. Cuando el narrador es una persona ajena a los acontecimientos, con conocimiento total de los personajes y del mundo en el que se desarrolla la historia, se dice que es un *narrador omnisciente*.

1 **Comprensión** Elige la mejor respuesta para cada pregunta, según el texto.

1. ¿Quién es el narrador del cuento?
   a. Un narrador omnisciente
   b. Luis
   c. El fantasma de Nico
   d. El hijo de Luis

2. ¿A qué tuvo Luis una reacción defensiva?
   a. A las noticias de Víctor
   b. A la muerte de Nico
   c. A la tristeza de Laura
   d. Al error de nombre en la carta de su madre

3. ¿Por qué quiere Luis proteger a Laura del error en la carta de su madre?
   a. Porque él no quiere que Laura se entristezca
   b. Porque no quiere que ella se enfade con él
   c. Porque él no quiere ver su reacción
   d. Porque quiere protegerla de la evidencia de la senilidad de su madre

4. ¿Por qué no reemplazó Luis «el error por la verdad» en la carta?
   a. Porque él quería evadir la verdad
   b. Porque sería innoble sustituir un nombre por otro
   c. Porque sería intolerable que Laura leyera la frase
   d. Porque Víctor tiene dos letras más que Nico y por lo tanto el cambio sería obvio

5. ¿Qué puedes inferir del hecho de que Luis prefiera olvidar que Víctor había preguntado por ellos?
   a. Es doloroso para Luis pensar en los amigos y parientes que están tan lejos.
   b. Luis se siente culpable escondiendo la carta y su contenido de Laura.
   c. Es una mentira; Víctor no preguntó por ellos.
   d. Luis teme que Laura esté enamorada de Víctor.

2 Apoyar las interpretaciones

Busca pistas en el cuento que apoyen las siguientes interpretaciones. Luego, decide si estás de acuerdo o no con cada una de ellas. Comenta tus impresiones con un(a) compañero/a de clase.

1. En la mente de la madre de Luis, Laura y Nico están vinculados.
2. Laura y Nico estaban enamorados.
3. Luis y Laura fueron a París para escapar de sus problemas matrimoniales.
4. No se puede escapar del fantasma de un nombre.
5. Luis no ama a Laura.
6. Mantener el secreto de la carta es como mentir a Laura.

3 ¿Quién era Nico?

En grupos pequeños, discutan cuál es la relación, exactamente, entre Nico, Luis y Laura. Busquen pistas en el texto para apoyar sus opiniones. Luego discútanlas con toda la clase.

4 Interpretar y explicar

En grupos de tres o cuatro, comenten las interpretaciones posibles que encierran las siguientes citas. Expliquen a qué se refiere cada una y su significado en el contexto del cuento.

◆ «los verdaderos fantasmas que son los nombres» (línea 4)
◆ «No por ella, por lo que ella pudiera sentir» (línea 18)
◆ «un rostro desfigurado ya por el llanto» (líneas 26-27)
◆ «de una manera indefinible no le estuvieran destinadas» (línea 32)
◆ «el nombre se situaba en una frase incomprensible y absurda» (líneas 48-49)
◆ «crecería con Laura como una semilla fácil» (líneas 61-62)

5 Explicar las consecuencias

Con un(a) compañero/a, explica las posibles consecuencias que cada decisión tendría para Luis.

¿Qué pasaría si Luis...

1. ...le mostrara la carta a Laura?
2. ...cambiara el nombre «Nico» por «Víctor»?
3. ...tirara la carta y le dijera a Laura que nunca llegó?
4. ...le dijera a Laura que leyó la carta y la tiró?

¿Qué harías tú si estuvieras en el lugar de Luis? Explica tu respuesta.

ESTRATEGIA

Interpretar la ambigüedad
La ambigüedad en la literatura permite diferentes interpretaciones. Cada lector(a) puede interpretar una frase ambigua por sí mismo/a, pero no todas las interpretaciones son iguales. Para encontrar una interpretación lógica, busca pistas en el texto y considera las posibles intenciones del autor.

6

Una carta Escríbele una carta a Luis o a Laura. Incluye los siguientes puntos en tu carta:

- ◆ razones por las que no se pueden evadir los problemas
- ◆ consejos para resolver sus diferencias
- ◆ una experiencia personal sobre enfrentarse a una verdad difícil de aceptar
- ◆ al menos una pregunta para él/ella

7 **Analizar** Lee de nuevo este fragmento y contesta las preguntas para analizar su importancia en el contexto del cuento.

> No le importaba gran cosa lo que ella pudiera sentir, mientras lo disimulara. (¿No le importaba gran cosa lo que ella pudiera sentir, mientras lo disimulara?) No, no le importaba gran cosa. (¿No le importaba?) Pero la primera verdad, suponiendo que hubiera otra detrás, la verdad inmediata, por decirlo así, era que le importaba la cara que pondría Laura, la actitud de Laura. Y le importaba por él, naturalmente, por el efecto que le haría la forma en que a Laura iba a importarle la carta de mamá.

1. ¿Cuál es la «primera verdad»?
2. ¿Cuál es la «otra [verdad] detrás»?
3. ¿Cuál es la actitud de Luis que muestra el narrador? ¿Por qué tendrá Luis esa actitud?
4. ¿Qué revela la cita de la relación entre Luis y Laura?
5. ¿Qué función tiene el uso de paréntesis?
6. ¿Cuál es la ventaja de usar un narrador omnisciente en vez de usar al protagonista?

MI VOCABULARIO
Utiliza tu vocabulario individual.

8

Temas para discutir La clase se divide en cuatro grupos. Cada grupo debe elegir uno de los cinco temas siguientes y discutirlo en detalle. Comenten el significado del tema en el contexto del cuento y relaciónenlo también con experiencias de sus propias vidas.

- ◆ la fascinación de Laura con las cartas
- ◆ la evasión de los problemas
- ◆ la importancia de una comunicación honesta y abierta
- ◆ la importancia de releer lo que se escribe
- ◆ las grandes consecuencias que puede tener un descuido o un error, así sea muy pequeño

RECURSOS
Consulta la lista de apéndices en la p. 418.

9 **Cuento corto** Cuando el cuento empieza, Luis y Laura viven en París, pero el problema que se presenta se deriva de acontecimientos que ocurrieron en Buenos Aires años atrás. Imagina lo que pudo haber pasado y escribe un cuento corto en el que describas lo que pasó entre Luis, Laura y Nico. Utiliza evidencia del texto para apoyar tus ideas.

AUDIO ▸ EL ARTE DE COMUNICAR

Audio
En fragmentos
My Vocabulary
Write & Submit

INTRODUCCIÓN Este fragmento auditivo procede del programa *Sana-Mente*, patrocinado por Caracol Radio, una cadena radial colombiana. El presentador del programa, el doctor Santiago Rojas, conversa con Francisco Gavilán, psicólogo y autor del libro *No se lo digas a nadie… así*, sobre la importancia de comunicarse con inteligencia emocional.

GLOSARIO

humillar herir el amor propio o la dignidad de alguien, ofender, degradar

la empatía capacidad de compartir las emociones de otros y ponerse en su situación

deteriorar afectar negativamente, empeorar, degenerar, destruir, romper

arrastrar llevar consigo algo pesado, literal o figurativamente

el/la interlocutor(a) cada una de las personas que toman parte en un diálogo

ANTES DE ESCUCHAR

1 **Lluvia de palabras** En una tabla como esta, anota tantas palabras como puedas bajo cada categoría, relacionadas con las emociones y los sentimientos. Después, comparte tus listas con tus compañeros y añade las palabras que no tenías.

	ADJETIVOS	SUSTANTIVOS	VERBOS
Negativo			
Positivo			

2 **Reflexión personal: malentendidos** Piensa en una situación de comunicación personal en la que, por no pensar antes de hablar, ofendiste a alguien sin querer o fuiste ofendido/a por otra persona que solo quería ayudarte. Escribe un párrafo para explicar y analizar la situación. Utiliza estas preguntas como guía.

◆ ¿Qué y cómo ocurrió?
◆ ¿Cómo te sentiste y cómo se sintió la otra persona?
◆ ¿Qué pasó después?
◆ ¿Cómo es la relación con esa persona ahora?
◆ ¿Qué podrían haber hecho o dicho de manera diferente para evitar problemas?

MI VOCABULARIO
Utiliza tu vocabulario individual.

◀)) MIENTRAS ESCUCHAS

1 **Escucha una vez** Antes de escuchar la grabación por primera vez, observa las preguntas incluidas en la tabla de apuntes y piensa en sus posibles respuestas. Luego escucha el audio y anota palabras u oraciones clave frente a cada pregunta. Comparte tus apuntes con un(a) compañero/a.

PREGUNTAS	APUNTES
1. ¿Qué se debe hacer antes de hablar de manera irreflexiva?	
2. ¿Cuál es la propuesta de Franciso Gavilán?	
3. ¿En qué momento surge el conflicto en un diálogo?	

2   **Escucha de nuevo** Después de escuchar la grabación por segunda vez, responde a las preguntas de la tabla de apuntes con oraciones completas.

DESPUÉS DE ESCUCHAR

1   **Comprensión y síntesis** Con toda la clase, contesten las siguientes preguntas.

1. ¿Por qué el audio se llama «El arte de comunicar»? ¿Es realmente un arte?
2. Explica el título del libro de Francisco Gavilán y cómo se relaciona con el tema del audio.
3. ¿Cómo definirías la expresión «inteligencia emocional»?
4. ¿Cuáles son las causas de los malentendidos?
5. ¿Cómo se logra comunicar la empatía y al mismo tiempo cumplir el objetivo del diálogo con el/la interlocutor(a)?

MI VOCABULARIO
Utiliza tu vocabulario
individual.

2   **Lecciones literarias** Piensa en un cuento, poema, novela, obra de teatro, programa de televisión o película que conoces y en donde tuvo lugar un malentendido que contribuyó a un resultado trágico o triste. Identifica la causa y el efecto del resultado negativo al analizar la conversación entre los personajes.

3   **Reinventar la conversación** Con un(a) compañero/a de clase, recrea la conversación de la Actividad 2 para invertir el resultado de negativo a positivo. Consideren las siguientes preguntas:

- ¿Qué deberían haber dicho los personajes para evitar el conflicto?
  ¿Cómo lo deberían haber dicho?
- ¿En qué sentido el resultado habría sido diferente?

4   **Comunicación interpersonal** Piensa en cómo manejarías la siguiente situación. Luego representa la escena con un(a) compañero/a de clase.

Tienes un(a) amigo/a que no estudia, parece estar perdiendo peso, tiene un aspecto muy desarreglado y falta mucho a clase. Sospechas que está pasando por una depresión a causa de la reciente separación de sus padres. Si tuvieras la oportunidad de ayudarlo/a o de darle consejos:

- ¿Cómo lo harías sin deteriorar la buena relación que tienes con él/ella?
- ¿Qué le dirías sin ofenderlo/la y sin humillarlo/la?
- ¿Te preocuparía una situación negativa como resultado de tu franqueza?
- ¿Por qué sería difícil, o fácil, comunicarle tus consejos?

RECURSOS
Consulta la lista de
apéndices en la p. 418.

5   **Un ensayo persuasivo** Escribe un ensayo en el que invites a todos tus compañeros a expresar sus sentimientos de manera adecuada. Teniendo en cuenta lo que señala Francisco Gavilán, escribe tu ensayo incluyendo estas partes:

- Un párrafo introductorio en el que menciones la importancia de comunicar los sentimientos de manera adecuada
- Un párrafo de desarrollo que incluya algunas de las sugerencias del doctor Gavilán y otras que consideres pertinentes
- Un párrafo de conclusión en el que indiques de qué manera la vida comunitaria se verá favorecida por estos cambios de actitud

CONEXIONES CULTURALES

Record & Submit
Virtual Chat

Un saludo común entre amigas de países hispanos

El voseo

YA CONOCES LA DISTINCIÓN ENTRE EL *TÚ* Y EL *USTED*.
Sabes que en España la segunda persona del plural
es *vosotros* y en Latinoamérica es *ustedes*. Pero,
¿sabías que en Guatemala y otros países
centroamericanos, y también en ciertas regiones
del Cono Sur, las personas con cierto grado de
familiaridad se tratan de *vos* en vez de hacerlo de
tú? De hecho, usar el *vos* es una práctica generalizada
en Argentina, Paraguay y Uruguay, tanto en su
forma hablada como en su forma escrita, y es casi
la norma en el trato de las personas. Por eso, si vas
a uno de esos países, no te sorprendas que alguien
te pregunte: *¿vos cómo te llamás?*

El uso del *vos*, o voseo, surgió del español antiguo,
en el que se usaba como gesto de extremo respeto,
incluso para dirigirse a los emperadores. Si bien
esta costumbre cayó en desuso en la península
ibérica, sobrevivió en los sitios que estaban más
aislados en la época de la Colonia. Con el tiempo,
evolucionó para convertirse en una señal de afecto
y confianza.

▲ ¿Saludarías a una persona con un beso en la mejilla en el momento
de conocerla? Esta es una costumbre muy difundida en varios países
hispanohablantes, como Uruguay. Y en muchos otros países, además,
las personas cercanas, como los amigos y los familiares, también se
saludan con un beso en la mejilla cuando se encuentran.

▲ El padre y el padrino de un niño son compadres entre sí. Pero más
allá de eso, en Chile la palabra «compadre», o «compa», se usa para
referirse a una persona muy querida. En el caso de las mujeres, se usa
la palabra «comadre». Los compadres y las comadres suelen ser amigos
muy cercanos que se acompañan «en las buenas y en las malas».

▲ El tereré, la bebida oficial de Paraguay, es una infusión fría que se
prepara con yerba mate. Ofrecer un tereré a un recién llegado es un
claro signo de cortesía y aprecio, y compartir un tereré entre amigos
es un momento muy especial.

 Presentación oral: comparación cultural

Prepara una presentación oral sobre este tema:

◆ ¿Qué gestos, acciones o palabras son manifestaciones
de afecto y amistad entre las personas?

Compara tus observaciones de una región del
mundo hispanohablante que te sea familiar con
las de las comunidades en las que has vivido. En tu
presentación, puedes referirte a lo que has estudiado,
vivido u observado.

Numerales cardinales

◢ Los numerales cardinales expresan cantidad. Dependiendo de su formación, los cardinales se dividen en:

cardinales simples, formados por un solo número (**uno, dos, diez, mil**) y **cardinales compuestos**, formados por varios cardinales simples (**dieciséis, treinta y cinco**). Los siguientes cardinales se escriben en una sola palabra.

dieciséis	diecisiete	dieciocho	diecinueve

veintiuno	veinticuatro	veintisiete
veintidós	veinticinco	veintiocho
veintitrés	veintiséis	veintinueve

doscientos	cuatrocientos	seiscientos	ochocientos
trescientos	quinientos	setecientos	novecientos

◢ Los demás cardinales compuestos se forman añadiendo la conjunción **y** o combinando los componentes sin necesidad de conjunción: **treinta y cinco, cincuenta y nueve, ciento dos, mil quinientos veinte**, etc.

◢ Cuando actúan como sustantivos, los cardinales son siempre masculinos: **el diecisiete, tres millones**. Sin embargo, cuando actúan como adjetivos o pronombres no tienen variación de género.

> Encontramos **dieciocho** plantas exóticas.

◢ Como excepción a esta regla, el cardinal **uno** y los cardinales correspondientes a las centenas adoptan el género del sustantivo al que se refieren.

> Debemos enviar treinta y **una** invitaciones.   Hemos recibido **doscientas** solicitudes.

◢ Además, el cardinal **uno** seguido de un sustantivo masculino pierde la **o**.

> Más de **un millón** de personas asistió a la manifestación contra el desempleo.

◢ Los cardinales también se utilizan para expresar porcentaje, combinándolos con **por ciento** o con el signo **%**. Se puede utilizar el artículo indeterminado **un** o el artículo determinado **el** delante del porcentaje. Sin embargo, en expresiones matemáticas se suele utilizar el artículo determinado **el**.

> **El/Un** 52% del electorado votó que sí.   **El** 50% de ocho es cuatro.

◢ Cuando el sustantivo que sigue a la expresión de porcentaje va en plural, el verbo puede ir tanto en singular como en plural. Sin embargo, cuando este sustantivo va en singular, el verbo debe ir siempre en singular.

> **El veinte por ciento de los asistentes dijo/dijeron** que no **le/les** gustó el concierto.
> En las pasadas elecciones, **votó el setenta por ciento de la población**.

◢ Tradicionalmente, en los números expresados en cifras se utiliza la coma para separar la parte entera de la parte decimal (π = **3,1416**) y el punto para separar grupos de tres dígitos (**3.000.000**). Sin embargo, también es correcto usar el punto para los decimales (π = **3.1416**) y la coma para grupos de tres dígitos (**3,000,000**).

◢ Para expresar precios, se suele utilizar la preposición **con** entre la parte entera y la parte decimal del número.

> Esta camisa vale **veinte dólares con cincuenta centavos**.

◢ El signo de dólar o de peso en los precios siempre va delante del número: **$2.50**. Sin embargo, el signo de euro generalmente va detrás: **2.50€**.

◢ A diferencia del inglés, en español no es correcto expresar las fechas separándolas en grupos de dos números (*nineteen eighty-seven: 1987*). Se debe enumerar la cifra entera: **mil novecientos ochenta y siete**. Los números de cuatro cifras terminados en doble cero no se deben expresar en grupos de dos cifras como en inglés (*twelve hundred: 1200*). La forma correcta es **mil doscientos**.

◢ Las fechas se expresan comenzando siempre por el día, seguido del mes y el año.

> 26/4/1968 = **26 de abril de 1968**

◢ Para indicar los siglos, se deben utilizar los números romanos: **siglo** XXI. Los siglos se deben leer como números cardinales: **el siglo veintiuno**.

Numerales colectivos

◢ Los numerales colectivos expresan el número de componentes de un grupo: **par, pareja**. Pueden agruparse en las siguientes categorías según su función:

USO	NÚMERO COLECTIVO
Para designar la cantidad exacta de unidades en un grupo	**decena, docena, quincena** Quiero una **docena** de huevos.
Para designar conjuntos musicales	**dúo, trío, cuarteto, quinteto, sexteto, septeto, octeto** Escuché a un **sexteto** de cuerdas.
Para referirse a un grupo con un número aproximado de unidades	**veintena, treintena, cuarentena, centena/centenar** Invitaron a la fiesta a una **treintena** de personas.
Para hacer referencia a la edad de personas o cosas	**quinceañero, veinteañero, treintañero, cuarentón, cincuentón, octogenario, centenario, milenario** Mario tiene treinta años, pero su novia es una **cuarentona**.

Numerales ordinales

◢ Los numerales ordinales expresan el orden en una serie. Generalmente son adjetivos y suelen ir antepuestos al sustantivo, aunque también pueden ir detrás de él. Se abrevian con un número ordinal y una **o** o una **a** superíndice (*superscript*) o, a veces, con números romanos.

> Vivo en el **cuarto piso**.
> Acabo de estudiar la **lección tercera**.
> El rey de España es Juan Carlos **I (primero)**.
> Mi hermano está en **7.º (séptimo)** grado.

¡ATENCIÓN!
La fracción del euro se expresa con el término **céntimo** y no **centavo**.

¡ATENCIÓN!
1.000.000.000.000
un billón = *one trillion*

1.000.000.000
mil millones (a veces, **un millardo**) = *one billion*

¡ATENCIÓN!
Mientras que *dozen* puede referirse a un grupo de aproximadamente 12 unidades, **docena** se utiliza para referirse exactamente a 12 unidades.

◢ También pueden actuar como pronombres y, algunos de ellos, como adverbios.

> Siempre ha sido la **primera** de su clase.
> **Primero** dime lo que pasa.

◢ Todos los ordinales deben concordar en género y número con el sustantivo que modifican o al que reemplazan: **primero/a(s)**, **vigésimo/a(s)**, etc.

¡ATENCIÓN!

Observa que cuando dos ordinales forman una sola palabra, el primero pierde el acento gráfico y no cambia de género.

vigésimo primero
vigésima segunda
vigesimoprimero
vigesimosegunda

REPRESENTACIÓN	ORDINAL	REPRESENTACIÓN	ORDINAL
1.°, 1.ª, 1.er	primero/a, primer	14.°, 14.ª	decimocuarto/a o décimo/a cuarto/a
2.°, 2.ª	segundo/a	20.°, 20.ª	vigésimo/a
3.°, 3.ª, 3.er	tercero/a, tercer	21.°, 21.ª, 21.er	vigesimoprimero/a o vigésimo/a primero/a vigesimoprimer o vigésimo primer
4.°, 4.ª	cuarto/a	22.°, 22.ª	vigesimosegundo/a o vigésimo/a segundo/a
5.°, 5.ª	quinto/a	30.°, 30.ª	trigésimo/a
6.°, 6.ª	sexto/a	40.°, 40.ª	cuadragésimo/a
7.°, 7.ª	séptimo/a	50.°, 50.ª	quincuagésimo/a
8.°, 8.ª	octavo/a	60.°, 60.ª	sexagésimo/a
9.°, 9.ª	noveno/a	70.°, 70.ª	septuagésimo/a
10.°, 10.ª	décimo/a	80.°, 80.ª	octogésimo/a
11.°, 11.ª	undécimo/a, decimoprimer(a) o décimo/a primero/a	90.°, 90.ª	nonagésimo/a
12.°, 12.ª	duodécimo/a, decimosegundo/a o décimo/a segundo/a	100.°, 100.ª	centésimo/a
13.°, 13.ª, 13.er	decimotercero/a o décimo/a tercero/a decimotercer o décimo tercer	120.°, 120.ª	centésimo/a vigésimo/a

Numerales fraccionarios

◢ Los numerales fraccionarios pueden ser adjetivos o sustantivos. De 1/11 en adelante acaban en **-avo/a** (**onceavo/a**, **quinceavo/a**). Los anteriores a 1/11 siguen la misma forma que los ordinales, excepto 1/2, que se expresa como **mitad** o **medio** cuando es sustantivo y **medio/a** cuando actúa como adjetivo; y 1/3, que se expresa **tercio** como sustantivo y tiene la misma forma que el ordinal cuando actúa como adjetivo. Como sustantivos, son siempre masculinos con la excepción de **mitad**.

> Ya me he leído la **mitad** de la novela.
> Ya me he leído **media** novela.

> Un **tercio** de los asistentes dijo que sí.
> La **tercera** parte de los asistentes dijo que sí.

PRÁCTICA

1 Completa las oraciones con el numeral cardinal, ordinal, colectivo o fraccionario correspondiente a los números entre paréntesis.

1. Nuestro club de lectores se reúne el _____ (3) jueves de cada mes.
2. Estoy harto. Esta es la _____ (5) vez que llega tarde.
3. Mercedes tiene un gran talento musical. Quedó _____ (2) en un concurso de violín de su ciudad.
4. La chica que conocí ayer no me pareció muy mayor. Debe ser una _____ (15).
5. No creo que se retrase mucho. Llegará en un _____ (4) de hora.
6. _____ (1/6) de la población mundial vive en China.
7. En el mundo hay cerca de _____ (500.000.000) de personas que hablan español.
8. En la actualidad, la población mundial ha llegado a los _____ (7.000.000.000) de personas.
9. La Navidad se celebra el _____ (25) de diciembre.

2 Reemplaza los números en paréntesis con su forma lingüística. Haz los cambios que sean necesarios.

1. El precio de la gasolina está a _____ ($2.75) el galón.
2. Juan es vendedor a comisión y le pagan _____ (10%) de todo lo que vende.
3. Según la información meteorológica de hoy, hay _____ (40%) de probabilidad de lluvia.
4. No pude comprar el libro que me pediste porque me faltaban _____ ($23.46).
5. El papa Juan _____ (XXIII) fue beatificado en el año _____ (2000) junto al papa Pío _____ (IX).
6. La película _____ (2001): *Una odisea en el espacio* es una de mis favoritas.
7. _____ (1/7) de los asistentes a la reunión votó que no.

3 Elaboren un breve informe estadístico con información acerca de la escuela San Martín. Para ello, formen oraciones combinando los componentes de las tres columnas siguientes.

MODELO ▶ **El setenta y cinco por ciento de los estudiantes se gradúa(n) antes de cuatro años.**

1/3	estudiantes	se gradúa antes de cuatro años
50%	profesores	han conseguido el 2.° puesto en la competición de natación
1/2	tiempo	prefiere la clase de matemáticas
100%	padres	quieren que sus hijos estudien literatura
la mayoría	recursos	se dedican al pago de material escolar
$254	presupuesto	sirve para pagar los sueldos de los profesores
3		detestan la comida de la escuela
75%		hablan 3 idiomas
		se dedica a actividades extraescolares

 My Vocabulary Partner Chat

PUNTOS DE PARTIDA

El estilo de vida es el conjunto de comportamientos, actitudes y costumbres que adoptan las personas en su vida cotidiana. En él se reflejan la forma particular que tiene un individuo de entender el mundo, así como el entorno social y cultural en el que se desarrolla.

▲ ¿Cómo definen los individuos su estilo de vida?

▲ ¿Cómo puede afectar al medioambiente el estilo de vida de los individuos?

▲ ¿Cómo contribuyen los factores sociales, culturales y económicos a perfilar el estilo de vida?

DESARROLLO DEL VOCABULARIO

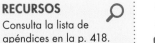

MI VOCABULARIO
Utiliza tu vocabulario individual.

1 **Tu estilo de vida** Escribe cuáles son los principales factores que, en tu opinión, definen tu estilo de vida. Por ejemplo, ¿qué comes? ¿dónde comes? ¿qué actividades practicas en tu tiempo libre? ¿qué tipo de música escuchas? ¿Cómo te gusta vestirte? ¿Practicas algún deporte? ¿Practicas alguna religión? Piensa en otros factores que definen tu estilo de vida y luego, en parejas, comparen las semejanzas y diferencias.

RECURSOS
Consulta la lista de apéndices en la p. 418.

2 **El estilo de vida y el consumismo** En la sociedad moderna es común que una persona defina su estilo de vida mediante los productos que consume. Estos productos son a veces necesarios y otras veces no lo son. ¿Qué productos de consumo definen el estilo de vida de una persona? Crea una lista con toda la clase.

AMPLIACIÓN

Fuente: Instituto Nacional de Estadística, España

1 **El estilo de vida de los jóvenes españoles** Observa la gráfica y contesta las preguntas.

¿Cómo pasan el tiempo libre los españoles?

▲ Trabajo remunerado
▲ Estudios
▲ Hogar y familia
▲ Trabajo voluntario
▲ Vida social y diversión
▲ Deportes y actividades al aire libre
▲ Aficiones y computadoras
▲ Medios de comunicación
▲ No especificado

1. ¿Qué muestra la gráfica?
2. ¿Cómo describirías el estilo de vida de los españoles?
3. ¿Cómo es el tiempo libre de los españoles en comparación con el tiempo que dedican a sus obligaciones? ¿Crees que es un estilo de vida equilibrado? ¿Por qué?
4. ¿Cómo es en comparación con tu propio estilo de vida?

PUNTOS DE PARTIDA

Las tradiciones representan la historia de una sociedad. Los valores sociales son creencias que esa sociedad comparte. Así, las sociedades de todo el mundo están definidas por la suma de sus tradiciones y sus valores.

▲ ¿Qué papel cumplen las tradiciones en una sociedad?

▲ ¿Cuáles son los valores sociales que definen a una sociedad?

▲ ¿Cuáles son los valores sociales que transcienden las fronteras políticas?

DESARROLLO DEL VOCABULARIO

1 **Las tradiciones de mi país** Trabaja con un(a) compañero/a. Piensen en tres días festivos importantes en su país y escriban al menos cinco tradiciones relacionadas con cada uno de ellos. Por ejemplo, ¿cómo se acostumbra celebrar el Día de Acción de Gracias o el Día de la Independencia? Después, discutan cómo esas tradiciones definen la cultura general del país. ¿Son tradiciones profundas? ¿Superficiales? ¿Heroicas? ¿Optimistas? Justifiquen sus opiniones con ejemplos específicos.

MI VOCABULARIO

Utiliza tu vocabulario individual.

2 **Los valores sociales de mi país** Piensa en un valor social importante para la cultura de tu país. Puedes escoger uno de los valores sociales de la siguiente lista u otro diferente que consideres valioso. Escribe un ensayo en el que expliques por qué crees que es un valor importante. Enumera también los aspectos de la sociedad en los que se ve reflejado. Finalmente, narra una anécdota que ejemplifique ese valor social.

RECURSOS

Consulta la lista de apéndices en la p. 418.

la búsqueda de la felicidad	la honestidad	la perseverancia
la compasión	el individualismo	la privacidad
el deber civil	la integridad	la sabiduría
los derechos de las minorías	la justicia	la tolerancia
la fe	la libertad	el trabajo en equipo
la gratitud	el patriotismo	el valor

AMPLIACIÓN

1 **El valor social de la paz** Benito Juárez (1806-1872), quien fue presidente de México, pronunció la siguiente frase célebre después de una guerra que terminó con el Segundo Imperio Mexicano. En grupos de tres o cuatro, lean la cita y contesten las preguntas.

« Entre los individuos, como entre las naciones, el respeto al derecho ajeno es la paz. »

1. En sus propias palabras, expliquen la frase célebre de Benito Juárez. ¿Qué es el respeto? ¿Qué es el derecho ajeno? ¿Qué relación tienen estos valores sociales con la paz?

2. ¿Están de acuerdo con la frase?

3. ¿Cómo se respeta el derecho ajeno entre los individuos? ¿Y entre las naciones?

Auto-graded
My Vocabulary
Record & Submit
Strategy
Video
Write & Submit

VAMOS A
COCINAR
CON
JOSÉ
ANDRÉS

HUEVOS FRITOS CON CHORIZO Y CON PATATAS

A PRIMERA VISTA

¿Qué hacen las personas de la foto? ¿Cuál de las dos está a cargo de preparar el plato y cuál es su ayudante?

SOBRE EL CORTO *Vamos a cocinar con José Andrés* es un programa de televisión en el que el cocinero José Andrés le muestra al público, desde su propia cocina, una receta para preparar en casa. En el capítulo «Huevos fritos con chorizo y con patatas», José Andrés busca los mejores ingredientes en el mercado y luego invita a la actriz Ana Duato a preparar un delicioso plato.

ANTES DE VER

1 **Analiza el título** ¿Qué ingredientes se mencionan en el título del video? ¿Qué ingrediente tiene un nombre diferente en España y en Hispanoamérica? ¿De qué país son el cocinero José Andrés y la actriz Ana Duato? ¿Lo adivinas?

2 **La cocina** En parejas, háganse la siguiente entrevista.

1. ¿Te gusta cocinar? ¿Qué platos sabes cocinar?
2. ¿Conoces la cocina de España? ¿Qué platos son tradicionales de España? ¿De qué país es tu cocina favorita? ¿Qué platos e ingredientes son tradicionales de ese país?

▶ MIENTRAS MIRAS

ESTRATEGIA

Analizar el título
El título de un video condensa a veces gran parte de su contenido. Analizar el título te ayuda a deducir el tema y el contexto centrales.

GLOSARIO
la sartén instrumento para cocinar
la guindilla planta picante
hundir(se) sumergir(se)
la sobrasada carne de cerdo
envolver cubrir algo totalmente

1

Vendedor: «Tenemos huevos auténticos de dos yemas. Al mismo precio todos. A mí me gustan un poquitín más los huevos morenos».

1. ¿Qué crees que significa la palabra *yema*? ¿Alguna vez has partido un huevo con dos yemas?
2. En la foto hay dos tipos de huevos. ¿Cuáles prefiere el vendedor?

2

José Andrés: «¿Cómo saber que el huevo no se ha quedado olvidado allá en una esquina y nos están dando un huevo viejo?».

1. ¿Por qué pone José Andrés los huevos en el agua?
2. ¿Qué pasa con el primer huevo: flota o **se hunde**? ¿Y el segundo huevo? ¿Y el tercero?

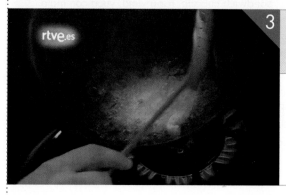

3

José Andrés: «La clara siempre tiene que **envolver** a la yema para que la yema nos quede bien crudita y la clara crujiente».

1. ¿Qué significa la palabra *clara* en el contexto de los huevos?
2. ¿Qué crees que significan las palabras *crudo/a* y *crujiente*?

DESPUÉS DE VER

1

Las hierbas y las aves Busca en el diccionario el significado de las siguientes hierbas y aves. Luego, subraya las hierbas y las aves que se mencionan en el video.

1. **hierbas:** albahaca, estragón, menta, orégano, perejil, romero, salvia, tomillo
2. **aves:** águila, avestruz, codorniz, gallina, golondrina, oca, pata

2

Comprensión Contesta las preguntas según el video.

1. ¿Por qué le dice José Andrés al vendedor que tiene que cambiar el menú?
   ¿Cuánto dinero tiene para hacer las compras?
2. Según José Andrés, ¿qué huevos son mejores: los blancos o los morenos?
3. ¿Qué indica el primer número de la serie impresa en los huevos?
4. ¿Por qué le quita José Andrés las semillas a la guindilla?
5. ¿Para qué sirve el experimento de poner los huevos en agua?
   ¿Qué pasa con los huevos más frescos? ¿Por qué pasa eso?
6. ¿Cómo ayuda Ana a José Andrés? ¿Qué prepara ella?
7. ¿Por qué hunde José Andrés la cuchara en el aceite antes de poner el huevo?

3

Interpretación En parejas, contesten las preguntas.

1. Al principio del video dice José Andrés que es «cocinero de profesión, pero, sobre todo, de vocación». ¿Cuál es la diferencia entre una profesión y una vocación?
2. Al mostrar su casa, José Andrés muestra primero las especias y luego las hierbas. ¿Cuál es la diferencia entre una especia y una hierba?
3. José Andrés dice que a través de un olor uno puede viajar a lugares que no había imaginado. ¿Qué quiere decir con eso?
4. José Andrés dice que la cocina de su casa es «el punto de encuentro entre lo tradicional y lo moderno». ¿A qué se refiere?
5. De acuerdo con lo que viste en el video, ¿crees que los huevos fritos con chorizo y con patatas son fáciles de preparar? Si tuvieras todos los ingredientes, ¿intentarías prepararlos? ¿Por qué?

MI VOCABULARIO
Utiliza tu vocabulario individual.

4

Investigación y presentación Busca en Internet el plato de un país hispanohablante que te guste o que te gustaría probar. Escribe la lista de ingredientes y la receta. Luego, presenta tu plato ante la clase. Si puedes, trae una foto para mostrar el plato que elegiste. Estas son algunas sugerencias:

1. **Argentina:** dulce de leche, choripán, empanadas, locro, asado
2. **Cuba:** moros y cristianos, lechón asado, sándwich cubano, ropa vieja, yuca con mojo
3. **España:** patatas bravas, churros, gazpacho, tortilla de patatas, pulpo a la gallega
4. **México:** quesadillas, tacos, guacamole, frijoles refritos, chiles rellenos
5. **Perú:** ceviche, picante de cuy, ají de gallina, causa rellena, lomo saltado

RECURSOS
Consulta la lista de apéndices en la p. 418.

5

Carta a José Andrés Escríbele una carta al cocinero José Andrés. Puedes preguntarle acerca de los aceites, las especias y las hierbas que tiene en su casa, sobre el mercado en el que compra los ingredientes, sobre la receta de huevos con chorizo y con patatas o sobre cualquier otra receta española que te interese.

ENSAYO ARGUMENTATIVO

El discurso argumentativo busca inclinar la balanza hacia un lado e influir en las creencias, actitudes y opiniones de la audiencia mediante el peso de las pruebas. Es un razonamiento en párrafos que progresivamente expone una idea a los lectores para que la adopten, compartan una serie de valores y una forma de pensar, o, al menos, acepten los argumentos presentados como válidos y respetables.

A diferencia del ensayo de opinión (p. 346), el foco no está tanto en la opinión que se expresa, sino en la justificación de esa opinión. Nunca pueden faltar la investigación y la reflexión previas del tema, porque no solo hay que conocer bien la postura que sostenemos nosotros, sino también la opuesta, para poder refutarla en el ensayo.

Tema de composición

Lee de nuevo las preguntas esenciales del tema:

▲ ¿Cómo definen los individuos y las sociedades su propia calidad de vida?
▲ ¿Cómo influyen los productos culturales, las prácticas y las perspectivas de la gente en la vida contemporánea?
▲ ¿Cuáles son los desafíos de la vida contemporánea?

Utilizando las preguntas como base, escribe un ensayo argumentativo sobre algún aspecto del tema.

ANTES DE ESCRIBIR

Después de elegir el tema, investígalo bien —información sobre estudios sociológicos, encuestas, anécdotas, citas— y concéntrate en la tesis que presentarás.

ESCRIBIR EL BORRADOR

Revisa atentamente la estructura de tu ensayo y organiza un plan con toda la información que hayas decidido incluir: esto te ayudará a exponer bien tu tema y a desarrollar tu tesis específica.

ESCRIBIR LA VERSIÓN FINAL

Mientras editas tu borrador en equipo, presta atención a las brechas lógicas que pueden haberse dado en la redacción: ¿se entienden los pasos de una idea a otra? ¿Faltan ideas que le den más fuerza a la exposición? ¿Está la tesis claramente relacionada con los argumentos? Cuando hayan terminado el proceso de edición en equipo, utiliza todos los consejos que te sirvan para mejorar el borrador de tu ensayo y pásalo en limpio.

ESTRATEGIA

Organizar tu ensayo
Una estructura común y eficaz para el ensayo argumentativo es la de cinco párrafos:
Párrafo 1: Presenta la tesis.
Párrafo 2: Refuta el punto de vista opuesto.
Párrafo 3: Da evidencia que apoya la tesis.
Párrafo 4: Amplía la información con datos y analogías.
Párrafo 5: Resume y reafirma lo planteado y cierra con una conclusión clara y firme.

Tema 5

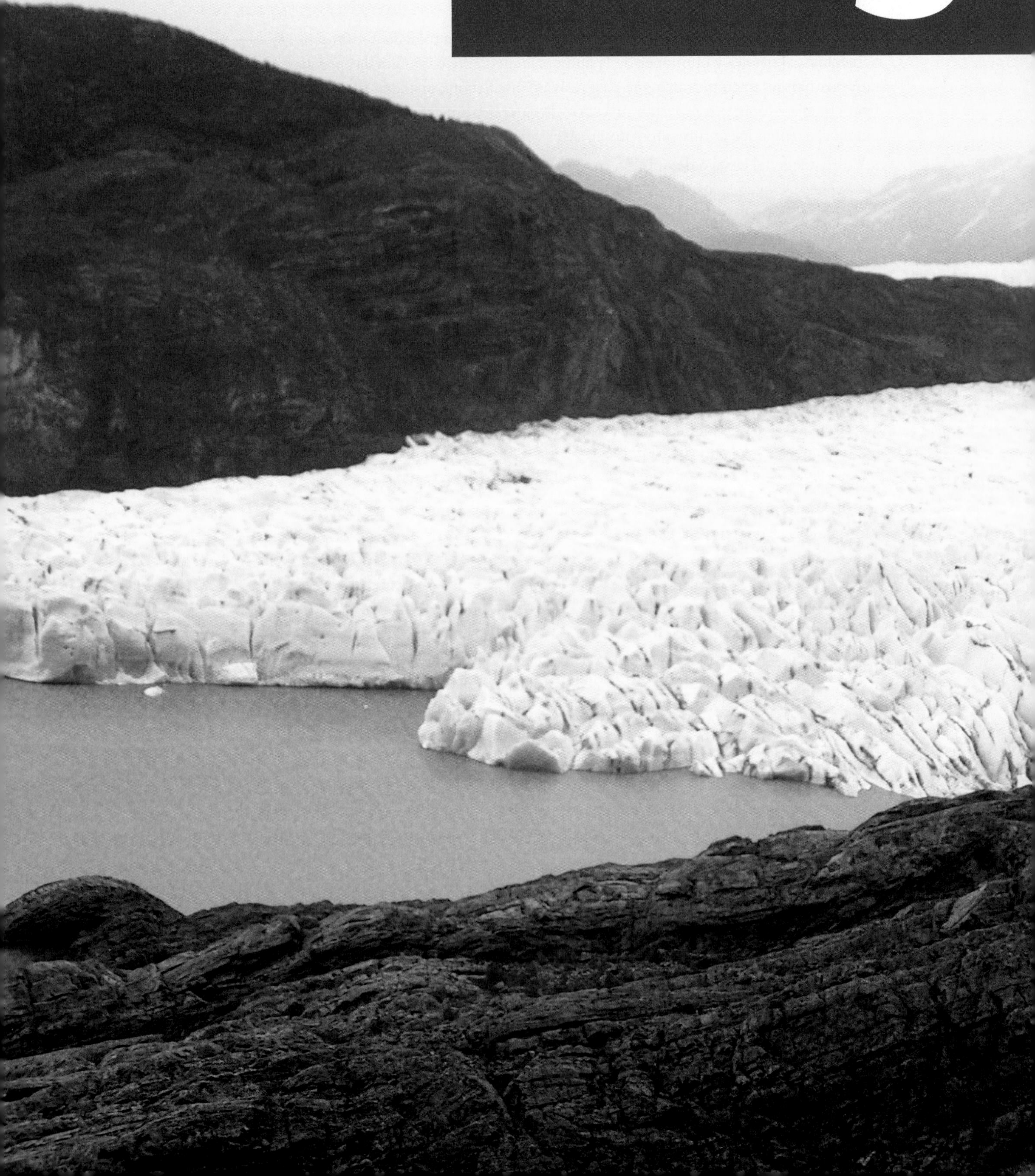

Los desafíos mundiales

PREGUNTAS ESENCIALES

◢ ¿Cuáles son los desafíos sociales, políticos y medioambientales que enfrentan las sociedades del mundo?

◢ ¿Cuáles son los orígenes de esos desafíos?

◢ ¿Cuáles son algunas posibles soluciones a esos desafíos?

CONTENIDO

▸▸ Glaciar Grey, Parque Nacional Torres del Paine, Chile

PUNTOS DE PARTIDA

Todos nos vemos afectados por los temas económicos que mueven al mundo. El comercio, la industria, los gobiernos y los ciudadanos prosperan bajo una economía sana y fuerte, y sufren bajo una economía en declive. Los seres humanos aspiramos a mantener cierto control sobre el nivel económico personal para así gozar de una vida digna.

◢ ¿Cuál es el papel de la urbanización en la economía de los países en vías de desarrollo?

◢ ¿Cuál es el papel de las empresas multinacionales en el desarrollo de la economía mundial? ¿Contribuyen al bienestar económico o forman parte de los problemas económicos?

◢ ¿De qué manera pueden influir las características geográficas de un territorio en la economía de su población?

DESARROLLO DEL VOCABULARIO  Auto-graded My Vocabulary

MI VOCABULARIO
Anota el vocabulario nuevo a medida que lo aprendes.

1 ¿Cómo están relacionadas? Explica la relación entre los siguientes pares de palabras. Luego escribe una oración utilizando una palabra de cada par.

1. aumento/incremento
2. beneficios/ganancias
3. éxito/logro
4. préstamos/garantías

5. productos/servicios
6. promover/distribuir
7. responsabilidad/iniciativa
8. subvenciones/recursos económicos

2 ¿Cómo te afectan? ¿Qué temas económicos te afectan a ti y a tu familia? ¿A tu comunidad? ¿Y a tu país? Clasifica cada uno de los siguientes temas según el grupo al que afecta. Luego compartan sus ideas en pequeños grupos.

Me afectan a mí y a mi familia	
Afectan a mi comunidad	
Afectan a mi país	

1. la bolsa
2. la deuda
3. las finanzas
4. los gastos
5. los impuestos

6. los ingresos
7. la inversión
8. el presupuesto
9. la renta
10. la tasa de interés

3 La autonomía económica ¿Cuáles son los beneficios de ser económicamente independiente? ¿Hay alguna desventaja? En parejas, escriban definiciones de estos términos e inclúyanlos en una conversación sobre la autonomía económica personal y empresarial.

1. el préstamo bancario
2. el crédito bancario
3. el interés
4. el capital

5. las subvenciones
6. la inversión
7. la flexibilidad
8. la deuda

LECTURA 1.1 ▸ LA REBELIÓN DE LAS RATAS (FRAGMENTO)

Auto-graded
My Vocabulary
Partner Chat
Record & Submit
Strategy
Write & Submit

SOBRE EL AUTOR El escritor colombiano Fernando Soto Aparicio (1933-2016) fue un prolífico poeta, novelista, guionista y profesor, considerado uno de los más grandes narradores del país. Sus obras denuncian y revelan, mediante un tono realista, los conflictos sociales e históricos de Colombia. Entre sus novelas más reconocidas se encuentran *Mientras llueve* (1966) y *La rebelión de las ratas* (1962).

SOBRE LA LECTURA La novela cuenta la historia de Timbalí, un pueblo ficticio que está dominado por compañías multinacionales de Estados Unidos. Aunque el pueblo de Timbalí no existe, representa un ejemplo de los abusos de la industria en general —y, en particular, de la industria extranjera— en los países de Hispanoamérica. El fragmento que se presenta a continuación corresponde a los primeros párrafos de la novela. Esta introducción corresponde, sobre todo, a una descripción de un paisaje de campo idílico, habitado por campesinos que no tienen mucha educación. Estos campesinos se ven gradualmente invadidos, en nombre del progreso, por una industria cruel y malintencionada.

ANTES DE LEER

1 **Categorías** Los siguientes términos aparecen en la lectura. Asigna cada término a una de las siguientes tres categorías: elementos del campo (**C**), elementos de la industria moderna (**I**) o partes del cuerpo humano (**P**). Busca las palabras que no conozcas en el diccionario.

1. ___ el camión
2. ___ el cerebro
3. ___ la cicatriz
4. ___ la cosecha
5. ___ el cultivo
6. ___ la grúa
7. ___ el humo
8. ___ la máquina
9. ___ la mejilla
10. ___ la parcela
11. ___ la piel
12. ___ el rostro
13. ___ el sembrado
14. ___ el valle
15. ___ el verdor
16. ___ la vía

MI VOCABULARIO
Anota el vocabulario nuevo a medida que lo aprendes.

2 **Oraciones** Ahora, escoge dos términos de cada una de las categorías mencionadas en la Actividad 1. Con tus propias palabras, escribe una definición para cada uno de los términos elegidos.

3 **Lluvia de ideas** Trabajen en grupos de tres o cuatro estudiantes. Hagan una lluvia de ideas para escribir todos los términos que ustedes asocian con la palabra **civilización**. Luego, compartan sus ideas con el resto de la clase. Entre toda la clase, decidan cuáles términos tienen una connotación positiva y cuáles tienen una connotación negativa.

ESTRATEGIA

Definir palabras de vocabulario nuevo es una buena práctica para cuando debas explicar un concepto y no tengas todo el vocabulario en español para hacerlo.

LA REBELIÓN DE LAS RATAS

(Fragmento)

por **Fernando Soto Aparicio**

ANTES TODO ERA sencillez, **rusticidad**, paz. Y de pronto el valle se vio invadido por las máquinas; el medio día fue roto por el grito estridente de las sirenas; los caminos se perdieron bajo toneladas de polvo y anchas vías cruzaron el verdor de los sembrados; los árboles, cercados por el humo, envejecieron y terminaron por perder sus hojas y sus **nidos**; y el silencio, ese bendito silencio que era como un manto protector tendido sobre el campo, huyó   5 para siempre hacia las montañas.

Así como el paisaje, los rostros cambiaron también. Ya no era la cara ancha y sonrosada del sembrador; ya no las mejillas frutales de las muchachas ni los ojos **risueños** de los niños. Eran **semblantes** deformados por grandes cicatrices; con hirsutos pelos que les daban apariencias bestiales o ridículas; eran pieles ajadas por el sudor, ennegrecidas por el hollín, picadas por las   10 viruelas inclementes que **diezmaron** la población del valle como plaga bíblica; eran ojos asustados, huidizos, brillantes de **codicia**, señalados por las huellas imborrables de crímenes pasados.

A eso lo llamaban algunos, pomposamente, civilización, progreso. La esperanza de la patria estaba allí; con el sacrificio de unos pocos se aseguraban la tranquilidad de muchos, era necesario que el valle perdiera su aspecto **bucólico**, para que la nación recobrara su estabilidad económica.   15 Al menos tales cosas decían los oradores que acudieron a convencer a los campesinos y obreros de la conveniencia de abandonar las cosechas, de **trocar** la azada por la piqueta, de cambiar el maíz por las piedras negras de carbón y de acabar con los mansos burritos de carga por los camiones de color rojo oscuro, como teñido de sangre.

Los agricultores al principio ofrecieron resistencia. Pero pronto fueron cediendo: 20 el miedo, la ambición, el dinero, el analfabetismo… Después de que se descubrieron las minas

25

de carbón en aquel vasto territorio, llegaron de los diversos puntos de la república gentes de toda condición social, pero generalmente desheredados, fugitivos y vagabundos. Rondaron por entre los cultivos, acudieron hasta las casas hospitalarias, siempre abiertas al forastero, y en ellas fueron infiltrando la savia de sus pensamientos, el veneno de sus convicciones, el lenguaje rebuscado de sus argumentos. Entonces los dueños de pequeñas parcelas —verdes en invierno, doradas en verano— tuvieron que abandonarlas, entregándolas a la voracidad de los compradores. Algunos, inclusive, se vieron amenazados de muerte. Pero los más terminaron cediendo de buena gana, ante las promesas de un futuro de abundancia y prosperidad.

30

35

40

Luego de conquistada la tierra vino la invasión mecánica: camiones, palas, grúas… **Crujieron** las montañas centenarias al sentir en su base la puñalada del acero; se descuajaban con quejidos casi humanos los árboles enormes de los boscajes; y las casas humildes, fabricadas de paja y barro, cayeron con sus ensueños ancestrales ante el empuje de la codicia. No eran malas, quizá, las intenciones de los que esbozaron el proyecto. Pero a través de centenares de labios y de cerebros diversos, las palabras y los pensamientos fueron deformándose. Y aquellos hombres silenciosos y rústicos no adivinaron lo que vendría. Ocurrió pronto. El valle estaba habitado por doce o quince familias regadas en todas direcciones: el rancho de los Moreno, la fundación de los Montoya, la casita de los Ramírez… Por todos lados, un nombre amigo, un rostro sonriente, una mano franca. Y luego de la irrupción del progreso, fueron decenas de familias agrupadas en barrios miserables, apiñadas como tallos de trigo.

Las construcciones apresuradas crecieron como **cizaña**. Casas de latón, de madera, de piedras y cemento. Y de allí surgió el pueblo: Timbalí. ◣

DESPUÉS DE LEER

1 **Comprensión** Según el texto, elige la mejor respuesta para cada pregunta.

1. Párrafo 1: ¿Cuál de las siguientes afirmaciones es *incorrecta*?
  a. Antes había un silencio feliz, pero los ruidos de las sirenas rompieron el silencio.
  b. Antes había muchos árboles, pero ahora solo hay árboles en las montañas.
  c. Antes había mucha tranquilidad, pero luego llegaron las máquinas.
  d. Antes, los árboles tenían nidos y hojas, pero ahora los árboles están envejecidos.

2. Párrafo 2: ¿Cuál de las siguientes descripciones *no* aparece en el párrafo?
  a. Las mejillas de las mujeres jóvenes parecían frutas.
  b. Las personas tenían cicatrices en la cara.
  c. El sudor en la cara daba la apariencia de viruela.
  d. El humo había provocado que las caras se vieran negras.

3. Párrafo 3: ¿Cuál de las siguientes afirmaciones es *verdadera*?
  a. No era necesario sacrificar nada para obtener progreso.
  b. El progreso no iba a perturbar el paisaje del campo.
  c. Los burros eran animales indispensables para el progreso.
  d. Los campesinos iban a dejar sus cultivos.

4. Párrafo 4: ¿Qué *no* hicieron las personas que vinieron de diversos puntos de la república?
  a. Amenazar con la muerte a algunos campesinos.
  b. Cultivar las tierras de los campesinos.
  c. Convencer a los campesinos de que abandonaran las tierras.
  d. Influenciar las ideas de los campesinos.

5. Párrafos 5 y 6: ¿Cuál de las siguientes afirmaciones es *verdadera*?
   a. Las máquinas destruyeron las casas de los campesinos.
   b. Los invasores del campo respetaron los árboles.
   c. Todos se fueron a vivir al rancho de los Moreno.
   d. El pueblo de Timbalí ya existía antes de que llegaran las máquinas.

MI VOCABULARIO
Utiliza tu vocabulario
individual.

2 **Interpretación** Trabaja con un(a) compañero/a. Lean las siguientes citas del texto y luego reescríbanlas con sus propias palabras.

1. «[El] silencio que era como un manto protector tendido sobre el campo». (línea 5)
2. «[L]as viruelas inclementes que diezmaron la población del valle como plaga bíblica». (líneas 10-11)
3. «[E]ran ojos asustados, huidizos, brillantes de codicia, señalados por las huellas imborrables de crímenes pasados». (líneas 11-12)
4. «[E]n ellas fueron infiltrando la savia de sus pensamientos, el veneno de sus convicciones, el lenguaje rebuscado de sus argumentos». (líneas 24-26)
5. «Crujieron las montañas centenarias al sentir en su base la puñalada del acero». (líneas 30-31)
6. «Las construcciones apresuradas crecieron como cizaña». (línea 41)

3 **El progreso** En parejas, discutan las siguientes preguntas.

1. ¿Cómo definirías el término «progreso»?
2. ¿Qué efectos puede tener el progreso de una sociedad en el medioambiente?
3. ¿Cuáles son las ventajas de utilizar maquinaria moderna en la agricultura? ¿Cuáles son las desventajas?
4. ¿Cómo crees que ha cambiado la vida de los agricultores en los últimos cien años?
5. La población del mundo es cada vez mayor, pero cada vez hay menos personas que se dedican al cultivo de comida y de animales. ¿Cómo explican esta paradoja?

RECURSOS
Consulta la lista de
apéndices en la p. 418.

4 **Otra generación** Escribe una breve descripción sobre cómo ha cambiado el mundo desde que tu padre o tu madre (u otra persona de su generación) tenía tu edad. Puedes consultarlo con ellos. Usa las siguientes preguntas como guía para escribir tu texto. Luego, preséntalo en clase.

1. Cuando tus padres tenían tu edad, ¿tenían más contacto con la naturaleza del que tú tienes ahora? Explica con ejemplos.
2. ¿Cómo ha cambiado la ciudad o el pueblo donde crecieron tus padres? ¿Qué cambios son positivos? ¿Qué cambios son negativos?
3. ¿Cómo ha cambiado la comida que se compra en las tiendas (en un supermercado, por ejemplo)?
4. En general, ¿cómo ha mejorado el mundo desde que tu padre o tu madre tenían tu edad?
5. ¿Cómo ha empeorado el mundo desde entonces?

5 **Una carta** De acuerdo con la lectura, para convencer a los campesinos de que abandonaran sus cultivos, las personas que llegaron al campo «fueron infiltrando la savia de sus pensamientos, el veneno de sus convicciones, el lenguaje rebuscado de sus argumentos». Ahora tú vas a escribirles una carta abierta a los campesinos en un periódico local para convencerlos exactamente de lo contrario: de los beneficios del trabajo en el campo, tanto para ellos como para el medioambiente. Incluye argumentos y descripciones detalladas, como las que aparecen en la lectura.

LECTURA 1.2 ▸ AMÉRICA LATINA ES LA REGIÓN MÁS URBANIZADA DEL MUNDO EN DESARROLLO

Auto-graded
My Vocabulary
Partner Chat
Record & Submit
Strategy
Write & Submit

SOBRE LA LECTURA Como lo explica el título de la lectura, el proceso de urbanización es de particular relevancia en América Latina. Por una parte, el desarrollo urbano está asociado con el desarrollo económico de un país. Por otra parte, la urbanización rápida y no planificada tiene una serie de consecuencias negativas. El autor de esta lectura —un especialista en economía internacional, economía urbana y desarrollo económico— nos explica cuáles son las razones principales por las que tanta gente en Latinoamérica abandona el campo para irse a la ciudad, así como las consecuencias de esta migración acelerada.

ANTES DE LEER

1 **Palabras clave** Indica cuáles de los siguientes términos relacionados con la vida en la ciudad tienen, en tu opinión, una connotación positiva (**P**), cuáles tienen una connotación negativa (**N**) y cuáles tienen una connotación neutra (**U**). Si es necesario, busca los términos en un diccionario.

1. ___ apremiante
2. ___ la concentración urbana
3. ___ la congestión
4. ___ el crecimiento
5. ___ la desigualdad
6. ___ la deficiencia
7. ___ los desafíos
8. ___ el desarrollo económico
9. ___ desproporcionado/a
10. ___ el empleo
11. ___ la infraestructura
12. ___ las oportunidades
13. ___ la segregación
14. ___ los servicios
15. ___ la urbanización

MI VOCABULARIO
Anota el vocabulario nuevo a medida que lo aprendes.

ESTRATEGIA

Utilizar tu conocimiento Usa tu vocabulario en inglés para identificar cognados y deducir su significado en español. Luego, verifica que el significado que dedujiste sea el correcto.

2 **Conversación preliminar** Responde a estas preguntas individualmente y después comparte tus respuestas con un(a) compañero/a.

1. ¿Dónde prefieres vivir: en la ciudad, en un suburbio o en el campo? ¿Por qué?
2. ¿Qué beneficios tiene la vida en la ciudad? Menciona mínimo cinco beneficios.
3. ¿Qué desafíos o problemas tiene la vida en la ciudad? Menciona mínimo cinco desafíos.
4. ¿Por qué crees que la gente del campo emigra a las grandes ciudades? ¿Crees que lo hace por gusto o por necesidad? Explica tu respuesta con ejemplos.

3 **Investigación** Haz una investigación en Internet para averiguar algunos de los desafíos de **una** de las siguientes ciudades: Ciudad de México, Buenos Aires, Lima, Bogotá, Santiago de Chile, Montevideo, Quito o La Habana. Luego, haz una presentación breve ante la clase. No olvides mencionar datos importantes de las ciudades como su ubicación geográfica o su número de habitantes.

América Latina

es la región más urbanizada del mundo en desarrollo

El crecimiento de las ciudades es positivo y viene asociado al proceso de desarrollo económico.

Durante las últimas décadas, América Latina ha experimentado un acelerado proceso de urbanización. Hoy en día, alrededor del 80% de los

5 latinoamericanos viven en zonas urbanas. En Asia el porcentaje es solo del 50, mientras que en África escasamente llega al 40. Esto hace de Latinoamérica la región más urbanizada del mundo en

10 desarrollo. Y por tanto, también donde los desafíos de un mundo cada vez más urbano se hacen, **si cabe**, más **apremiantes**.

Por lo general, el crecimiento de las ciudades es positivo y viene asociado

15 al proceso de desarrollo económico. Las ciudades grandes ofrecen multitud de oportunidades de empleo, educación y servicios. De igual forma, el trabajo en las ciudades grandes es en muchas ocasiones

20 mucho más productivo que en las zonas rurales; en promedio, se espera que la productividad media de una ciudad aumente un 5% cada vez que dobla su población. Esto hace que las ciudades grandes atraigan cada vez más habitantes. 25 Como ejemplo, en América Latina la proporción de la población total que vive en ciudades de más de un millón de habitantes supera ya el 40%.

Como es evidente, el crecimiento de las 30 ciudades no está libre de problemas. Y en ese sentido, la forma de dicho crecimiento es importante. La gran mayoría de los países latinoamericanos presentan un patrón fuertemente **sesgado** hacia una o dos 35 ciudades principales; un porcentaje elevado de la población urbana se concentra en una o pocas ciudades de gran tamaño (lo que se conoce como concentración urbana). Por ejemplo, mientras que a nivel mundial 40

NOTICIAS

GLOSARIO
yacer estar
menguante cada vez más pequeño/a o de menor número
la congestión la acumulación excesiva de algo

entre las más pobladas del mundo. Otras urbes latinoamericanas están ya alrededor de los 10 millones de habitantes, como Bogotá, Caracas y Lima. Y como cabe esperar, esta concentración poblacional va acompañada desde luego de una concentración de la actividad económica; las ciudades más pobladas de América Latina son también los principales polos económicos de la región, de los cuales dependen las ciudades más pequeñas y las zonas rurales.

¿Qué puede explicar estos tamaños desproporcionados de las ciudades principales de América Latina? Parte de la respuesta **yace**, no en las ciudades mismas, sino en las zonas más rurales. Las oportunidades **menguantes** en el campo, los desastres naturales recurrentes, la falta de infraestructuras, el abandono de las instituciones y la violencia, han contribuido, entre otros factores, a la urbanización acelerada de la región. Así, las ciudades principales han sido el destino de millones de personas forzadas, de una u otra forma, a abandonar el campo y pueblo o ciudades pequeñas.

¿Y cuál ha sido la consecuencia de este fenómeno? En la mayoría de los casos, una urbanización poco planificada, desordenada y con grandes deficiencias en infraestructura, cohesión social y desarrollo institucional. Deficiencias que se traducen en serios y apremiantes problemas de **congestión**, desigualdad, pobreza, segregación, violencia y degradación medioambiental, por mencionar los principales, que no desaparecerán por sí solos y que requieren una respuesta decidida por parte de los gobiernos locales y nacionales de la región.

el peso relativo de la ciudad principal de un país ronda el 16% de la población urbana del mismo, en América Latina este porcentaje se eleva de media al 22%. En otras palabras, comparadas con las demás ciudades de su país, la ciudad principal de cada país latinoamericano (usualmente la capital, pero no necesariamente) presenta un tamaño desproporcionado. Según datos del Banco Mundial, varias de estas ciudades exceden ya los 20 millones de habitantes como Ciudad de México, Sao Pablo, Río de Janeiro y Buenos Aires, y se encuentran

DESPUÉS DE LEER

1

Comprensión Indica si las siguientes oraciones son **verdaderas** o **falsas**. Corrige las oraciones falsas.

1. En Latinoamérica, alrededor del 20% de la población vive en el campo.
2. Hay mucho tiempo para resolver los problemas en las ciudades latinoamericanas.
3. La vida en la ciudad no ofrece muchas oportunidades.
4. La producción en la ciudad es mayor que en el campo.
5. Las ciudades más grandes de Latinoamérica son desproporcionadamente grandes.
6. Las zonas rurales son independientes de las zonas urbanas.
7. Mucha gente emigra del campo a la ciudad porque se aburre en el campo.
8. Uno de los problemas en el campo es la recurrencia de los desastres naturales.
9. En las ciudades grandes hay una infraestructura más fuerte.
10. La migración no ha causado muchos problemas en las ciudades grandes.

ESTRATEGIA

Comprobar la veracidad de la información Aunque a veces parezca que los estudios estadísticos y científicos no necesitan comprobarse, nunca está de más verificar información presentada en una noticia o estudio, especialmente en Internet, donde en muchas ocasiones las cifras y los datos no están actualizados, son distorsionados o malinterpretados. Comprueba siempre que las fuentes de los estudios y las estadísticas sean confiables y compara la misma información en diferentes fuentes.

2 **Números** La lectura ofrece mucha información estadística. Para ayudarte a comprenderla, une los números con su información correspondiente en la columna que encontrarás más abajo.

1. ___ 80%
2. ___ 5%
3. ___ 40%
4. ___ 22%
5. ___ 20 millones
6. ___ 10 millones
7. ___ 1

a. Porcentaje de latinoamericanos que vive en una ciudad de gran tamaño.
b. Número mínimo de habitantes en la Ciudad de México.
c. Porcentaje de latinoamericanos que vive en zonas urbanas.
d. Número que ocupa Latinoamérica en el mundo con respecto a la urbanización.
e. Porcentaje de la población latinoamericana que vive en una ciudad de más de un millón de habitantes.
f. Número aproximado de habitantes en Caracas y Bogotá.
g. Porcentaje con que la productividad aumenta en una población cuando ésta se duplica.

3 **Problemas rurales** La lectura dice que los «tamaños desproporcionados de las ciudades principales» de Latinoamérica se explican, en parte, por los problemas que hay en las zonas más rurales (líneas 66-70). Escribe los cinco problemas que menciona la lectura.

1. _____
2. _____
3. _____
4. _____
5. _____

4 **Conversación: el campo** Trabajen en grupos de tres o cuatro estudiantes. Primero, comparen sus respuestas de la Actividad 3. Luego, discutan cada uno de los problemas que mencionaron en su lista. Usen las siguientes preguntas como guía.

1. En su opinión, ¿qué quiere decir el autor de la lectura con «oportunidades menguantes en el campo»? ¿A qué tipo de oportunidades se refiere posiblemente?
2. ¿Qué tipo de desastres naturales pueden ocurrir en el campo y cuáles son sus consecuencias?

3. ¿Cuál es la infraestructura de una ciudad? Mencionen mínimo cinco elementos que sean parte de una infraestructura típica.

4. En su opinión, ¿a qué se refiere la lectura con el «abandono de instituciones»? ¿A qué instituciones se refiere posiblemente?

5. ¿Qué tipo de violencia puede haber en las zonas rurales? Expliquen con ejemplos.

---

5 **Problemas urbanos** La lectura dice que la emigración a las zonas urbanas ha causado «deficiencias en infraestructura, cohesión social y desarrollo institucional» (líneas 84-86). Según la lectura, cuáles han sido las principales consecuencias de estas deficiencias?

---

6 **Conversación** Trabajen en parejas. Primero, comparen sus respuestas de la Actividad 5. Luego, discutan cada una de las consecuencias que mencionaron en su lista. Usen las siguientes preguntas como guía.

ESTRATEGIA

Sintetizar Después de leer y comprender el artículo, resume tus conclusiones. Considera de nuevo las perspectivas culturales y piensa en cómo puedes relacionar lo que aprendiste con tus conocimientos previos.

1. En su opinión, ¿a qué tipo de congestión se refiere el texto? ¿Cómo puede identificarse la congestión en una ciudad?

2. En su opinión, ¿qué tipos de desigualdad se presentan en las grandes ciudades? Expliquen su respuesta con ejemplos.

3. Si mucha gente del campo emigra a la ciudad en busca de oportunidades, ¿creen que habrá pobreza? Expliquen su respuesta.

4. ¿Qué es la segregación? ¿Cómo afecta a las personas?

5. ¿Qué tipos de violencia hay en la ciudad? ¿Cómo se compara con la violencia en el campo?

6. ¿Cómo creen que la migración afecta al medioambiente? Expliquen su respuesta con ejemplos.

---

7 **Planificación urbana** Investiga en Internet sobre la planificación urbana. Luego, con dos o tres compañeros/as, comparen los resultados de su investigación e intenten responder a las siguientes preguntas.

1. ¿Qué es la planificación urbana?
2. ¿Qué relación tiene la planificación urbana con la infraestructura de una ciudad?
3. ¿Qué relación tiene con el medioambiente?
4. ¿En qué consiste la «calidad de vida» y cómo se relaciona con la planificación urbana?

---

8 **Una ciudad ideal** Imagina una ciudad ideal. Luego, prepara una presentación para hacerla ante la clase. Si quieres, puedes dibujar tu ciudad ideal o presentar ejemplos con fotos de ciudades que ya existen. Usa los siguientes puntos como guía.

- número de habitantes
- tipo de geografía: ¿montaña? ¿costa? ¿llanura?
- clima (y cómo afecta el clima la vida diaria de los habitantes)
- infraestructura (puentes, calles, transporte público, etcétera)
- servicios (escuelas, hospitales, seguridad, bomberos, etcétera)
- relación entre los habitantes de la ciudad y el medioambiente
- calidad de vida para los seres humanos
- calidad de vida para los animales
- comida: ¿dónde se produce? ¿cómo se distribuye?
- agua: ¿de dónde se obtiene? ¿cómo se distribuye?

Audio
En fragmentos
My Vocabulary
Strategy
Write & Submit

AUDIO ▶ 9 DE CADA 10 JÓVENES ESPAÑOLES BUSCARÍAN TRABAJO EN EL EXTRANJERO

GLOSARIO

dispuesto/a preparado/a para hacer algo; capaz, hábil, listo/a

la expectativa esperanza de conseguir o realizar algo; posibilidad razonable de que algo pase

liderar estar a la cabeza de un grupo de entidades o personas; dirigir

el paro privación o falta de trabajo, desempleo

la licenciatura grado universitario, diploma, título

la cuestión asunto, problema, punto dudoso o discutible

quitar hierro rebajar, reducir o quitar importancia a lo que parece exagerado

INTRODUCCIÓN Esta es una emisión de RT Sepa Más, un canal de noticias en español. Presenta los resultados de la encuesta anual *Global Shapers*, publicada por el Foro Económico Mundial. La grabación se enfoca en los resultados de la encuesta aplicada a los *millennials* españoles y el análisis del sociólogo Rafael Heiber, en Madrid, con el fin de entender las tendencias de los jóvenes de buscar trabajo en el extranjero.

ANTES DE ESCUCHAR

1 **Palabras afines** Relaciona las palabras de la primera columna con las de la segunda. Recuerda las palabras de la primera columna, pues las escucharás en la grabación.

1. ___ conseguir	a. acceso
2. ___ anotar	b. vulnerable
3. ___ suceso	c. lograr
4. ___ aumento	d. ampliación
5. ___ entrada	e. fenómeno
6. ___ susceptible a empeorar	f. registrar

MI VOCABULARIO

Anota el vocabulario nuevo a medida que lo aprendes.

2 **Mudarme o seguir viviendo en mi comunidad** Escribe un párrafo para contestar cada una de las preguntas a continuación desde tu punto de vista personal.

1. ¿Dónde piensas establecer tu vida profesional y vivir? Explica por qué.
2. ¿Existen suficientes oportunidades para lograr éxito profesional en tu comunidad? ¿En tu estado? ¿En tu país? Explica.

3 **Tabla de apuntes** Lee las ideas o preguntas de la primera columna. Después, anota palabras, cifras y datos mientras escuchas la grabación.

IDEAS FUNDAMENTALES	APUNTES
¿En qué consisten las dos preocupaciones principales de la juventud española?	
¿Qué porcentaje de los *millennials* se mudarían a otro país? ¿Por qué?	
¿Cuáles son los países preferidos para emigrar por los encuestados?	
¿Cómo caracterizan algunos la emigración de los jóvenes?	
Según Heiber, ¿quiénes fueron los jóvenes encuestados, cómo es su perfil y por qué eligen emigrar a otros países?	

◀)) MIENTRAS ESCUCHAS

1 **Escucha una vez** Escucha la grabación para captar las ideas generales.

2 **Escucha de nuevo** Ahora, con base en lo que escuchas, escribe datos, cifras y otra información apropiada para cada pregunta de la tabla de apuntes.

DESPUÉS DE ESCUCHAR

1 **Comprensión** En grupos de dos o tres, contesten las siguientes preguntas usando la información de sus tablas de apuntes.

1. Según la reportera, ¿por qué se preocupan muchos jóvenes españoles?
2. ¿Por qué están dispuestos los *millennials* a salir de España?
3. ¿Cuántos años tienen estos jóvenes?
4. ¿Cuáles son los países preferidos por los jóvenes españoles para emigrar? ¿Por qué?
5. Según Rafael Heiber, ¿cómo es el perfil de los *millennials* encuestados?
6. Según el sociólogo, ¿por qué se queda en tercer lugar Alemania como destino de emigración?
7. ¿Por qué critican algunos al gobierno diciendo que no está atendiendo esta cuestión como debería?
8. Explica el fenómeno de las generaciones perdidas, según Heiber.

2 **Los *millennials* en tu comunidad** Con un(a) compañero/a, investiguen encuestas o reportajes sobre los jóvenes de su comunidad con respecto al tema presentado en este audio. Contesten estas preguntas:

1. ¿Cómo influye el mercado laboral y la economía en las decisiones que toman los *millennials* para elegir sus ciudades de residencia?
2. ¿Cuáles son las preocupaciones principales de los *millennials* de su comunidad o país?
3. ¿Emigran muchos jóvenes de su comunidad a otros países? Encuentren cifras y datos para compartir con la clase.

3 **Ensayo de reflexión y síntesis** Con base en lo que has estudiado en este contexto, escribe un ensayo en el que respondas a esta pregunta: ¿De qué manera la ubicación geográfica de una comunidad influye en el éxito económico y profesional de sus ciudadanos? El ensayo debe contener al menos tres párrafos, así:

1. Un párrafo introductorio que:
   ◆ presente el contexto del ensayo.
   ◆ incluya una oración que responda a la pregunta, que es tu tesis.

2. Un párrafo de explicación que:
   ◆ exponga uno o dos argumentos que apoyen tu tesis.
   ◆ aporte ejemplos que sustenten tus argumentos.

3. Un párrafo de conclusión que:
   ◆ resuma los argumentos que sustentan la tesis.
   ◆ vuelva a plantear la tesis en otros términos.

ESTRATEGIA

Identificar la idea principal
Fíjate en las ideas principales de la grabación y no te pierdas en los detalles.

MI VOCABULARIO
Utiliza tu vocabulario individual.

RECURSOS
Consulta la lista de apéndices en la p. 418.

CONEXIONES CULTURALES
Record & Submit
Virtual Chat

Un vendedor de pinturas en las playas dominicanas

El turismo en la República Dominicana

VIVIR EN UN PARAÍSO COMO LA REPÚBLICA DOMINICANA puede parecer exótico y atractivo. ¡Menuda novedad! Pero quizás nunca te hayas puesto a pensar que también brinda ventajas en términos económicos. Eso es algo que los habitantes de la República Dominicana saben perfectamente. Si bien ese país es famoso por sus encantadoras playas, también ofrece otras alternativas a los visitantes, como el ecoturismo y el turismo cultural.

En los últimos años, el turismo se ha convertido en la cuarta fuente de ingresos de la República Dominicana. Y, lo que es aún más importante, esta industria ayuda a que gran parte de la población tenga trabajo. ¡Pero no creas que solo como guías turísticos! El turismo ayuda a fomentar la actividad económica en diversos sectores: se construyen hoteles, se producen alimentos, se crean artesanías y hasta se desarrollan presentaciones artísticas y espectáculos musicales.

▶▶ Un grupo de pequeños y medianos productores de café y miel de El Salvador decidieron unirse para mejorar su productividad y sus ventas, lo que a su vez genera más empleo y promueve el crecimiento del sector.

◢ El Banco Mundial le otorgó un crédito al gobierno de Bolivia para realizar mejoras en un aeropuerto y una carretera. Estas obras favorecerán el turismo y el transporte de los productos de la región, y traerán muchos beneficios para sus habitantes.

◢ El clima tropical de Paraguay es ideal para el cultivo de la yerba mate, una planta que se usa en una infusión tradicional de la región. Aproximadamente el 5% de la producción se exporta a destinos tan lejanos como Japón.

 Presentación oral: comparación cultural

Prepara una presentación en la que contestes a la pregunta:

◆ ¿Cuál es la importancia de las características geográficas de un lugar para su crecimiento económico?

Compara tus observaciones de una región del mundo hispanohablante que te sea familiar con las de las comunidades en las que has vivido u otra comunidad.

PUNTOS DE PARTIDA

El medioambiente es el entorno que nos rodea. En él conviven seres vivos (como personas, animales y plantas) y elementos inertes (como el aire y el agua), por lo que la manera en la que se relacionan entre sí es de gran importancia. Algunas de estas relaciones son mutuamente beneficiosas, mientras que otras son perjudiciales.

◢ ¿Qué impacto tienen las actividades humanas en el medioambiente? ¿Cómo afecta el medioambiente a los seres humanos?

◢ ¿Cómo se puede fomentar el interés por el cuidado de nuestro entorno?

◢ ¿Por qué participan las personas en causas medioambientales?

DESARROLLO DEL VOCABULARIO  My Vocabulary Partner Chat Write & Submit

1 **Cambios ambientales** Explica el efecto que los siguientes fenómenos tienen en el medioambiente o de qué forma han sido afectados por los cambios que este ha sufrido.

MI VOCABULARIO
Anota el vocabulario nuevo a medida que lo aprendes.

- ◆ el calentamiento global
- ◆ los combustibles fósiles
- ◆ el consumo sostenible
- ◆ el derretimiento de la masa polar
- ◆ el efecto invernadero
- ◆ la energía solar

- ◆ la industrialización
- ◆ las inundaciones
- ◆ la preservación de la naturaleza
- ◆ el reciclaje
- ◆ los recursos naturales
- ◆ la sequía
- ◆ el transporte público

2  **El cambio climático y tú** Piensa en cómo te ha afectado el cambio climático de manera directa o cómo ha afectado de alguna forma la vida de tu familia, tus amigos o algún lugar que conoces. Considera cuáles han sido las causas y cuáles son las posibles soluciones. Comparte tus experiencias con un(a) compañero/a.

3 **¡A luchar por el medioambiente!** En grupos, hablen de la importancia de proteger el medioambiente. Una persona del grupo debe anotar las razones más importantes y también algunas soluciones. Luego creen un foro sobre el medioambiente en el que participe toda la clase.

4 **Un mensaje electrónico** Imagina que eres una persona mayor y que has vuelto a tu ciudad después de una ausencia de más de cincuenta años. Escríbeles un mensaje electrónico a tus nietos en el que describas los cambios que has observado en el medioambiente y cómo estos han afectado a tu ciudad natal.

5 **Afirmación** Con un(a) compañero/a, comenta la siguiente afirmación. Discutan sus implicaciones en la vida diaria.

《 El futuro de nuestro planeta está condenado a la destrucción si no cuidamos del medioambiente y si no remediamos el calentamiento global. **》**

Auto-graded
My Vocabulary
Record & Submit
Strategy
Write & Submit

LECTURA 2.1 ▸ LA DESGLACIACIÓN DE LA CORDILLERA ANDINA

PERÚ BRASIL Cordillera Blanca Lima Machu Picchu

ESTADOS UNIDOS OCÉANO PACÍFICO OCÉANO ATLÁNTICO AMÉRICA DEL SUR PERÚ

SOBRE LA LECTURA Este artículo fue escrito por Simeon Tegel, un periodista bilingüe de Inglaterra radicado en Lima, Perú. Entre otros temas, escribe sobre el medioambiente. Visitó la Cordillera Blanca en el Parque Nacional Huascarán para ver de primera mano el derretimiento de los glaciares, un fenómeno con consecuencias graves. Los glaciares son una fuente de agua muy importante para gran parte de la población peruana, pero también son íconos religiosos. Su pérdida afectará la agricultura, el suministro de agua, la salud y la cultura de millones de peruanos.

ANTES DE LEER

1 **Para hablar del tema** Completa la tabla con los sustantivos, verbos o adjetivos que faltan. Luego forma una oración con una palabra de cada grupo.

SUSTANTIVO	VERBO	ADJETIVO
la vista	ver	
		poderoso
el calentamiento		
	avanzar	
		peligroso
la cubierta		
		aumentado

2 **El medioambiente** Contesta las siguientes preguntas sobre el medioambiente.

1. ¿Qué efectos del cambio climático se notan en tu comunidad?
2. ¿Cuáles son los riesgos más importantes del calentamiento global?
3. ¿Qué haces tú o qué hace tu familia para reducir la contaminación?
4. ¿Qué medidas ha tomado tu comunidad para proteger el medioambiente?

3 **Las actividades del invierno** En grupos, hablen de la influencia que el calentamiento global tiene hoy, y que puede tener en el futuro, sobre las actividades del invierno.

La desglaciación de la cordillera andina

http://

LA DESGLACIACIÓN DE LA CORDILLERA ANDINA

Portada

Secciones

Foro

Reportajes

Contacto

«Como el Ártico, los Andes son uno de los ambientes naturales donde más se sienten los primeros impactos del cambio climático. La nieve y el hielo están desapareciendo, con graves consecuencias para la región. Visitamos las alturas de la sierra peruana para constatar los cambios».

por Simeon Tegel

Desde el glaciar Yanapaccha, de 5.460 metros y situado en el corazón de la Cordillera Blanca, en los Andes peruanos, la vista no podría ser más imponente. **Empinadas** cumbres nevadas llegan hasta el horizonte mientras que abajo, a través de las nubes, quebradas **escarpadas** desembocan en lagunas de una turquesa perfecta.

5　　Pero, mientras los **crampones** crujen en el hielo duro de la mañana, queda claro que no todo va bien en este espectacular paisaje. «El glaciar parece un paciente muriendo de un virus», dice Richard Hidalgo, uno de los más destacados montañistas peruanos. «La enfermedad lo está carcomiendo desde adentro». El cambio climático empieza a **asolar** la Cordillera Blanca.

10　　Las cifras no mienten. Entre 2000 y 2010, un glaciar promedio de la Cordillera Blanca ha retrocedido 250 metros, según César Portocarrero, de la Unidad de Glaciología y Recursos Hídricos del Ministerio de Agricultura peruano. Y entre 1970 y 2010, la Cordillera Blanca ha perdido un 34% de área de sus glaciares, un total de 244 kilómetros cuadrados.

15　　Pero, explica Richard, el problema de los glaciares no solamente se ubica en el **retroceso**. Mientras que recorremos Yanapaccha su preocupación se intensifica. Una gran parte de la zona inferior del glaciar está plagado de manchas negras, charcos fangosos, lagunitas que se congelan cada noche y se **derriten** todas las tardes, y pozos enormes. Secciones largas del glaciar parecen cóncavas mientras que el río de hielo

20　debajo de la nieve comprimida se tuerce y derrite paulatinamente.

GLOSARIO

empinado/a, escarpado/a inclinado/a, (terreno) abrupto

crampón pieza de metal que sirve para escalar o caminar sobre la nieve

asolar destruir, arruinar

el retroceso el revés, la regresión

derretir convertir en líquido

GLOSARIO

la escorrentía el torrente, la pérdida de líquido

desbordamiento efecto de rebasar el límite, salirse de los bordes

un deslave caída de tierra

arrojar echar, vaciar

abastecer proveer, suministrar

trepar escalar, subir

msnm acrónimo para metros sobre el nivel del mar

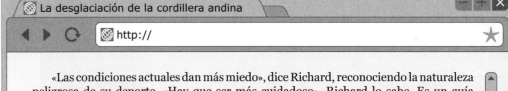

La desglaciación de la cordillera andina

http://

«Las condiciones actuales dan más miedo», dice Richard, reconociendo la naturaleza peligrosa de su deporte. «Hay que ser más cuidadoso». Richard lo sabe. Es un guía internacionalmente certificado y reconocido, que ha subido dos de las 14 cumbres por encima de los ocho mil metros. Ahora va a intentarlo con Manaslu, en Nepal, el octavo
25 pico más alto del mundo.

Pero para Richard todas estas experiencias son lo de menos. El año pasado perdió a su colega, el guía estadounidense Tyler Anderson. Richard cree que Tyler ha sido el primer montañista fallecido en la Cordillera Blanca por el cambio climático.

Nadie sabe con certeza la causa, pero parece que Tyler murió cuando colapsó una
30 vasta sección del glaciar alrededor de una grieta. Tyler, de 37 años, cayó unos 20 metros y se rompió el cuello. Él poseía un gran conocimiento de Yanapaccha y, para un montañista de sus capacidades, la ruta era nada más que una caminata con altura. «Esta grieta no era normal», dice Richard, quien participó en el rescate del cuerpo de su amigo. «Había un laberinto de huecos adentro del glaciar. Nunca había visto algo parecido».

35 Pero los peligros del paisaje en transición de la Cordillera Blanca tienen un potencial alcance mucho más grande que el de la comunidad montañista. Mientras que se derriten, los glaciares pierden tracción con las laderas de las montañas, aumentando así el riesgo de masivas avalanchas poco naturales. A la vez, las **escorrentías** de los glaciares forman enormes lagos con riesgo de **desbordamiento**. Abajo, mucho más
40 abajo, hay zonas pobladas. La amenaza se intensifica por la posibilidad de un **deslave**, avalancha o caída de rocas al lago. Y no hay que olvidar que toda la zona es sísmica.

Uno de estos lagos, Palcacocha, hace peligrar Huaraz, la capital de la región Ancash, con sus 120.000 habitantes. Su volumen actual de 17 millones de metros cúbicos es 34 veces mayor que en los años setenta y las autoridades llevan calificando Palcacocha
45 desde 2009 como lugar de «amenaza muy alta» de derramarse. Con las heridas aún profundas, de la catástrofe de Yungay, cuando un alud enorme borró este pueblo junto con unas 20.000 personas en 1970, la población de la zona toma la posibilidad muy en serio.

Pero la problemática de la desglaciación andina también alcanza la costa. Allí vive más del 60% de la población del país, unos 20 millones de peruanos, en uno de los
50 desiertos más áridos del mundo. Dependen en gran parte de la escorrentía andina para el abastecimiento del agua. Actualmente los glaciares sirven como repositorios enormes del líquido, **arrojando** el agua durante el verano costero, cuando más se necesita. Con solamente 2% de la escorrentía andina destinada para la costa —el otro 98% va hacia la selva— el reto ya muy grande de **abastecer** a todos los peruanos con
55 agua solo se agudizará con la desglaciación.

Trepando más arriba, el glaciar de Yanapaccha parece recuperarse. Por fin, casi toda su superficie es de un blanco uniforme, interrumpido solamente por las largas fisuras delgadas que suelen ocurrir normalmente mientras que el glaciar avanza, milímetro por milímetro, hacia abajo. Sin embargo, aun aquí aparecen casi de manera arbitraria unos
60 pozos extraños, la primera manifestación de la enfermedad que viene desde abajo.

Arriba de nosotros descuella la cara imponente de la cumbre sur de Huascarán, la cumbre más alta del Perú con casi 7.000 **msnm**. Y otra vez, las cosas no son como parecen. Richard me explica cómo, hace apenas tres años, toda esta pared de granito gris estaba cubierta con una capa honda de nieve y hielo. Gracias al cambio climático,
65 la cara deslumbrante ya es demasiado resbalosa para que la nevada se le pueda pegar.

Los cambios están sucediendo tan rápido que Richard los ve de una temporada a otra. «No puedo imaginar cómo será en 10 años», dice. Aunque las dos cumbres de Huascarán y la garganta vasta entre ellas, a unos 6.000 msnm, actualmente quedan tapadas por una blanca manta gruesa, el Ingeniero Portocarrero no descarta que la
70 montaña pudiera quedar sin nieve alrededor del año 2050. Si sucede eso, la Cordillera Blanca habrá sufrido la última indignidad de ver su nombre volverse nada más que un recuerdo de la majestuosidad obsoleta de un paisaje desaparecido.

DESPUÉS DE LEER

1

Comprensión Según el texto, elige la mejor respuesta para cada pregunta.

1. ¿Cuál es el propósito del artículo?
   a. convencer a los lectores de que existe el fenómeno del calentamiento global
   b. ofrecer varios puntos de vista sobre el tema del cambio climático
   c. pedir ayuda financiera para las víctimas del cambio climático
   d. demostrar la rapidez de los cambios climáticos y sus consecuencias

2. ¿Por qué el autor describe al glaciar como un paciente?
   a. Tiene una enfermedad que lo destruye desde adentro.
   b. Tiene manchas y charcos fangosos.
   c. Se tuerce y derrite paulatinamente.
   d. Es demasiado resbaloso.

3. ¿Por qué se dice que Tyler Anderson murió a causa del cambio climático?
   a. No había suficiente agua para que se mantuviera hidratado.
   b. La contaminación lo enfermó.
   c. El calentamiento causó una avalancha.
   d. El derretimiento había formado huecos bajo la superficie del glaciar.

4. ¿Qué porcentaje del área de sus glaciares ha perdido la Cordillera Blanca entre 1970 y 2010?
   a. 2%   c. 60%
   b. 34%   d. 66%

5. ¿Por qué será difícil recobrar los glaciares después de perderlos?
   a. La nieve no se pega a las rocas deslumbrantes.
   b. Ya no nieva en las montañas de la Cordillera Blanca.
   c. La nieve se derrite rápidamente en las lagunitas.
   d. La Cordillera Blanca es una zona sísmica.

6. ¿Cuál es la consecuencia más grave que puede resultar de la desglaciación de la Cordillera Blanca?
   a. la indignidad de tener un nombre obsoleto
   b. el fallecimiento de más montañistas
   c. la pérdida de la fuente de agua más importante para la región
   d. el riesgo de un colapso

2

Las causas y las consecuencias Trabaja con un(a) compañero/a de clase para explicar cómo las catástrofes siguientes pueden resultar de la desglaciación de la Cordillera Blanca y cómo pueden afectar a los peruanos.

CATÁSTROFE	CAUSA	CONSECUENCIA
1. el desbordamiento del lago Palcacocha		
2. la escasez de agua para las poblaciones costeras		
3. las avalanchas y los deslaves		

> **CONCEPTOS CENTRALES**
>
> **Deducir** Usa el contexto del artículo y elementos lingüísticos cercanos a la frase (por ejemplo, palabras familiares) para deducir su significado y elegir la mejor respuesta.

> **MI VOCABULARIO**
> Utiliza tu vocabulario individual.

3 **Problemas globales y locales** En tu opinión, ¿cuáles son los problemas o asuntos que más afectan al medioambiente mundial? ¿Y los que más afectan al medioambiente de tu comunidad? Anótalos. Luego, habla con un(a) compañero/a sobre dos de estos problemas. Explícale por qué consideras que estos problemas son graves y entre ambos planteen posibles soluciones.

RECURSOS
Consulta la lista de apéndices en la p. 418.

4 **Presentación oral** Piensa en el tema del cambio climático. ¿Es un asunto que nos concierne a todos los seres humanos? ¿Lo consideras un desafío mundial? ¿Por qué? Justifica tu análisis y prepara una presentación para la clase en la que des respuesta a estas preguntas.

5 **La religión inca** La religión inca está estrechamente vinculada a la naturaleza. Ríos, montañas, volcanes y otros fenómenos diversos tienen un profundo sentido religioso. Haz una investigación en Internet para explicar el significado religioso de estos aspectos en las culturas andinas. Luego discute esta pregunta con un grupo de compañeros: ¿en qué medida el cambio climático puede afectar la religiosidad aborigen peruana?

1. Pariacaca
2. Qoyllur Rit'i
3. Apus
4. Illapa

ESTRATEGIA

Contestar preguntas clave Un artículo periodístico bien redactado debe informar sobre los hechos y comunicar a los lectores su importancia. Debe contestar las preguntas ¿qué pasó?, ¿cuándo pasó?, ¿dónde pasó?, ¿por qué pasó? y ¿a quién le pasó o afectó?

6 **En el periódico** Basándote en la información del texto y la que encuentras en línea sobre la religión andina, escribe un artículo periodístico sobre la importancia cultural y religiosa de la pérdida de glaciares en Perú.

◆ Primero, describe lo que pasa y la manera como afecta a los habitantes de Perú.
◆ Di por qué los glaciares se derriten e incluye datos sobre la rapidez con la que este fenómeno ocurre.
◆ Explica las implicaciones religiosas de la pérdida de los glaciares.
◆ Repasa lo que has escrito y corrige los posibles errores que hayas cometido.

ESTRUCTURAS

Verbos modales

Los verbos modales son un tipo de verbos auxiliares. Aparecen antes del verbo principal, el cual siempre va en infinitivo. Los verbos modales más comunes son *deber, haber, pensar, poder, querer, saber, soler* y *tener que*.

Vuelve a leer «La desglaciación de la cordillera andina». Busca los verbos modales y escríbelos en una lista junto con los verbos principales a los que modifican. Repasa la lista y subraya cualquier frase que contenga una estructura que nunca hayas visto antes.

RECURSOS
Consulta las explicaciones gramaticales del **Apéndice A,** pp. 457-460.

MODELO Línea 2: *podría ser*

LECTURA 2.2 ▶ ENCUESTA DE CONSUMO SUSTENTABLE EN CHILE

Auto-graded
My Vocabulary
Partner Chat
Strategy
Write & Submit

SOBRE LA LECTURA El consumo sustentable se refiere a la acción de comprar y utilizar productos sin poner en peligro al medioambiente ni la vida de los seres vivos que habitamos el planeta. Significa respetar los recursos naturales, tratar de renovarlos y no abusar de ellos.

La tabla y la gráfica que se presentan a continuación resumen los resultados de una encuesta realizada en Chile por la Universidad Andrés Bello e Ipsos, una compañía de investigación de mercados que se especializa en estudios mediante encuestas. Para este estudio se entrevistaron cerca de ochocientos ciudadanos chilenos con el fin de conocer sus opiniones acerca del tema e identificar sus prácticas personales como consumidores «verdes». Para una mejor comprensión, los resultados se presentan de forma esquemática y mediante porcentajes.

ANTES DE LEER

1 **Palabras relacionadas** Relaciona las expresiones de la primera columna con las de la segunda columna. Explica el significado de cada una de ellas y escribe una oración con una expresión de cada pareja.

1. ___ sustentable
2. ___ movilizarse
3. ___ apoyar
4. ___ realizar
5. ___ estar dispuesto
6. ___ encuesta

a. llevar a cabo
b. cuestionario
c. sostenible
d. sentirse preparado
e. ayudar
f. ponerse en actividad

2 **¿Qué opinas?** Lee las siguientes oraciones y expresa si estás de acuerdo o no con ellas. Justifica tus respuestas. Luego, en grupos, compartan sus opiniones.

1. El consumo verde no es práctico porque los productos cuestan demasiado.
2. No hay por qué viajar acompañado en el carro porque las emisiones de CO_2 son iguales si viajan una o cuatro personas.
3. Nuestra comunidad fomenta el consumo verde.
4. Los individuos no tienen mucha voz en los asuntos medioambientales.
5. Es imposible convertir a un consumidor irresponsable en un consumidor verde.

MI VOCABULARIO
Utiliza tu vocabulario individual.

3 **El consumidor verde** ¿Qué palabras describen al consumidor verde? Piensa en cómo es este tipo de consumidor (características) y en lo que hace (prácticas). Luego, trabaja con un(a) compañero/a y preparen una tabla como esta.

CARACTERÍSTICAS	PRÁCTICAS

ESTRATEGIA

Generar una lluvia de palabras
Piensa en lo que sabes del consumo sustentable y anota palabras y expresiones relacionadas con el tema.

ENCUESTA DE
CONSUMO
SUSTENTABLE
EN CHILE

GLOSARIO

sustentable que se puede mantener o conservar

el trabajo de campo investigación que se lleva a cabo en el mismo lugar donde ocurre o se produce un fenómeno

contemplar analizar, examinar

involucrado/a envuelto/a, implicado/a

El trabajo de campo de la encuesta fue realizado entre el 4 y el 11 de junio de 2012 y contempló un total de 800 entrevistas a hombres y mujeres mayores de 18 años, habitantes de diversas ciudades del país.

Resultados publicados el 21 junio de 2012

Porcentaje de encuestados

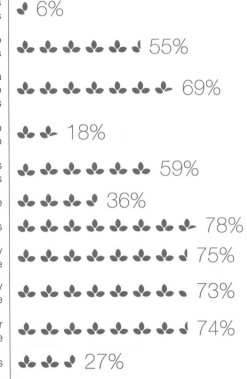

Está **involucrado** activamente en grupos que apoyan asuntos medioambientales	6%
Consideraría unirse a un grupo que apoye asuntos medioambientales	55%
Cree que los esfuerzos individuales en materia medioambiental no valen la pena si el gobierno chileno y las industrias no toman medidas	69%
Cree que el gobierno chileno está trabajando muy duro para asegurar que tengamos un medioambiente limpio	18%
Cree que las compañías realizan afirmaciones falsas sobre el real impacto medioambiental de sus productos	59%
Se identifica como consumidor verde	36%
Tiene claro qué son los productos verdes	78%
Tiene entre 18 y 24 años y se identifica con el consumo verde	75%
Tiene entre 25 y 39 años y se identifica con el consumo verde	73%
Dice estar dispuesto a pagar más por un producto que cuide el medioambiente	74%
Reconoce que no ha comprado productos verdes	27%
Viaja acompañado en el auto menos de una vez por semana o muy pocas veces al año	50%

Consumo verde

32%
Por la falta de información al respecto

34%
Por la **escasa** oferta de estos productos

¿Por qué no ha comprado productos verdes?

32%
Por la poca **credibilidad** en los productos "verdes"

2%
No ha contestado

Sistema de transporte

39%
Caminar

27%
Andar en bicicleta

¿Qué prefiere para movilizarse?

15%
El transporte público

12%
El auto

7%
No ha contestado

DESPUÉS DE LEER

1 **Comprensión** Contesta las siguientes preguntas.

1. ¿Quiénes se identifican más con el consumo verde, los jóvenes de entre 18 y 24 años, o los adultos mayores de 25? ¿A qué crees que se debe?
2. ¿Qué datos te confirman que los encuestados están involucrados o pensando en unirse a un grupo que se ocupa de asuntos medioambientales?
3. ¿Qué datos te confirman que los encuestados entienden lo que son los productos verdes?
4. ¿A qué se debe la poca credibilidad en los productos verdes?
5. ¿Por qué crees que solo el 36% se identifica como consumidor verde si una mayoría está identificada con el consumo verde?
6. Si 800 personas de tu país contestaran la pregunta sobre el sistema de transporte, ¿crees que los resultados serían similares? ¿Por qué?

2 **Más preguntas** ¿Qué otras preguntas hubieras incluido en la encuesta? Escribe por lo menos tres preguntas diferentes y explica por qué sería necesario incluirlas en una investigación sobre el consumo sustentable.

ESTRATEGIA

Parafrasear
Para evitar malentendidos cuando hablas con una persona, si ves que no te entiende puedes reformular la oración o la pregunta. Usa esta estrategia cuando entrevistes a alguien o cuando trabajes en parejas o en grupos.

3 **Comparación cultural** Trabaja con un(a) compañero/a. Cada uno/a entrevista a cinco personas, haciéndoles las mismas preguntas de la encuesta realizada en Chile. Preparen los resultados en una tabla y en una gráfica, y compárenlos con las respuestas de los chilenos. ¿En qué sentido son similares? ¿Cómo se diferencian? Luego reúnanse con otras dos parejas y comparen los datos obtenidos.

4   **¿Qué medidas tomar?** El 69% de los chilenos entrevistados cree que «los esfuerzos individuales en materia medioambiental no valen la pena si el gobierno y las industrias no toman medidas». ¿Qué medidas se deben tomar? Crea un cuadro como este y apunta tus ideas. Luego, en parejas, elijan una medida y conversen sobre cómo se podría llevar a cabo.

MEDIDA	EL GOBIERNO	LA INDUSTRIA
1.		
2.		
3.		

RECURSOS
Consulta la lista de apéndices en la p. 418.

5 **Una carta persuasiva** En tu comunidad hay un alto porcentaje de personas cuyas actitudes no son respetuosas con el medioambiente (por ejemplo, desperdician el agua o la electricidad). Escribe una carta abierta para el periódico local, en la que intentes persuadir a estas personas para que adopten hábitos más verdes. En tu carta debes abordar estos temas:

- los efectos negativos que sus malos hábitos producen en el medioambiente
- las medidas que pueden tomar para reducir dichos efectos negativos
- las razones por las que deberían convertirse en consumidores verdes

AUDIO ▸ PIDEN MÁS ATENCIÓN AL PAPEL DE LOS JÓVENES SOBRE EL CLIMA

Audio
En fragmentos
My Vocabulary
Record & Submit
Strategy
Write & Submit

INTRODUCCIÓN Esta grabación fue emitida por Noticias ONU con el apoyo de la OMM (Organización Meteorológica Mundial). El objetivo del reportaje consistió en explorar los problemas climáticos y el papel de los jóvenes para disminuirlos en el futuro. El reportaje incluye una entrevista con Mario Sánchez, comunicador de la OMM para América del Norte, Centroamérica y el Caribe. Fue producido por Rocío Franco y proviene de la sede de la ONU en Nueva York.

ANTES DE ESCUCHAR

1 **Sugerencias** Lee las siguientes sugerencias sobre cómo proteger el medioambiente. Luego, con un(a) compañero/a, habla de la importancia que tiene cada una. Identifica aquellas que están más relacionadas con la situación en tu comunidad y explica lo que están haciendo los ciudadanos para corregir el problema.

- ◆ Hay que combatir el calentamiento global.
- ◆ Hay que proteger el medioambiente para tener un buen futuro.
- ◆ No hay que destruir los bosques.
- ◆ Hay que evitar los productos químicos.
- ◆ Hay que participar en los programas comunitarios y locales para preservar el planeta.

🔊 MIENTRAS ESCUCHAS

1 **Escucha una vez** Escucha la grabación para captar las ideas generales.

2 **Escucha de nuevo** Ahora, con base en lo que escuchas, escribe ideas y expresiones relacionadas con cada categoría de la tabla de apuntes.

CATEGORÍAS	APUNTES
los jóvenes y las futuras generaciones	
la OMM	
Mario Sánchez	
las ciencias meteorológicas	
problemas climáticos en América Latina	

GLOSARIO

mitigar disminuir los efectos negativos; suavizar, moderar

pronosticar predecir lo que sucederá en el futuro, adivinar eventos del futuro, prever

abarcar comprender, contener, incluir, cubrir

didáctico relacionado con la enseñanza; que es educativo o instructivo

cálido caluroso, caliente

el decenio período de diez años, década

atañer afectar, interesar, importar

ESTRATEGIA

Activar tus conocimientos Para comprender mejor las ideas centrales de la grabación, repasa lo que ya sabes sobre los problemas climáticos. Anota las consecuencias más importantes del cambio climático.

MI VOCABULARIO
Anota el vocabulario nuevo a medida que lo aprendes.

DESPUÉS DE ESCUCHAR

 1 Comprensión En grupos de tres o cuatro, contesten las siguientes preguntas usando la información de la tabla de apuntes.

1. ¿Por qué piden más atención al papel de los jóvenes sobre el clima?
2. ¿Qué quiere la OMM que los países hagan?
3. ¿Qué necesidad identifica Mario Sánchez y por qué?
4. Según Mario Sánchez, ¿qué es indiscutible?
5. ¿Por qué es importante llevar los problemas climáticos al nivel de las actividades propias de los jóvenes y de la niñez?
6. ¿Cuál es la situación en América Latina con relación al clima?

 2 ¿Qué harías? Como director(a) de una organización cuyo objetivo es fomentar el interés por el cambio climático, debes adelantar diversas acciones. ¿Qué harías para inculcar este interés en la juventud y la niñez de tu comunidad? Escribe tus sugerencias y luego trabaja con un(a) compañero/a para elaborar un plan eficaz para las personas más jóvenes de tu comunidad.

 3 Un taller escolar En pequeños grupos, planeen la realización de un taller sobre temas medioambientales en su escuela y presenten su propuesta a toda la clase. Mencionen los temas que se tratarían, los expertos que invitarían y la manera como los resultados del taller beneficiarían a toda la comunidad.

MI VOCABULARIO
Utiliza tu vocabulario individual.

  4 Presentación oral Lee el siguiente dicho nativo americano y contesta la pregunta.

« Solo cuando el último árbol esté muerto, el último pez atrapado, el último río envenenado, te darás cuenta de que no puedes comer dinero.

◆ ¿Cómo interpretas este mensaje? ¿Ves el futuro del medioambiente con ojos optimistas o pesimistas?

RECURSOS
Consulta la lista de apéndices en la p. 418.

 5 Ensayo Usando lo que has aprendido en este Contexto, escribe un ensayo sobre este tema: ¿Por qué los asuntos del medioambiente, el consumo sustentable y el cambio climático son desafíos mundiales? El ensayo debe contener al menos tres párrafos, así:

1. Un párrafo introductorio que:
   ◆ presente el contexto del ensayo.
   ◆ incluya una oración que responda a la pregunta, que es tu tesis.

2. Un párrafo de explicación que:
   ◆ exponga uno o dos argumentos que apoyen tu tesis.
   ◆ aporte ejemplos que sustenten tus argumentos.

3. Un párrafo de conclusión que:
   ◆ resuma los argumentos que sustentan la tesis.
   ◆ vuelva a plantear la tesis en otros términos.

CONEXIONES CULTURALES

Record & Submit
Virtual Chat

Moyogalpa, primera ciudad en importancia de la isla Ometepe, en Nicaragua

Para vivir todos juntos

SI OBSERVAS EL LUGAR DONDE VIVES, ¿QUÉ ENCUENTRAS?
Probablemente hay casas, carreteras y edificios. Pero esas construcciones no siempre estuvieron allí. ¿Te has puesto a pensar qué había antes? Seguramente había selvas, bosques o praderas, con muchos animales y plantas que ahora se han quedado sin su hábitat debido a la invasión de los seres humanos.

Por eso, en Nicaragua se fundó la Asociación Movimiento de Jóvenes de Ometepe (una isla ubicada en el Gran Lago de Nicaragua), que se dedica a mejorar los espacios que aún les quedan a la flora y la fauna de su región. La asociación está conformada por hombres y mujeres jóvenes preocupados no solo por las comunidades humanas sino también por el medioambiente. Uno de sus principales objetivos es asegurarse de que los ayuntamientos cumplan con sus planes ambientales. Cada día, más personas se suman a la iniciativa para que tanto las plantas como los animales estén a salvo... ¡y se sientan como en casa!

◣ Un estudiante de ingeniería chileno creó un proyecto para hacer ladrillos de plástico triturado para ser utilizado en diversas construcciones. Este es un paso importante en un país donde actualmente se recicla solo el 8% del plástico.

▶▶ La sobrepesca y la contaminación de las aguas están produciendo estragos en el mar y en las costas de Perú. Por eso, los surfistas más importantes de ese país se unieron para exigir al gobierno que tome medidas para conservar la flora y la fauna marinas.

◣ La Universidad de Costa Rica propuso que los hoteles cumplieran con una serie de requisitos para garantizar que, además de brindar un buen servicio a los turistas, fueran cuidadosos con el medioambiente. De esta manera las personas se están formando en la importante habilidad de ejercer un turismo responsable y respetuoso con la naturaleza.

 Presentación oral: comparación cultural
Prepara una presentación oral sobre este tema:

◆ ¿Cuál es la actitud de las personas con respecto a las causas medioambientales?

Compara tus observaciones de una región del mundo hispanohablante que te sea familiar con las de las comunidades en las que has vivido u otra comunidad.

◢ Los cognados falsos son palabras que se asemejan en su forma o en su pronunciación (o de ambas maneras) a palabras de otra lengua, pero que realmente tienen significados diferentes. También se los denomina «falsos amigos» porque tienen una apariencia familiar, pero en realidad son engañosos y, por tanto, hay que tener cuidado con ellos.

Ana está **embarazada**. *Ana is **pregnant**.*
Ana está **avergonzada**. *Ana is **embarrassed**.*
Antonio trajo una **carpeta**. *Antonio brought a **folder**.*
Antonio trajo una **alfombra**. *Antonio brought a **carpet**.*

Sustantivos

LA PALABRA	NO SIGNIFICA	SINO	EJEMPLOS
abogado	*avocado*	*lawyer*	El **abogado** conocía todas las leyes.
conductor	*conductor*	*driver*	Carlos es buen **conductor**.
desgracia	*disgrace*	*misfortune*	¡Qué **desgracia** no tener nada de dinero!
éxito	*exit*	*success*	El proyecto será todo un **éxito**.
grosería	*grocery*	*vulgarity*	¡Para ya de decir **groserías**!
lectura	*lecture*	*reading*	El profesor nos asignó varias **lecturas**.
aviso	*advice*	*warning, ad*	Ya le dio dos **avisos** para que pagara.

Adjetivos

LA PALABRA	NO SIGNIFICA	SINO	EJEMPLOS
comprensivo/a	*comprehensive*	*understanding*	Ella es muy **comprensiva**.
fastidioso/a	*fastidious*	*annoying*	¡Qué sonido **fastidioso**!
gratuito/a	*gratuity*	*free (of charge)*	La entrada es **gratuita**.
largo/a	*large*	*long*	Es una película muy **larga**.
sensible	*sensible*	*sensitive*	Luis es muy **sensible**.
simpático/a	*sympathetic*	*nice*	Víctor es muy **simpático**.

Verbos

LA PALABRA	NO SIGNIFICA	SINO	EJEMPLOS
asistir	*to assist*	*to attend*	No podré **asistir** a la conferencia.
atender	*to attend*	*to assist*	La enfermera **atenderá** pacientes todo el día.
contestar	*to contest*	*to answer*	**Contesta** mi pregunta, por favor.
molestar	*to molest*	*to bother*	No debes **molestar** a tus compañeras.
quitar	*to quit*	*to take off*	¡Qué calor hace! ¡Me voy a **quitar** el abrigo!
realizar	*to realize*	*to carry out*	Pudieron **realizar** la investigación.

Adverbios

LA PALABRA	NO SIGNIFICA	SINO	EJEMPLOS
actualmente	*actually*	*currently*	**Actualmente** vivo fuera del país.
eventualmente	*eventually*	*possibly, probably*	**Eventualmente**, tendremos algunos problemas.
últimamente	*ultimately*	*lately*	He trabajado mucho **últimamente**.

◢ En algunos casos, la confusión se puede presentar según el contexto. **Acciones** puede significar *actions* or *stock/shares*. **Firma** puede significar *firm (company)* o *signature*. En estos casos, resulta muy útil acudir al diccionario.

Esta es una **firma** sólida.
This is a solid firm.

Ponga aquí su **firma**, por favor.
Please sign here.

¡ATENCIÓN!
Otros ejemplos:
advertir *to warn*
champiñón *mushroom*
colegio *school*
diversión *entertainment*
fábrica *factory*
grabar *to record*
librería *bookstore*
pariente *relative*
recordar *to remember*
resto *remains/remainder*
salado/a *salty*
suceso *event*

PRÁCTICA

1 Completa las oraciones del párrafo con una de las palabras entre paréntesis. Busca en el diccionario las palabras que no conozcas.

Un concierto fantástico
Hoy iré con Luis, mi mejor amigo, a un concierto de Daniel Barenboim, el famoso (1)_____ (conductor/director) argentino. Ana no podrá ir con nosotros porque no tiene (2)_____ (moneda/dinero). Es que la entrada no es (3)_____ (gratuita/propina): ¡cuesta 50 dólares! Además, ella tiene un compromiso con sus abuelos y otros (4)_____ (padres/parientes). Es una lástima que no pueda (5)_____ (atender/asistir) al concierto porque ella es muy (6)_____ (sensata/sensible) y se emociona mucho con la música. Además está (7)_____ (embarazada/avergonzada) y dicen que a los bebés antes de nacer les conviene escuchar música clásica. ¡Pero en fin!... (8)_____ (Eventualmente/Finalmente) nos reuniremos con ella el fin de semana para saborear una deliciosa (9)_____ (salada/ensalada) con (10)_____ (campeones/champiñones) mientras escuchamos el CD de Barenboim, ¡pues me lo voy a comprar después del concierto!

2 Traduce estas oraciones al inglés.

1. Con la ayuda de un abogado, realizaremos una encuesta en mi colegio.
2. Esperamos no molestar a los estudiantes con esta encuesta y que ellos contesten las preguntas con sinceridad.
3. El cuestionario es un poco largo, pero es importante para el mejoramiento de nuestra institución.
4. Esperamos tener éxito con la encuesta y eventualmente, con los resultados, obtener más dinero por parte del gobierno.

3 Escribe una oración con cada par de palabras

1. realizar/darse cuenta
2. suceso/éxito
3. lectura/conferencia
4. librería/biblioteca
5. sensible/sensato
6. colegio/universidad

▲ Los prefijos son morfemas que se anteponen a las palabras y modifican el significado o crean nuevas palabras, pero conservan la categoría gramatical.

—¿Este automóvil es veloz?   —No es veloz; es **ultra**veloz.

▲ La mayoría de los prefijos del español provienen del latín o del griego. Pueden anteponerse a sustantivos, adjetivos, verbos y adverbios.

El Apolo 13 era un **super**cohete.   Los meteorólogos **pre**dicen el clima.
Eva va a una escuela **poli**técnica.   Esta tarea está **in**usualmente difícil.

▲ Los prefijos del español y del inglés no siempre coinciden.

<table>
<tr><td>¡ATENCIÓN!
En muchos de los casos presentados en la tabla, hay pequeñas diferencias ortográficas entre el prefijo español y el prefijo inglés.</td></tr>
</table>

PREFIJO	SIGNIFICADO	EJEMPLOS
a-/an- + *vocal*	privación o negación	**a**típico, **an**estesia
ante-	anterioridad en espacio anterioridad en tiempo	**ante**sala **ante**noche
bi-/bis-	dos	**bi**lateral, **bis**nieto
circun-/circum-	alrededor	**circun**ferencia, **circum**polar
con-/com-/co-	reunión cooperación	**con**vivir, **com**paginar **co**director
contra-	oposición o contraposición	**contra**decir, **contra**atacar (to **counter**-attack)
de-	hacia abajo disociar o separar reforzar el significado	**de**preciar, **de**glutir (*gulp* ***down***) **de**marcar **de**clarar
des-	significado opuesto privación	**des**orden (***dis***order) **des**techado (*home***less**)
dis-	negación contrariedad	**dis**capacidad, **dis**función (***dys***function) **dis**gustar
endo-	en el interior	**endo**gámico **endo**ameba (***end***ameba)
entre-	posición intermedia relacionar cosas	**entre**abrir (*to open* ***half***way) **entre**lazar (***inter***twine)
ex-	fuera más allá que ya no es	**ex**temporáneo **ex**tender **ex**presidente (*former/**ex**-president*)
hiper-	exceso grado superior	**hiper**tensión **hiper**vínculo
hipo-	insuficiencia debajo de	**hipo**tiroidismo **hipo**tálamo
i- + r/l / **im-** + b/p **in-** + *vocal*	negación o privación adentro, al interior	**in**usual (***un***usual); **i**lógico; **im**probable **in**troducir
mono-/mon-	uno	**monó**gamo
pluri-	varios	**pluri**celular (***multi***cellular)
pos-/post- + s	después de	**pos**guerra, **post**surrealismo
pre-	anterior a (lugar o tiempo)	**pre**calentar

PREFIJO	SIGNIFICADO	EJEMPLOS
pro-	en lugar de ante, delante de impulsar negar	**pro**nombre **pró**logo **pro**mover **pro**hibir
re-	repetición movimiento hacia atrás intensificación oposición o resistencia	**re**iterar **re**tornar **re**forzar **re**plicar
sobre-	exceso, superposición	**sobre**peso (**over**weight)
sub-/so-/su-	debajo de	**sub**terráneo, **so**meter, **su**poner
super-	encima de alto grado excelencia	**super**intendente **super**poblado (**over**populated) **super**hombre
tras-/trans-	al otro lado, a través de	**tras**atlántico, **trans**atlántico
ultra-	más allá de exceso	**ultra**mar (**over**seas) **ultra**moderno

¡ATENCIÓN!
En español los prefijos se escriben unidos a la palabra, a excepción de **anti-** o **pro-** con siglas o nombres propios.

anti-ETA
anti-Pinochet
pro-Gandhi

◢ Muchos otros prefijos son idénticos en inglés.

antidemocrático	**infra**rrojo	**intra**net	**perí**metro	**tri**ángulo
extracurricular	**inter**ceptar	**multi**color	**retro**activamente	**uni**lateral

PRÁCTICA

1 Lee las siguientes oraciones y completa las palabras con el prefijo correcto.

des-	extra-	im-	in-	inter-	mono-	multi-	poli-	pos-	re-

1. ¿Puedes decirme qué dice aquí? Este texto es _____comprensible.
2. Después del colonialismo siguió el _____colonialismo.
3. Tienes muchas habilidades. Eres _____facética.
4. Ese periodista siempre dice lo mismo. Es _____temático.
5. ¡Qué caos! Definitivamente eres muy _____ordenado.
6. Los acuerdos políticos deben ser _____laterales.
7. En el congreso participarán invitados de ocho países; es _____nacional.
8. Nada es _____posible si trabajas para lograrlo.
9. Esta noticia no es oficial. Es _____oficial.

2 Lee la definición y escribe la palabra correcta.

1. _____: que no es típico
2. _____: la mitad de un círculo
3. _____: que no es lógico
4. _____: reemplaza al nombre
5. _____: no gustar
6. _____: después de la guerra

Verbos seguidos de preposición

 Auto-graded
Write & Submit

RECURSOS 🔍

Consulta las explicaciones gramaticales del **Apéndice A,** pp. 457-460.

¡ATENCIÓN!

Olvidar puede usarse de cuatro maneras.

Olvidé algo.
Me olvidé algo.
Me olvidé de algo.
Se me olvidó algo.

◢ Al igual que en inglés, muchos verbos en español van siempre seguidos de una preposición.

VERBOS NORMALMENTE SEGUIDOS POR SUSTANTIVO O INFINITIVO

acordarse **de** *to remember*	encargarse **de** *to be in charge of*
acostumbrarse **a** *to be/get accustomed **to***	enseñar **a** *to teach (sb.) how to do sth.**
adaptarse **a** *to adapt **to***	hartarse **de** *to be fed up **with***
aficionarse **a** *to become fond **of***	ir **a** *to be going (to do sth.)*
animar **a** *to encourage **to***	morirse **por** *to be crazy **about** sth. or sb.*
aspirar **a** *to aspire **to***	ocuparse **de** *to take care **of***
ayudar **a** *to help*	olvidarse **de** *to forget*
cansarse **de** *to get tired **of***	oponerse **a** *to oppose sth.*
concentrarse **en** *to concentrate **on***	pensar **en** *to think **about***
condenar **a** *to sentence (sb.)* **to***	preocuparse **por** *to worry **about***
conformarse **con** *to be satisfied **with***	renunciar **a** *to give up*
dedicarse **a** *to devote oneself **to***	resistirse **a** *to resist*

VERBOS NORMALMENTE SEGUIDOS POR INFINITIVO

acabar **de** *to have just finished doing sth.*	empezar **a** *to start*
alegrarse **de** *to be glad*	insistir **en** *to insist **on** doing sth.*
arrepentirse **de** *to regret*	llegar **a** *to succeed **in** doing sth.*
arriesgarse **a** *to risk doing sth.*	negarse **a** *to refuse **to***
atreverse **a** *to dare **to** do sth.*	ponerse **a** *to begin doing sth.*
cesar **de** *to cease **to***	prestarse **a** *to offer oneself to do sth.*
comenzar **a** *to begin (to do sth.)*	probar **a** *to try to do sth.*
comprometerse **a** *to commit (to do sth.)*	quedar **en** *to agree to do sth.*
convenir **en** *to agree **on***	tardar **en** *to take time to do sth.*
dedicarse **a** *to devote oneself **to***	tener ganas **de** *to feel like doing sth.*
dejar **de** *to stop doing sth.*	tratar **de** *to try **to***
disponerse **a** *to get ready **to***	volver **a** *to (verb) again*

VERBOS NORMALMENTE SEGUIDOS POR SUSTANTIVO

acompañar **a** *to keep sb. company*	depender **de** *to depend **on***
agarrarse **de** *to clutch*	despedirse **de** *to say goodbye **to***
alejarse **de** *to move away **from***	enamorarse **de** *to fall in love **with***
burlarse **de** *to mock*	encontrarse **con** *to meet (encounter)*
caber **en** *to fit*	enterarse **de** *to find out (**about**)*
carecer **de** *to lack*	entrar **en** *to enter (a place)*
casarse **con** *to marry*	fijarse **en** *to notice*
compadecerse **de** *to sympathize **with***	oler **a** *to smell like*
comprometerse **con** *to get engaged **to***	reírse **de** *to laugh **at***
confiar **en** *to trust*	soñar **con** *to dream **about** (of)*
contar **con** *to count **on***	viajar **en** *to travel **by***

**sth.* representa *something;* sb. representa *someone, somebody*

◢ Al contrario que los verbos de la lista anterior, también hay verbos que en español no llevan preposición, pero en inglés, sí.

acordar *to agree* **on**	lograr *to succeed* **in**
agradecer *to be grateful* **for**	mirar *to look* **at**
aprovechar *to take advantage* **of**	pagar *to pay* **for**
buscar *to look* **for**	pedir *to ask* **for**
cuidar *to care* **for**	pensar *to plan* **on**
desear *to long* **for**	proporcionar *to provide* **with**
entregar *to present* **with**	quitar *to take* **off**
escuchar *to listen* **to**	solicitar *to apply* **for**
esperar *to hope* **for**	suplicar *to beg* **for**

◢ A menudo, las diferencias entre los dos idiomas en cuanto al uso de estas preposiciones conduce a cometer errores. Por ejemplo, algunos hispanohablantes que viven en países de habla inglesa utilizan la preposición correspondiente al inglés.

Esperé el autobús una hora.
I waited **for** *the bus for an hour.*
Soñé **con** mi amigo Daniel.
I dreamed **about** *my friend Daniel.*
Víctor solicitó el nuevo puesto.
Víctor applied **for** *the new position.*

◢ En muchos casos, la preposición coincide en ambos idiomas.

acercarse **a** *to get close* **to**	librarse **de** *to get rid* **of**
amenazar **con** *to threaten* **with**	obligar **a** *to force* **to**
aprender **a** *to learn* **to**	optar **por** *to opt* **for**
aprovecharse **de** *to take advantage* **of**	reflexionar **sobre** *to reflect* **on**
avergonzarse **de** *to be ashamed* **of**	ser acusado/a **de** *to be accused* **of**
empeñarse **en** *to insist* **on**	tender **a** *to tend* **to**
estar dispuesto/a **a** *to be willing* **to**	traducirse **en** *to result* **in**
gritar **a** *to shout* **at**	venir **de** *to come* **from**
insistir **en** *to insist* **on**	votar **por** *to vote* **for**

◢ Al contrario que los verbos de la lista anterior, también hay verbos que en español llevan preposición, pero en inglés, no.

VERBO	EJEMPLO
pecar **de** *to sin, to be too* + *adjective*	Pecó **de** inocente. *He was too naive.*
presumir **de** *to boast (about/of)*	Presume **de** generoso. *He boasts about being generous.*
tenerse **por** *to consider oneself*	Javier se tiene **por** experto. *Javier considers himself an expert.*
tildar/tachar a alguien **de** *to brand somebody (as)*	Me molestó que me tildara/tachara **de** mentirosa. *It bothered me that he branded me (as) a liar.*

PRÁCTICA

1 Completa las conversaciones con las preposiciones correctas. Si no es necesario usar una preposición, indícalo con una **X**.

1. —¿Qué te pasa? ¿Estás pensando _____ el trabajo?
   —Sí, creo que no me he acostumbrado _____ mi nuevo puesto.

2. —Se nota que estás enamorado _____ Sofía. Cada vez que sales con ella hueles _____ perfume.

3. —Hoy te estás negando _____ todo.
   —¡Cállate y no me amenaces _____ irte!

4. —Me olvidé _____ llamar a mis padres.
   —Pero ellos no esperan _____ tu llamada todos los días.

5. —¿Has quedado con Esmeralda _____ ir a almorzar?
   —Sí, es que me parece una chica muy interesante. Los dos nos dedicamos _____ la política.

6. —¡No te atrevas _____ interrumpir a Sergio!
   —¿Por qué?
   —Porque está concentrándose _____ los estudios.

7. —Últimamente he estado soñando mucho. Ayer, por ejemplo, soñé _____ Eva.

8. —¿Te has enterado _____ las últimas noticias?
   —No, siempre confío _____ que tú me cuentes los chismes.
   —Bueno, ¡después de tantos años Ana y Pedro están dispuestos _____ tener hijos!

---

2 Traduce las oraciones al español usando verbos seguidos de preposición.

1. I have just finished cleaning the house, so please take off your shoes.
2. It took him four days to finish the book.
3. This dog refuses to follow any orders.
4. Esteban took advantage of the situation.
5. We all have to commit to working together.
6. Can you teach me how to play guitar?

---

3 Haz cinco preguntas personales a un(a) compañero/a combinando los verbos y las preposiciones de la lista.

avergonzarse	hacer lo posible	preocuparse	a
conformarse	hartarse	tardar	con de
enamorarse	negarse	tener ganas	en
encargarse	pensar	volver	por

---

4 Escribe un párrafo utilizando seis de estos verbos preposicionales.

arrepentirse de	dejar de	fijarse en	reírse de	ser acusado/a de	tenerse por
dedicarse a	depender de	presumir de	renunciar a	tachar de	tratar de

PUNTOS DE PARTIDA

La demografía es el estudio estadístico de la población humana: sus características, su estructura y su desarrollo. Incluye el análisis de datos sobre la natalidad, la mortalidad, la movilidad y el cambio de las comunidades humanas a través del tiempo. Los estudios demográficos nos ayudan a comprender diferentes culturas y saber por qué algunas poblaciones sobreviven mientras que otras desaparecen.

◢ ¿Qué desafíos mundiales tienen que ver con los cambios en la población humana?

◢ ¿Qué beneficios tiene una sociedad que respeta y cuida a sus ancianos?

◢ ¿Por qué es importante preservar los documentos de una sociedad?

DESARROLLO DEL VOCABULARIO  My Vocabulary Partner Chat

1 **La demografía** En parejas, expliquen qué relación tienen estas expresiones con el tema de la población y la demografía.

- ◆ las crisis económicas
- ◆ el desplazamiento
- ◆ la educación
- ◆ el envejecimiento
- ◆ las estadísticas
- ◆ la explosión demográfica

- ◆ la inmigración
- ◆ los menores de edad
- ◆ la mortalidad
- ◆ la natalidad
- ◆ el patrimonio documental
- ◆ los pronósticos

MI VOCABULARIO

Anota el vocabulario nuevo a medida que lo aprendes.

2 **Los problemas de la humanidad** En grupos pequeños, conversen sobre los dos o tres problemas más graves con los que se enfrenta la población mundial y elaboren una lista de posibles soluciones para dichos problemas. Estas son algunas sugerencias:

- ◆ la explosión demográfica
- ◆ la hambruna
- ◆ la falta de agua potable

- ◆ la escasez de servicios públicos
- ◆ los conflictos armados
- ◆ el desempleo

3 **Las personas mayores** Piensa en algo específico que has aprendido de una persona mayor (bien sea uno de tus abuelos, un profesor o un vecino adulto). Puede ser una anécdota que te haya contado, la descripción de su vida cuando era joven o algún consejo que te haya dado. Luego comenta tu información con la de un(a) compañero/a.

4 **¿Cómo te ves en 50 años?** Piensa en cómo eres ahora. Haz una lista de los adjetivos que te describen hoy, tus actividades favoritas, habilidades y logros actuales. Luego imagina cómo serías en 50 años y añade a la lista los datos que corresponden a tu futuro. Al final, compara tu trabajo con el de un(a) compañero/a para analizar las similitudes y diferencias.

¿CUÁNDO?	ADJETIVOS	ACTIVIDADES FAVORITAS	HABILIDADES Y LOGROS
Ahora			
En 50 años			

My Vocabulary
Partner Chat
Record & Submit
Strategy
Write & Submit

LECTURA 3.1 ▶ ARRUGAS (FRAGMENTO)

SOBRE EL AUTOR Paco Roca nació en Valencia, España, en 1969. Desde pequeño quería trabajar dibujando y en la actualidad se desempeña tanto en la ilustración como en el cómic. Los cómics de Roca tienden a tratar temas sociales. Recibió el Premio Goya al mejor guión adaptado para al cine de su novela gráfica *Arrugas*.

SOBRE LA LECTURA No es muy común que los ancianos protagonicen novelas gráficas o películas animadas, pero *Arrugas* cuenta la vida de un señor mayor en una residencia de ancianos. La historia muestra la soledad de las personas de la tercera edad, a la vez que inspira cariño hacia ellas. Esta novela gráfica fue publicada en 2007.

ANTES DE LEER

1 **La vejez** En grupos, clasifiquen las palabras según tengan connotaciones positivas o negativas. Expliquen su significado y justifiquen sus opiniones.

el aislamiento	la movilidad
la amistad	la responsabilidad
las arrugas	la residencia de ancianos
la demencia senil	la senilidad
envejecer	la soledad
el éxito	el valor
la gratitud	la vejez
la independencia	la viudez

MI VOCABULARIO
Utiliza tu vocabulario individual.

2 **Con los ancianos** Con un(a) compañero/a de clase, contesten estas preguntas y compartan sus experiencias y perspectivas personales en cuanto a sus relaciones con personas ancianas.

1. ¿Tienes alguna relación con una persona de la tercera edad? Describe cómo es esa persona y la relación que tienes con ella.
2. ¿Cómo puede beneficiarse un(a) joven de las interacciones con personas mayores?
3. ¿Cuáles son algunas razones por las cuales se debe cuidar y tratar con respeto a los ancianos, sean conocidos o desconocidos?
4. ¿En qué sentido los ancianos suelen depender de los jóvenes?
5. ¿Cuáles son las responsabilidades que los jóvenes deben tener con respecto a los adultos mayores?

RECURSOS 🔍
Consulta la lista de apéndices en la p. 418.

3 **Las edades** ¿Crees que las personas mayores prefieren rodearse de personas de su misma edad, o que les gusta vivir con personas de diferentes edades? ¿Cómo te gustaría vivir a ti? ¿Optarías por vivir en un mundo donde predominara gente de tu misma generación? ¿Crees que te gustaría vivir en una comunidad o residencia de ancianos cuando llegues a la vejez? Escribe al menos dos párrafos en los que contestes estas preguntas.

ARRUGAS

(Fragmento) por **Paco Roca**

LA HABITACIÓN COMPARTIDA ES MÁS BARATA.

ADEMÁS, EL PRECIO INCLUYE TRES COMIDAS AL DÍA...

Y GESTIONAMOS LOS MEDICAMENTOS QUE DEBA TOMAR...

EN DEFINITIVA, AQUÍ PODREMOS CUIDARLO MEJOR QUE SI ESTUVIESE EN SU CASA.

DESPUÉS DE LEER

1 **Describir a los personajes** Observa los aspectos físicos que se destacan de cada personaje de la lectura. Haz una lista de tres o cuatro adjetivos (sin repetir ninguno) que describan a cada personaje.

2 **Comprensión** Contesta las siguientes preguntas, según la lectura.

1. ¿Por qué el autor escribió la novela gráfica?
2. ¿Dónde tiene lugar la historia? ¿Quiénes son los personajes?
3. ¿En qué estación del año tiene lugar? ¿Por qué crees que el autor ubica la acción durante esta temporada?
4. ¿Cuáles son las consideraciones que tiene en cuenta la pareja de jóvenes al tomar decisiones sobre el anciano?
5. ¿Qué expresa la última viñeta del anciano que llega a la residencia? ¿Cómo lo comunica el autor?

3 **Interpretación** Con un(a) compañero/a de clase, contesten y comenten las preguntas sobre la lectura.

1. Describe la cara del hijo. Compárala con la cara de su padre.
2. ¿Qué hace el padre mientras que su hijo habla en la oficina?
3. ¿Por qué crees que el padre no entra en la oficina?
4. ¿Cómo está vestido y qué lleva en la mano?
5. ¿Qué revela su aspecto físico acerca de su actitud hacia lo que está pasando?
6. ¿Cómo se sentirá el padre?
7. ¿Cómo te sentirías tú en su lugar?
8. Si fueras el hijo, ¿harías lo mismo?

4 **Aspectos de la vejez** Roca dice que la vejez es «un tema demasiado amplio» y que por eso se enfoca en las residencias de ancianos. Aparte del tema que eligió Roca, ¿qué otros aspectos de la vejez merecen la atención de los medios de comunicación? Intercambia tus ideas con un(a) compañero/a.

5 **Inferir** ¿Qué se puede inferir de la siguiente afirmación de la directora de la residencia de ancianos: «Tenemos ancianos que llevan viviendo felizmente en la residencia más de quince años»? ¿Qué conclusiones extraes de la actitud de Paco Roca acerca del tema de la vejez? ¿Crees que la esperanza de vida aumentará o disminuirá en el futuro? Comparte tus respuestas con un(a) compañero/a.

MI VOCABULARIO
Utiliza tu vocabulario individual.

6 **Soluciones** En pequeños grupos, piensen en algunas soluciones sociales para mejorar la calidad de vida de los ancianos. Analicen estas preguntas y después compartan sus ideas con toda la clase: ¿cómo podemos contribuir individual y colectivamente para proporcionar bienestar a los ancianos? ¿Qué acciones debe adelantar el gobierno local y nacional para garantizar una buena calidad de vida para todos los ancianos?

7 **Comparación cultural** ¿Se trata a las personas de la tercera edad de la misma forma en todas las culturas? Investiga en Internet acerca de las diferencias culturales respecto a la vejez. Luego prepara una presentación oral en la que compares el tratamiento de los ancianos en tu propia cultura con el de otra.

8 **Ensayo persuasivo** Este cómic revela las dificultades que enfrentan las familias al tomar la decisión de trasladar a un ser querido a una residencia de ancianos. ¿Bajo qué circunstancias es esta una buena decisión? ¿Cuándo no se debe hacer? Escribe un ensayo persuasivo en el que defiendas tu punto de vista.

RECURSOS 🔍
Consulta la lista de apéndices en la p. 418.

LECTURA 3.2 ▶ LA POBLACIÓN URBANA MUNDIAL CRECERÁ UN 75% HASTA LOS 6300 MILLONES EN 2050

Auto-graded
My Vocabulary
Partner Chat
Strategy
Record & Submit
Write & Submit

SOBRE LA LECTURA Los datos sobre la natalidad y la mortalidad mundial han interesado a los seres humanos desde hace mucho tiempo. ¿Quién no se ha preguntado alguna vez si la Tierra tiene capacidad para acomodar a esa masa humana que sigue creciendo? ¿Cuáles son los desafíos que nos plantea el constante crecimiento demográfico para el futuro cercano?

Esta lectura, tomada del periódico *El Comercio* de Ecuador, describe en qué medida crecerá la población mundial —y, específicamente, la población urbana— en los próximos cuarenta años. También hace mención a las consecuencias positivas y a los efectos potencialmente negativos de este crecimiento.

ANTES DE LEER

MI VOCABULARIO
Anota el vocabulario nuevo a medida que lo aprendes.

1 **Vocabulario en contexto** Busca en la lectura las palabras de la columna de la izquierda y léelas en su contexto. Luego relaciona las definiciones de la columna de la derecha con sus respectivas palabras.

1. albergar (línea 8)	a. movimiento hacia adelante
2. situar (línea 12)	b. hablar sobre un tema específico
3. alza (línea 20)	c. hacer énfasis
4. cifra (línea 21)	d. aumento, incremento
5. avance (línea 21)	e. número
6. desafío (línea 28)	f. dar espacio para vivir
7. mitigar (línea 29)	g. identificar
8. deterioro (línea 30)	h. proceso que hace las cosas peores
9. abordar (línea 36)	i. disminuir, hacer menos malo
10. subrayar (línea 41)	j. complicación

2 **La explosión demográfica** ¿Qué es una explosión demográfica? ¿Cuáles son sus consecuencias y cómo se puede evitar? ¿Crees que una explosión demográfica en otra parte del mundo te puede afectar a ti o a tu país? ¿Por qué? ¿Qué pueden hacer los gobiernos para controlar las altas tasas de crecimiento demográfico? En parejas, respondan a estas preguntas u otras que puedan estar relacionadas con el tema, y sustenten sus opiniones al respecto.

3 **Soluciones globales** En grupos, imaginen que forman parte de un consejo estudiantil de la Organización de las Naciones Unidas (ONU). Para su reunión de hoy, tienen que proponer algunas soluciones para la explosión demográfica mundial y la alta tasa de mortalidad en los países en vías de desarrollo. Hagan una lluvia de ideas para identificar los problemas que resulten de este desafío mundial y luego propongan soluciones. Presenten sus ideas a la clase.

La población urbana mundial crecerá un 75% hasta los 6300 millones en 2050

http://

Buscar

Cultura | Deportes | Economía | Salud | Sociedad

LA POBLACIÓN URBANA MUNDIAL CRECERÁ UN 75% HASTA LOS 6300 MILLONES EN 2050

Los especialistas esperan que la población del mundo llegue a 10.000 millones para el año 2050. Hoy somos 7000 millones.

La población urbana mundial experimentará un crecimiento del 75% en las próximas cuatro décadas y llegará a los 6300 millones en 2050, gracias al **empuje** «sin precedentes» que vivirán las ciudades en África y Asia, según un informe divulgado hoy por la ONU.

El Departamento de Asuntos Económicos y Sociales (DESA) de Naciones Unidas publicó
5 la revisión de su informe de 2011 sobre las perspectivas de la población urbana mundial, que indica que las áreas urbanas del planeta absorberán el crecimiento de la población mundial en los próximos cuarenta años.

La ONU calcula que el número de personas que **alberga** la Tierra irá en aumento en los próximos años y pasará de los 7000 millones de 2011 hasta los 9300 millones de habitantes
10 en 2050, de los que 6300 millones residirán en áreas urbanas, lo que supone un aumento de 2700 millones o del 75% con respecto a las cifras actuales.

GLOSARIO

situar ubicar, localizar

el/la aportador(a) persona o cosa que contribuye

el incremento aumento, crecimiento

alza aumento, subida, elevamiento

alcanzar tener acceso a alguien o a algo

proveer dar, ofrecer

recabar hacer una compilación de datos

la previsión preparación que se hace para eventos futuros

de cara a teniendo en mente, tomando en cuenta

la cumbre reunión de personas expertas en un tema específico

lanzar hacer, poner en movimiento

subrayar enfatizar, llamar la atención sobre algo

darse con encontrarse

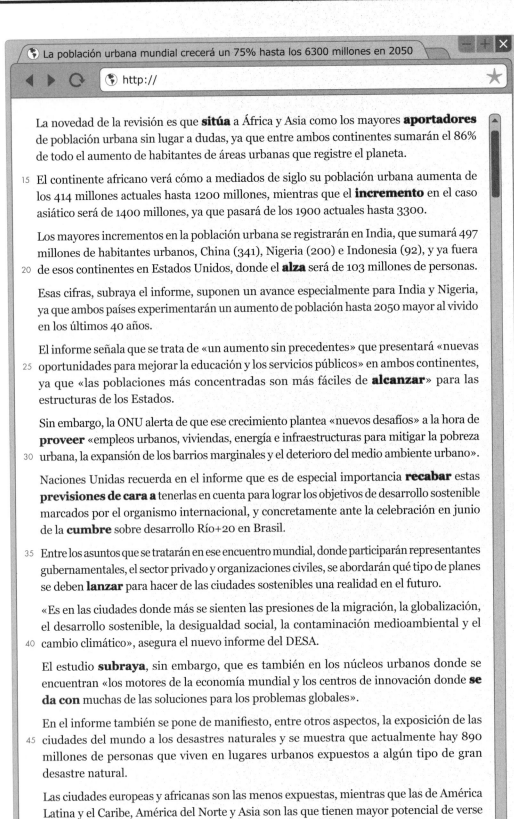

La población urbana mundial crecerá un 75% hasta los 6300 millones en 2050

http://

La novedad de la revisión es que **sitúa** a África y Asia como los mayores **aportadores** de población urbana sin lugar a dudas, ya que entre ambos continentes sumarán el 86% de todo el aumento de habitantes de áreas urbanas que registre el planeta.

15 El continente africano verá cómo a mediados de siglo su población urbana aumenta de los 414 millones actuales hasta 1200 millones, mientras que el **incremento** en el caso asiático será de 1400 millones, ya que pasará de los 1900 actuales hasta 3300.

Los mayores incrementos en la población urbana se registrarán en India, que sumará 497 millones de habitantes urbanos, China (341), Nigeria (200) e Indonesia (92), y ya fuera 20 de esos continentes en Estados Unidos, donde el **alza** será de 103 millones de personas.

Esas cifras, subraya el informe, suponen un avance especialmente para India y Nigeria, ya que ambos países experimentarán un aumento de población hasta 2050 mayor al vivido en los últimos 40 años.

El informe señala que se trata de «un aumento sin precedentes» que presentará «nuevas 25 oportunidades para mejorar la educación y los servicios públicos» en ambos continentes, ya que «las poblaciones más concentradas son más fáciles de **alcanzar**» para las estructuras de los Estados.

Sin embargo, la ONU alerta de que ese crecimiento plantea «nuevos desafíos» a la hora de **proveer** «empleos urbanos, viviendas, energía e infraestructuras para mitigar la pobreza 30 urbana, la expansión de los barrios marginales y el deterioro del medio ambiente urbano».

Naciones Unidas recuerda en el informe que es de especial importancia **recabar** estas **previsiones de cara a** tenerlas en cuenta para lograr los objetivos de desarrollo sostenible marcados por el organismo internacional, y concretamente ante la celebración en junio de la **cumbre** sobre desarrollo Río+20 en Brasil.

35 Entre los asuntos que se tratarán en ese encuentro mundial, donde participarán representantes gubernamentales, el sector privado y organizaciones civiles, se abordarán qué tipo de planes se deben **lanzar** para hacer de las ciudades sostenibles una realidad en el futuro.

«Es en las ciudades donde más se sienten las presiones de la migración, la globalización, el desarrollo sostenible, la desigualdad social, la contaminación medioambiental y el 40 cambio climático», asegura el nuevo informe del DESA.

El estudio **subraya**, sin embargo, que es también en los núcleos urbanos donde se encuentran «los motores de la economía mundial y los centros de innovación donde **se da con** muchas de las soluciones para los problemas globales».

En el informe también se pone de manifiesto, entre otros aspectos, la exposición de las 45 ciudades del mundo a los desastres naturales y se muestra que actualmente hay 890 millones de personas que viven en lugares urbanos expuestos a algún tipo de gran desastre natural.

Las ciudades europeas y africanas son las menos expuestas, mientras que las de América Latina y el Caribe, América del Norte y Asia son las que tienen mayor potencial de verse 50 afectadas por amenazas naturales.

ESTRATEGIA

Resumir Hacer un resumen de lo que has leído te ayuda a tener en cuenta lo más relevante.

DESPUÉS DE LEER

1

¿Cierto o falso? Indica si cada una de estas afirmaciones es **cierta** o **falsa**, según el artículo. Corrige los enunciados falsos.

1. Para el año 2050, la población mundial habrá aumentado el 75%.
2. En el año 2050, la población mundial será de más de 9000 millones de personas.
3. En África, la población urbana aumentará casi 800 millones de personas.
4. De los países asiáticos, China tendrá el mayor aumento de población urbana.
5. El aumento de la población urbana en Estados Unidos es comparable con el incremento de la de Indonesia.
6. Entre más gente viva en la ciudad, más fácil es que tenga acceso a la educación.
7. Se espera que en el 2050 haya suficientes empleos para todos los habitantes de las ciudades.
8. Colombia y Estados Unidos están más expuestos a los desastres naturales que París y el Cairo.

2 **Comprensión** Contesta las siguientes preguntas, según la lectura.

ESTRATEGIA

Repasar apuntes Consulta los apuntes que tomaste para contestar las preguntas.

1. ¿Qué continentes contribuirán principalmente al aumento de la población urbana en los próximos cuarenta años?
2. ¿Qué diferencia (en millones de personas) habrá en el planeta entre los años 2011 y 2050?
3. ¿Cuántos millones de personas vivirán en las zonas urbanas en 2050? ¿Qué porcentaje de crecimiento representa ese número?
4. ¿Cuáles son los cuatro países asiáticos y africanos donde se verá el mayor incremento en la población urbana?
5. ¿Cómo se compara el crecimiento de las poblaciones urbanas en Estados Unidos con el crecimiento en los cuatro países de África y Asia mencionados?
6. Según la lectura, ¿qué ventajas potenciales hay en el aumento de la población urbana en África y Asia? ¿A qué se deben esas ventajas?
7. ¿Cuáles son los desafíos que presenta el crecimiento de la población urbana?
8. De acuerdo con el DESA, ¿qué problemas son más evidentes en las ciudades y dónde suelen encontrarse las soluciones a estos problemas?

3 **Interpretación** Con un(a) compañero/a de clase, contesten las siguientes preguntas de acuerdo con sus opiniones y con la información de la lectura.

1. ¿A qué tipo de lectura corresponde el texto? ¿Es un ensayo crítico o un ensayo informativo? ¿El autor del texto ofrece sus opiniones?
2. ¿Por qué creen que África y Asia son los continentes en los que más crecerán las poblaciones urbanas?
3. Además de África y Asia, hay un país que va a tener un gran aumento en su población urbana. ¿Cuál país es? ¿Por qué creen que va a aumentar tanto la población urbana en ese país?
4. En su opinión, ¿a qué se debe que cada vez más personas vivan en las ciudades en vez de vivir en el campo?
5. ¿Cuáles son algunas de las ventajas actuales de vivir en una ciudad? ¿Y cuáles son las ventajas de vivir en el campo? ¿Creen que estas ventajas van a ser las mismas en el año 2050?
6. ¿Cuáles son algunos de los problemas que causa actualmente la sobrepoblación urbana?

4 **Nuevos desafíos** El artículo menciona los «nuevos desafíos» que el mundo va a tener que enfrentar como consecuencia del crecimiento urbano. Con un(a) compañero/a, explica cada uno de estos desafíos. ¿A qué se refiere cada uno? Compartan su opinión con el resto de la clase.

- ◆ empleos urbanos
- ◆ viviendas
- ◆ energía
- ◆ infraestructuras para mitigar la pobreza urbana
- ◆ expansión de los barrios marginales
- ◆ deterioro del medioambiente urbano

5 **Un resumen** Escribe un resumen detallado del artículo que acabas de leer. Usa los apuntes que tomaste y vuelve a leer el texto si necesitas más información. Recuerda que para hacer un buen resumen resulta útil extraer la idea principal de cada párrafo. Una vez que termines tu composición, intercambia tu trabajo con un(a) compañero/a, quien lo revisará y hará comentarios. Después de leer sus comentarios, haz los cambios que consideres necesarios.

6 **Presentación oral** La demografía es el estudio de las poblaciones humanas. Investiga en Internet sobre la importancia que tiene el trabajo de los demógrafos. ¿Cómo contribuyen a la sociedad sus predicciones acerca de los cambios en la población? ¿Qué impacto tienen los estudios demográficos en campos como la salud pública, la política o la economía? Prepara una breve presentación oral en la que respondas a estas preguntas.

7 **El aumento de la población** Reflexiona sobre estas preguntas relacionadas con el aumento de la población mundial. Luego comparte tus opiniones con un(a) compañero/a.

1. En tu opinión, ¿qué número representaría la población ideal para el año 2050?
2. ¿Cómo se beneficia un país por el aumento de su población?
3. En la actualidad, una de cada nueve personas tiene 60 años o más. Para el 2050, será una de cada cinco personas. ¿A qué crees que se deba este cambio?
4. En tu opinión, ¿crees que es fácil predecir el aumento de la población en el mundo? ¿Por qué sí o por qué no?

8 **El rol del gobierno** Discutan como clase el rol apropiado del gobierno con respecto a la cantidad de población que debe tener un país. Consideren estas preguntas y agreguen otros temas que estimen relevantes.

1. ¿Deben los gobiernos establecer políticas para restringir o fomentar el aumento de la población?
2. ¿Quiénes son los responsables de asegurar que la población no crezca a un nivel que ya no pueda sostenerse en el planeta?
3. ¿Es ético implementar una política de un niño por pareja? ¿Cuándo? ¿Por qué?
4. ¿Qué más podrían hacer los gobiernos para controlar la población? Haz una lista de cinco ideas.
5. Describe las situaciones bajo las cuales sería justificado implementar cada idea.

AUDIO ▶ PARA PRESERVAR LOS RECUERDOS Y LA HISTORIA

Audio
En fragmentos
Strategy
Write & Submit

GLOSARIO
atesorado/a acumulado/a, preservado/a
la desazón decepción o disgusto
embargar retener
postular proponer, pedir
pugnar solicitar con empeño

INTRODUCCIÓN La demografía estudia estadísticamente la estructura y la dinámica de las poblaciones, así como los procesos concretos que determinan su formación, conservación y desaparición. Una población tiende a perpetuarse y a permanecer en el tiempo, pero eso no significa que sea eterna. Tampoco son eternos los recuerdos que deja tras de sí.

Esta grabación es un fragmento de un programa de Radio ONU en el que se discute la importancia de preservar el patrimonio documental de una sociedad.

ANTES DE ESCUCHAR

1 **Tus documentos** Piensa en los documentos personales que más valoras. En caso de una emergencia, ¿cuáles llevarías contigo? ¿Por qué? ¿Son de valor oficial o sentimental? Luego, en grupos, hablen sobre el tipo de documentos que rescatarían y las razones para hacerlo.

◀)) MIENTRAS ESCUCHAS

1 **Escucha una vez** Escucha la grabación una vez para captar las ideas generales y toma apuntes en la columna de la derecha. Esta información te servirá para contestar las preguntas más adelante.

ESTRATEGIA

Predecir Poder predecir el tema y el vocabulario antes de escuchar una grabación te ayudará a comprender lo que escuchas. Una de las claves fundamentales es el título.

PREGUNTAS FUNDAMENTALES	APUNTES
◆ ¿Qué es «Memoria del Mundo»?	
◆ ¿Cuáles son los objetivos de «Memoria del Mundo»?	
◆ ¿Dónde se pueden encontrar documentos relevantes de una sociedad?	
◆ ¿Qué hacen las instituciones con los documentos reconocidos y registrados?	
◆ ¿Qué impacto tienen las nuevas tecnologías sobre los documentos?	
◆ ¿Cómo se preserva el patrimonio digital?	

2 **Escucha de nuevo** Ahora, con base en lo que escuchas, responde a las preguntas de la columna de la izquierda de la tabla de apuntes.

DESPUÉS DE ESCUCHAR

Acta de independencia (fragmento), firmada el 15 de julio de 1821 en el Cabildo de Lima, Perú

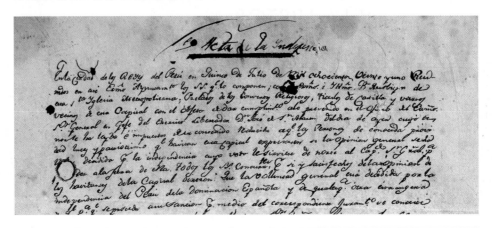

1

Comprensión En grupos, contesten las siguientes preguntas usando la información de sus tablas de apuntes.

1. Por lo general, ¿cuál es la diferencia entre los documentos de una familia y los de una sociedad?
2. ¿Para qué fue diseñado el programa «Memoria del Mundo»?
3. ¿Cuáles son los objetivos del programa «Memoria del Mundo»?
4. ¿En qué instituciones, según Guilherme Canela, hay documentos relevantes para la memoria?
5. ¿Qué pasa después de que una institución reconoce y registra el documento?
6. Menciona un problema en la preservación de documentos causado por el cambio acelerado en la tecnología.
7. Según el señor Canela, ¿qué elemento «es fundamental» para la preservación del patrimonio digital?

2

Los documentos En parejas, elaboren una lista de los documentos oficiales que preservan la memoria de su comunidad. ¿Cuáles son los fundamentales? Luego redacten una lista de documentos personales. ¿En qué se diferencian los documentos oficiales de los personales?

3

Ensayo de reflexión y síntesis Con base en lo que has estudiado en este contexto, escribe un ensayo sobre este tema: ¿Qué impacto tienen los grandes cambios demográficos en la población mundial? El ensayo debe tener al menos tres párrafos:

1. Un párrafo de introducción que:
   ◆ presente el contexto del ensayo.
   ◆ incluya una oración que responda a la pregunta, que será tu tesis.

2. Un párrafo de explicación que:
   ◆ exponga uno o dos argumentos que apoyen tu tesis.
   ◆ dé ejemplos que sustenten tus argumentos.

3. Un párrafo de conclusión que:
   ◆ resuma los argumentos que llevan a la tesis.
   ◆ vuelva a plantear la tesis en otras palabras.

RECURSOS

Consulta la lista de apéndices en la p. 418.

CONEXIONES CULTURALES
Record & Submit
Virtual Chat

Mural realizado por el grafitero Pez, en Bogotá, Colombia

Un método ingenioso para viajar

¿NO CANSA MUCHO DESPLAZARSE A DIARIO EN UNA gran ciudad? El desarrollo económico hace que muchas personas se muden del campo a los centros urbanos, donde suele haber mejores oportunidades de trabajo. Y viajar por la ciudad no es poca cosa, porque en muchas capitales de Latinoamérica hay demasiadas personas, pero, sobre todo... ¡demasiados carros!

En Uruguay encontraron una manera ingeniosa de solucionar el inconveniente y de hacer de las ciudades lugares más amables donde movilizarse. Gracias al portal en Internet «Voy contigo», las personas comparten los viajes en carro. Todos los usuarios se registran, los conductores ofrecen lugares en sus carros y los pasajeros se suman. Los beneficios son muchos: hay menos carros en la calle, se comparten los gastos de gasolina y peaje, disminuye la contaminación y ¡hasta se generan buenas amistades!

◢ En San Juan de Puerto Rico ahora es fácil evitar los embotellamientos. Transporte Marítimo Metro es un sistema que permite llegar en barco a los sitios más concurridos de la ciudad. Esto ha facilitado la movilidad en este importante centro urbano caribeño.

◢ La bicicleta no provoca embotellamientos, es respetuosa con el medioambiente y su uso es bueno para la salud. En la Ciudad de México hay un sistema de bicicletas públicas llamado Ecobici. Solo los usuarios registrados pueden tomar una bicicleta. Tienen 45 minutos para usarla y luego la devuelven en la estación más cercana a su destino. Esto ha permitido no solo reducir el tráfico de esta gran ciudad sino también contribuir a la limpieza del aire.

◢ El Transmilenio de Bogotá es una red integrada de autovías por donde circulan autobuses especiales. Miles de personas emplean este medio masivo de transporte diariamente. Este sistema ha intentado solucionar el problema de transporte de una de las urbes más grandes de América Latina, con cerca de siete millones de habitantes.

 Presentación oral: comparación cultural

Prepara una presentación sobre este tema:

◆ ¿Cuáles son algunos de los problemas relacionados con el aumento de la población? ¿Cuáles son algunas soluciones?

Compara tus observaciones de una región del mundo hispanohablante que te sea familiar con las de las comunidades en las que has vivido.

PUNTOS DE PARTIDA

El bienestar social les permite a los ciudadanos disfrutar una vida satisfactoria con educación, salarios dignos y seguridad ciudadana, entre muchas otras cosas. El bienestar social, junto con el bienestar físico, ambiental y económico, es vital para que una sociedad funcione adecuadamente.

◢ Entre los muchos desafíos que enfrentan los ciudadanos, ¿qué importancia tiene el bienestar social?

◢ ¿Cuál es el papel de los individuos y del gobierno en el bienestar social de una comunidad?

◢ ¿Cómo contribuye el bienestar social al estado de ánimo y a la buena salud de una persona?

DESARROLLO DEL VOCABULARIO  My Vocabulary

MI VOCABULARIO

Anota el vocabulario nuevo a medida que lo aprendes.

1 **El bienestar de la comunidad** Estas palabras están asociadas con el bienestar social. Clasifica cada una según la relaciones con el bienestar físico (**F**), ambiental (**A**) o económico (**E**). Una misma palabra puede pertenecer a varias categorías.

__ congestión
__ contaminación
__ delincuencia
__ derechos humanos
__ desigualdad
__ desplazados
__ deterioro de la infraestructura
__ educación pública

__ igualdad
__ inmigración
__ justicia
__ oportunidades
__ organizaciones de voluntarios
__ política social
__ protección policial
__ reciclaje

__ recolección de basuras
__ refugio político
__ seguro de desempleo
__ seguros médicos
__ servicios públicos
__ transporte público
__ urbanismo
__ violencia

2 **La comunidad ideal** Elabora una lista de las características y los servicios que tendría una comunidad ideal. Luego compara tu lista con la de un(a) compañero/a de clase. ¿Qué semejanzas y diferencias encuentran en sus listas?

3 **Problemas comunes** En parejas, completen este diagrama de Venn para ilustrar algunos de los problemas más graves relacionados con el bienestar social en el mundo y en su comunidad.

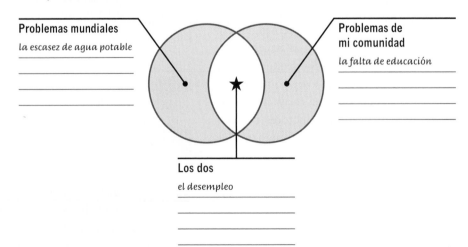

Problemas mundiales

la escasez de agua potable
_____
_____
_____

Problemas de mi comunidad

la falta de educación
_____
_____
_____

Los dos

el desempleo
_____
_____
_____
_____

LECTURA 4.1 ▸ DÉFICIT DE ESPACIO PÚBLICO AHOGA A LOS BOGOTANOS

My Vocabulary
Record & Submit
Strategy
Write & Submit

SOBRE LA LECTURA Los espacios públicos de una comunidad, que incluyen calles y aceras, plazas, parques, mercados y playas, son vitales para el bienestar físico y psicológico de los ciudadanos. Estos espacios ayudan a promover la interacción social y les dan a los ciudadanos la sensación de ser parte de la comunidad. Desafortunadamente, una de las consecuencias del crecimiento demográfico es la falta de espacio público. Esta situación se presenta sobre todo en zonas urbanas.

En esta lectura, tomada de la edición electrónica del periódico *El Nuevo Siglo* de Bogotá, Colombia, se analizan algunos de los obstáculos que impiden a los bogotanos gozar del espacio público.

ANTES DE LEER

1 **Sinónimos** Reconocer sinónimos es una manera de descifrar palabras nuevas. Observa los siguientes pares de palabras sinónimas y analiza su significado. Luego lee las palabras dentro del artículo para comprenderlas mejor.

1. asfixiar (línea 5)/ahogar
2. indebido (línea 7)/ilícito
3. elocuente (línea 15)/persuasivo
4. auge (línea 35)/progreso, florecimiento
5. querella (línea 61)/discusión
6. engrosar (línea 91)/aumentar

MI VOCABULARIO
Anota el vocabulario nuevo a medida que lo aprendes.

2 **En mi comunidad** Contesta las preguntas sobre los espacios públicos de tu comunidad.

1. ¿Cómo son los espacios públicos de tu comunidad? ¿Hay espacio suficiente para el comercio y los peatones? ¿Hay suficientes zonas verdes?
2. ¿Cómo comparten los ciudadanos los espacios públicos de tu comunidad y qué influencia tienen dichos espacios en las personas? ¿Cómo los usas tú?
3. ¿Cómo se podrían mejorar los espacios públicos de tu comunidad?

ESTRATEGIA

Relacionar los temas
Para comprender mejor una lectura difícil, establece relaciones con temas que te sean familiares. Mientras lees este artículo, piensa en los espacios públicos de tu comunidad.

3 **Semejanzas y diferencias** Analiza el título del artículo («Déficit de espacio público ahoga a los bogotanos») e imagina de qué trata. ¿Cómo crees que se diferencian (o se asemejan) los espacios públicos de una urbe como Bogotá, Colombia, y los de tu comunidad? Escribe una lista de semejanzas y diferencias, y compara tu lista con la de un(a) compañero/a.

SEMEJANZAS	DIFERENCIAS

DÉFICIT DE ESPACIO PÚBLICO AHOGA A LOS BOGOTANOS

HAY OCASIONES en que los habitantes de Bogotá, cuando hay congestión en las vías públicas, principalmente en el centro, sienten que se asfixian. Eso no es gratis.

Además de que el espacio público tiene indebido aprovechamiento económico, cerramientos ilegales, basuras, endurecimiento de zonas verdes, estacionamiento de vehículos, **pasacalles**, avisos, **vallas** publicitarias y ventas informales, entre muchísimas otras **falencias**, hay un gran faltante de metros cuadrados para que cada uno de los ocho millones de habitantes pueda respirar.

Los datos son elocuentes. Según la Organización Mundial de la Salud (OMS), cada habitante tiene derecho a 15 metros cuadrados de espacio público, pero un bogotano no cuenta ni con la tercera parte.

Frente a estas cifras, las únicas ciudades que superan a Bogotá por la falta de espacio público son Río de Janeiro y Ciudad de México, que cuentan ambas con 3,5 metros cuadrados, mientras la capital colombiana llega a 4,35 metros cuadrados por habitante.

Ello a pesar de que la presión ha disminuido, pues mientras el espacio público peatonal por habitante entre 2000 y 2002 fue de 2,93 metros cuadrados, entre 2002 y 2003 hubo un incremento sustancial de este indicador, a 4,83 metros cuadrados, por la **adecuación** y construcción de **andenes** ligados a las primeras fases de Transmilenio, al incremento de zonas verdes como resultado del auge inmobiliario y a la recuperación de espacio público en toda la ciudad. Estas cifras no han cambiado en los últimos años.

Sobre la invasión del espacio público por vendedores **ambulantes**, los expertos opinan que el problema es de orden nacional, ya que la mayoría de las personas que se dedican a esta actividad son colombianos desplazados por la violencia que buscan futuro en las grandes ciudades.

Pero un estudio de la Personería de Bogotá sobre el Sistema de Espacio Público Peatonal en la ciudad demuestra cómo y por qué el ciudadano cuenta con menos de la mitad de metros cuadrados (4,35) que le corresponden según la OMS, no obstante importantes avances como la ampliación de andenes, la construcción de nuevos parques y la adecuación de plazoletas, entre otros.

Según información estadística proveniente de las Personerías y Alcaldías Locales, correspondiente a la gestión realizada sobre los usos, abusos y contradicciones encontrados en el espacio público, hay una alta impunidad en cuanto a las infracciones relacionadas con el espacio público, pues la cifra de querellas por la violación de este derecho ciudadano es igual de alta al número de veces en que se archivan.

Por otro lado, aunque la Secretaría de Desarrollo Económico (SED), a través del Instituto para la Economía Social (IPES), tiene claro que dentro del «Espacio Público para la Inclusión» se deben tener previstas medidas alternativas que protejan los derechos de las personas que desarrollan actividades informales que les permitan **subsistir**, también lo es que al analizar los resultados de sus políticas, planes y programas, su cumplimiento es deficiente contra las 75 necesidades de esta población.

Del mismo modo, se evidenció la presencia de las ventas de alimentos en vía pública, o lo que es igual, la venta callejera de alimentos como comidas preparadas o 80 alimentos sin cocinar, como productos cárnicos, donde se rompe toda cadena de higiene y protección, que pone en alto riesgo la salud y la vida de las personas.

Aunque se observa que la gestión del IPES está lejos de cubrir las necesidades de 85 la ciudad en materia de alternativas para solucionar la ocupación del espacio público por parte de la economía informal, es importante aclarar que día a día llegan cinco familias de desplazados que en menos de un 90 mes engrosan la lista de vendedores que ocupan el espacio público. ◣

GLOSARIO

subsistir sobrevivir; ganar lo necesario para vivir

DESPUÉS DE LEER

1 **Los problemas de la ciudad**
El artículo cita varios problemas del espacio público en la ciudad de Bogotá. Identifica por lo menos seis de estos problemas y anótalos en este organizador gráfico.

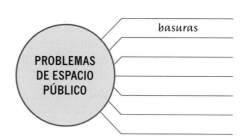

basuras

PROBLEMAS DE ESPACIO PÚBLICO

2 **Causa y efecto** Completa el siguiente cuadro con las causas y los efectos que se mencionan en el artículo.

CAUSAS	EFECTOS
Congestión en las vías públicas	*Los habitantes sienten que se asfixian.*
Adecuación y construcción de andenes	
	Las personas buscan un mejor futuro en las grandes ciudades.
La mayor parte de las querellas se archivan.	
	La salud y la vida de las personas se pone en riesgo.
Cada día llegan a la ciudad más familias desplazadas.	

ESTRATEGIA

Identificar causas y efectos
Con frecuencia, los textos informativos presentan las causas y los efectos de los fenómenos que describen. Saber la relación entre causa y efecto te ayudará a entender qué pasó y por qué motivos, y quizás te permita tener una posición crítica frente al tema.

3 **Comparaciones** En el artículo se mencionan otras dos urbes latinoamericanas: Ciudad de México y Río de Janeiro. Haz una búsqueda en Internet sobre estas dos ciudades (o sobre otras que te interesen). ¿Qué problemas de espacio público tienen en común con Bogotá? ¿Qué semejanzas y diferencias tienen con la ciudad donde tú vives?
Escribe un artículo de una página en el que expongas tus hallazgos.

RECURSOS
Consulta la lista de apéndices en la p. 418.

4 **De 1 a 10...** Elabora una lista de diez problemas relacionados con el espacio público en cualquier ciudad del mundo y enuméralos de 1 a 10, según su importancia: el 1 es muy poco importante y el 10 es un problema muy grave. Luego discute tu lista con toda la clase.

 5 **El espacio público ideal** Con un(a) compañero/a, diseñen una ciudad que ofrezca el óptimo uso del espacio público para sus habitantes. Elaboren un plano (o mapa) del centro de la ciudad, donde ilustren el mejor lugar para ubicar sus diferentes elementos: los vendedores, las vallas, las basuras, el transporte público, entre otros.

ESTRATEGIA

Repetir o reformular
Para aclarar algo que has dicho previamente, puedes repetirlo usando otras palabras o expresando tus ideas de otra manera.

 6 **Presentación del proyecto** Con base en la actividad anterior, hagan una presentación oral en la que expongan su proyecto y el mapa que elaboraron. Sigan la estructura de abajo. Prepárense para responder a las preguntas que el grupo pueda tener.

♦ Primero, definan los problemas que buscaban solucionar.
♦ Presenten las soluciones.
♦ Describan la eficacia de las soluciones que han mencionado.
♦ Presenten el plano y expliquen por qué lo diseñaron así.

 7 **Ensayo persuasivo** Imagina que tu comunidad tiene un problema similar al de los bogotanos. Escribe una propuesta para solucionarlo o reducirlo. Incluye en tu propuesta las soluciones que pudieran implementar:

♦ los ciudadanos de tu comunidad   ♦ el gobierno estatal
♦ el gobierno local   ♦ el gobierno nacional

ESTRUCTURAS

 ### El *se* impersonal

Con base en la lectura, escribe 3 problemas y 3 necesidades de la ciudad de Bogotá en cuanto al espacio público, usando el *se* impersonal. Utiliza los verbos del recuadro u otros que consideres necesarios.

archivar	desarrollar	informar	ocupar	requerir
considerar	desplazar	necesitar	poder	tener
deber	evidenciar	observar	poner	ubicar

Problemas:

 MODELO ▸ Con la venta de alimentos callejeros, la vida de los ciudadanos *se pone* en riesgo.

Necesidades:

MODELO ▸ *Se requiere* construir y adecuar andenes.

RECURSOS 🔍
Consulta las explicaciones gramaticales del **Apéndice A,** pp. 452-453.

LECTURA 4.2 ▶ ¿POR QUÉ COSTA RICA ES EL PAÍS MÁS FELIZ DE AMÉRICA LATINA?

Auto-graded
My Vocabulary
Partner Chat
Strategy
Write & Submit

SOBRE LA LECTURA Costa Rica es un país famoso por la abundancia de sus selvas, por su vida marina y por su biodiversidad en general. Atraídos por la riqueza natural de Costa Rica, casi tres millones de turistas visitan el país centroamericano cada año. Desde luego, la ecología contribuye a la felicidad reconocida de sus habitantes. Sin embargo, la belleza natural quizá no sea el factor más importante. La siguiente lectura hace una descripción de otros factores —algunos de ellos sorprendentes— que contribuyen a la felicidad de los costarricenses, a que Costa Rica sea el país más feliz de América Latina y el undécimo en todo el mundo. La frase «Pura vida» —nos indica la lectura— es mucho más que una simple expresión.

ANTES DE LEER

1 **Investigación preparatoria** Haz una investigación en Internet para responder a las siguientes preguntas acerca de Costa Rica.

1. ¿En qué parte del continente americano está Costa Rica? ¿Cuál es su capital? ¿Cuántos habitantes tiene? ¿Qué lengua hablan? ¿Cuál es su forma de gobierno?
2. ¿Qué porcentaje de la selva de Costa Rica está protegido? ¿Qué porcentaje de la biodiversidad del mundo está en Costa Rica? ¿En qué consiste el ecoturismo y cuál es su relación con Costa Rica?
3. ¿Cuántos países en el mundo no tienen un ejército? ¿En qué año se abolió el ejército en Costa Rica? ¿Por qué se abolió? ¿Cuántas guerras ha tenido Costa Rica desde que se abolió el ejército? Después de que se abolió el ejército, ¿qué hizo Costa Rica con el dinero que originalmente estaba destinado a los militares?
4. ¿Qué significa la expresión costarricense «Pura vida»?

> **ESTRATEGIA**
>
> **Hacer una investigación preparatoria** te ayuda a comprender la información presentada en una lectura dentro de un contexto más amplio.

2 **Factores de la felicidad** ¿Cuáles de los siguientes factores crees que son relevantes para medir la felicidad de la población de un país? Marca con una X los factores que, en tu opinión, son relevantes. Luego, compara tu lista con la de un(a) compañero/a y expliquen por qué marcaron esos factores.

___ la abundancia de empleos
___ la calidad del medioambiente
___ el clima
___ la conciencia social
___ las conexiones sociales
___ el dinero
___ la diversidad cultural
___ la diversidad de razas y etnias
___ la educación gratuita
___ las elecciones democráticas

___ un equilibrio entre el trabajo y el tiempo libre
___ la generosidad de los habitantes
___ la salud
___ la seguridad pública
___ los servicios médicos públicos
___ las buenas relaciones familiares
___ los buenos líderes políticos
___ tener hijos
___ tener suficiente tiempo libre
___ el trabajo voluntario

Opinión

¿Por qué Costa Rica es el país más feliz de América Latina?

"Costa Rica es un país feliz porque los costarricenses no tenemos miedo", dice el presidente Solís, pero hay más razones.

Costa Rica, un país que alberga cerca del 5% de la biodiversidad del planeta, **destaca** como uno de los más felices del mundo debido a sus paisajes naturales,
5 sus 68 años sin ejército y especialmente la calidez de su gente.

El país centroamericano, que tiene una extensión de 51.100 kilómetros cuadrados, se caracteriza a nivel
10 internacional por ser ecológico, verde, sostenible y por contar con un 26% del territorio bajo protección.

Según el Informe Mundial de la Felicidad de 2017, elaborado a instancias de la
15 Organización de las Naciones Unidas (ONU) y divulgado hoy, Costa Rica es el país más feliz de Latinoamérica y décimo primero del mundo.

El país centroamericano consiguió 7.079
20 puntos sobre diez, lo que le valió el undécimo puesto de la clasificación mundial encabezada por Noruega.

Sus playas, montañas, volcanes, ríos y área selvática son un gran atractivo para los tres millones de turistas que llegan a disfrutar 25 de su belleza natural cada año, pero la **calidez** y el **trato** de su gente, es lo que le permite sobresalir.

Los **ticos** utilizan mucho la frase "Pura vida", con la cual describen su estado de ánimo, 30 pero más allá de dos palabras, se trata de una filosofía de vida.

"Siempre he resumido todo en el 'Pura vida', que es más un estilo que refleja que en Costa Rica hay una manera de llevar 35 las cosas. Los ticos tenemos una manera de entender y vivir, así como pasar por encima de las dificultades y **carencias** que tenemos", explicó en entrevista con Efe el ministro de Turismo, Mauricio Ventura. 40

El turismo es uno de los principales motores de la economía de Costa Rica, un país de 4,7 millones de habitantes, y según el Instituto Costarricense de
45 Turismo, en las encuestas que realizan a quienes visitan el país, el atractivo principal es su gente.

"Es la manera de ser del costarricense lo que gusta a los turistas. En las encuestas
50 que realizamos constantemente sale que el atractivo principal es la gente, no es la naturaleza, ni los **bichitos**, es la gente, lo que hace que la calidad de la experiencia sea muy buena. La gente es cálida y eso
55 es lo que vende a Costa Rica por sobre cualquier cosa", afirmó Ventura.

Datos oficiales indican que Costa Rica cuenta con una cobertura forestal del 52%, alberga a más de 10.000 especies
60 de plantas, 232 especies de mamíferos, 838 especies de aves, 183 especies de anfibios, 258 especies de reptiles y 130 especies de peces de agua dulce.

Costa Rica, de la mano del expresidente y
65 excaudillo José Figueres Ferrer, abolió las fuerzas militares el 1 de diciembre de 1948, después de la última guerra civil del país, y a partir de allí el Estado decidió invertir más recursos en la salud, el bienestar social
70 y la educación, a esta última destina un 8% del Producto Interno Bruto.

El país centroamericano solamente cuenta con la policía llamada Fuerza Pública, que en la actualidad la integran unos
75 14.000 oficiales.

"Costa Rica es un país feliz porque los costarricenses no tenemos miedo, no tenemos miedo del hambre, ni la violencia. Es un país que goza de un sistema de
80 seguridad social muy sólido y solidario de servicios universales, tanto en la prestación de salud como de pensiones", manifestó

a Efe el presidente costarricense, Luis Guillermo Solís[1].

El mandatario añadió que el país 85 además "cuenta con un sistema de educación pública de más de 150 años que ha sido un instrumento para el progreso humano".

Por segundo año consecutivo, el 98% de 90 la energía que consumió Costa Rica en 2016 provino de fuentes renovables.

El cocinero español radicado en Costa Rica, Vicente Aguilar, aseguró que pudo haberse quedado en otros países de 95 la región pero que escogió Costa Rica porque "tiene gente linda, muy cordial y agradable, aunque como en todo los sitios hay **bemoles**, pero es un país 'Pura vida'". 100

"Desde hace 68 años no tiene ejército, ya con eso uno se tranquiliza. Es un país bello, con una naturaleza genial, bañado por dos mares, Caribe y Pacífico, y sobre todo hay ticos y ticas maravillosos", 105 expresó Aguilar.

El informe fue publicado hoy por la Red de Soluciones de Desarrollo Sostenible de la ONU (SDSN), coincidiendo con el Día Internacional de la Felicidad. 110

Este grupo de expertos analizó el nivel de felicidad de los países a partir de diversos indicadores, como el sistema político, los recursos, la corrupción, la educación o el sistema sanitario. 115

El informe estudió los casos de 155 países y utilizó datos de entre 2014 y 2016.

Según las conclusiones del panel de expertos, a Costa Rica le siguen a más de diez puestos Chile (20), Brasil (22), 120 Argentina (24) y México (25).

GLOSARIO
el bichito el animal
los bemoles expresión utilizada para referirse a situaciones adversas o altibajos

1 Fue presidente de Costa Rica desde mayo de 2014 hasta mayo de 2018.

DESPUÉS DE LEER

1 **Comprensión** Escoge la respuesta correcta según la lectura.

1. ¿Cuál es la causa principal de que Costa Rica sea uno de los países más felices del mundo?
   a. Tiene un ejército muy fuerte.
   b. La gente de Costa Rica es muy cálida.
   c. La gran biodiversidad.
   d. Todas las opciones anteriores.

2. ¿Cuál de las siguientes afirmaciones es *falsa*?
   a. Más de una cuarta parte de Costa Rica está bajo protección ecológica.
   b. Cerca del 5% de la biodiversidad del planeta está en Costa Rica.
   c. Los turistas van a Costa Rica para disfrutar de su ecología.
   d. La vida en Costa Rica no es ecológicamente sostenible.

3. ¿Qué representa la expresión «Pura vida»?
   a. Una filosofía de vida.
   b. Una campaña publicitaria para el turismo.
   c. Una referencia a la gran biodiversidad de Costa Rica.
   d. Todas las opciones anteriores.

4. Según el expresidente Luis Guillermo Solís, ¿cuál de las siguientes afirmaciones es *verdadera*?
   a. A los costarricenses no les preocupa la violencia ni el hambre.
   b. La educación pública del país ha sido una herramienta de progreso.
   c. El país tiene un buen sistema de servicios universales.
   d. Todas las opciones anteriores.

5. ¿Cuál de las siguientes oraciones resume la opinión de Vicente Aguilar, el cocinero español?
   a. Costa Rica es un país con gente linda y también es bello ecológicamente.
   b. Costa Rica es un lugar muy amable, pero tiene muchos problemas.
   c. Es difícil vivir tranquilo en un país que no tiene ejército.
   d. A Costa Rica le ha tomado 68 años formar un ejército nuevo.

6. ¿Cuáles de los siguientes indicadores para analizar la felicidad de los países aparecen en la lectura?
   a. las elecciones y la democracia
   b. el ejército y la corrupción
   c. la educación y los recursos
   d. el dinero y la biodiversidad

2 **Análisis** Trabaja con un(a) compañero/a. Respondan a las siguientes preguntas con información tomada de la lectura.

1. ¿Cómo se describe a los costarricenses en la lectura?
2. ¿Por qué creen que es relevante que Costa Rica no tenga un ejército? ¿Qué relación tiene el ejército con la felicidad de un país?
3. ¿Creen que hay una relación entre la felicidad de los costarricenses y el respeto que le tienen a la ecología? Expliquen su respuesta con ejemplos.
4. Costa Rica no está en la lista de los países más ricos del mundo. ¿Por qué creen que es el décimo primer país más feliz del mundo, a pesar de no ser un país particularmente rico?
5. ¿Qué relación hay entre la felicidad de Costa Rica y su expresión «Pura vida»?
6. De acuerdo con la lectura, ¿cuáles son algunos de los beneficios de vivir en Costa Rica?

3 **Comparación** Haz una investigación en Internet para comparar el país en el que vives con lo que sabes sobre Costa Rica. Puedes usar los siguientes elementos como guía.

- el acceso a la educación
- el acceso a los servicios médicos
- la violencia
- el porcentaje de energía proveniente de fuentes renovables
- el porcentaje de áreas verdes protegidas
- la felicidad de los habitantes comparada con la del resto del mundo

4 **Presentación oral** Ahora, usa los resultados de tu investigación de la Actividad 3 para hacer una pequeña presentación oral. Describe las semejanzas y diferencias entre el país en el que vives y Costa Rica, de acuerdo con los elementos de la lista de la Actividad 3 y otros elementos que hayas encontrado. En tu presentación, incluye también una respuesta a las siguientes preguntas.

1. ¿Crees que los habitantes de Costa Rica son más o menos felices que los habitantes del país donde vives?
2. ¿A qué le atribuyes la diferencia en los niveles de felicidad entre ambos países?
3. ¿Qué te gustaría cambiar en el país en el que vives para que la felicidad de todos los habitantes aumente?

5 **Un mensaje a Costa Rica** Escríbeles una entrada en tu blog a los/las costarricenses para invitarlos/las a que visiten el país en el que vives. Explícales cuáles son los beneficios de visitar tu país: cómo es la gente, cómo es la ecología, qué lugares turísticos vale la pena conocer. Explícales también cuáles son los factores que contribuyen a la felicidad de los habitantes en el país en el que vives.

6 **Un país ideal** Escribe una composición para describir un país ideal, de acuerdo con tus preferencias. Toma en cuenta los factores que se mencionan en la lectura y, si prefieres, otros factores no mencionados. Por ejemplo, describe cómo es la relación entre los habitantes del país y su ecología; si hay un ejército; cómo son la educación y los servicios médicos. Incluye información sobre el clima, la economía, la geografía y la política. No te olvides de darle un nombre a tu país ideal. Luego, preséntalo ante el resto de la clase.

Audio
Auto-graded
En fragmentos
My Vocabulary
Record & Submit
Strategy
Write & Submit

AUDIO ▶ LAS CIUDADES SON DE LOS CIUDADANOS

INTRODUCCIÓN Este audio es parte de una entrevista a varios alcaldes de ciudades capitales de países hispanohablantes que han enfrentado desafíos relacionados con la calidad de vida de sus ciudadanos. Fue emitido el 15 de marzo de 2013 desde Nueva York por Radio ONU con el fin de anunciar un encuentro que tuvo como objetivo compartir las estrategias que los alcaldes han implementado para brindar seguridad y bienestar en las ciudades.

Algunos de los alcaldes entrevistados en el programa hablan sobre las políticas que les han resultado efectivas para combatir la violencia y procurar una mejor calidad de vida para los habitantes de sus respectivas ciudades.

GLOSARIO

auspiciar patrocinar, fomentar o apoyar algún proyecto

el alcalde/la alcaldesa la persona que gobierna el ayuntamiento de un pueblo o una ciudad

impulsar incitar, estimular, promover

vinculado unido, asociado, relacionado

apostar depositar la confianza en algo o alguien

el patrullaje se refiere a la acción de vigilar para salvaguardar y proteger el orden; acción de una patrulla.

ANTES DE ESCUCHAR

1 **Las ciudades** Con un(a) compañero/a, exploren algunas ciudades siguiendo estos pasos:

1. Sin usar ninguna fuente, hagan una lista de seis países hispanohablantes e indiquen cuáles son sus ciudades capitales.

   ◆ _____   ◆ _____   ◆ _____
   ◆ _____   ◆ _____   ◆ _____

2. Después, consulten un mapa para confirmar sus respuestas
3. ¿Qué saben de cada capital?
4. ¿Qué quiere decir la expresión «Las ciudades son de los ciudadanos»?

2 **Tabla de apuntes** Piensa en los problemas predominantes de los centros urbanos del mundo. ¿Cuáles son las dificultades principales que amenazan la seguridad de los ciudadanos? Anota tus ideas en la columna de la izquierda de esta tabla de apuntes. Luego, cuando escuches la grabación, podrás anotar algunas soluciones en la columna de la derecha.

PROBLEMAS URBANOS	POSIBLES SOLUCIONES

))) MIENTRAS ESCUCHAS

1 **Escucha una vez** Escucha la grabación para captar las ideas generales.

Anotar cognados
Fíjate en los cognados y en las palabras relacionadas con otras que ya conoces.

2 **Escucha de nuevo** Ahora, con base en lo que escuchas, completa la tabla de apuntes de la Actividad 2 de la sección Antes de escuchar. ¿Qué soluciones han propuesto o encontrado los alcaldes entrevistados para mejorar la situación?

DESPUÉS DE ESCUCHAR

1 **Emparejar** Empareja los fragmentos de las dos columnas para formar oraciones correctas con base en la entrevista:

1. __ Esa política ha logrado que
2. __ La nueva política del alcalde de Bogotá
3. __ Joan Clos
4. __ La ciudad de Bogotá
5. __ San Salvador
6. __ Gustavo Petro

a. tiene una política de desarme.
b. es el ex alcalde de Barcelona.
c. tiene bajas en criminalidad por la participación ciudadana.
d. es el alcalde de Bogotá.
e. comenzó el 1° de enero de 2013.
f. la tasa de homicidios en la ciudad de Bogotá bajara.

2 **Comprensión** Contesta las siguientes preguntas, según lo que se dice en la grabación.

1. ¿Según la locutora, ¿qué sucede cuando los habitantes se sienten cómodos en la calle y disfrutan de los espacios públicos?
2. ¿Qué organización auspició el encuentro de alcaldes de todo el mundo en Nueva York?
3. Según el audio, ¿quiénes participan en la Red Global de Ciudades Seguras?
4. ¿Qué objetivo tiene la Red Global de Ciudades Seguras?
5. Según Joan Clos, ¿gracias a qué política se ven mejoras importantes en la criminalidad?
6. ¿Qué dice Gustavo Petro con respecto al desarme generalizado entre la población?

3 **¿Cuál es la solución?** Trabaja con un(a) compañero/a para hacer una lista de posibles soluciones para una ciudad donde hay mucho crimen y poco respeto hacia los ciudadanos, y donde además los niveles de educación son bajos y las tasas de desempleo son altas. Luego presenten sus soluciones a la clase.

4 **Un poco más allá** Con un(a) compañero/a, investiguen sobre la situación de alguna ciudad capital hispanohablante con relación a estos aspectos: 1) la tasa de delitos de la ciudad, 2) los tipos de delitos más comunes, 3) si ha subido o bajado la tasa de delitos actualmente, 4) otros problemas que tenga la ciudad y 5) gráficos de información que sustenten sus hallazgos. Compartan sus investigaciones con la clase en la forma de una presentación oral. Destaquen las semejanzas y diferencias que existen entre la seguridad en la ciudad que ustedes investigaron y la de las capitales presentadas por los otros miembros de la clase.

5 **Carta a un funcionario** Escribe una carta para publicarla en un periódico de una ciudad capital hispanoamericana. La carta debe ir dirigida a un funcionario de la ciudad que se enfrenta a graves problemas de seguridad y orden público en su ciudad. Incluye estos aspectos en tu carta y otros que consideres necesarios:

- Expresa tu preocupación por los graves problemas que enfrenta la ciudad.
- Preséntale algunas sugerencias que, en tu opinión, podrían mejorar la situación.
- Señala algunos ejemplos de ciudades que han atravesado por situaciones similares y la manera como han salido adelante.
- Felicítalo por la importante labor que ha venido desempeñando.
- Despídete muy cordialmente.

MI VOCABULARIO
Utiliza tu vocabulario individual.

RECURSOS
Consulta la lista de apéndices en la p. 418.

CONEXIONES CULTURALES

Record & Submit
Virtual Chat

Los participantes en «Subida por la vida» en el cráter del Volcán de Agua, Guatemala

Subida por la vida, 2012

¿QUÉ SE PUEDE HACER PARA LLAMAR LA ATENCIÓN sobre los problemas de una comunidad y proponer soluciones? Entre otras actividades, se pueden organizar campañas solidarias, jornadas educativas o festivales de música y danza en los que todos participen. En Guatemala se hace todo eso... ¡pero en la cima de un volcán!

La campaña «Rompe el ciclo» organizó una subida masiva al cráter del Volcán de Agua (que tiene una altura de 3.750 metros sobre el nivel del mar) para inspirar un cambio en los jóvenes y en especial en cuanto a su actitud hacia la violencia doméstica. El mensaje es que el cambio más grande empieza en el corazón de cada uno y de allí se extiende al hogar y la comunidad. Después de un día de reflexión, las dieciocho mil personas que subieron a la cima (entre las que se encontraban deportistas, diplomáticos, artistas, personas discapacitadas y miembros de diferentes organizaciones públicas y privadas) se tomaron de las manos sobre un corazón gigante alrededor del cráter del volcán.

▶▶ En Argentina, la campaña «1 minuto de vos» incentiva a las personas a donar un minuto de su tiempo a distintas actividades para lograr un mayor bienestar social entre todos. Con este programa, los organizadores pretenden generar cambios en la sociedad.

◢ En Honduras, el Instituto de la Niñez y la Familia se encarga de brindar a los niños la educación y el tiempo que sus padres muchas veces no pueden darles porque tienen que trabajar.

◢ El gobierno de Ecuador creó el programa «Desnutrición Cero», que se encarga de asistir a mamás embarazadas para que sus hijos puedan estar siempre bien alimentados y cuidados, incluso antes de nacer.

 Presentación oral: comparación cultural

Prepara una presentación sobre este tema:

◆ ¿Cuál es el papel de los individuos y del gobierno en el bienestar social de una comunidad?

Compara tus observaciones de una región del mundo hispanohablante que te sea familiar con las de las comunidades en las que has vivido.

◢ Los sufijos y los prefijos permiten crear palabras a partir de otras palabras. Otro proceso para formar palabras consiste en combinar dos (y a veces más) términos de sentido independiente.

salvapantallas	**agridulce**	**bienvenido**
(salva) + (pantallas)	(agrio) + (dulce)	(bien) + (venido)
verbo + sust.	*adj. + adj.*	*adv. + part.*

◢ En algunos casos, por motivos gramaticales o fonéticos, las palabras que conforman el nuevo término sufren pequeñas modificaciones:

Pelirrojo (*red-haired*) está conformada por 'pelo' + 'rojo', pero la **o** final cambia a **i**. Algo similar ocurre con **altibajo**, formada por 'alto' + 'bajo', o **cejijunto**, formada por 'ceja' + 'junto'.

Cuando al unir dos palabras queda una **r** en medio de dos vocales, se convierte en **rr**: **pelirrojo, grecorromano, pararrayos**.

◢ Podemos combinar muchos tipos de palabras.

CATEGORÍA GRAMATICAL	EJEMPLOS
sustantivo + sustantivo	aguafiestas, baloncesto, bocacalle, compraventa, puntapié, telaraña
sustantivo + adjetivo	aguardiente, caradura, Nochebuena, pasodoble, pelirrojo
adjetivo + sustantivo	altorrelieve, bajamar, malhumor, mediodía, medianoche
verbo + sustantivo	abrelatas, guardabosque, lavaplatos, quitanieves, rascacielos, sacacorchos
adjetivo + adjetivo	agridulce, altibajo, claroscuro, sordomudo
verbo + verbo	hazmerreír, vaivén
adverbio + adjetivo	biempensante, malhumorado, malpensado
adverbio + verbo	bienestar, menospreciar, maldecir, malquerer
pronombre + verbo	cualquiera, quehacer, quienquiera
usando preposiciones	contracorriente, parabién, sinsabor, sobremesa
usando más de dos palabras	correveidile, enhorabuena, nomeolvides, sabelotodo

◢ Muchas combinaciones comunes de adjetivos, especialmente cuando se trata de adjetivos cortos, se escriben sin guión.

socioeconómico   psicosocial   judeocristiano   hispanoamericano

◢ Cuando se pone énfasis en el carácter individual de cada adjetivo, o cuando se trata de adjetivos muy largos (sobre todo palabras esdrújulas), estos van unidos por un guión. En este caso cada palabra conserva su acentuación original y solo el segundo adjetivo concuerda en género y número con el sustantivo (el primero mantiene su forma neutra).

lección **teórico-práctica**   proceso **físico-químico**
relaciones **espacio-temporales**   debates **lingüístico-psicológicos**

◢ En algunos casos se crean palabras compuestas por la aposición de dos sustantivos que forman un concepto, y van separadas por un espacio, sin guión: **sofá cama** u **hombre rana**. Se pluraliza solo el primer componente: **sofás cama** y **hombres rana**.

¡ATENCIÓN!
Las palabras compuestas por dos sustantivos se pueden escribir con guión, pero cuando se vuelven muy comunes pierden el guión.

¡ATENCIÓN!
Hay dos excepciones para la formación del plural: **cualquiera** y **quienquiera**, que forman el plural en el primer componente: **cualesquiera**, **quienesquiera**.

◢ Las palabras compuestas que forman un solo término (sin guión o espacio) hacen el plural como cualquier otra palabra, agregando **-s** o **-es** al final.

telaraña**s**   puntapié**s**   altibajo**s**   parasol**es**   quehacer**es**   sinsabor**es**

◢ Las palabras compuestas que funcionan como adjetivos concuerdan en género y número con el sustantivo al que modifican, tal como ocurre con cualquier otro adjetivo.

María tiene dos hijas pelirroj**as**.   Me encantan las comidas agridulce**s**.

◢ Las palabras compuestas siguen las mismas reglas de acentuación que las demás: **espantapájaros, paracaídas, mediodía**. Aunque dos palabras sueltas no lleven tilde, al combinarse deben aplicarse las reglas de acentuación: **puntapié, sinfín,** etc.

◢ Se puede ser creativo a la hora de formar palabras nuevas por composición. Algunos ejemplos son: **cantamañanas, pintalabios** y **rodillijunto** ('rodilla' + 'junto').

PRÁCTICA

1 Completa las oraciones con palabras compuestas a partir de las palabras simples de la lista. Haz los cambios adecuados.

alto	buena	en	hora	media	noche	práctico	sofá
bajo	cama	hacer	lavar	mesa	platos	que	teórico

1. Juan, por favor pon los utensilios en el _____.
2. Andrés siempre hace los _____ de la casa. Es muy responsable.
3. Ayer estudié hasta muy tarde y me fui a dormir hacia la _____.
4. El examen es _____.
5. ¿De verdad que has pasado el examen? ¡_____!
6. En la vida todos tenemos _____.
7. Se pueden quedar a dormir en mi casa. Tengo dos _____.

2 En parejas, usen los dos grupos de palabras para crear quince palabras compuestas. Pueden ayudarse con un diccionario.

abre	lava
agua	para
bien	porta
guarda	quita

amada	coches	fiestas	manos	retratos
aventurado	costas	folios	monedas	sal
botellas	equipajes	latas	nieves	sol
cartas	espaldas	manchas	platos	venidos

3 Escribe dos breves párrafos usando las palabras indicadas y otras palabras compuestas. Puedes usarlas en cualquier orden y forma. Sé creativo/a.

1. aguafiestas - pelirrojo - sacacorchos - medianoche - malhumorado
2. mediodía - parasol - rascacielos - agridulce - claroscuro

PUNTOS DE PARTIDA

En todos los lugares del mundo y en todas las épocas de la historia, el ser humano se ha preguntado cuál es el origen y el sentido de la vida, y qué ocurre después de la muerte.

◢ ¿Cuáles son las religiones predominantes del mundo? ¿En qué se basan principalmente?

◢ ¿Existe un cambio generacional respecto a las creencias religiosas? ¿Son creyentes los jóvenes de hoy en día del mismo modo que lo son sus padres? ¿Y sus abuelos?

◢ ¿Cuál es el papel de la filosofía en el mundo actual? ¿Es el mismo que el de hace cien años?

DESARROLLO DEL VOCABULARIO

1 **La filosofía** En parejas, definan las siguientes palabras relacionadas con la filosofía: *realidad, razón, lenguaje, mente, espíritu, existencia.* Luego compartan sus definiciones con otra pareja.

MI VOCABULARIO
Anota el vocabulario nuevo a medida que lo aprendes.

2 **La libertad religiosa** En grupos, discutan las siguientes preguntas: ¿Por qué es importante la libertad religiosa? ¿Por qué creen que forma parte de la Constitución? ¿Cómo sería el país en el que vives si no existiera la libertad religiosa?

AMPLIACIÓN

1 **Las religiones en el mundo** Mira la gráfica y contesta las preguntas.

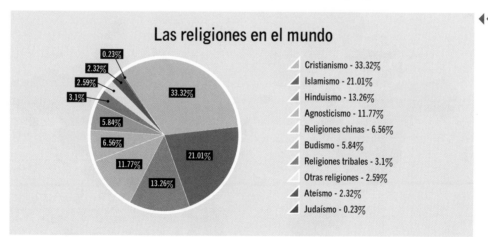

Las religiones en el mundo

- ◢ Cristianismo - 33.32%
- ◢ Islamismo - 21.01%
- ◢ Hinduismo - 13.26%
- ◢ Agnosticismo - 11.77%
- ◢ Religiones chinas - 6.56%
- ◢ Budismo - 5.84%
- ◢ Religiones tribales - 3.1%
- ◢ Otras religiones - 2.59%
- ◢ Ateísmo - 2.32%
- ◢ Judaísmo - 0.23%

Fuente: *ChartsBin statistics collector team*, 2009

1. ¿Conoces todas las religiones que aparecen en la gráfica? ¿Qué sabes acerca de ellas?
2. ¿Cómo se compara la información de la gráfica con la diversidad en tu comunidad?

2 **Entrevista** Entrevista a una persona de tu comunidad que practique una religión con la cual no estés muy familiarizado/a, o investiga en Internet acerca de alguna. Presenta la información ante la clase. Incluye las regiones del mundo donde más se practica, el número de creyentes en tu país y otros datos de interés.

RECURSOS
Consulta la lista de apéndices en la p. 418.

PUNTOS DE PARTIDA

La conciencia social es el entendimiento de que existe un bien común y la creencia de que hay un vínculo entre los individuos —incluso entre personas que no se conocen— que beneficia a todos de manera colectiva.

◢ ¿Mediante qué formas expresa el ser humano la conciencia social? ¿Qué casos de conciencia social son popularmente conocidos?

◢ ¿Qué tipos de organizaciones benéficas, sin ánimo de lucro, existen en el mundo?

◢ ¿Cuáles son las causas para las que se necesita más ayuda de organizaciones benéficas o de voluntarios? ¿De qué formas se recaudan los fondos necesarios para una obra benéfica?

DESARROLLO DEL VOCABULARIO

MI VOCABULARIO
Anota el vocabulario nuevo a medida que lo aprendes.

1 **Causas benéficas** Con un(a) compañero/a, escriban una lista de problemas que requieren ayuda benéfica en su comunidad y otra lista de problemas que requieren atención a nivel global. Compartan sus listas con la clase.

AMPLIACIÓN

1 **Agua potable** Este mapa muestra el porcentaje de personas que tienen acceso a agua potable en todo el mundo. En grupos, respondan a las preguntas.

Porcentaje de la población (%)

- <50
- 50-75
- 76-90
- >90
- No hay datos disponibles
- No aplica

Fuente: Organización Mundial de la Salud, 2012

1. ¿Cuál es el continente más afectado por la falta de agua potable?
2. ¿Qué relación hay entre el acceso a agua potable y la pobreza de un país?
3. ¿Cómo afecta la escasez de agua la vida diaria de las personas?
4. ¿Cómo ha cambiado la información presentada en este mapa en la actualidad?

中村|nakamura
PRESENTA

SERGIO CABALLERO   ROSARIO PARDO   CARLOS ARECES

Bikini

SOBRE EL CORTO *Bikini* es un cortometraje español dirigido por Óscar Bernàcer. El corto narra la historia verdadera de una entrevista que tuvo Pedro Zaragoza, **el alcalde** de Benidorm, con el general Francisco Franco, el dictador de España hasta 1975. Esa entrevista histórica, realizada a principios de la década de los cincuenta, cambió el destino de Benidorm, uno de los centros turísticos más importantes de España.

A PRIMERA VISTA
¿Quiénes son estas personas? ¿Cuál es la relación entre la mujer y el hombre que vemos en el póster?

ANTES DE VER

1 **Analiza el título** Observa el póster de la página 343 y las fotos de esta página. ¿Qué relación crees que pueda tener el título del cortometraje con estas personas? ¿Cuál es el tema principal de su conversación? ¿Qué quiere el hombre del traje gris?

2 **Investigación preparatoria** Haz una investigación en Internet para responder a estas preguntas: ¿Quién era Francisco Franco? ¿Cuántos años duró su dictadura? ¿Cuál era la religión oficial de España durante la dictadura de Franco? ¿Qué tipos de censura cultural, social y artística existieron en España durante la dictadura? ¿Quiénes eran los falangistas?

▶ MIENTRAS MIRAS

GLOSARIO

el arzobispo persona que tiene autoridad sobre otros obispos y sacerdotes en la Iglesia Católica

las divisas dinero del extranjero que entra a otro país

el bañador traje de baño

Francisco Franco: «Fabricación española, excelente calidad, pura raza y un precio incomparable».

1. ¿Qué producto está describiendo Franco? ¿Con qué otro producto lo está comparando?
2. ¿Por qué es importante para Francisco Franco que el producto sea español?

Carmen Polo: «¡Es una obscenidad! Deja ver las rodillas por completo, el ombligo y todos los hombros».

1. ¿Qué está describiendo Carmen Polo?
2. ¿Cómo crees que eran **los bañadores** que prefería Carmen Polo, de acuerdo con esta descripción?

Pedro Zaragoza: «El auditorio donde celebraremos el nuevo Festival de la Canción Española».

1. ¿Por qué sugiere Pedro Zaragoza la creación de un auditorio?
2. ¿Por qué le interesa a Carmen Polo la idea de tener un Festival de la Canción? ¿Con qué otro festival lo compara?

DESPUÉS DE VER

1

Comprensión Indica si las siguientes oraciones son **verdaderas** o **falsas**. Corrige las oraciones falsas.

1. Pedro Zaragoza se presenta como «católico, republicano y alcalde de Benidorm».
2. Pedro Zaragoza lleva los pantalones manchados de comida.
3. Francisco Franco piensa que la moto española es superior a la moto italiana.
4. A Carmen Polo no le caen bien los italianos.
5. Pedro Zaragoza sugiere que el desarrollo turístico de Benidorm va a terminar con la crisis en España.
6. Pedro Zaragoza dice que a los extranjeros les encantan las costumbres, el clima y la gastronomía de España.
7. El arzobispo está de acuerdo con la autorización de usar bikinis en las playas de Benidorm.
8. Carmen Polo cree que los bikinis son solo cuestión de moda.
9. A Francisco Franco le interesan más los bikinis que las divisas.
10. Pedro Zaragoza sugiere la creación de un Festival del Bikini para convencer a Carmen Polo.

2

Interpretación En parejas, contesten las siguientes preguntas.

1. El alcalde se presenta como «católico, falangista y alcalde de Benidorm». ¿Por qué usa el adjetivo «católico» primero? ¿Cómo se relaciona su identidad católica con el resto de la historia?
2. ¿Qué pronombre personal usa Pedro Zaragoza para dirigirse a Francisco Franco y a su esposa? ¿Qué pronombre usan ellos para dirigirse a Pedro Zaragoza? ¿Cómo explican esta diferencia?
3. ¿Cuántas horas viaja Pedro Zaragoza para poder hablar con Franco? ¿En qué vehículo viaja? ¿Se trata de un asunto urgente para Pedro Zaragoza? ¿Por qué sí o por qué no?
4. ¿Cuál es la opinión general de Carmen Polo hacia los extranjeros? ¿Qué opinión tiene de ellos cuando Pedro Zaragoza dice que visitan las playas de Benidorm? ¿Cómo cambia su opinión cuando Pedro Zaragoza dice que los franceses usan bikinis?
5. ¿Por qué pidió el arzobispo la excomunión de Pedro Zaragoza? ¿Por qué es importante para Pedro Zaragoza que la Iglesia no lo expulse? ¿Qué quiere Pedro Zaragoza que haga Francisco Franco?
6. Francisco Franco dice: «Aún te falta algún pequeño detalle para terminar de convencerme». ¿A qué «detalle» se refiere? ¿Qué quiere que haga Pedro Zaragoza para convencerlo?

3

Presentación oral Mira los créditos finales del cortometraje. Luego, lee los siguientes temas y escoge uno para presentarlo ante la clase.

Tema 1: El Festival de la Canción ¿Qué información hay en los créditos acerca de la canción final del cortometraje («Un telegrama»)? ¿Por qué es relevante esta información y cómo se relaciona con la historia del corto? Responde a estas preguntas y haz una investigación en Internet acerca del Festival de la Canción Española de Benidorm.

Tema 2: Benidorm Después de los créditos, se muestra una escena panorámica de Benidorm. ¿Qué pasa en esa escena? ¿Cómo cambió Benidorm? Responde a la pregunta y haz una investigación en Internet acerca de cómo se ha desarrollado Benidorm en las últimas décadas y qué tan populares son sus playas en Europa.

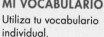
MI VOCABULARIO
Utiliza tu vocabulario individual.

RECURSOS
Consulta la lista de apéndices en la p. 418.

ENSAYO DE OPINIÓN

¿Quién no ha discutido en una cafetería con amigos, compañeros o un grupo de desconocidos por distintas opiniones sobre algún tema apasionante? Cada uno tenía su opinión, pensaba que era la mejor y trataba de convencer al otro presentando argumentos de peso. Según el *Diccionario de la Real Academia Española*, una opinión es un «dictamen o juicio que se forma de algo cuestionable», es decir, una postura frente a un tema que no es un dogma ni es inapelable. Esta postura es subjetiva y surge como resultado de una interpretación personal. Puede ser fácil tener una opinión sobre algo, pero demostrarlo por escrito, de manera comprensible, lógica y clara para los demás, es algo bastante más complicado.

El ensayo de opinión es un texto formal, que tiene la misma estructura del ensayo narrativo. Sin embargo, en este tipo de ensayo no se puede simplemente trasmitir nuestra mirada sobre algo o postular una idea con respecto a un tema, sino que es preciso demostrar que nuestra opinión vale, que tenemos razón. Y siempre debemos escuchar las opiniones contrarias a la nuestra para poder discutir sus distintos puntos de vista y ganarles el debate. Los elementos básicos del ensayo de opinión son:

Tesis	Responde directamente a la pregunta «¿Cuál es mi opinión sobre...?». Se presenta en la introducción y se desarrolla en el resto del ensayo. La tesis debe ser clara, concisa y concreta; no es conveniente mezclar muchos temas porque pierde precisión, ni utilizar expresiones como «quizás» o «tal vez». En esta parte no debes incluir detalles o información que no sea estrictamente necesaria. Una introducción tradicional presenta el tema, introduce una tesis y muchas veces adelanta la conclusión. La tesis debe ser original, sin caer en obviedades ni afirmaciones caprichosas que no tengan base lógica.
Argumentos	Sin argumentos que la defiendan, no hay tesis que presentar. Aunque tu opinión sea apasionada, debes expresarla en un lenguaje objetivo, a partir de un conocimiento fundamentado del tema y de la presentación de evidencia que sustente lo que afirmas. Para ofrecer una base coherente, se recurre principalmente a la lógica y a la experiencia personal; se puede mencionar o citar a otros, pero sin olvidar que tu ensayo no trata de las opiniones de los demás, sino de la tuya. Otros argumentos que se utilizan son la refutación, que se ocupa de rechazar la opinión contraria; la analogía, que busca similitudes entre dos casos; y la opinión general.
Oración tema	Los argumentos se organizan en los párrafos del cuerpo del ensayo, cada uno con una oración tema que establece y resume la idea principal para que luego el resto del párrafo la desarrolle. De esta manera, delimita la información que se incluirá allí, lo que ayuda mucho a la claridad y organización del texto, y facilita la comprensión. En la oración tema es importante evitar frases como «En mi opinión...», «Considero que...», etc., que resultan redundantes en un ensayo de opinión; también el lenguaje figurativo puede confundir al lector.
Conclusión	Es la parte más compleja del ensayo. Debes retomar la introducción; sintetizar los puntos principales del ensayo, relacionándolos, pero sin repetir literalmente las oraciones; y cerrar la exposición, si el espacio lo permite, con la demostración de la importancia que tienen tus descubrimientos. Nada nuevo puede aparecer en esta parte, aunque sí puedes dejar el final abierto e incluso plantear algunos interrogantes. Citar a alguien famoso en el final es una forma de tomar prestado su prestigio para cerrar tu ensayo con autoridad.

Tema de composición

Lee de nuevo las preguntas esenciales del tema:

◢ ¿Cuáles son los desafíos sociales, políticos y del medioambiente que enfrentan las sociedades del mundo?
◢ ¿Cuáles son los orígenes de esos desafíos?
◢ ¿Cuáles son algunas posibles soluciones a esos desafíos?

Utilizando las preguntas como base, escribe un ensayo de opinión sobre algún aspecto del tema.

ANTES DE ESCRIBIR

Tras haber elegido el tema, escribe la tesis (tu opinión). No te preocupes por la concisión de la frase: tienes tiempo de pulirla a medida que redactas el ensayo. Investiga a fondo el tema en busca de argumentos creíbles y fiables que apoyen tu tesis, y haz una lista. Anota correctamente cualquier cita que quieras mencionar y a quién pertenece. Un buen método para desarrollar un ensayo de opinión es comenzar con la opinión contraria a la tuya y luego refutarla, demostrando sus puntos débiles para destacar que tu opinión es la que vale. Pero nunca insultes ni ataques a nadie, porque eso afecta tu credibilidad.

ESCRIBIR EL BORRADOR

▶ **ESTRATEGIA**

Organiza el ensayo según la estructura de introducción, desarrollo y conclusión. En cada párrafo, anota una única oración tema que exprese un argumento de apoyo de la tesis; debe ser una oración completa y afirmativa. Explica bien los ejemplos que utilices y, si refutas algo, hazlo de manera que se entiendan bien los dos puntos de vista: el tuyo y el contrario.

Defender tu tesis ●⌇
Empieza con una afirmación clara. Defiende tu tesis con argumentos lógicos, y termina con una conclusión que resuma lo propuesto en la introducción.

ESCRIBIR LA VERSIÓN FINAL

Una vez que tengas tu borrador listo, fíjate si en el desarrollo hay frases que, en tu opinión, tienen más fuerza y podrían reubicarse en la introducción o en la conclusión. Es importante que los argumentos sean suficientes, que estén presentados con autoridad y redactados con claridad para que resulte fácil seguirlos.

La opinión del autor no debe quedar mezclada con las opiniones de otras personas o con las referencias citadas. Además, es necesario que la conclusión tenga un valor que trascienda lo personal para interesar a un público amplio. Después de redactar tu ensayo, escribe la versión final.

Las identidades personales y públicas

PREGUNTAS ESENCIALES

▲ ¿Cómo se expresan los distintos aspectos de la identidad en diversas situaciones?

▲ ¿Cómo influyen la lengua y la cultura en la identidad de una persona?

▲ ¿Cómo se desarrolla la identidad de una persona a lo largo del tiempo?

CONTENIDO

▶▶ Jugador de pelota maya. Yucatán, México.

PUNTOS DE PARTIDA

Un individuo puede sentirse aislado cuando no se considera miembro de la sociedad en la que vive. Sin embargo, mientras asimila una cultura diferente y se adapta a un nuevo entorno, corre el riesgo de perder una buena parte de su identidad original. Estos dos fenómenos, la enajenación (o alienación) y la asimilación, pueden afectar el sentido de identidad de una persona y modificar sus valores culturales.

▲ ¿Cómo se relacionan nuestra vida privada y nuestra vida pública?

▲ ¿Cuáles son los beneficios de la asimilación cultural?

▲ ¿Qué importancia tiene la integración de los inmigrantes y de las etnias originarias en el desarrollo cultural de una sociedad?

DESARROLLO DEL VOCABULARIO

MI VOCABULARIO

Anota el vocabulario nuevo a medida que lo aprendes.

1 **Palabras relacionadas** Piensa en el significado de las palabras *asimilación* y *enajenación* y en los términos que relacionas con cada una de ellas. Haz una lluvia de ideas con un grupo de compañeros/as y completen los organizadores gráficos. Luego, comparen las palabras que escribieron con los demás grupos y discutan las similitudes y diferencias que encuentren.

2 **Los efectos de la enajenación** ¿Qué efectos negativos causa la enajenación en el ser humano? ¿Puede tener efectos positivos? ¿Cuáles son? Con un grupo de compañeros/as, elaboren un listado de los efectos de la enajenación en el ser humano. Luego discutan su lista con toda la clase.

3 **Sugerencias** ¿Qué le aconsejarías a un(a) extranjero/a que lleva mucho tiempo viviendo en tu país, pero que no consigue adaptarse a la cultura ni al estilo de vida? ¿Cuáles son las mejores estrategias para aprender el idioma e integrarse en la cultura? ¿A qué lugares puede asistir y dónde puede encontrar acogida y orientación? Escríbele un mensaje electrónico y dale consejos para facilitar su proceso de adaptación a su nueva vida.

4 **¿Dónde está nuestra atención?** ¿Por qué crees que nuestra sociedad tiene tanta fascinación por las celebridades y tan poco interés, a veces, por lo que pasa en el mundo, sobre todo en el extranjero? ¿Crees que poner tanta atención a los famosos es sano o valioso? Habla con un(a) compañero/a sobre tus pensamientos y experiencias relacionadas con este tema.

Auto-graded
My Vocabulary
Partner Chat
Record & Submit
Strategy
Write & Submit

LECTURA 1.1 ▶ ¿TIENEN LOS FAMOSOS DERECHO A LA VIDA PRIVADA?

SOBRE LA LECTURA El siguiente artículo describe un fenómeno que casi todos encontramos en nuestra vida diaria: el gran interés que tienen los medios de comunicación por la vida de los que consideran famosos. No hay duda de que las celebridades despiertan interés en muchas personas, pero ¿hasta qué punto tienen que vivir perseguidas por los periodistas y fotógrafos?

Este artículo apareció en *PrimiciasNews*, periódico bilingüe escrito para la audiencia infantil y adolescente.

ANTES DE LEER

1

Tu opinión cuenta Contesta las siguientes preguntas con un(a) compañero/a. Luego discutan sus opiniones con otras parejas.

1. ¿Quiénes son las celebridades de hoy? ¿Merecen ser reconocidas como celebridades? ¿Por qué?
2. ¿Te interesa el mundo de las celebridades? Explica tu interés o falta de interés en ellas.
3. ¿Qué impacto tienen las noticias sobre las celebridades en tu vida? ¿En la de algún familiar? ¿En la de un(a) amigo/a?
4. ¿Qué opinas de las revistas dedicadas a la vida privada de los actores, actrices, cantantes, deportistas u otras celebridades?
5. ¿Lees este tipo de revistas de vez en cuando o habitualmente? ¿Por qué?

2

Sus logros A veces admiramos a los que han alcanzado cierta fama por sus logros, sean de su profesión, su deporte, sus aptitudes académicas o por razones sentimentales o estéticas. Piensa en una persona famosa a quien admiras y cuéntale a un(a) compañero/a tu elección, describiendo lo que esa persona ha hecho y conseguido. Luego intercambien sus opiniones con toda la clase.

3

Fama ¿Qué palabras vienen a tu mente cuando piensas en la fama y la popularidad? En parejas, escriban en un organizador gráfico las palabras y las ideas que relacionan con el término «fama». Luego, compartan sus gráficos con los demás grupos y comenten las similitudes y diferencias que hayan encontrado. ¿Son la fama y la popularidad conceptos positivos o negativos? ¿Por qué?

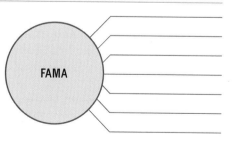

FAMA

GLOSARIO

resultar parecer

el cotilleo comentario no comprobado

intervenido/a que algo o alguien más lo controla

la realeza la nobleza (el rey, la reina, etc.)

el asunto tema o materia

aterrador(a) que da mucho miedo

atropellar golpear a alguien con un vehículo

¿Tienen los famosos derecho a "vida privada"?

La gente famosa nos **resulta** fascinante, y muchas de sus historias son emocionantes, ya que llevan un estilo de vida muy distinto al nuestro. Por eso, a menudo, son noticia en la prensa rosa[1], pero ¿está bien que su vida privada se haga pública o es una intrusión injusta?

Lo que necesitas saber

- Clara Lago o Blanca Suárez se han quejado recientemente de cómo los medios de comunicación invaden su vida privada. Pero esto no pasa solo en España, otros famosos como Britney Spears, Jennifer Lawrence o Kristen Stewart, también han hablado de lo difícil que es vivir bajo esta presión.
- Parece que nos interesa mucho la vida de los famosos. Cientos de miles de personas ven programas de televisión, leen revistas, periódicos y sitios web con **cotilleos** de las celebridades cada semana.
- En 2014 el 28% de la gente dijo que estaba más interesada en las noticias sobre los famosos que en las noticias de actualidad.

Durante una reciente entrevista, Clara Lago[2] dijo que apenas tiene privacidad porque la prensa, los periodistas y los fotógrafos quieren saber todo sobre su vida. Los fotógrafos de los famosos, llamados paparazzi[3], siguen a la gente famosa cuando está fuera de casa.

Otra actriz, Blanca Suárez[2], también se queja de lo mismo, de que su vida ya no es privada. Los paparazzi y periodistas esperan fuera de sus casas con la esperanza de conseguir una buena foto o una historia que se pueda vender. Incluso se ha sabido que la prensa utiliza detectives privados para descubrir información sobre ciertos famosos.

En 2011, una investigación en el Reino Unido reveló que más de 3.000 famosos, incluidos miembros de la familia real británica, políticos, deportistas y actores, tenían sus teléfonos móviles **intervenidos**, lo que significa que escuchaban sus conversaciones de manera ilegal, para intentar descubrir sus secretos.

Los famosos tienen derecho a la privacidad

La mayoría de los famosos lo son porque sus trabajos los exponen al público, como la **realeza**, actores, cantantes o deportistas. Esto no debe quitarles su derecho a la privacidad cuando no están trabajando. Lo que hacen con su vida privada es solo **asunto** suyo. Es justo que tengan tiempo para relajarse, al igual que hacen las personas con trabajos normales. Sus amigos, familiares y vecinos, a menudo también son expuestos a la misma presión por parte de la prensa, lo que es irrazonable porque ni siquiera son famosos. Ser seguido por los paparazzi puede ser **aterrador**, y si los famosos son perseguidos en sus coches puede llegar a ser peligroso porque podrían tener un accidente o **atropellar** a alguien cuando intentan escapar. ¿Por qué deben sufrir los famosos solo para que los fotógrafos y periodistas consigan miles de euros vendiendo fotografías e historias?

---

1 La *prensa rosa* es aquella dedicada a informar sobre la vida privada o amorosa de las personas famosas o de importancia social.

2 Clara Lago y Blanca Suárez son actrices españolas.

3 Los paparazzi son fotógrafos de la prensa rosa. La palabra tiene su origen en el nombre de un personaje («Paparazzo») de la película *La dolce vita*, de Federico Fellini. Paparazzo fue este tipo de fotógrafo en la película.

ESTRATEGIA

Buscar cognados
Los cognados son palabras que comparten significados, ortografía y hasta pronunciación en dos idiomas. Identificar cognados te ayudará a comprender palabras nuevas y, así, irá aumentando tu vocabulario en español.

"¿Por qué deben sufrir los famosos solo para que los fotógrafos y periodistas consigan miles de euros vendiendo fotografías e historias?"

La publicidad mantiene a los famosos en el centro de atención

55 En la mayoría de los casos, los famosos han escogido ser famosos y saben que su vida privada va a ser de mucho interés para el público, forma parte del "trato". Ganan mucho dinero y tienen un estilo de vida muy
60 privilegiado, por eso son el centro de atención. Utilizan la prensa en su propio beneficio cuando les conviene, por ejemplo para promocionar sus películas, canciones, espectáculos y eventos televisivos y, a veces, son ellos mismos los que muestran su vida privada publicando
65 fotos de cuando se casan o tienen un nuevo hijo y, por lo tanto, no pueden "encender y apagar" el interés sobre su privacidad cuando les convenga. Algunas estrellas ni siquiera serían famosas si no fuese gracias a los periódicos, las revistas o la televisión. Las personas
70 famosas necesitan a los medios de comunicación, y los medios necesitan a los famosos para vender revistas, periódicos y mantener la audiencia en la TV. Es una relación de dos vías y ambas partes se necesitan.

3 razones por las que los famosos tienen derecho a la privacidad
75
1. Se les debe permitir relajarse y pasar tiempo con su familia y amigos en privado.
2. Los famosos deben ser conocidos por su trabajo, como actuar o cantar, no por su vida privada o porque tienen un mal día con su pelo o por lo que llevan puesto. 80
3. Ser seguido por los fotógrafos puede dar mucho miedo, e incluso ser peligroso. Nadie debería pasar por esa situación.

3 razones por las que los famosos NO tienen derecho a la privacidad
85
1. Los famosos tienen un increíble estilo de vida y compartirlo es parte del "acuerdo".
2. Los famosos usan a la prensa cuando la necesitan y no pueden escoger cuando quieren o no ser el centro de atención. 90
3. Los periódicos y revistas solo responden a lo que el público quiere: cotilleos de famosos.

¿Y tú qué opinas?

DESPUÉS DE LEER

1 **Comprensión** Contesta las preguntas según el texto.

1. ¿Por qué la gente famosa aparece en la prensa rosa?
2. ¿Qué papel juegan los paparazzi en la vida de los famosos?
3. ¿A quiénes emplea la prensa para descubrir información sobre los famosos?
4. ¿Qué reveló una investigación en el Reino Unido en el año 2011?
5. A menudo ¿qué les pasa a los amigos y parientes de los famosos?
6. ¿Qué es el «trato» que se describe en el artículo?
7. ¿A qué se refiere el «encender y apagar»?

2 **Reconocer palabras sinónimas** Lee estas palabras que aparecen en el artículo y escribe su sinónimo o una definición. Identifica, a la vez, los cognados y falsos cognados.

a menudo	distinto	intentan
actualidad	emocionantes	intrusión
aterrador	escogido	periódico
conseguir	fascinante	utiliza

3 **Las celebridades del pasado** Trabaja con un(a) compañero/a y elijan a una persona famosa del pasado. Puede ser una figura política, o alguien del mundo literario, artístico, musical, deportivo, académico o médico. Entre ambos/as, hagan los papeles de la persona famosa y del/de la periodista que llevará a cabo una entrevista detallada. Preparen una lista de preguntas donde se le pregunte a la celebridad por su vida pública y privada, y la forma en que maneja la popularidad. Luego presenten su entrevista delante de la clase.

4 **¿Y si fueras una celebridad?** Imagínate que te has convertido en una persona súper famosa y que los paparazzi te persiguen día y noche. ¿Cómo te sentirías frente a esa situación? Prepara un monólogo de tres minutos en el que hables de tus sentimientos e ideas sobre el peso de la fama, narrando tus experiencias y describiendo tus emociones, preocupaciones, miedos, etc.

5 **Elijo a...** ¿A qué celebridad te gustaría entrevistar o fotografiar? ¿Por qué? En grupos pequeños, hagan una lista de celebridades que hayan tenido un impacto positivo en la sociedad o que sean un ejemplo a seguir. Elaboren cinco preguntas que les gustaría hacerles en una entrevista, y justifiquen su elección ante la clase.

6 **¿Cómo deben comportarse?** Hemos visto lo mal que se comportan algunos periodistas y fotógrafos, pero ¿no tienen obligación las celebridades de comportarse bien en público y en privado? ¿No tienen obligación de dar un buen ejemplo a sus fans, sobre todo los famosos que tienen un público de admiradores muy jóvenes? Discute estas preguntas con un(a) compañero/a.

7 **¿Naranja o Limón?** En España, se otorgan todos los años los premios Naranja y Limón a las celebridades que han tenido un trato cordial con la prensa (Naranja) o no cordial (Limón). Investiga en Internet y piensa en los candidatos (de tu país o del mundo hispano) que propondrías para recibir estos premios y comparte tus opiniones con tus compañeros/as. Entre todos, elijan el Premio Naranja y el Premio Limón del año.

8 **Un juicio** Imagínate que tienes que defender a un(a) paparazzi que ha puesto la vida de una celebridad en peligro. ¿Cuál será su defensa? ¿Y será declarado/a culpable o no culpable? Si es culpable, ¿cuál será su castigo? Trabaja con tres compañeros/as y hagan los papeles de abogado/a defensor(a), abogado/a del/de la demandante y el/la acusado/a. Luego, presenten la interrogación y la contra interrogación junto con una recapitulación delante de la clase, que servirá de jurado.

9 **Identidad pública y privada** ¿Qué sucedería con tu vida si en el futuro te convirtieras en una figura célebre en tu profesión? ¿Cómo cambiarían tu identidad pública y tu identidad privada? ¿Qué conflictos tendrías que enfrentar en tu vida diaria? Escribe dos párrafos en los que describas cómo sería esta situación.

LECTURA 1.2 ▶ EXPULSADOS (FRAGMENTO)

Auto-graded
My Vocabulary
Partner Chat
Record & Submit
Strategy
Write & Submit

SOBRE EL AUTOR Francisco Jiménez nació en San Pedro Tlaquepaque, México, en 1943. En 1947, su familia emigró a Estados Unidos en busca de trabajo y una vida mejor. En California, le gustaba ir a la escuela cuando no tenía que trabajar en el campo. A pesar de los obstáculos, se distinguió como estudiante. Actualmente es profesor en el Departamento de Idiomas y Literaturas Modernas de la Universidad Santa Clara y director del Programa de Estudios Étnicos. Sus cuentos han ganado varios premios literarios.

SOBRE LA LECTURA El fragmento que sigue forma parte de un cuento publicado en 2002 como parte de la colección *Senderos fronterizos*. Trata de las experiencias personales del autor y su familia cuando luchaban por sobrevivir como trabajadores migrantes. El cuento muestra los desafíos que enfrentaron como extranjeros en una tierra donde su lugar es incierto. A la vez que intentaba integrarse, Jiménez guardaba el secreto de su estatus ilegal, símbolo de su enajenación.

ANTES DE LEER

1 **Palabras afines** Relaciona cada palabra de la primera columna con otra de la segunda columna que signifique lo mismo. Después de leer el cuento, busca las palabras de la primera columna en la lectura y léelas en su contexto para analizar cómo se usan.

1. ___ expulsar (título)
2. ___ trasladarse (línea 13)
3. ___ escasear (línea 52)
4. ___ las barracas (línea 61)
5. ___ el preámbulo (línea 78)
6. ___ temblar (línea 98)

a. mudarse
b. faltar
c. deportar
d. el campamento
e. temer
f. la introducción

MI VOCABULARIO
Anota el vocabulario nuevo a medida que lo aprendes.

2 **La asimilación cultural** Con un grupo de compañeros/as definan la *asimilación cultural*. Después de establecer una definición aceptada por todos, preparen juntos una lista de las ventajas y los desafíos que enfrentan los inmigrantes hispanos que quieren asimilarse en la cultura estadounidense.

3 **Los grupos étnicos y la identidad** ¿Qué define mejor a un grupo étnico: sus rasgos físicos, su idioma, su actitud ante la vida u otros factores? ¿Cómo contribuye nuestro grupo étnico a definir nuestra identidad, tanto pública como privada? ¿Nuestro sentido de identidad viene solamente de nuestro grupo étnico? ¿Qué otros factores influyen? Habla sobre el tema con un(a) compañero/a e intercambien sus opiniones.

MI VOCABULARIO
Utiliza tu vocabulario individual.

4 **Inmigrantes indocumentados** En grupos grandes o con la clase entera, hagan una lluvia de ideas acerca del término «inmigrante indocumentado». ¿A quiénes suele referirse? ¿De dónde proceden? ¿Por qué dejan su país? ¿Qué riesgos asumen al emigrar? ¿Cuáles son los beneficios posibles? ¿Cómo se benefician los países de acogida con la presencia de inmigrantes indocumentados? ¿Cuáles son las desventajas de la inmigración ilegal? ¿Qué pasos deben dar los gobiernos para mejorar sus políticas hacia los indocumentados?

EXPULSADOS

(Fragmento) por **Francisco Jiménez**

YO VIVÍ CON UN MIEDO constante durante diez años largos desde que era un niño de cuatro años hasta que cumplí los catorce. Todo empezó allá a
5 finales de los años 40 cuando Papá, Mamá, mi hermano mayor, Roberto, y yo salimos de El Rancho Blanco, un pueblecito enclavado entre lomas secas y **pelonas**, muchas millas al norte de Guadalajara,
10 Jalisco, México y nos dirigimos a California, con la esperanza de dejar atrás nuestra vida de pobreza. Recuerdo lo emocionado que yo estaba mientras me **trasladaba** en un tren de segunda clase que iba hacia el norte desde
15 Guadalajara hacia Mexicali. Viajamos durante dos días y dos noches. Cuando llegamos a la frontera de México y los Estados Unidos, Papá nos dijo que teníamos que cruzar el **cerco de alambre** sin ser vistos
20 por la migra, los funcionarios de inmigración vestidos de uniforme verde. Durante la noche cavamos un hoyo debajo del cerco de alambre y nos deslizamos como serpientes debajo de éste hasta llegar al otro lado.

—Si alguien les pregunta dónde 25 nacieron —dijo Papá firmemente—, díganles que en Colton, California. Si la migra los agarra, los echará de regreso a México.

Fuimos recogidos por una mujer a quien Papá había contactado en Mexicali. Él le 30 pagó para que nos llevara en su carro a un campamento de carpas para trabajadores que estaba en las afueras de Guadalupe, un pueblito junto a la costa. A partir de ese día, durante los siguientes diez años, mientras 35 nosotros viajábamos de un lugar a otro a través de California, siguiendo las cosechas y viviendo en campos para trabajadores migrantes, yo viví con el miedo de ser agarrado por la Patrulla Fronteriza. 40

A medida que yo crecía, aumentaba mi miedo de ser deportado. Yo no quería regresar a México porque me gustaba ir a la escuela, aun cuando era difícil para mí, especialmente la clase de inglés. Yo disfrutaba aprendiendo, y sabía que no había escuela en El Rancho Blanco. Cada año Roberto y yo perdíamos varios meses de clase para ayudar a Papá y a Mamá a trabajar en el campo. Luchábamos duramente para sobrevivir, especialmente durante el invierno, cuando el trabajo escaseaba. Las cosas empeoraron cuando Papá empezó a **padecer** de la espalda y tuvo problemas para **pizcar** las cosechas. Afortunadamente, en el invierno de 1957, Roberto encontró un trabajo permanente de medio tiempo como **conserje** en Main Street Elementary School en Santa María, California.

Nosotros nos establecimos en el Rancho Bonetti, donde habíamos vivido en barracas del ejército de modo intermitente durante los últimos años. El trabajo de mi hermano y el mío —**desahijando** lechuga y pizcando zanahorias después de clase y en los fines de semana— ayudaba a mantener a mi familia. Yo estaba emocionado porque nos habíamos establecido finalmente en un solo lugar. Ya no teníamos que mudarnos a Fresno al final de cada verano y perder las clases durante dos meses y medio para pizcar uvas y algodón y vivir en carpas o en viejos garajes.

Pero lo que yo más temía sucedió ese mismo año. Me encontraba en la clase de estudios sociales en el octavo grado en El Camino Junior High School en Santa María. Estaba preparándome para recitar el preámbulo a la Declaración de Independencia, que nuestra clase tenía que memorizar. Había trabajado duro para memorizarlo y me sentía con mucha confianza. Mientras esperaba que la clase empezara me senté en mi escritorio y recité en silencio una última vez:

Nosotros consideramos estas verdades evidentes: que todos los hombres nacen iguales; que ellos fueron dotados por su Creador con ciertos derechos inalienables, entre los cuales están la vida, la libertad y la búsqueda de la felicidad…

Yo estaba listo.

Después de que sonó la campana, la señorita Ehlis, mi maestra de inglés y de estudios sociales, empezó a pasar lista. Fue interrumpida por unos golpes en la puerta. Cuando la abrió, vi al director de la escuela y a un hombre detrás de él.

Tan pronto vi el uniforme verde, me entró pánico. Yo temblaba y podía sentir mi corazón golpeando contra mi pecho como si quisiera escaparse también. Mis ojos se nublaron. La señorita Ehlis y el **funcionario** caminaron hacia mí.

—Es él —dijo ella suavemente poniendo su mano derecha sobre mi hombro.

—¿Tú eres Francisco Jiménez? —preguntó él con firmeza. Su **ronca** voz resonó en mis oídos.

—Sí —respondí, secándome las lágrimas y clavando mi vista en sus negras botas grandes y **relucientes**—. En ese momento yo deseé haber sido otro, alguien con un nombre diferente. Mi maestra tenía una mirada triste y adolorida. Yo salí de la clase, siguiendo al funcionario de inmigración, dirigiéndonos a su carro que llevaba un letrero en la puerta que decía BORDER PATROL. Me senté en el asiento de adelante y nos dirigimos por Broadway a Santa María High School para recoger a Roberto, quien estaba en su segundo año. Mientras los carros pasaban junto a nosotros, yo me deslicé hacia abajo en el asiento y mantuve mi cabeza **agachada**. El funcionario estacionó el carro frente a la escuela y me ordenó que lo esperara mientras él entraba al edificio de la administración.

Pocos minutos después, el funcionario regresó seguido de Roberto. La cara de mi hermano estaba blanca como un papel. El funcionario me dijo que me sentara en el asiento trasero junto con Roberto.

—Nos agarraron, hermanito —dijo Roberto, temblando y echándome el brazo sobre mi hombro. ▶

GLOSARIO

padecer sufrir

pizcar cosechar, tomar el fruto de las plantas

el/la conserje la persona que limpia y mantiene un edificio

desahijar cosechar o hacer plantas menos densas

el/la funcionario/a oficial, empleado/a público/a

ronco/a fuerte y grave (cuando describe una voz o un sonido)

reluciente brillante, con superficie lisa que refleja luz

agachado/a inclinado/a, doblado/a

ESTRATEGIA

Resumir
Hacer un resumen de lo que has leído te ayudará a captar las ideas principales y comprender mejor la lectura.

DESPUÉS DE LEER

1 **Comprensión** Contesta las siguientes preguntas.

1. ¿Por qué la familia del narrador decidió trasladarse a Estados Unidos?
2. ¿Cómo logró la familia cruzar la frontera para entrar a Estados Unidos?
3. ¿Dónde vivieron durante los primeros diez años?
4. ¿Por qué Francisco no quería regresar a México?
5. ¿Cómo ayudó Francisco a mantener a su familia?
6. ¿Por qué Francisco estaba emocionado de vivir en las barracas del ejército en el Rancho Bonetti?
7. ¿Por qué el trabajo de memorizar y recitar el preámbulo a la Declaración de Independencia es un acto de asimilación?
8. ¿Cómo era el miedo con que vivía Francisco y de qué manera ese miedo fue cambiando con los años?

2 **Encontrar los lugares** Consulta un mapa para identificar los lugares mencionados en el cuento y contestar estas preguntas.

1. ¿A cuántas millas de Tlaquepaque queda Mexicali?
2. ¿A cuántas millas de Mexicali queda Guadalupe, CA?
3. ¿A cuántas millas de Santa María, CA, queda Fresno, CA?

3 **La perspectiva del narrador** Considera el preámbulo a la Declaración de Independencia desde la perspectiva del narrador del cuento. Describe cuál sería su perspectiva mientras la memorizaba, considerando su interés por aprender y las oportunidades que tenía en Estados Unidos. Describe también cómo cambiaría para él el significado de aquellas palabras después de ser detenido. Discute tus ideas con un(a) compañero/a.

> « Nosotros consideramos estas verdades evidentes: que todos los hombres nacen iguales; que ellos fueron dotados por su Creador con ciertos derechos inalienables, entre los cuales están la vida, la libertad y la búsqueda de la felicidad... »

RECURSOS
Consulta la lista de apéndices en la p. 418.

4 **Comparaciones** Compara tus propias experiencias con las de Francisco Jiménez. Escribe un breve texto comparativo teniendo en cuenta estos aspectos:

- las condiciones de vida
- sus experiencias en la escuela
- sus responsabilidades fuera de la escuela
- el miedo con el que Francisco vivía

5 **La imagen del inmigrante indocumentado** En general, ¿cómo se retrata a los inmigrantes indocumentados en los medios de comunicación? ¿Te parece que presentan una imagen favorable, desfavorable o neutral? Habla sobre este tema con un(a) compañero/a.

6 **Otra escena** Vuelve a leer el fragmento de «Expulsados» y escribe la escena que podría seguir. Piensa en los posibles diálogos entre Francisco y su hermano, su profesora o sus compañeros, o incluso en un diálogo de toda la familia en sus últimos momentos en Estados Unidos o de regreso en México. Al escribir tu escena, ten en cuenta incluir estos elementos:

- las reflexiones de Francisco sobre sus experiencias en Estados Unidos y la manera como estas influyeron en la formación de su identidad
- la actitud de sus compañeros y su profesora frente a la expulsión de la familia Jiménez
- las dificultades de Francisco y su hermano para adaptarse de nuevo a la cultura mexicana

MI VOCABULARIO
Utiliza tu vocabulario individual.

7 **Discusión grupal** Reflexiona sobre estas preguntas y prepárate para discutirlas con toda la clase:

1. ¿Cuál es el efecto o la influencia de la integración de los inmigrantes en el desarrollo cultural de una sociedad?
2. ¿Qué efectos tiene la experiencia migratoria sobre la identidad personal?
3. ¿Cuál debe ser el rol de la familia en el proceso de asimilación cultural?

8 **El proceso de naturalización** Los miembros de una familia inmigrante en tu pueblo o en tu ciudad quieren hacerse ciudadanos de Estados Unidos, pero no saben si es posible. Llevan más de diez años viviendo en tu pueblo y son miembros honorables de la comunidad, pero no tienen visas y tienen miedo de ser deportados. Ayúdalos a encontrar más información sobre los derechos de los inmigrantes indocumentados y el proceso de naturalización. Escríbeles una lista de consejos: cinco cosas que deben hacer; y una lista de recursos: cinco sitios web u organizaciones que deben consultar para pedir ayuda.

9 **Los estereotipos** Piensa en los estereotipos que los medios de comunicación divulgan sobre los grupos minoritarios. ¿Cómo podemos erradicarlos y presentar un retrato más fiel? En una breve presentación oral a tus compañeros/as, presenta tu plan para eliminar estas imágenes estereotipadas.

ESTRATEGIA

Hablar con precisión
Antes de hacer tu presentación, ensaya lo que vas a decir delante de un espejo. Acuérdate de hablar tranquilamente y con precisión, evitando el uso excesivo de palabras como *¿verdad?, bueno, este...*, etc.

10 **Ensayo persuasivo** Basándote en el cuento, en las políticas actuales hacia los inmigrantes indocumentados y en tus propias opiniones, piensa en argumentos a favor y en contra de la deportación de la familia Jiménez después de ser detenida. Considera estas cuestiones:

- ¿Cómo contribuyeron los miembros de la familia a su comunidad?
- ¿Por qué se puede considerar ilegal su llegada y estancia en Estados Unidos?
- ¿Por qué la deportación podría afectar a Francisco personalmente?

Llena una tabla como la de abajo con tus apuntes. Luego escoge un lado y escribe una crítica o una defensa de su deportación. Tu conocimiento de los argumentos a favor y en contra te ayudará a explorar el tema profundamente y verlo desde múltiples perspectivas.

CRÍTICA	DEFENSA

Audio
En fragmentos
My Vocabulary
Partner Chat
Record & Submit
Strategy
Write & Submit

AUDIO ▶ UNA LEY PARA FORTALECER EL GUARANÍ EN PARAGUAY

GLOSARIO
el alcance importancia
la normativa conjunto de regulaciones o normas
las huellas señales
caberle corresponderle

INTRODUCCIÓN El guaraní es una lengua oficial de Paraguay, Bolivia, una provincia de Argentina y parte de Brasil. Es única entre las lenguas indígenas de las Américas, ya que la hablan muchas personas que no son indígenas. En las zonas rurales, es a menudo el único idioma con el que se comunica la gente. Antes de la llegada de los españoles y los portugueses a Sudamérica, fue el idioma que más se hablaba en estas regiones del sur. La palabra *guaraní* se deriva de la palabra *guariní*, que significa «guerra» o «guerrero». Algunas palabras comunes como *tucán* y *jaguar* son de origen guaraní. Esta grabación es parte de un programa de Radio ONU que también trata otros temas de interés.

ANTES DE ESCUCHAR

1 **¿Cómo protegemos las culturas?** Aparte de ayudar a preservar el idioma de un grupo étnico y minoritario de un país, ¿qué más es necesario hacer para conservar las culturas de estos grupos? Hagan una lista de sugerencias en grupos pequeños.

ESTRATEGIA

Usar lo que sabes
Para comprender mejor la grabación, anota aquellas palabras que son cognados o que están relacionadas con palabras que ya conoces.

2 **Tabla de apuntes** Lee las preguntas como preparación para escuchar la grabación. Tendrás la oportunidad de completar la tabla más adelante, mientras escuchas.

PREGUNTAS FUNDAMENTALES	APUNTES
¿Qué es el guaraní y quiénes lo hablan?	
¿Dónde se habla el guaraní?	
¿Cómo es reconocido por el gobierno?	
¿Quién es Susi Delgado?	
¿Cuántas personas lo hablan?	
¿Qué importancia tiene este idioma?	
¿Qué factores han contribuido a la supervivencia del guaraní?	

◀)) MIENTRAS ESCUCHAS

1 **Escucha una vez** Escucha la grabación para captar las ideas generales.

2 **Escucha de nuevo** Ahora, de acuerdo con lo que escuchas, escribe las respuestas a cada pregunta de la tabla de apuntes, junto con palabras y expresiones relacionadas con cada una de ellas.

DESPUÉS DE ESCUCHAR

1 **Comprensión** En grupos de tres o cuatro, contesten las preguntas de sus tablas de apuntes. Luego respondan a estas preguntas.

1. ¿Qué porcentaje de la población de Paraguay habla guaraní?
2. ¿Cuál es la situación legal del guaraní actualmente y a qué se debe?
3. ¿Por qué es importante esta lengua?
4. ¿Qué opinan algunos lingüistas especialistas en el guaraní?
5. ¿Qué papel cumplen las madres para garantizar la supervivencia del guaraní?

2 **¿Cómo se asimilan?** ¿Cómo crees que las minorías étnicas consiguen asimilarse a la cultura dominante de un país? Discute este tema con un(a) compañero/a. En su discusión, hagan referencia no solo a Estados Unidos sino también a países del mundo hispanohablante que les sean familiares.

3 **Un debate** Debate con un(a) compañero/a una de las siguientes posiciones, construyendo argumentos lógicos, sólidos y convincentes para defender cualquiera de las dos opciones.

◆ La muerte de una lengua señala la muerte de una cultura y esta es una tragedia que se debe evitar; necesitamos tomar medidas para preservar las lenguas y culturas minoritarias.

◆ La muerte de las lenguas es simplemente un proceso inevitable de la evolución sociocultural y lingüística; no hay que tomar medidas para preservarlas.

4 **Ensayo de reflexión y síntesis** Basándote en lo que has estudiado en este Contexto, escribe un ensayo sobre este tema: ¿Qué papel cumplen la enajenación y la asimilación en la identidad, tanto pública como privada, de una persona?

El ensayo debe tener al menos tres párrafos:

◆ un párrafo de introducción que presente tu tesis, o posición sobre el tema
◆ un párrafo de explicación que exponga uno o dos argumentos que apoyen tu tesis, con ejemplos que sustenten tus argumentos
◆ un párrafo de conclusión que resuma los argumentos que respaldan la tesis

5 **Otras lenguas** Investiga sobre otra lengua autóctona de la región latinoamericana y prepara una presentación oral para tu clase. En tu presentación incluye información sobre la importancia cultural de esa lengua, el número de personas que la hablan y si los gobiernos de las regiones donde se habla están haciendo algo para protegerla o promoverla. Puedes investigar sobre una de estas lenguas o sobre otra que te llame la atención:

◆ náhuatl: México, El Salvador y otras naciones centroamericanas
◆ lenguas mayas: varios países centroamericanos
◆ quechua: varios países andinos, principalmente Perú, Ecuador y Bolivia
◆ aimara: Bolivia, Perú, Chile y Argentina

MI VOCABULARIO
Utiliza tu vocabulario individual.

RECURSOS
Consulta la lista de apéndices en la p. 418.

ESTRATEGIA

Hacer un esquema
Antes de escribir tu ensayo, organiza tus apuntes en un esquema, utilizando números romanos en mayúsculas (I, II, III, etc.) para identificar las secciones del ensayo, letras mayúsculas para las ideas principales de cada sección (A, B, C, etc.), luego números (1, 2, 3, etc.) y números romanos en minúsculas (i, ii, iii, etc.) para las siguientes subcategorías de ideas. Organizar tus ideas de antemano te ayudará a desarrollar una versión final más pulida, coherente y eficaz.

CONEXIONES CULTURALES

Record & Submit
Virtual Chat

Vista de la mezquita Alkhaulafa Al-Rashdeen, inaugurada en 2015, en Ciudad del Este, Paraguay

Los árabes en Paraguay

EN PARAGUAY PREDOMINA LA VEGETACIÓN FRONDOSA y el clima tropical. ¿Esperarías encontrar una mezquita allí? Pues quizá te sorprenda saber que en ese país hay una comunidad árabe numerosa y próspera.

Los primeros árabes llegaron con los españoles durante la conquista en el siglo XVI. Luego, desde 1872 hasta la Primera Guerra Mundial, llegó una oleada de ciudadanos del Imperio Turco Otomano. Por eso hasta el día de hoy a los árabes se les suele llamar «turcos». Debido a la situación política de varios países del Medio Oriente tras la caída del Imperio, a partir de 1960 llegó una segunda oleada de inmigrantes en busca de una vida mejor y de nuevos horizontes.

En Paraguay, los árabes abrieron los primeros centros comerciales y se destacaron en la industria textil y en la construcción. Hoy en día esta comunidad está muy integrada con el resto de la sociedad, y algunos de sus miembros ¡hasta hablan guaraní!

◢ En 1899, la superpoblación en Japón hizo que muchos campesinos de ese país emigraran a Perú. Allí, hoy en día hay hasta cinco generaciones de descendientes de inmigrantes japoneses que aún conservan sus tradiciones. Los japoneses han tenido entonces una gran influencia en la cultura peruana; incluso, uno de los expresidentes del país es de descendencia japonesa: Alberto Fujimori (presidente entre 1990 y 2000)

◢ En las décadas de 1940 y 1950, el gobierno de Venezuela promovió la llegada de unos 300.000 italianos. Más tarde, el país tendría dos presidentes de origen italiano: Jaime Lusinchi y Raúl Leoni.

◢ Desde 2007 funciona en Colombia un instituto educativo que actualmente brinda educación multicultural a unos 3200 niños de etnias variadas. En un mismo salón de clases conviven niños afrocolombianos, indígenas de las áreas rurales y periurbanas y niños urbanizados de la ciudad. Así se llevan a cabo actividades para intercambiar las tradiciones de sus pueblos.

 Presentación oral: comparación cultural

Prepara una presentación oral sobre este tema:

◆ ¿Qué importancia tiene la integración de los inmigrantes y de las etnias originarias en el desarrollo cultural de una sociedad?

Compara tus observaciones de una región del mundo hispanohablante que te sea familiar con las de las comunidades en las que has vivido u otra comunidad.

PUNTOS DE PARTIDA

Nuestra autoimagen —la imagen que tenemos de nosotros mismos— está formada por una serie de datos objetivos como la estatura y el color de los ojos, pero también incluye la opinión que nos hemos formado sobre nuestra persona. Esta opinión se basa en nuestras experiencias y la interpretación que les damos, así como en las opiniones que otros tienen sobre nosotros. La autoimagen a menudo responde a la pregunta «¿qué creo que los demás piensan de mí?».

◢ ¿Cuáles son los factores que afectan la autoimagen y la autoestima de una persona?

◢ ¿Qué impacto tiene la opinión de nuestros amigos y familiares en nuestra autoimagen y autoestima?

◢ ¿Qué características definen a las personas que superan obstáculos para desarrollar una vida productiva?

DESARROLLO DEL VOCABULARIO  My Vocabulary

1 **Palabras relacionadas** En grupos pequeños, identifiquen conexiones entre estas expresiones y organícenlas en cuatro grupos de palabras relacionadas. Expliquen las agrupaciones y cómo se vinculan los conceptos con la autoestima.

MI VOCABULARIO
Anota el vocabulario nuevo a medida que lo aprendes.

- ansiedad
- compararse con los demás
- complacer a los demás
- comportamientos no saludables
- confianza en sí mismo/a
- construir relaciones significativas
- comportamiento irregular
- idealizar
- imágenes perfectas del cuerpo
- inseguridad

- juzgarse muy severamente
- manipular
- mirarse mucho al espejo
- sentirse inferior/superior
- obsesiones
- percepciones subjetivas
- respetar
- tener en cuenta «el qué dirán»
- tener valores
- trastornos alimenticios

2 **La autoestima** Define el concepto de *autoestima* con tus propias palabras y luego trabaja con cuatro o cinco compañeros/as para comparar sus definiciones. Entre todos, elijan la definición más apropiada y compártanla con los otros grupos. Luego, elaboren la definición más completa posible.

3 **Las características** En general, ¿qué características comparten las personas con una buena autoestima? ¿Y las que tienen problemas de autoestima? Con un(a) compañero/a, anoten en una lista las características de cada grupo. Luego reúnanse con otra pareja y completen sus listas mutuamente.

PERSONAS CON AUTOESTIMA ALTA	PERSONAS CON AUTOESTIMA BAJA
la confianza	la inseguridad

Auto-graded
My Vocabulary
Partner Chat
Record & Submit
Strategy
Write & Submit

LECTURA 2.1 ▸ NOSTALGIA

SOBRE EL AUTOR José Santos Chocano nació en Lima, Perú, en 1875 y fue conocido como «El Cantor de América». Además de poeta, fue activista político y tuvo una vida polémica. Es considerado uno de los máximos exponentes del Modernismo, junto a Rubén Darío, José Martí y José Asunción Silva, aunque también es clasificado dentro del Romanticismo. Su poesía, tanto social como personal e inspirada en la naturaleza y episodios históricos, lo convirtió en uno de los poetas más reconocidos de Perú. Su bibliografía es muy amplia y entre sus más reconocidas obras se encuentran *Iras santas* (1895), *El canto del siglo* (1901), *Alma América* (1906) y *Oro de Indias* (1939).

SOBRE LA LECTURA Este poema aparece en *¡Fiat Lux!*, poemario de José Santos Chocano publicado en 1908, y al día de hoy es uno de sus poemas más difundidos en Internet.

ANTES DE LEER

MI VOCABULARIO
Utiliza tu vocabulario individual.

1

¿Qué es la nostalgia? En tus propias palabras, piensa en tu definición de la nostalgia y responde a las siguientes preguntas:

1. ¿De dónde proviene el sentimiento de nostalgia?
2. ¿Qué imágenes te evoca?
3. ¿La consideras un sentimiento positivo o negativo? ¿Por qué?
4. ¿Hay alguna relación entre la nostalgia y la autoestima? Explica.

2

¿Te has sentido nostálgico/a alguna vez? Trabaja con un(a) compañero/a y contesten las siguientes preguntas:

◆ ¿Te has sentido nostálgico/a alguna vez? ¿Cuándo?
◆ ¿Qué ha provocado este sentimiento? Describe la situación.

Si nunca se han sentido nostálgicos/as, describan experiencias que podrían provocar ese sentimiento.

3

¿Qué opinas? Si tuvieras que recorrer medio mundo por tu trabajo o por tus estudios, y no pudieras pasar mucho tiempo en casa, ¿cómo te sentirías? Comenta las siguientes preguntas en grupos pequeños.

◆ ¿Te sentirías feliz de tener la oportunidad de viajar y conocer nuevos mundos? ¿O cansado/a de tantos viajes y con deseos de regresar a casa?
◆ ¿Cuáles son las ventajas de viajar tanto y cuáles son las desventajas?
◆ ¿Qué es lo que más echarías de menos? ¿O quizá no echarías de menos nada?
◆ ¿Qué recuerdos llevarías de tu casa, de tu comunidad?
◆ ¿Cómo figurarían tus amigos/as y familiares en tu vida de viajero/a errante?

Nostalgia

Hace ya diez años
que **recorro** el mundo.
¡He vivido poco!
¡Me he cansado mucho!

5   Quien vive de prisa no vive de veras,
quien no echa raíces no puede dar frutos.

Ser río que recorre, ser nube que pasa,
sin dejar recuerdo ni **rastro** ninguno,
es triste y más triste para quien se siente
10 nube en lo elevado, río en lo profundo.

Quisiera ser árbol mejor que ser ave,
quisiera ser leño mejor que ser humo;
y al viaje que cansa
prefiero **terruño**;
15 la ciudad nativa con sus **campanarios**,
arcaicos balcones, portales **vetustos**
y calles estrechas, como si las casas
tampoco quisieran separarse mucho...
Estoy en la orilla
20 de un sendero abrupto.

Miro la serpiente de la carretera
que en cada montaña da
vueltas a un nudo;
y entonces comprendo
25 que el camino es largo,
que el terreno es brusco,
que la cuesta es ardua,
que el paisaje es **mustio**...

¡Señor! ¡Ya me canso de viajar! ¡Ya siento
30 nostalgia, ya ansío descansar muy junto
de los míos!... Todos rodearán mi asiento
para que les diga mis penas y mis triunfos;
y yo, a la manera del que recorriera
un álbum de cromos[1], contaré con gusto
35 las mil y una noches[2] de mis aventuras
y acabaré en esta frase de **infortunio**:

—¡He vivido poco! ¡Me he cansado mucho!

ESTRATEGIA

Leer poesía
A diferencia de las novelas y los cuentos, es conveniente leer la poesía en voz alta y repetir su lectura varias veces. Así, las palabras, las imágenes, las emociones y los sentimientos se graban en la mente del lector y con cada lectura se va entendiendo mejor el poema.

GLOSARIO

recorrer viajar
el rastro marca, señal
el terruño patria, tierra natal
el campanario torre equipada con campanas
arcaico/a anticuado/a
vetusto/a antiguo/a
mustio/a desvaído/a, apagado/a
el infortunio desgracia

CONCEPTOS CENTRALES

Anáfora y polisíndeton
En la poesía, una anáfora es un recurso literario que consiste en una repetición al principio de cada verso. Por ejemplo, «Quisiera ser árbol mejor que ser ave, quisiera ser leño mejor que ser humo». El polisíndeton es otra figura retórica que consiste en la repetición innecesaria de conjunciones; fíjate en el uso de *que el/la ... es* en la antepenúltima estrofa del poema.

1 Pegatinas que se pegan en un álbum, también llamadas láminas.
2 Se refiere a una colección medieval en árabe de cuentos tradicionales del Medio Oriente.

DESPUÉS DE LEER

1

Comprensión Contesta las siguientes preguntas según el poema.

1. ¿Desde cuándo el poeta recorre el mundo?
2. ¿De qué se queja el poeta: de vivir mucho o de vivir poco?
3. ¿Qué opina el poeta sobre quien vive de prisa?
4. ¿Qué significa «quien no echa raíces no puede dar frutos» (línea 6)?
5. ¿Por qué prefiere el poeta ser árbol y no ave? ¿Leño y no humo?
6. ¿Cómo es la tierra natal que describe?
7. ¿Con qué compara la carretera?
8. ¿Qué imagen pinta del camino, el terreno, la cuesta y el paisaje?
9. ¿A quién o quiénes van dirigidas sus palabras en las últimas estrofas? ¿Y qué le(s) dice?
10. ¿Por qué crees que el poeta dice «contaré con gusto las mil y una noches de mis aventuras» (líneas 34-35)?

2

¿Qué transmite? Comenta la siguiente pregunta con un(a) compañero/a.

◆ ¿Qué sentimiento te transmite el poema? ¿Te parece triste, deprimente, alegre, esperanzador o algún otro sentimiento? Cita ejemplos concretos del poema.

Metáfora y símil
Las figuras retóricas enriquecen tanto la literatura como el lenguaje hablado. Dos ejemplos muy comunes son el símil y la metáfora. Las dos comparan las semejanzas entre las cosas; la metáfora lo hace al reemplazar un término por otro: *Tú eres un sol. El tiempo es oro.* Un símil lo hace usando nexos, como **tan, como, igual que, semejante a**: *Tiene el pelo negro **como** el azabache. Sus ojos brillan **igual que** el sol.*

3

Las figuras retóricas Con un(a) compañero/a, comenta sobre las diferencias entre el símil y la metáfora. Luego, busca la(s) metáfora(s) en el poema y coméntala(s) con tu compañero/a.

4

Una gran metáfora Hace más de 500 años el poeta español Jorge Manrique escribió *Coplas a la muerte de su padre*. En este famoso poema aparecen las siguientes metáforas:

> « Nuestras vidas son los ríos que van a dar en la mar que es el morir. »

Trabaja con un(a) compañero/a e identifica las dos metáforas; luego escriban una original que pueda ganar el primer premio de metáforas en un concurso literario y compártanla con la clase.

5

Interpretación Vuelve a leer «Nostalgia», y con un(a) compañero/a, discutan las siguientes preguntas según su interpretación del poema:

◆ Según lo que expresa en el poema, ¿creen que el poeta está orgulloso de su vida, o que, por el contrario, lamenta los logros en su vida? Justifiquen su respuesta.

◆ ¿Qué opinan de la frase «Quien vive de prisa no vive de veras, quien no echa raíces no puede dar frutos.»?

◆ ¿Cómo explicarían la última frase del poema "«¡He vivido poco! ¡Me he cansado mucho!»"?

◆ ¿Qué es entonces «vivir» para el poeta? ¿Están de acuerdo con su visión de los viajes y la vida?

6 **La vida es un viaje** Piensa en un viaje que hayas hecho, o que haya hecho una persona cercana a ti. Prepara un monólogo de cinco minutos en el que explores las respuestas a las siguientes preguntas:

- ¿Adónde fue ese viaje?
- ¿Qué tuvo de especial?
- ¿Fue una experiencia positiva? ¿Lo repetirías? ¿Por qué?
- ¿Puede un viaje ser considerado un logro en la vida de una persona?
- ¿Qué efectos puede tener un viaje sobre una persona? Habla sobre tu propia experiencia o sobre alguien que conozcas.
- ¿Puede un viaje transformar la imagen que una persona tenga de sí misma o del mundo que la rodea? ¿Cómo?
- ¿A qué tipo de personas les gusta viajar? ¿Cómo es la autoestima de estas personas? ¿Por qué?
- San Agustín, un santo de la Iglesia católica, dijo alguna vez: «El mundo es un libro y aquellos que no viajan solo leen una página». ¿Estás de acuerdo?

7 **¿Qué extrañarías?** Si te fueras del lugar donde ahora vives, ¿qué es lo que más echarías de menos? ¿Extrañarías a tus amigos, familiares y vecinos, tu comunidad, cosas materiales, costumbres y la cultura del lugar, o alguna cosa o concepto más? Piénsalo y crea con tus respuestas un texto de dos o tres párrafos. Luego, compártelo con tus compañeros/as.

8 **Álbum de recuerdos** Crea un álbum de recuerdos en el que describirás sucesos de tu vida que consideres importantes. Utiliza imágenes, dibujos y frases para describir a las personas y los lugares que has conocido y cómo has superado obstáculos y pérdidas. Puedes basarte en hechos o experiencias reales (lo que ha ocurrido) o inventadas (lo que quisieras que ocurriera). Cuando termines tu álbum, trabajen en grupos pequeños para compartir sus álbumes de recuerdos. Descríbanles a sus compañeros/as aquellas experiencias y elementos que han decidido incluir en sus álbumes y expliquen la razón por la que están allí.

9 **En voz alta** Trabaja con un(a) compañero/a y busquen información en Internet sobre la poesía de Santos Chocano. Elijan uno de sus poemas (o un fragmento) y ensayen leyéndolo en voz alta, por ejemplo, «¡Quién sabe!», «Orquídeas» o «La magnolia». Túrnate con tu compañero/a y lean el poema en voz alta a la clase y, entre todos, hagan comentarios sobre el tema y el significado del mismo.

10 **Poetas** Escoge una emoción o un sentimiento que será el título de un poema que escribirás. Puede ser una emoción o sentimiento positivo: alegría, felicidad, dicha, etc., o uno negativo: tristeza, miseria, envidia, etc. Luego, escribe una lista de palabras e ideas que relaciones con el sentimiento que escogiste. Utiliza estas ideas y palabras clave para escribir un poema. Puedes adornarlo con una foto o un dibujo de tu autoría. Comparte tu obra con un(a) compañero/a o léelo en voz alta para toda la clase.

MI VOCABULARIO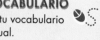
Utiliza tu vocabulario individual.

ESTRATEGIA

Prepararte Una buena y eficaz presentación oral depende en gran medida de la preparación. Ensaya lo que vas a decir varias veces en voz alta y delante de un espejo. Usa pausas para enfatizar ciertas ideas, y emplea palabras claras y concisas.

Auto-graded
My Vocabulary
Partner Chat
Strategy
Write & Submit

LECTURA 2.2 ▶ LAS REDES SOCIALES Y LA AUTOESTIMA DE LOS JÓVENES

SOBRE LA LECTURA No hay duda de que las redes sociales ofrecen diversas maneras de estar en contacto con nuestros amigos y familiares. Sin embargo, a veces abusamos del tiempo que les dedicamos y nos preocupamos demasiado por lo que dicen los demás sobre sí mismos y sobre nosotros. En la siguiente lectura, tomada de la página web de CNN en México, se analiza el lado negativo de ciertas redes sociales, como la obsesión de algunos usuarios con su imagen corporal, situación que puede llevar a trastornos como la anorexia y la bulimia.

ANTES DE LEER

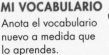

MI VOCABULARIO
Anota el vocabulario nuevo a medida que lo aprendes.

1 **La inseguridad** Todos nos sentimos inseguros en ciertos momentos de la vida pero, afortunadamente, la mayoría de las veces dominamos estas inseguridades. Con un grupo de cuatro o cinco compañeros/as, hagan una lista de las inseguridades típicas de los adolescentes y ofrezcan consejos para superarlas. Luego compartan sus recomendaciones con toda la clase.

2 **Las comparaciones** ¿Por qué nos comparamos con los demás? ¿Crees que lo hacemos para confirmar que todos somos parecidos, que los demás son inferiores o que nosotros somos superiores? ¿Cómo afectan las comparaciones a la autoestima? Habla sobre el tema con un(a) compañero/a.

3 **Las opiniones de los demás** Todos nos hemos preocupado por nuestra autoimagen alguna vez, pero, ¿crees que les damos demasiada importancia a las opiniones de otras personas sobre nuestro carácter o aspecto físico? ¿Cómo afectan esas opiniones a nuestra autoestima? Intercambia tus opiniones sobre este tema con cuatro o cinco compañeros/as. En su discusión, tengan en cuenta estos temas:

- ◆ la influencia de los medios de comunicación y de las redes sociales
- ◆ el anonimato que ofrece Internet
- ◆ la importancia de un círculo de amigos con quienes poder conversar sobre nuestras inseguridades
- ◆ la importancia de conversar con los adultos sobre estos temas
- ◆ en qué momento se debe buscar ayuda profesional

4 **Describir tus fortalezas** Haz una lista de tus mejores cualidades. ¿De qué estás orgulloso/a? ¿Qué te hace único/a? ¿Por cuáles características te respetan tus amigos, tus padres, tus maestros? Redacta un ensayo para describir en detalle dos o tres fortalezas tuyas. Explica cómo y cuándo te han ayudado y qué revelan sobre tu persona.

LAS REDES SOCIALES PUEDEN CAMBIAR LA AUTOESTIMA DE LOS JÓVENES

(Fragmento)
por **Amanda Enayati**

ESTRATEGIA

Utilizar lo que sabes
La aplicación de tus conocimientos previos te ayuda a entender mejor un texto. Mientras lees el artículo, usa lo que sabes de las redes sociales y las preocupaciones de algunos jóvenes con respecto a su autoimagen. Piensa en conexiones o experiencias propias, de amigos o familiares que se pueden relacionar con el tema del artículo.

» —— Estudios revelan que el uso frecuente de estos medios puede generar un cambio en la percepción de la figura corporal de los adolescentes ——»

U N DÍA de 2011, Amanda Coleman decidió cerrar su Facebook.

No fue un impulso, sino una decisión construida lentamente; una serie
5 de conversaciones **inquietantes**, y a veces angustiosas.

Coleman, estudiante universitaria y presidenta de su hermandad, pasaba mucho tiempo aconsejando a niñas más jóvenes de
10 su universidad, [aquejadas por inseguridades que] [...] eran alimentadas con frecuencia por los sitios de redes sociales, [especialmente por Facebook.]

Las niñas sabían que estaban en la
15 universidad para estudiar, pero pasaban horas en la computadora, obsesionadas con las fotos y **actualizaciones** de estatus, y comparándose con sus amigos y los amigos de sus amigos, dijo [Coleman].

20 **¿Qué ha cambiado?**

Antes de que existieran las redes sociales, teníamos imágenes de celebridades perfectas. Las veíamos en [los medios] [...]

pero no nos quedábamos mirándolas durante horas cada día. [...] 25

Con las redes sociales, el campo de competencia se expandió dramáticamente. Ahora compites con las mejores fotografías y con las exuberantes actualizaciones de estado de cada chica que conoces. [...] 30

Entre las amigas de Coleman, las comparaciones constantes y la **escalada** de inseguridades se tradujeron en un **patrón de privación** de los alimentos y de ejercicio **incesante**. [...] 35

Algunas de las chicas en la hermandad de Coleman comenzaron a frecuentar comunidades en línea a favor de los **trastornos** alimenticios, donde [...] los usuarios se animan mutuamente en 40 comportamientos de anorexia y bulimia y presentan fotografías de celebridades y modelos **demacradas**, e imágenes de antes y después de chicas buscando mostrar más piel y huesos. 45

También encontró que los sentimientos de inseguridad eran extrañamente

GLOSARIO

inquietante que causa desasosiego o que perturba

la actualización efecto de poner algo al día

la escalada aumento

el patrón de privación modelo o esquema de abstención

incesante que no se detiene o no acaba

el trastorno alteración de la salud física o mental

demacrado/a flaco/a y agotado/a debido a la falta de nutrición o sueño

contagiosos, dispersándose entre grupos de amigos que normalmente tienen una imagen saludable del cuerpo.

«Los sitios de redes sociales son parte de un escenario de medios **ubicuo** que forma lo que los niños conocen como ideal de cuerpo en la sociedad», observó Dina Borzekowski, profesora de la Escuela de Salud Pública Johns Hopkins Bloomberg, quien se especializa en niños, salud y medios.

«Los medios sociales han tenido un impacto enorme en las imágenes del cuerpo de los niños. Los mensajes y las imágenes son más específicos; si el mensaje viene de un "amigo", se percibe como más creíble y significativo».

Marwick, doctora e investigadora en medios sociales en Microsoft Research, en Nueva Inglaterra, Estados Unidos. Pero, dice, «muchos de los adolescentes no tienen problemas integrando estas cosas en sus vidas. Muchos navegan en los sitios muy **agraciadamente**».

«Debemos ver qué mensajes se están enviando en la cultura popular. Existen algunas cuestiones **sistémicas** en juego aquí y no podemos echarles la culpa a los individuos».

«Estamos viviendo en una cultura con actitudes extremadamente disfuncionales sobre el peso». De acuerdo con Marwick, los sitios que [promueven la anorexia y la

> « ——Los medios sociales han tenido un impacto enorme en las imágenes del cuerpo de los niños. Los mensajes y las imágenes son más específicos; si el mensaje viene de un "amigo", se percibe como más creíble y significativo. ——»

«Cuando hablas de comportamientos no saludables como los trastornos alimenticios, [...] depresión, e incluso violencia, hay otros jóvenes que están dando instrucciones y apoyo, hacia comportamientos positivos y negativos», dijo Sahara Byrne, profesora asistente de comunicación en la Universidad de Cornell. «Son los jóvenes quienes están creando mucho de esto, para bien o para mal». [...]

«Si tienes a una chica que sube una foto de ella misma viéndose muy delgada y con poca ropa, y una serie de comentarios diciendo que se ve "hermosa" o "ardiente", allí es cuando se presentan problemas porque otras pueden buscar la misma **recompensa**», dice Byrne.

Susceptibilidad en los medios

Algunos de los jóvenes sienten ansiedad por presentaciones idealizadas de sí mismos en Facebook, observó Alice

bulimia] [...] no son nuevos. Han existido desde hace una década. [...]

Pero estas plataformas también son usadas para enviar mensajes positivos.

Recientemente, algunas de las celebridades jóvenes han participado en los **altercados** en Twitter, para denunciar elementos culturales que pueden incrementar los trastornos alimenticios.

En noviembre pasado, justo después de una ola de bromas crueles, **misóginas** y videos de YouTube sobre su peso, Miley Cyrus, de 18 años, publicó una fotografía de una mujer demacrada junto a un tuit que decía: «Al decirles gordas a chicas como yo, esto es lo que provocan en otras personas». También compartió una imagen de Marilyn Monroe que decía: «prueba de que puedes ser adorada por miles de hombres incluso cuando tus muslos se tocan».

Demi Lovato, quien fue tratada por depresión y trastornos alimenticios en 2010,

ha estado usando Twitter para vengarse de las bromas impertinentes sobre los trastornos alimenticios. En un documento reciente,
125 Lovato admitió que ha recaído un par de veces desde su tratamiento y aunque puede que nunca se recupere totalmente de sus problemas, está haciendo lo mejor que puede
130 para tenerlos bajo control.

El papel fundamental del apoyo de los adultos

En general, observó Borzekowski, «hay gente mucho más susceptible a la influencia
135 de los medios que otros. Los mensajes y las imágenes [que impulsan la anorexia y la bulimia] [...] pueden inspirar a algunas pero provocar repulsión en otras».

En su experiencia, los niños que tienen

más riesgo son los que se exponen más a los
140 mensajes de los medios, y tienen menos exposición a los mensajes racionales y claros de los adultos que los apoyan y de los líderes de la comunidad.

Sin embargo, la investigación de Byrne
145 muestra que mientras los padres más tratan de **restringir** el uso de los medios a los niños, estos intentarán nuevas formas de acceder a ellos o generarán resentimiento en contra de sus padres porque sienten que no les
150 permiten formar parte de una conversación cultural mucho más grande.

Cuando se trata de la tecnología, las dinámicas de los niños y la familia están cambiando drásticamente, dijo Byrne, y
155 tendremos que reaccionar durante un tiempo. [...] ◤

GLOSARIO
restringir
reducir, limitar

DESPUÉS DE LEER

1

Comprensión Elige la mejor respuesta para cada pregunta, según el artículo.

1. ¿A qué atribuyen algunos estudios un cambio en la percepción de la figura corporal de los jóvenes?
   a. a las dietas
   b. a los medios de comunicación
   c. a las hermandades universitarias
   d. a las modelos muy delgadas

2. ¿Por qué cerró Amanda Coleman su cuenta en Facebook?
   a. Terminó sus estudios.
   b. Se cansó de darles consejos a las otras universitarias.
   c. Se hartó del papel prominente y negativo de las redes sociales en la vida de sus compañeras.
   d. Se dio cuenta de que pasaba demasiado tiempo frente a la computadora.

3. ¿Qué provocó los cambios en el régimen alimenticio y de ejercicio entre las compañeras de Coleman?
   a. las comparaciones constantes entre amigos y el aumento de inseguridades
   b. un aumento en el grado de competitividad
   c. las fotos que estas chicas subieron en facebook
   d. las imágenes de celebridades

4. ¿Qué motivó a Miley Cyrus a publicar la foto de una mujer muy delgada junto con un *tuit*?
   a. Quería mostrar cómo quedó una chica después de hacer una dieta.
   b. Quería mostrar a una mujer con baja autoestima.
   c. Quería mostrar lo que es una mujer con un cuerpo ideal.
   d. Quería responder a los ataques sobre su peso.

CONCEPTOS CENTRALES

Causa y efecto
Establecer la relación entre causa y efecto te ayudará a comprender los motivos de las personas citadas en el artículo.

5. Según la profesora Borzekowski, ¿qué niños tienen más riesgo de padecer anorexia o bulimia?

a. los que no se exponen a los mensajes de los medios ni a los mensajes irracionales

b. los que tienen poca autoestima

c. los que se exponen más a los mensajes de los medios y tienen menos exposición a los mensajes racionales de los adultos

d. los que se exponen menos a los mensajes de los medios y tienen más exposición a los mensajes racionales de los adultos

2 ¿**Hecho u opinión?** Nuestras percepciones sobre nosotros mismos y sobre los otros se basan en hechos y opiniones. Estudia las características de los hechos y las opiniones que se muestran en las siguientes listas. Luego, trabaja con tres o cuatro compañeros/as para buscar en la lectura fragmentos que ejemplifiquen cada una de esas características.

Hecho	**Opinión**
◆ Es objetivo.	◆ Es subjetivo.
◆ Se puede verificar.	◆ No se puede verificar.
◆ Presenta datos.	◆ Presenta pensamientos/creencias/suposiciones.
◆ Informa sobre la realidad.	◆ Interpreta la realidad.
◆ Se presenta sin prejuicios.	◆ Se presenta con prejuicios.

ESTRATEGIA

Usar el vocabulario adecuado Practica el vocabulario que has aprendido en este Contexto para demostrar tu conocimiento.

3 **Ayuda** Acabas de leer este comentario de un usuario de una red social que frecuentas. Escribe una respuesta para ayudar a esta persona. Pregúntale qué le ha llevado a sentirse así y si ha intentado hablar del tema con sus padres o sus maestros.

> Hola. Tengo 17 años y me encuentro muy deprimido porque no logro sentirme bien conmigo mismo. Soy muy tímido y me da temor tener amigos. Si me invitan a salir, usualmente me niego porque pienso que soy aburrido y que me invitan solo por compasión.
>
> ↩ Responder:

RECURSOS
Consulta la lista de apéndices en la p. 418.

4 **Explicar por qué** Contesta las preguntas con información de la lectura y añade tus propias reflexiones. Indica si estás de acuerdo o no y explica por qué.

◆ ¿Por qué las redes sociales contribuyen tanto a la inseguridad de los jóvenes?

◆ ¿Cómo se pueden usar las redes sociales de manera más saludable?

5 **Algunas soluciones** Trabaja con un(a) compañero/a para generar una lista de soluciones posibles a los problemas presentados en el texto. Elijan una o dos de las mejores ideas para desarrollarlas más ampliamente. Preparen una explicación breve de la solución que propongan y preséntenla a la clase. Para sus propuestas, consideren los siguientes aspectos:

◆ el rol de los padres/adultos en el uso de la tecnología por los jóvenes

◆ las consecuencias de los comentarios negativos en línea

◆ los aspectos positivos y negativos de las redes sociales

AUDIO ▸ JÓVENES DISCAPACITADOS SE REÚNEN A DISFRUTAR DE POESÍAS

Audio
En fragmentos
My Vocabulary
Strategy
Write & Submit

INTRODUCCIÓN Esta grabación proviene de un reportaje televisivo sobre la Fundación Dominicana de Ciegos (FUDCI), que apoya a jóvenes invidentes. La grabación muestra la creatividad literaria y artística de varios jóvenes con discapacidad visual que se reúnen a disfrutar de la poesía en el grupo literario La esquina Borges.

En la grabación se mencionan las siguientes personas: Jorge Luis Borges (1899-1986), escritor argentino de poemas, cuentos y ensayos; Juan Bosch (1909-2001), político, historiador, educador y primer presidente dominicano elegido democráticamente; Roberto Cavada (1971-), popular presentador de noticias cubano radicado en República Dominicana.

GLOSARIO
integrar componer, conformar

el patrocinio ayuda prestada por alguien con poder o influencia

vidente que ve

la antítesis lo opuesto

hechizar cautivar

sustentarse apoyarse, mantenerse

ANTES DE ESCUCHAR

1 **Figuras retóricas** En esta grabación vas a escuchar a una joven mencionar las siguientes figuras retóricas: *paradoja*, *símil*, *metonimia*, *metáfora* e *hipérbole*. En parejas, investiguen la definición de estas figuras y den por lo menos un ejemplo de cada una de ellas.

◀)) MIENTRAS ESCUCHAS

1 **Escucha una vez** Escucha la grabación para reconocer las ideas generales. Toma apuntes sobre cada uno de los temas de esta tabla. Esto te ayudará a reconocer las ideas más importantes.

PREGUNTAS FUNDAMENTALES	APUNTES
¿Qué es La esquina Borges?	
¿Quién fue Jorge Luis Borges?	
¿Qué carreras estudian estos jóvenes?	
¿Con qué fin trabajan tan arduamente los chicos de La esquina Borges?	
Además de leer poesías, ¿a qué más se dedican estos chicos?	

2 **Escucha de nuevo** Ahora, de acuerdo con lo que escuchas, escribe palabras y expresiones relacionadas con cada pregunta de la tabla de apuntes, así como las respectivas respuestas.

ESTRATEGIA

Relacionar Hacer conexiones entre las percepciones que tenías sobre el tema de la grabación y lo que oyes te ayudará a comprender mejor el contenido.

DESPUÉS DE ESCUCHAR

Comprensión En grupos de tres o cuatro, contesten las siguientes preguntas usando la información de sus tablas de apuntes.

1. ¿Qué es La esquina Borges?
2. ¿Para qué se reúnen los jóvenes de La esquina Borges?
3. ¿Por qué los chicos se identifican con Jorge Luis Borges?
4. Completa la cita: «La ceguera no es una condición física, sino _____».
5. ¿Con qué fin trabajan tan arduamente los chicos de La esquina Borges?
6. Además de leer poesías, ¿qué más hacen estos chicos?

MI VOCABULARIO
Utiliza tu vocabulario individual.

En otras palabras Jorge Luis, un miembro del grupo de La esquina Borges, dice lo siguiente con respecto a la discapacidad:

« Esto no realmente significa que tú no puedas, sino que tú puedes hacerlo, y como todos lo hacen, sin diferencia alguna, porque yo creo que, más lento o más rápido, todos llegamos. »

En parejas, analicen la frase y escriban con sus propias palabras lo que esto significa.

RECURSOS
Consulta la lista de apéndices en la p. 418.

Un club escolar En grupos de tres, diseñen la conformación de un club escolar para reforzar las actitudes positivas de los miembros de su escuela. Puede ser un club literario (similar a La esquina Borges), deportivo, artístico o de otro tipo. Le deben asignar un nombre al club y especificar el tipo de actividades que realizarán. También deben indicar claramente cómo ayudará este club a fomentar las actitudes positivas de sus miembros. Compartan sus ideas con otros dos grupos.

Ensayo de reflexión y síntesis ¿Cómo se relacionan los dos textos y la grabación con respecto al tema de la autoimagen y la autoestima? Escribe un ensayo citando ejemplos de las tres fuentes. Incluye lo que has aprendido sobre los obstáculos que las personas deben vencer para tener una autoimagen sana y una autoestima saludable.

El ensayo debe tener al menos tres párrafos:

1. Un párrafo de introducción que:
   - presente el contexto del ensayo
   - incluya una oración que responda a la pregunta, que es tu tesis

2. Un párrafo de explicación que:
   - exponga uno o dos argumentos que apoyen tu tesis
   - dé ejemplos que sustenten tus argumentos

3. Un párrafo de conclusión que:
   - resuma los argumentos que llevan a la tesis
   - vuelva a plantear la tesis con otras palabras

CONEXIONES CULTURALES  Record & Submit
Virtual Chat

Plaza Mayor, Antigua, Guatemala

La autoestima y el rendimiento escolar

IMAGINA QUE ASISTES A UNA ESCUELA EN LA QUE TODOS hablan un idioma que no entiendes. ¿Cómo te sentirías? En Guatemala, muchos estudiantes mayas ya no tendrán ese problema gracias a la educación bilingüe intercultural.

Estudiar en una escuela donde no se habla la lengua materna daña la autoestima. Los estudiantes se autolimitan y se excluyen de las actividades diarias. El rendimiento escolar se ve afectado, pues los estudiantes faltan a clases o abandonan la escuela. Esto permite entender por qué solo siete de cada mil integrantes de los pueblos originarios de Guatemala asisten a la universidad.

Para aumentar el deseo de superación de los estudiantes, desde 2010 la Escuela de Formación de Profesores de Enseñanza Media de la Universidad de San Carlos de Guatemala ofrece una licenciatura en educación intercultural, con énfasis en la cultura maya.

▲ En Costa Rica hay 140.000 jóvenes «nini» (ni estudian ni trabajan). En muchas ocasiones esta situación es causa de baja autoestima, que los lleva a creer que nadie los aceptará en un trabajo o que no son buenos para estudiar. Por este motivo, el gobierno costarricense está buscando alternativas para generar mayores oportunidades educativas y laborales entre los jóvenes.

▲ En México, más del 30% de los jóvenes entre 12 y 19 años padece de obesidad. Esta enfermedad daña su autoestima, pues están en una etapa en la que piensan equivocadamente que solo importa la apariencia. Esta situación ha prendido las alarmas en la sociedad mexicana, que ahora busca alternativas para reducir los problemas de sobrepeso entre sus jóvenes.

▲ En España, el 20% de los jóvenes menores de 35 años volverá a vivir con sus padres debido a la crisis económica, lo que afecta su autoestima y su valoración de la formación académica.

 Presentación oral: comparación cultural

Prepara una presentación oral sobre este tema:

◆ ¿Cuáles son los factores que afectan la autoimagen y la autoestima de una persona?

Compara tus observaciones de una región del mundo hispanohablante que te sea familiar con las de las comunidades en las que has vivido u otra comunidad.

◢ Hay muchas formas de indicar transformación o cambio de acción mediante el uso de diferentes verbos y expresiones.

◢ Los verbos pueden dividirse en aquellos que expresan un estado físico o psicológico, temporal o permanente, y aquellos que expresan un cambio de estado o transformación.

> Miguel Ángel ya **está** harto de tanto viajar.
>
> estado

> **Ha llegado a ser** un director bastante famoso.
>
> transformación

◢ La voz pasiva con **ser** tiene un sentido de transformación activo y voluntario, y es equivalente a la pasiva del inglés con *to be* o *to get*. Por el contrario, **estar** + *participio* expresa resultado, estado y permanencia.

> Las casas vacías **fueron ocupadas** por los estudiantes.
>
> cambio

> Las casas vacías **están ocupadas** por los estudiantes.
>
> resultado

◢ El verbo **ser** en presente o pretérito imperfecto tiene un sentido de estado y permanencia, mientras que su uso en pretérito perfecto simple expresa cambio y suele traducirse al inglés con el verbo *to become*.

> La situación **es** imposible de entender.
> *The situation is impossible to understand.*

> La situación **era** imposible de entender.
> *The situation was impossible to understand.*

> La situación **fue** imposible de entender.
> *The situation became impossible to understand.*

◢ Los verbos que expresan cambios climatológicos (**ponerse, hacerse, volverse, amanecer, anochecer**) también indican transformación. Estos se suelen traducir al inglés por *to become*, *to get* o *to turn*.

> Íbamos a salir a caminar, pero **se puso** muy nublado.
> *We were going to leave for a walk, but it got very cloudy.*

> En invierno **se hace** de noche muy temprano.
> *In the winter, it gets dark very early.*

> Por favor, vuelve a casa en cuanto **anochezca**.
> *Please, return home as soon as it gets dark.*

◢ Cuando **volverse** se utiliza con un sustantivo, se debe emplear un artículo.

> El sol se puso y el cielo **se volvió un** mar de estrellas.
> *The sun set and the sky became a sea of stars.*

◢ Algunos verbos siempre expresan cambio y transformación.

VERBO	EXPRESA	EJEMPLO
volverse + adj./ art. + sust.	cambio permanente de cualidad o clase	**Se ha vuelto** insoportable. *He has become unbearable.* **Te has vuelto** una persona trabajadora. *You have turned into a hard-working person.*
quedarse + adj.	cambio de estado como resultado de un proceso	María **se quedó** sin dinero. *María went broke.*
ponerse + adj.	cambio de situación momentáneo en el estado de salud o de ánimo, color o aspecto físico, o comportamiento	**Se puso** muy enfermo. *He became very sick.*
hacer(se) + adj.	cambio de estado, cualidad o situación, con participación activa del sujeto	Pablo **se hizo** famoso. *Pablo became famous.*
hacer(se) + sust.	cambio de cargo, profesión o situación personal, precedido de un proceso largo	Después de mucho esfuerzo, **se hizo** médica. *After a lot of effort, she became a doctor.*
llegar a ser + sust.	cambio de cargo, profesión o situación personal, precedido de un proceso largo	Después de muchos fracasos, **llegó a ser** la empresaria más prominente de su país. *After a lot of failures, she became her country's most prominent business owner.*
convertir(se) en + sust. o adj. sustantivado	cambio, transformación profunda	**Se ha convertido** en la actriz más famosa de España. *She has become the most famous actress in Spain.*
caer + sust./adj.	cambio abrupto, repentino, generalmente con un sentido negativo	Lo delataron y **cayó** prisionero. *He was reported and was imprisoned.* Mi padre **cayó** enfermo. *My father got sick.*
cambiar de + sust.	cambio definitivo	No lo comprendo; **cambia de** opinión cada vez que le pregunto. *I don't understand; he changes his mind every time I ask him.*

◢ En español hay una larga lista de verbos reflexivos de cambio formados a partir de adjetivos.

agrandarse	empacharse	enfurecerse	oxidarse
alegrarse	enamorarse	enrojecerse	refrescarse
apaciguarse	enemistarse	ensuciarse	ruborizarse
bajarse	enfadarse	llenarse	sonrojarse
calentarse	enfermarse	maquillarse	subirse
cansarse	enfriarse	marchitarse	tranquilizarse

Se enriqueció gracias al trabajo y a la generosidad de los demás.
She became rich thanks to everyone's work and generosity.

PRÁCTICA

1

Reescribe estas oraciones usando verbos que indiquen cambio o progresión.

1. Juan recibió una mala noticia y ahora está enojado.
2. Después de tantos años de estudio, Teresa ya es jueza.
3. Alejandra no ha venido a trabajar porque está enferma.
4. Cada vez que le pregunto, siempre tiene una opinión diferente.
5. A base de trabajo y dedicación, ahora es un escritor muy famoso.
6. Parece mentira; ahora ya es todo un caballero.
7. Desde que ganó la lotería está insoportable.
8. En los años 70, los pantalones de campana estaban de moda.
9. Siempre que veo una película dramática, estoy triste.
10. Enrique ya no me cae bien; es un antipático.

2

Para cada una de estas ilustraciones, escribe una pequeña descripción utilizando verbos o expresiones que indiquen cambio.

1.
2.
3.
4.

3

Traduce estas oraciones al español utilizando expresiones que indiquen cambio o progresión. Después compáralas con las de un(a) compañero/a.

1. As she heard the news, her eyes became bigger and bigger.
2. You have never been interested in politics, and now you want to become the mayor of our town? That's just ridiculous!
3. He was taken prisoner.
4. After they ran out of water, the trip became unbearable.
5. Big Band music became fashionable in the 30's and 40's.
6. After being in the sun all day, I jumped in the pool to cool off.
7. She became very upset and told me that she would never let me use her car again.
8. Over the years, he has become very liberal.
9. It's getting dark; let's go back home.
10. Carlos has become an advocate (**defensor**) for animal rights.

4

Escribe un párrafo en el que utilices cinco de las palabras y expresiones de la siguiente lista.

alegrarse	hacerse	llenarse	quedarse
amanecer	llegar a ser	ponerse	volverse

▲ El lenguaje, tanto oral como escrito, puede utilizarse con diferentes niveles de formalidad, dependiendo del contexto y del propósito de comunicación. En un extremo tenemos el **lenguaje común oral**, caracterizado, entre otros aspectos, por la alta complejidad gramatical, el vocabulario reducido, la subjetividad y el uso de coloquialismos. En el otro extremo tenemos el **lenguaje académico escrito**, caracterizado por la simplicidad gramatical, el vocabulario extenso y especializado y el tono personal.

LENGUAJE COMÚN ORAL	LENGUAJE ACADÉMICO ESCRITO
Oye, ¿podemos juntarnos y ver si hay algún trabajo para mí?	Solicito a usted la oportunidad de concederme una entrevista de trabajo.
Te decía que lo que queremos es hablarte del proyecto político que estamos planeando y que hemos estado preparando desde que llegó el presidente el otro día.	Nos dirigimos a usted con la finalidad de comunicarle nuestro proyecto político. Este se inició con la llegada del señor presidente a nuestras oficinas.
Quería avisarle que le vamos a dar el crédito que solicitó para su empresa a fines de marzo.	Por la presente, le comunicamos la concesión del crédito empresarial que solicitó el día 23 marzo del presente año.
¿Por qué en este mundo que dicen que es tan libre, donde dicen que se puede ir a cualquier lado y donde se pueden comprar cosas de todos lados, no dejan que la gente viaje a donde quiera?	¿Por qué, en un mundo de inmediato trasiego de mercancías y valores, se impide el libre movimiento de las personas?
Quieren que a los hijos les vaya bien en el colegio y que puedan ir a la universidad y se adapten y se incorporen a la vida normal de la gente que forma parte de la clase media de Estados Unidos.	Desean que sus hijos tengan éxito académico y se incorporen a las corrientes centrales de la vida en Estados Unidos.
Lo que dice Carlos Fuentes para apoyar su tesis tiene mucho sentido.	Cabe señalar la autoridad de los argumentos aducidos por el escritor Carlos Fuentes para apoyar su tesis.

▲ Tanto el lenguaje común como el lenguaje académico presentan distintos **registros**, es decir, en función de los destinatarios y de las circunstancias, se adopta una forma de expresarse u otra. Los registros pueden ser **formales** o **informales**. Una carta familiar, por ejemplo, tiene un tono distinto que el de una carta dirigida al director del colegio en el que estudiamos. De igual modo, un representante de productos médicos no habla igual con sus colegas en una reunión interna de la empresa que cuando le explica a un médico las propiedades de un nuevo dispositivo quirúrgico disponible en el mercado.

▲ Un buen dominio del idioma requiere el manejo correcto de distintos registros. Por ejemplo, al solicitarle trabajo al director de una empresa no sería adecuado decir algo como: «Amigo, ¿por qué no me buscas un carguito allá en tu oficina?». Sin embargo, este registro puede resultar adecuado cuando uno habla con un buen amigo, con el que hay cercanía y familiaridad.

◢ La utilización de un registro elevado en una situación informal también resulta inadecuada y, en ocasiones, pedante, o incluso graciosa o sarcástica.

> Mamá, deseo informarte que disfruto con el noticiario vespertino.

◢ La principal función del lenguaje académico es transmitir ideas de forma objetiva, rigurosa, concisa y precisa. Estas son sus características principales:

Densidad léxica La riqueza y variedad en el uso del vocabulario hace que la exposición de conceptos e ideas sea más precisa.

> Los elefantes, rinocerontes e hipopótamos son mamíferos de piel muy gruesa y dura. Algunos comen solo plantas. Otros comen plantas y carne. Tienen pezuñas en los pies. (*Definición en un diccionario para niños*)

> Paquidermo: Se dice de los mamíferos artiodáctilos, omnívoros o herbívoros, de piel muy gruesa y dura. (*Definición en un diccionario académico*)

Condensación de la información Se eligen frases y expresiones cargadas de información. En particular, se recurre a nominalizaciones que permiten condensar la información y hacerla más impersonal y abstracta.

INFORMACIÓN NO CONDENSADA	INFORMACIÓN CONDENSADA
El juez **le permitió independizarse de sus padres**.	El juez **autorizó su emancipación**.
Tras las negociaciones, **los trabajadores lograron que les pagaran más dinero**.	Las negociaciones tuvieron como resultado un **incremento salarial**.

Objetividad Se evita el uso de la primera persona y de verbos de opinión. Se recurre a construcciones impersonales en las que se omite el agente.

VERSIÓN PERSONALIZADA	VERSIÓN IMPERSONAL
La gente relaciona a los inmigrantes con personas que trabajan en fábricas.	Es importante notar la tradicional vinculación de los inmigrantes con la clase trabajadora.
VERSIÓN SUBJETIVA	**VERSIÓN OBJETIVA**
Las políticas migratorias del siglo pasado me parecen absurdas.	Las políticas migratorias del siglo pasado no se adaptan a la realidad contemporánea.

Vocabulario especializado Se elige el vocabulario apropiado al tema sobre el que se escribe.

VOCABULARIO NO ESPECIALIZADO	VOCABULARIO ESPECIALIZADO
El personaje más importante compara implícitamente a su hermano con un perrito muerto de hambre.	El protagonista se refiere a su hermano con una metáfora sobre un perro famélico.
El autor dice que el costo de la batalla fue tal que al final no valió la pena.	El autor define el enfrentamiento como una batalla pírrica.

Simplicidad gramatical, rigor y concisión La espontaneidad del lenguaje común, en especial el lenguaje oral, lleva a estructuras más largas y más complejas gramaticalmente. El lenguaje académico se planea de manera cuidadosa, por lo que el resultado son estructuras sencillas y organizadas lógicamente.

> En la página 57 tienes mucha información actual sobre los temas del programa, y también pusimos ahí unos resúmenes de los trabajos; ah, y no te olvides de mirar también en esa página la lista de los materiales que consultamos.

> La información actual sobre los temas del programa, los resúmenes de los trabajos y las fuentes utilizadas se exponen en la página 57.

PRÁCTICA

1 Indica si estas oraciones usan vocabulario especializado o vocabulario no especializado.

1. El recuento de leucocitos se encuentra fuera del rango de referencia.
2. Mi hermano no fue a la reunión de trabajo porque estaba enfermo.
3. En este barrio hay mucha gente inmigrante que busca trabajo.
4. El narrador omnisciente se expresa en la primera persona con complejas metáforas.
5. Perro: animal doméstico que es el mejor amigo del hombre
6. El desempleo se encuentra en aumento entre las comunidades de inmigrantes.
7. Felino: animal perteneciente a la familia de los félidos
8. Los más recientes datos del Ministerio señalan que el nivel de desempleo llegó a los dos dígitos.
9. Elena está muy angustiada porque lleva dos meses sin empleo.
10. El informe se realizó a partir de datos provenientes de una base de datos georreferenciada de la Unión Europea.

2 Reescribe estas oraciones para que resulten adecuadas en un contexto académico escrito.

1. La conclusión que saca el escritor me parece una barrabasada que no tiene nada que ver con las razones que explica antes.
2. Los gatitos y los leones son como primos lejanos.
3. Cuando te duela la barriga, tómate esta pastilla y echa una cabezadita (*nap*).
4. Mire, profe, mañana no puedo tomar el examen, así que, ¿por qué no me lo cambia para la próxima semana?
5. Los grillos son unos bichitos negros que hacen un ruido muy molesto.
6. El ecuador es algo así como una línea inventada que rodea el centro del planeta.
7. José Zorrilla escribió todo tipo de poemas.
8. A Vargas Llosa le dieron el Premio Nobel de los escritores.
9. El presidente anda diciendo por ahí que el cambio del sistema financiero es muy bueno.
10. Al gobierno no le gusta nada la violencia de la calle.

3 Escribe dos mensajes de correo electrónico en los que solicitas trabajo en una empresa. El primer mensaje se lo envías a una amiga que trabaja allí; el segundo está dirigido al director de la empresa. Debes tener en cuenta el lenguaje que usas en cada caso.

◢ Es frecuente que las lenguas se influencien unas a otras y que, al entrar en contacto por diversos motivos (cercanía entre dos países, comercio, inmigración, etc.), se modifiquen y «se presten» términos entre sí. Este fenómeno ha ocurrido desde la antigüedad, pero se ha multiplicado últimamente por la velocidad de las comunicaciones y por el mayor movimiento de personas entre unas naciones y otras.

◢ El español ha incorporado palabras de varios idiomas (**extranjerismos**), entre ellos del inglés. A las palabras provenientes del inglés se las denomina **anglicismos**. Estos préstamos lingüísticos llegan al español por diferentes motivos: por avances tecnológicos desarrollados en países de habla inglesa, por influencia de la moda o de los medios de comunicación, o por simple «contagio» entre los hablantes. Compara las siguientes oraciones.

> Vamos al **mall** a comprar unos **blue jeans**.
> Vamos al **centro comercial** a comprar unos **vaqueros**.

◢ Algunos anglicismos permanecen sin modificar, como es el caso de *flash* o *boom*; otros adaptan su escritura y entran a formar parte del léxico de la lengua, como **champú** o **fútbol**; y muchos otros conviven con sus equivalentes en español, como *software* y **programa(s) de computación**, o *mouse* y **ratón**.

◢ La mayor parte de los anglicismos se encuentran en áreas como la tecnología, la administración, los deportes o la alimentación.

ÁREA	ANGLICISMO	EQUIVALENTE EN ESPAÑOL (SI LO HAY)
Tecnología	software	programa(s) (de computación)
	hardware	equipo(s) (de computación)
	mouse	ratón
	blog	bitácora*
Administración y negocios	marketing	mercadeo o mercadotecnia
	outsourcing	subcontratación/tercerización (de servicios)
	eslogan	lema o consigna
	mall	centro comercial
Deporte	fútbol	balompié*
	basquetbol/básquetbol	baloncesto
	spinning	---
Moda y belleza	(blue) jeans	vaqueros/tejanos
	shorts	pantalón corto
	light	ligero/liviano/bajo en calorías
	champú	---
Recreación	resort	centro turístico/centro vacacional
	chatear	---
	show	espectáculo
	hobby	pasatiempo/afición
Alimentos y bebidas	sándwich	emparedado/bocadillo (Esp.)
	bistec (de *beefsteak*)	---
	beicon o bacón	panceta (ahumada)/tocino
	cóctel o coctel	---

* Algunos equivalentes en español son de uso muy poco común. En esos casos, se recomienda usar el anglicismo.

◢ Se recomienda escribir en cursiva los extranjerismos no adaptados (como *flash* o *boom)* porque todavía no han sido incorporados al diccionario como palabras propias del español, sino como voces inglesas. Por el contrario, palabras como **eslogan** (de *slogan*) o **cheque** (de *check*), adaptadas al diccionario como palabras propias y que siguen la ortografía del español, no deben escribirse en cursiva.

> Ayer fui al **mall** a comprar un **software** que necesitaba y después fui a mi restaurante favorito, donde me comí un sándwich delicioso.

◢ Algunas expresiones inglesas se han vuelto comunes en el habla cotidiana de los hispanoparlantes, como *OK*, *bye* o *full*: «Tener la agenda *full* », «Estar *in/out* ». Si bien esto es aceptable en el lenguaje informal oral, estos anglicismos deben evitarse en el lenguaje formal o escrito.

◢ El comportamiento de los anglicismos varía en cada país hispanoparlante. Por ejemplo, en Colombia la expresión *blue jean* está muy extendida, mientras que en otros países se dice **vaqueros**, **tejanos** o **mahones**. Excepto en casos específicos en los que el anglicismo es la mejor opción, se recomienda usar el equivalente en español.

◢ El español ha tomado palabras de otras lenguas como el francés (**galicismos**), el italiano (**italianismos**) o el árabe (**arabismos**).

GALICISMOS	bulevar, cabaré, chalet, chef, matiné, *tour*
ITALIANISMOS	acuarela (*watercolor*), batuta (*baton*), góndola, grafiti, tempo
ARABISMOS	ajedrez (*chess*), almohada (*pillow*), guitarra, ojalá

¿Te gustó el **tour** de Boston?   ¿Te gustó la visita guiada de Boston?

PRÁCTICA

1 Empareja los anglicismos con sus palabras equivalentes en español.

1. blue jeans	6. marketing
2. hardware	7. mouse
3. beicon	8. outsourcing
4. light	9. parking
5. mall	10. resort

a. centro comercial	f. mercadeo
b. centro vacacional	g. ratón
c. equipo(s)	h. panceta ahumada
d. estacionamiento	i. subcontratación
e. ligero/liviano	j. vaqueros

2 Reemplaza los anglicismos por palabras del español.

1. Me compré unos *jeans* muy bonitos, pero como estoy un poco gordito, no me van bien. Por eso estoy consumiendo comida *light* y jugando basquetbol.

2. Para nuestras próximas vacaciones de verano nos vamos a hospedar en un *resort* en el Caribe, con un *show* diferente cada día.

PUNTOS DE PARTIDA

La Real Academia Española define *identidad* como el «conjunto de rasgos propios de un individuo o de una colectividad que los caracterizan frente a los demás». Cada colectividad —sea un país o un grupo étnico— y cada individuo son únicos en su historia, en sus recuerdos y en la manera como se ven con respecto a los demás.

◢ ¿Cómo contribuye la historia de un país a la formación de su identidad?

◢ ¿Qué factores tienen más influencia a la hora de determinar tu identidad? ¿Por qué?

◢ ¿Cómo puede convivir la identidad de un individuo de una minoría étnica con la identidad nacional que define a la población mayoritaria?

DESARROLLO DEL VOCABULARIO  My Vocabulary Partner Chat

MI VOCABULARIO

Anota el vocabulario nuevo a medida que lo aprendes.

1 **¿Cómo se relacionan?** Estudia las siguientes palabras relacionadas con la identidad. Luego, en grupos pequeños, elijan cinco palabras y expliquen cómo se vinculan con el concepto de *identidad*.

- ◆ afinidad
- ◆ aproximación
- ◆ armonía
- ◆ asimilación
- ◆ características
- ◆ comunidad
- ◆ compatibilidad

- ◆ compenetración
- ◆ conformidad
- ◆ etnicidad
- ◆ experiencia
- ◆ herencia
- ◆ homogeneidad
- ◆ igualdad

- ◆ individualismo
- ◆ lenguaje
- ◆ personalidad
- ◆ rasgos
- ◆ similitud
- ◆ singularidad
- ◆ uniformidad

2 **¿Cómo se forma la identidad?** Haz una lista de algunos de los acontecimientos, individuos, lugares o experiencias que te han marcado y han contribuido a formar tu identidad. Luego, compara tu lista con la de un(a) compañero/a y explícale por qué esos factores han sido decisivos para formarla.

ACONTECIMIENTOS	INDIVIDUOS	LUGARES	EXPERIENCIAS
Nos *mudamos*.	mi hermana mayor	el pueblo de mis abuelos	Me rompí el brazo.

3 **La influencia de la historia** ¿Qué nos enseña la historia? ¿Cómo puede ayudarnos a comprender cómo es nuestro país y cómo son los demás países? Con un(a) compañero/a, elijan un caso que ejemplifique la influencia que tiene la historia sobre nuestras percepciones de nosotros mismos y de los demás. Intercambien sus ideas y puntos de vista sobre el tema.

4 **Tu identidad nacional** ¿Te identificas con tu nacionalidad? ¿Qué significa para ti ser de esa nacionalidad? En tu opinión, ¿qué factores son los que más influyen en tu sentido de identidad nacional? ¿Son factores geográficos? ¿Factores étnicos? ¿Factores religiosos? Comparte tus ideas con un(a) compañero/a.

LECTURA 3.1 ▶ HISTORIA VERDADERA DE LA CONQUISTA DE LA NUEVA ESPAÑA (FRAGMENTO)

Auto-graded
My Vocabulary
Partner Chat
Record & Submit
Strategy
Write & Submit

SOBRE EL AUTOR Bernal Díaz del Castillo nació en España en 1495 en la ciudad de Medina del Campo y en 1514 zarpó para el Nuevo Mundo por primera vez. Participó en diversos acontecimientos de la conquista de México como soldado de Hernán Cortés y disfrutó de una larga vida, poco común en aquella época. Escribió la *Historia verdadera de la conquista de la Nueva España* a partir de las notas de su diario y de su excelente memoria. Su obra quedó terminada el 26 de febrero de 1568.

SOBRE LA LECTURA La *Historia verdadera de la conquista de la Nueva España* tiene un gran valor histórico puesto que es testimonio de un acontecimiento muy importante para la historia de la humanidad. Presenta a los lectores «cosas nunca oídas, ni vistas, ni aún soñadas» porque precisamente estas imágenes y experiencias venían de otro mundo: el Nuevo Mundo de las Américas. Díaz del Castillo narra los hechos y sus impresiones de una forma sencilla, llena de detalles que había ido anotando en su diario y guardando en su memoria.

ANTES DE LEER

1 **Interpretación de la historia** Fíjate en la palabra «verdadera» en el título de la lectura. ¿Qué te indica sobre la narración? ¿Crees que la historia que se cuenta es lo que realmente sucedió? En parejas, compartan sus ideas acerca de este título y de lo que anuncia sobre el contenido de la lectura.

2 **Primeras impresiones** Si un extraterrestre visitara tu comunidad, ¿qué impresiones se llevaría a su planeta? ¿Qué opinaría sobre la identidad de los habitantes de tu región? Trabajen en grupos de tres o cuatro y describan las posibles impresiones que provocarían en un visitante que los observa por primera vez.

3 **Una visita** Cuando visitas un lugar nuevo, ¿qué sueles ver primero y a qué lugares prefieres ir? ¿Por qué? Después de leer el fragmento, compara tus lugares de interés con los de los españoles cuando llegaron a México.

4 **Reflejos de una cultura** ¿Qué sitios en una comunidad te parecen más representativos de su cultura? ¿Qué actividades o costumbres son las más representativas? ¿Por qué? Intercambia tus opiniones con un(a) compañero/a y haz referencia no solo a tu propia cultura, sino también a otras culturas que conozcas.

5 **La historia** Los países y las civilizaciones tienen una historia sobre la cual se ha formado su identidad. ¿Cómo crees que el encuentro entre los españoles y los indígenas influyó en la identidad del pueblo mexicano? Investiga en Internet sobre la historia de la conquista de México y escribe un breve análisis en el que expongas tus reflexiones sobre esta pregunta.

ESTRATEGIA

Analizar el título
Lee el título para deducir el tema central. ¿Crees que la lectura va a ser una narración personal o un artículo objetivo?

MI VOCABULARIO
Utiliza tu vocabulario individual.

HISTORIA VERDADERA DE LA
CONQUISTA
DE LA NUEVA ESPAÑA

por **Bernal Díaz del Castillo**   (Fragmento)

CÓMO NUESTRO CAPITÁN SALIÓ A VER LA CIUDAD DE MÉJICO

GLOSARIO

el aposento
cuarto, habitación

el adoratorio
templo pagano

apearse bajarse

el/la vasallo/a criado/a

el cetro vara usada
como insignia por
ciertas dignidades

sahumar dar
humo aromático

apercibido/a
dispuesto/a,
preparado/a

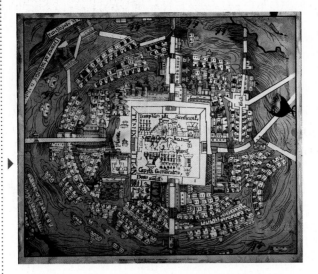

Mapa de Tenochtitlán (Ciudad
de México). Atribuido a Hernán
Cortés (1485-1547), en su
segunda carta a Carlos V
(1500-1558).

Como hacía ya cuatro días que estábamos en Méjico[1] y no salí[2] el capitán ni ninguno de nosotros de los **aposentos**, excepto a las casas y huertas, nos dijo Cortés que sería bien ir a la plaza mayor y ver el gran **adoratorio** de su Huichilobos[3], y que quería enviarlo a decir al gran Montezuma[4] que lo tuviese por bien.

Y Montezuma, como lo supo, envió a decir que fuésemos mucho en buena hora, y por otra parte temió no le fuésemos a hacer algún deshonor a sus ídolos, y acordó ir él en persona con muchos de sus principales.

En sus ricas andas[5] salió de sus palacios hasta la mitad del camino. Junto a unos adoratorios **se apeó** de las andas porque tenía por gran deshonor de sus ídolos ir hasta su casa y adoratorio de aquella manera, y llevábanle del brazo grandes principales. Iban delante de él señores de **vasallos**, y llevaban delante dos bastones como **cetros**, alzados en alto, que era señal que iba allí el gran Montezuma; y cuando iba en las andas llevaba una varita medio de oro y medio de palo, levantada, como vara de justicia. Así se fue y subió en su gran cu[6], acompañado de muchos papas, y comenzó a **sahumar** y hacer otras ceremonias al Huichilobos.

Dejemos a Montezuma, que ya había ido adelante, y volvamos a Cortés y a nuestros capitanes y soldados, que como siempre teníamos por costumbre de noche y de día estar armados, y así nos veía estar Montezuma cuando le íbamos a ver, no lo tenía por cosa nueva. Digo esto porque a caballo nuestro capitán con todos los demás que tenían caballos, y la mayor parte de nuestros soldados muy **apercibidos**, fuimos al Tatelulco, e iban muchos caciques que Montezuma envió para que nos acompañasen.

Cuando llegamos a la gran plaza, como no habíamos visto tal cosa, quedamos admirados de la multitud de gente y mercaderías que en él había y del gran concierto y regimiento que en todo tenían. Los principales que iban con nosotros nos lo iban mostrando. Cada género de mercaderías estaban por sí, y tenían situados y señalados sus asientos. Comencemos por los mercaderes de oro y plata y piedras ricas, plumas y mantas y cosas labradas, y otras mercaderías de indios esclavos y esclavas. Traían tantos de ellos a vender a aquella plaza como traen los

1 ortografía correcta de
México en aquella época

2 salió (en ortografía de
la época)

3 nombre que los españoles le
dieron a Huitzilopochtli, dios
de la guerra y dios protector
de los mexicas

4 Moctezuma (1466-1520)
fue el rey del Imperio azteca
desde 1502 hasta 1520.
Su grafía actual es con c
y no con n.

5 tablero o plataforma
sostenida por dos barras
horizontales para llevar
algo o a alguien

6 templo o adoratorio

5

10

15

20

25

30

35 portugueses los negros de Guinea, y traíanlos atados en unas varas largas con colleras a los **pescuezos**, porque no se les huyesen, y otros dejaban sueltos.

Luego estaban otros mercaderes que vendían ropa más basta y algodón y cosas de hilo torcido, y cacahuateros que vendían cacao, y de esta manera estaban cuantos géneros de mercaderías hay en toda la Nueva España, puesto por su concierto, de la manera que hay en 40 mi tierra, que es Medina del Campo, donde se hacen las ferias, que en cada calle están sus mercaderías por sí. Así estaban en esta gran plaza, y los que vendían mantas de henequén y sogas y cotaras, que son los zapatos que calzan y hacen del mismo árbol, y raíces muy dulces cocidas, y otras rebusterías[7], que sacan del mismo árbol, todo estaba en una parte de la plaza; y cueros de tigres, de leones y de nutrias, y de adives y venados y de otras **alimañas** y tejones 45 y gatos monteses, de ellos **adobados** y otros sin adobar, estaban en otra parte, y otros géneros de cosas y mercaderías. ◣

ESTRATEGIA

Tomar apuntes y subrayar Anota información importante mientras lees y subraya la oración principal de cada párrafo. Esto te ayudará a verificar tu comprensión de la idea central.

GLOSARIO

el pescuezo parte posterior del cuello

la alimaña animal dañino para el ganado

adobado/a sazonado/a, condimentado/a

DESPUÉS DE LEER

1 **Comprensión** Contesta las siguientes preguntas según el fragmento.

1. ¿Cuáles fueron los dos lugares que visitaron los españoles antes de ir a la plaza mayor?
2. ¿A qué llamaron Huichilobos los españoles?
3. ¿Por qué decidió Moctezuma acompañar a Cortés y sus soldados en la salida?
4. ¿En qué viajaba Moctezuma habitualmente?
5. ¿Por qué subió Moctezuma al adoratorio a pie?
6. ¿Por qué no se extrañó Moctezuma al ver a los españoles armados?
7. Después de ver al gran cu, ¿adónde fueron Cortés y sus soldados? ¿Cómo se trasladaron?
8. ¿Qué pistas muestran que los esclavos no podían escapar?
9. ¿Qué le llamó la atención a Díaz del Castillo en el mercado?
10. ¿Con qué compara Díaz del Castillo las mercaderías que vio en la gran plaza?

2 **En el mercado** Vuelve a leer los párrafos que describen los productos que los españoles vieron en la gran plaza. ¿Cuáles se podrían ver hoy día en un mercado de pueblo? Trabaja con un(a) compañero/a y hagan un diagrama de Venn. Un círculo debe mostrar los productos típicos de la época de Moctezuma que no se verían hoy en día en un mercado. El otro, solo productos que se venderían actualmente. En la intersección incluyan productos que se podrían ver en los dos mercados.

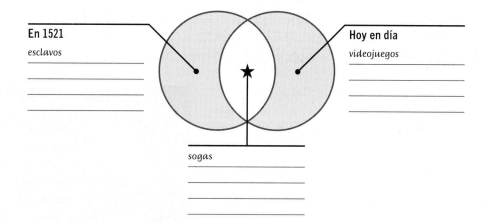

En 1521
esclavos

Hoy en día
videojuegos

sogas

7 reposterías

3 **Otra conquista** Con un(a) compañero/a, compara la conquista de México con la conquista del Oeste de Estados Unidos. Al contraponer los dos grupos de pioneros, comparen estos elementos:

- ◆ sus características
- ◆ sus objetivos
- ◆ su relación con los indígenas
- ◆ sus ambiciones por los recursos naturales
- ◆ los métodos que usaron para colonizar y dominar
- ◆ la herencia que dejaron en el territorio y sus influencias sobre la identidad local

4 **¿Cómo se aprende la historia?** ¿Cuál es la manera más fiable de aprender la historia de un lugar? ¿Estudiar las antigüedades y reliquias, leer relatos narrados por testigos de los eventos o leer libros escritos por grandes historiadores? Comparte tus opiniones con un(a) compañero/a e incluye argumentos a favor y en contra de las fuentes mencionadas. Indica cuál es el método que más te gusta para acercarte a la historia.

5 **Una nueva conquista** En grupos, discutan cómo sería la invasión y conquista de un país en el siglo XXI. ¿Qué diferencias habría entre una conquista hoy en día y la de la Nueva España? Tengan en cuenta:

- ◆ las alianzas internacionales
- ◆ los ejércitos modernos y la tecnología
- ◆ el tipo de recursos naturales que se buscarían
- ◆ las organizaciones que apoyan a las víctimas y los refugiados
- ◆ la manera como las naciones defenderían sus culturas y protegerían los elementos que las identifican y diferencian de otras

6 **Una crónica** ¿Cómo sería la crónica sobre un evento contemporáneo importante? Elige un acontecimiento de la historia contemporánea de tu país o de un país hispano sobre el que estés informado y escribe por lo menos dos párrafos en los que detalles los hechos como si hubieras sido testigo de ellos. Pueden ser acontecimientos sociales (elecciones, protestas, manifestaciones, etc.), grandes eventos deportivos o algún otro suceso importante.

7 **La diplomacia** Imagina que eres un(a) diplomático/a de Cortés y tu misión es convencer a Moctezuma de que los españoles han venido como aliados y no quieren conquistar sus tierras ni hacerles daño. ¿Cómo se podría beneficiar Moctezuma al acoger a los españoles? ¿Qué tienen los españoles para ofrecerles a los nativos? Prepara una breve presentación oral y expón tus argumentos. ¡Sé claro/a y convincente!

8 **Un cacique azteca** Escribe un relato histórico desde el punto de vista de un cacique azteca que observa a los españoles llegar a su tierra. Nunca antes había visto hombres tan diferentes y es la primera vez que ve un caballo. Describe no solo lo que observa, sino también lo que piensa de los visitantes y lo que teme o lo que espera del encuentro.

LECTURA 3.2 ▸ ¿DE QUIÉN ES EL GALEÓN SAN JOSÉ?

Auto-graded
My Vocabulary
Partner Chat
Record & Submit
Strategy
Write & Submit

SOBRE LA LECTURA ¿Quién no ha soñado alguna vez con encontrar un tesoro? Hay muchos tesoros históricos y arqueológicos sepultados en la tierra, pero también existen tesoros que yacen en las grandes profundidades de los mares, y estos tienen algo de misterio y romanticismo. En las costas americanas a menudo estos tesoros eran el botín que los españoles se habían llevado durante su conquista y colonización de los nuevos territorios. En la actualidad, la propiedad de estos tesoros es a veces problemática: ¿es de los que descubren estas riquezas? ¿Del país de origen de los tesoros? ¿O del país —España— de donde venían los galeones que transportaban estos tesoros? El siguiente artículo explora cómo se ha resuelto la propiedad de uno de los galeones españoles, el San José, y el cargamento que llevaba.

ANTES DE LEER

1 **Leyendas coloniales** Investiga en Internet o la biblioteca algunas leyendas de la época colonial en las Américas. Elige la que más te interese y compártela con tus compañeros/as de clase. Intenta contar la leyenda con tus propias palabras.

MI VOCABULARIO
Utiliza tu vocabulario individual.

2 **¿Cómo era el San José?** Con un(a) compañero/a, busquen información sobre el galeón español San José. Cada pareja examinará un aspecto distinto del barco. Incluyan información sobre las características físicas (eslora, peso, número de cañones, etc.), dónde y por quién(es) fue construido, cómo fue la Batalla de Barú en la que se hundió el San José, algún dato sobre su galeón gemelo (el San Joaquín) y cualquier otra información de interés. Presenten un informe oral a la clase.

3 **Piratas en la actualidad** ¿Existen piratas en el siglo XXI? ¿Quiénes son? ¿Cómo y dónde actúan? ¿En qué se parecen a los piratas de los siglos XVI, XVII y XVIII? ¿En qué se diferencian? ¿Qué tipo de daño causan? ¿Cómo puede la sociedad deshacerse de ellos? ¿Cuáles son los galeones de hoy en día? Discute estas preguntas con otro/a compañero/a.

MI VOCABULARIO
Anota el vocabulario nuevo a medida que lo aprendes.

4 **Definiciones y ejemplos** Con un(a) compañero/a, lean estas expresiones que aparecen en el artículo y expliquen su significado. Luego escriban una oración para cada una de ellas.

- ◆ a estas alturas
- ◆ estar a punto de
- ◆ ni se compra ni se vende
- ◆ ha hecho lo propio por
- ◆ ejercer soberanía
- ◆ llevarse a cabo

GLOSARIO

sin precedentes sin casos anteriores

reclamar declarar que se posee algo

in situ en el lugar/sitio (expresión en latín)

enfrascado/a sumido/a, centrado/a

empañado/a manchado/a

¿De quién es el Galeón San José?

🌐 http://

Noticias | Editorial | Opinión | Contáctenos

¿De quién es el **Galeón San José**?

A estas alturas, la idea de en un "barco del tesoro" parece una ficción fantástica. No es, sin embargo, tan ficción, y en Colombia se podría estar a punto de sacar de las profundidades del mar un tesoro **sin precedentes**: el del Galeón San José[1].

5 El barco fue hundido por corsarios[2] ingleses en mayo de 1708. Iba cargado con joyas, monedas y lingotes de oro y plata, producto del saqueo de los españoles a los pueblos indígenas de América. Se dice que la fortuna hundida podría ser igual o mayor a 10 mil millones[3] de dólares.

Hasta diciembre de 2015, el Galeón San José era más que todo una leyenda.

10 Pero luego de ser hallado, y por la dimensión de la fortuna, se empezó, por parte del Gobierno de Colombia y otros interesados, una tarea sin precedentes para sacar aquella millonaria reliquia del fondo del Atlántico. Y no iba a ser fácil.

La batalla más dura del San José no fue la que dio contra los piratas ingleses. Ahora, varios interesados **reclaman** su propiedad. El gobierno

15 español dice que es un barco de Estado. No obstante, en 1985 la Unesco declaró que las riquezas sumergidas eran un bien de toda la humanidad. En ese sentido, deberán permanecer **in situ** y no tendrán ningún tipo de beneficio comercial. Ni se compra ni se vende, como dice la canción.

Por supuesto que Colombia ha hecho lo propio por quedarse con el tesoro.

20 Desde 1980 el Estado se ha visto **enfrascado** en una batalla legal contra la empresa estadounidense *Sea Search Armada*, quienes afirmaban ser los propietarios del tesoro por haberlo encontrado primero. Esa posibilidad se vio **empañada** en 2011 por una orden de una corte en Washington, que declaró al barco como propiedad del Estado colombiano.

---

1 Los galeones españoles eran embarcaciones de vela usados desde el siglo XVI. Eran muy poderosos pero muy lentos; se usaban para el comercio o la guerra.

2 Los corsarios, al igual que los piratas, saqueaban barcos en tiempos de guerra, pero con la diferencia que lo hacían con la autorización de su gobierno.

3 Diez mil millones se expresa en inglés *ten billion*.

Para garantizar la propiedad y los derechos sobre el Galeón, en 2013 el 25 Congreso colombiano emitió la Ley 1675, con el objetivo de "establecer las condiciones para proteger, visibilizar y recuperar el Patrimonio Cultural Sumergido establecido en el artículo 2 de la presente ley, así como ejercer soberanía y generar conocimiento científico sobre el mismo".

Esta ley tendría los elementos jurídicos que declaran el San José y 30 su contenido como patrimonio cultural de la nación, lo que, de facto, lo **blindaría** de que sea reclamado por privados o por otros estados. De acuerdo con una **ponencia** del Consejo de Estado, "El patrimonio cultural pertenece a la Nación, y sobre él no pueden coexistir dos regímenes: el del tesoro y el del patrimonio cultural".

35

> **"El patrimonio cultural pertenece a la Nación, y sobre él no pueden coexistir dos regímenes: el del tesoro y el del patrimonio cultural"**

La sensación de seguridad que deja la idea de propiedad del barco ha permitido que el gobierno colombiano **tome cartas** en el asunto y se arriesgue a plantear las posibilidades de sacarlo 40 del fondo del mar. Así, el presidente Santos[4] ha anunciado que **se pondrá en marcha** un plan para que, en una alianza entre el sector público y el privado, se pueda "explorar, recuperar 45 y divulgar la excavación arqueológica del histórico Galeón San José". Tiene que ser así porque el gobierno no cuenta con los recursos económicos y técnicos suficientes para una tarea **de ese calado**.

El 14 de julio se llevará a cabo la audiencia pública a la que deberán asistir los interesados en **postularse** para la aventura: "la mejor selección del 50 mundo de arqueólogos submarinos, oceanógrafos, la empresa más reconocida en prospección marina, arquitectos navales y un gran equipo de ingenieros robóticos", dijo el presidente. La pregunta que queda es, luego de que se tenga éxito en la expedición –si se tiene– qué se va a hacer. Dicen que un museo. Pero un museo no vale 10 millones de dólares. ■ 55

¿De quién es el Galeón San José?
- Del que lo saque el fondo del mar ×
- De Colombia
- De España **VOTAR**

GLOSARIO

blindar proteger
la ponencia exposición de un tema que uno hace para un público
tomar cartas intervenir en algo
ponerse en marcha empezar una actividad
de ese calado de esa magnitud
postularse proponerse como candidato

[4] Juan Manuel Santos fue el presidente de Colombia durante el período 2010-2018.

DESPUÉS DE LEER

1

Comprensión Contesta las preguntas según el texto.

1. ¿Qué fue el Galeón San José y qué le pasó?
2. Actualmente, ¿dónde se encuentra el Galeón San José?
3. ¿Con qué iba cargado el galeón? Describe el tesoro que llevaba.
4. ¿Por qué dejó de ser leyenda el San José?
5. ¿Cómo reaccionó el gobierno colombiano al enterarse del hallazgo?
6. ¿Cuál fue la reacción del gobierno español con respecto al tesoro?
7. ¿Qué declaró la Unesco con respecto a las riquezas sumergidas?
8. ¿Qué papel jugó la empresa estadounidense *Sea Search Armada* en este asunto?
9. ¿Por qué no puede ser reclamado el tesoro por empresas privadas?
10. ¿Por qué ha formado una alianza Colombia con el sector público y privado para llevar a cabo el trabajo de sacar el barco?

2

Corrígelas Las siguientes oraciones son falsas. Corrígelas para que sean ciertas.

1. El San José transportaba productos agrícolas de España a América.
2. Sacar el galeón del mar no iba a ser muy difícil.
3. El gobierno colombiano declaró que las riquezas sumergidas eran un bien de toda la humanidad.
4. Desde 1980, Colombia se ha visto enfrascado en una batalla legal con España.
5. La Ley 1675 garantiza que las riquezas sumergidas del San José sean devueltas al país de origen del galeón.
6. Los interesados en llevar a cabo la recuperación de galeón deben escribir una carta al presidente de Colombia.
7. El propósito del artículo es persuadir al lector para que ayude a sacar el galeón del mar.

3

Retrato del corsario español Amaro Pargo (1678-1747).

Piratas históricos Investiga en Internet sobre piratas españoles. Entre los más famosos figuran Íñigo de Artieta, Juan García, Pedro de Larraondo, Amaro Pargo, Ángel García Cabeza de Perro, José Gaspar, Benito Soto Aboal y Manuel Alcántara. Después de anotar los datos relevantes, haz un cartel de búsqueda y captura de uno de ellos, detallando sus rasgos físicos, que pueden ser reales o imaginarios, y algunas de sus hazañas. Si puedes, incluye los nombres de los barcos que capitaneaban y los que saqueaban.

4

Trabajo en el mar Imagínate que vives en el siglo XVI y que eres un(a) marinero/a o un(a) pirata. El barco en el que estabas trabajando se perdió en un naufragio, pero eras uno/a de los pocos sobrevivientes y ahora estás buscando empleo en otra embarcación. ¿Qué cualidades consideras ideales para ser escogido/a entre los otros candidatos? Elabora un borrador en el que describas tus trabajos anteriores como marinero/a o como pirata, tus características físicas, intereses y otros atributos. Luego, organiza estas ideas para escribir tu currículum. ¡No olvides incluir una carta de presentación!

5 **Rueda de prensa 1** Como presidente de Colombia, quieres anunciar el hallazgo del San José. Decides hacer una rueda de prensa en la que vas a explicar cómo fueron encontrados los restos del galeón, el impacto del hallazgo sobre el país y la identidad nacional, y cómo van a proceder para sacar el galeón de las profundidades del mar y decidir a quién o quiénes pertenecen los tesoros que guarda el galeón. Prepara el informe de tu presentación en un par de párrafos.

6 **Rueda de prensa 2** Formas parte del grupo de periodistas que participarán en la rueda de prensa. Prepara una serie de preguntas para hacerle al/a la presidente de Colombia. Luego, trabajen en grupos de cinco o seis estudiantes en los que algunos/as hagan el papel de periodistas y otro/a estudiante de presidente. Ayúdense mutuamente para editar la presentación del/de la presidente y las preguntas de los/las periodistas, y presenten la rueda de prensa ante la clase.

7 **Galeones famosos** Trabaja con un(a) compañero/a y busquen información sobre otro galeón español, por ejemplo Nuestra Señora de Atocha, el Trinidad, el San Sebastián, el Santísimo Trinidad o el San Diego. Den detalles sobre las características físicas del barco, si fue saqueado y luego hundido en el mar, o si fue víctima de un naufragio. Incluyan algo sobre sus rutas, los tesoros u otros artículos que llevaba, las batallas en las que participó, etc. Cada pareja investigará sobre una embarcación distinta. Preparen un informe oral para presentar «su» galeón a la clase.

8 **Tus recuerdos** Imagina que eres parte de la tripulación de un galeón español y que sales de España por primera vez en tu vida. Para entretenerte mantienes un diario en el que expones tus observaciones y emociones mientras estás a bordo. Tales observaciones y emociones pueden incluir lo que sientes por el camino hacia el continente americano, durante una batalla con corsarios enemigos de España o a la vuelta a casa. Escribe una página del diario y comparte el relato con la clase.

9 **Reflexión** Los colonos españoles saqueaban poblaciones indígenas y llevaban los tesoros robados a España; y los piratas y corsarios saqueaban los barcos españoles y mataban a la tripulación y los pasajeros. Lee el siguiente refrán:

《 Ladrón que roba a ladrón tiene cien años de perdón. 》

Con un(a) compañero/a, discutan las siguientes preguntas: ¿Están de acuerdo con esa frase? ¿Quiénes hacían una labor más reprochable: los colonos españoles o los corsarios y piratas?

10 **El patrimonio cultural** Elige algo de tu comunidad o país que consideres que forme parte del patrimonio cultural de la humanidad. Puede ser algo tangible o intangible. Mediante el uso de ayudas visuales, prepara una presentación oral en la que expliques por qué has elegido este lugar.

Audio
En fragmentos
My Vocabulary
Partner Chat
Record & Submit
Strategy
Write & Submit

GLOSARIO

proveniente
originario/a

autóctono/a
originario/a del lugar
donde vive, aborigen

subrayar dar énfasis
a algo, recalcar

la morada vivienda

la cima punto más alto
de una montaña

AUDIO ▸ VISITA AL SALTO ÁNGEL DE LA MANO DE UN GUÍA INDÍGENA

INTRODUCCIÓN El Salto Ángel es una cascada de 979 metros de altura en medio de la selva venezolana; es la cascada más alta del mundo. Aunque los indígenas de la zona la conocían desde hacía siglos, no fue hasta 1937 que el resto del mundo supo de su existencia. Ese año, un aviador estadounidense, Jimmie Angel, aterrizó cerca del salto y vivió para contarlo. En poco tiempo, visitantes de todas partes del mundo llegaban para ver esta maravilla de la naturaleza.

Esta grabación es parte de un programa de Radio ONU sobre el Salto Ángel. En ella se describe cómo los indígenas del área se mantienen gracias al turismo mientras disfrutan de una vida dedicada al respeto y el cuidado de la naturaleza.

ANTES DE ESCUCHAR

1 **Los grupos étnicos** ¿Qué importancia tienen los pequeños grupos étnicos de una nación? ¿Cómo se puede garantizar su supervivencia? Habla sobre este tema con un(a) compañero/a. En su conversación, hagan referencia a los grupos étnicos de su país y a los de países hispanohablantes.

◀)) MIENTRAS ESCUCHAS

ESTRATEGIA

Resumir Hacer pequeños resúmenes de lo que se dice en la grabación te ayudará a comprender lo que escuchas.

1 **Escucha una vez** Escucha la grabación para captar las ideas generales. Mientras escuchas, toma apuntes sobre los temas incluidos en esta tabla.

PREGUNTAS FUNDAMENTALES	APUNTES
¿Dónde está el Salto Ángel?	
¿Quiénes son los pemones?	
¿Cómo se ganan la vida los pemones?	
¿Quién es Dakó y a qué se dedica?	
¿De qué les habla Dakó durante el recorrido al salto?	
¿En qué se basa la cultura de los pemones?	
¿Qué son los tepuyes?	

2 **Escucha de nuevo** Ahora comparte tus apuntes con un(a) compañero/a para que entre ambos/as reúnan la mayor cantidad de información posible. Esto les ayudará a contestar las preguntas de la siguiente sección.

DESPUÉS DE ESCUCHAR

 1 **Comprensión** En grupos de tres o cuatro, contesten las siguientes preguntas usando la información de sus tablas de apuntes.

1. Mencionen tres características geográficas de la región descrita en el audio.
2. Mencionen dos aspectos relevantes de la cultura de los pemones.
3. ¿Qué información reciben los turistas que suben al Salto Ángel con Dakó?
4. Según la cultura pemón, ¿dónde viven los dioses?

2 **Palabras de Dakó** Con un(a) compañero/a, analicen estas palabras pronunciadas por Dakó en el audio. ¿Qué revela esta cita sobre la cultura de los pemones?

《 En nuestra cultura sabemos que toda cosa que tenga vida tiene su dios; entonces, más que todo, es el respeto al dios de todas esas cosas. 》

3 **Otra cultura** Busca información sobre una cultura de tu país que tenga una relación muy estrecha con su entorno natural. Compárala con la de los pemones. ¿Qué semejanzas y diferencias encuentras? Prepara una presentación oral para exponer tus hallazgos a toda la clase.

4 **Ensayo de reflexión y síntesis** De acuerdo con lo que has estudiado en este Contexto, escribe un ensayo sobre este tema: ¿Cómo nos ayudan los lazos con el pasado a comprender nuestra identidad nacional y étnica?

El ensayo debe tener al menos tres párrafos:

1. Un párrafo de introducción que:
   ◆ presente el contexto del ensayo
   ◆ incluya una oración que responda al argumento de tu tesis

2. Un párrafo de explicación que:
   ◆ exponga uno o dos argumentos que apoyen tu tesis
   ◆ dé ejemplos que sustenten tus argumentos

3. Un párrafo de conclusión que:
   ◆ resuma los argumentos que llevan a la tesis
   ◆ vuelva a plantear la tesis en otras palabras

CONEXIONES CULTURALES

Record & Submit
Virtual Chat

Simón Bolívar entrega la bandera después de la Batalla de Carabobo (detalle). Arturo **Michelena**, 1883

Las naciones del bicentenario

EL COMIENZO DEL SIGLO XIX FUE UN PERIODO AGITADO
en toda América. El espíritu revolucionario que dio
origen a la independencia estadounidense en 1776
y a la Revolución Francesa en 1789 se esparció
rápidamente por todo el continente. Poco después,
hace ya unos 200 años, en las diferentes naciones
surgieron varios movimientos independentistas que
buscaban liberarse del dominio español y crear una
identidad nacional propia.

Uno de los países que nacieron en aquellos años
fue Perú. Durante mucho tiempo, los patriotas
peruanos intentaron independizarse, pero dada la
importancia estratégica y económica que esa región
tenía para España, todos los levantamientos fueron
sofocados. Sin embargo, tanto desde el norte como
desde el sur soplaban vientos de libertad. Gracias
a personajes como José de San Martín y Simón
Bolívar, Perú logró su tan ansiada independencia
el 28 de julio de 1821.

▶▶ Después de independizarse de España,
muchas regiones latinoamericanas se
empobrecieron debido a las luchas internas,
los grandes préstamos que tuvieron que
solicitar y la imposibilidad de competir con
la industria europea. Actualmente, muchos
países de Latinoamérica siguen luchando
por establecer economías estables.

◢ A raíz de la independencia, la estructura
política de los países emancipados se
debilitó, lo cual provocó el desarrollo del
caudillismo. Los caudillos tomaron las
riendas del poder político, económico y
social, y establecieron dictaduras. Esta
situación histórica ha provocado que la
mayoría de los países de Latinoamérica
hayan tenido dificultades para establecer
democracias firmes y duraderas.

 Presentación oral: comparación cultural

Prepara una presentación oral sobre este tema:

◆ ¿Cómo influye el contexto histórico en la
formación de la identidad de los países?

Compara tus observaciones de una región del mundo
hispanohablante que te sea familiar con las de las
comunidades en las que has vivido.

PUNTOS DE PARTIDA

Nuestros intereses personales pueden ser muy variados y son un factor importante para definir nuestra identidad. Al igual que esta, evolucionan a través de los años reflejando nuevos conocimientos, habilidades, valores y actitudes ante la vida. Nuestros intereses personales nos ayudan a establecer conexiones con los demás, lo cual es fundamental para que una sociedad funcione óptimamente.

▲ ¿Cómo influyen nuestros intereses personales en nuestra identidad y en nuestra vida diaria?

▲ Por lo general, ¿las personas disfrutan más de sus pasatiempos e intereses personales si los pueden compartir con otros?

▲ ¿Influye la edad de un individuo en sus intereses personales y en la elección de pasatiempos?

DESARROLLO DEL VOCABULARIO

 My Vocabulary Partner Chat

1 **Palabras y pasatiempos** Lee las siguientes palabras relacionadas con los intereses personales. Piensa en un pasatiempo y escoge cinco de estas palabras con las que pueda asociarse. Si se te ocurre una palabra que no está en la lista, también puedes utilizarla. Explica la relación entre ese pasatiempo y las palabras que elegiste.

- ◆ aprender
- ◆ compartir
- ◆ conocer
- ◆ creatividad
- ◆ disfrutar
- ◆ distracción
- ◆ espíritu aventurero
- ◆ investigar
- ◆ pasión
- ◆ relajarse
- ◆ tiempo libre
- ◆ transformar

MI VOCABULARIO
Anota el vocabulario nuevo a medida que lo aprendes.

2 **¿Por qué eliges un pasatiempo?** Completa la encuesta sobre las razones a la hora de elegir y practicar un pasatiempo. Después, en pequeños grupos, sumen todas sus respuestas para descubrir el factor que tiene más peso y luego compartan sus resultados con los de otros grupos.

	Siempre	A veces	Nunca
1. Mi familia/mis amistades me animan a hacerlo.	☐	☐	☐
2. Hay muchas oportunidades para practicarlo.	☐	☐	☐
3. Una persona famosa influye en mi decisión.	☐	☐	☐
4. Lo hago para mantenerme en forma.	☐	☐	☐
5. Me divierte.	☐	☐	☐
6. Me relaja.	☐	☐	☐
7. Está de moda.	☐	☐	☐
8. Va a generar interés en mis solicitudes universitarias.	☐	☐	☐
9. Quiero conocer a otros con intereses similares.	☐	☐	☐
10. Siempre me ha interesado.	☐	☐	☐
11. Mi mejor amigo/a lo practica.	☐	☐	☐
12. Quiero desarrollar nuevos talentos.	☐	☐	☐

3 **Amigos y pasatiempos** Trabaja con un(a) compañero/a y hazle las siguientes preguntas: ¿Compartes algún pasatiempo con un(a) amigo/a? ¿Qué impacto ha tenido en su amistad? ¿Su relación sería diferente si no practicaran ese pasatiempo? Intercambien preguntas, respuestas y comentarios.

Auto-graded
My Vocabulary
Partner Chat
Record & Submit
Strategy
Write & Submit

LECTURA 4.1 ▶ RESTAURADORES DE AUTOS CON AIRES DE ESTRELLA

SOBRE LA LECTURA A menudo, los pasatiempos se convierten en trabajos o carreras. El empeño e interés que muestran algunas personas en estas actividades las convierte en empleados o encargados apasionados y entusiastas. Son afortunados los que pueden desarrollar su vida profesional de esta manera.

En esta lectura, tomada de la edición electrónica del diario argentino *La Nación*, se describe cómo un padre y su hijo convirtieron el fervor por sus intereses personales en un trabajo original: la restauración de autos y motos antiguos. El éxito de su negocio los ha llevado incluso a la televisión, donde serán las estrellas de una serie de seis programas.

ANTES DE LEER

1 **Red de palabras** En parejas, piensen en las cualidades que conducen al éxito escolar y profesional, y completen la red de palabras. Expliquen las razones por las que eligieron esas cualidades. Luego, trabajen con otra pareja para comparar y discutir sus respuestas.

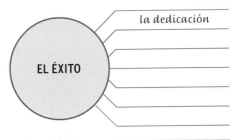

EL ÉXITO — la dedicación

2 **¿Trabajar en familia?** Una persona que conoces quiere establecer un negocio con un familiar o con un(a) amigo/a. ¿Cuáles crees que serían las consecuencias de iniciar un negocio así? Habla con un(a) compañero/a sobre las ventajas y desventajas de trabajar con alguien con quien se tienen lazos muy estrechos.

3 **Tus pasatiempos** Piensa en cómo algunos de tus pasatiempos e intereses podrían convertirse en una carrera profesional. Luego, trabaja con tres o cuatro compañeros/as y compartan sus ideas. Describan los trabajos que resultarían de sus intereses personales y los pasos que deberían seguir para recorrer ese camino.

MI VOCABULARIO
Utiliza tu vocabulario individual.

4 **Un ensayo** Escribe un breve ensayo para explicar cómo han influido tus intereses en la formación de tus valores personales. Piensa en la influencia que han tenido tanto tus pasatiempos como los amigos que has conseguido en tu formación como persona. Incluye además en tu ensayo una reflexión sobre la relación entre tu identidad y tus actividades de tiempo libre.

RECURSOS
Consulta la lista de apéndices en la p. 418.

5 **Jóvenes latinoamericanos** Investiga en Internet sobre los intereses particulares de cierto grupo de jóvenes en algún país hispanohablante; por ejemplo, una afición, un deporte especial o el hábito de coleccionar algún tipo de objetos. Presenta tus hallazgos a la clase y apoya tu presentación con imágenes. Recuerda además establecer comparaciones con los jóvenes de tu región.

Restauradores de autos con aires de estrella
por Agustín Lafforgue

Luis y Diego Carvotta, padre e hijo, dedican sus días a la restauración de autos y motos antiguos. Lo que empezó como un hobby se transformó en un trabajo y llegará, incluso, a la televisión.

Muchas veces cuando uno llega a un lugar de trabajo desconocido puede, a simple vista, advertir lo que allí se hace. Y ese es el caso al **arribar** al taller de los Carvotta, ubicado en Villa Adelina, partido de San Isidro, en el Norte del Gran Buenos Aires.

5 En lo que es una recreación de un bar de los años 20, además de una mesa de pool, carteles, un **surtidor**, insignias de cuanta marca uno imagine, se pueden encontrar objetos de autos históricos y hasta fotos de las «criaturas» recuperadas, y le permiten a uno darse cuenta de que allí se restauran autos y motos. Los encargados son Luis (56 años) y Diego (25), padre e hijo.

10 El vínculo entre esta familia, ya que los demás miembros también tienen alguna responsabilidad en el negocio, nació con la pasión de Luis, quien desde muy chico fue un investigador de los vehículos. Y en 1985 lo **cristalizó** en este proyecto denominado «Ave Fénix», porque según manifiestan, «las restauraciones **resurgen** de las cenizas» como el ave mitológica, cuando decidieron **apostar**
15 **por** esto para transformar este hobby en una fuente de ingresos para la familia.

ESTRATEGIA

Buscar claves en el título
El título de un texto nos proporciona una idea específica de su contenido. Según el título, ¿crees que el texto es una narrativa personal, un cuento de ficción o un artículo informativo?

GLOSARIO
arribar llegar
el surtidor aparato que reparte gasolina
cristalizar obtener un resultado
resurgir volver a aparecer
apostar por depositar confianza en una iniciativa

GLOSARIO

hacer a cero
dejar como nuevo,
hacerlo como el original

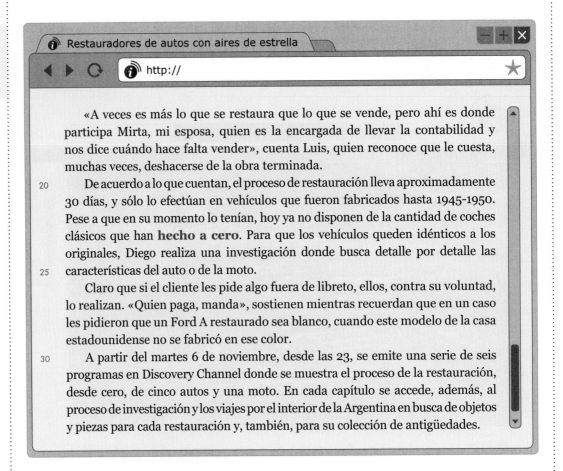

Restauradores de autos con aires de estrella

http://

«A veces es más lo que se restaura que lo que se vende, pero ahí es donde participa Mirta, mi esposa, quien es la encargada de llevar la contabilidad y nos dice cuándo hace falta vender», cuenta Luis, quien reconoce que le cuesta, muchas veces, deshacerse de la obra terminada.

20 De acuerdo a lo que cuentan, el proceso de restauración lleva aproximadamente 30 días, y sólo lo efectúan en vehículos que fueron fabricados hasta 1945-1950. Pese a que en su momento lo tenían, hoy ya no disponen de la cantidad de coches clásicos que han **hecho a cero**. Para que los vehículos queden idénticos a los originales, Diego realiza una investigación donde busca detalle por detalle las 25 características del auto o de la moto.

Claro que si el cliente les pide algo fuera de libreto, ellos, contra su voluntad, lo realizan. «Quien paga, manda», sostienen mientras recuerdan que en un caso les pidieron que un Ford A restaurado sea blanco, cuando este modelo de la casa estadounidense no se fabricó en ese color.

30 A partir del martes 6 de noviembre, desde las 23, se emite una serie de seis programas en Discovery Channel donde se muestra el proceso de la restauración, desde cero, de cinco autos y una moto. En cada capítulo se accede, además, al proceso de investigación y los viajes por el interior de la Argentina en busca de objetos y piezas para cada restauración y, también, para su colección de antigüedades.

DESPUÉS DE LEER

1 **Comprensión** Contesta las preguntas según el artículo.

1. ¿Cómo surgió el negocio de los Carvotta?
2. ¿Cómo es el taller de los Carvotta?
3. ¿Qué son las «criaturas» recuperadas?
4. ¿Qué es el proyecto denominado «Ave Fénix»?
5. ¿Por qué es apropiada la comparación con el ave Fénix?
6. ¿Qué papel tiene la esposa de Luis en el negocio?
7. ¿Cuánto tiempo tardan en hacer una restauración?
8. ¿Cómo se aseguran de que los autos queden idénticos a los originales?
9. ¿Qué van a mostrar en un programa del canal Discovery?
10. ¿Por qué viajan padre e hijo por el interior de Argentina?

MI VOCABULARIO
Utiliza tu vocabulario individual.

2 **Un mensaje electrónico** Un(a) amigo/a te escribe un mensaje electrónico en el que te cuenta que está aburridísimo/a de su trabajo porque no le interesa en absoluto. Sabes que esta persona tiene muchos intereses personales que podrían orientarla hacia un trabajo que le agrade. Ten en cuenta dos o más de estos intereses y explícale en un mensaje electrónico cómo buscar un trabajo en el que pueda aplicarlos. Te puede resultar más fácil completar la actividad si piensas en una persona específica.

3 ✍ 🍃 **Un coche clásico** Has tenido la genial idea de regalarle a alguien —o a ti mismo/a— un coche clásico restaurado. Escríbeles una carta a los Carvotta para explicarles qué tipo de coche quieres que restauren y por qué. Incluye algunas especificaciones, como el color que te gustaría o el diseño del tapizado.

ESTRATEGIA

Describir claramente 🍃
Para que las personas que reciben la carta comprendan lo que les pides, debes incluir todos los detalles (antigüedad y tipo de coche, color, etc.) y las razones específicas para restaurarlo.

4 👥 **¿Te cuesta venderlo?** Luis dice que a veces le cuesta vender lo que ha creado. ¿Por qué dice esto? ¿A ti te costaría vender o regalar algo que te ha costado mucho trabajo hacer o sería un gran placer? Explica por qué y coméntalo con un grupo.

5 **Hacer un análisis** Lee esta cita del político, historiador y escritor español Antonio Cánovas del Castillo (1828-1897).

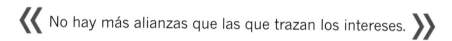

« No hay más alianzas que las que trazan los intereses. »

Luego, trabaja con un(a) compañero/a y analícenla. ¿Por qué a los seres humanos nos unen los intereses que tenemos en común?

6 👥 **Soluciones** Estás de visita en la casa de un señor que posee muchos objetos automovilísticos antiguos y recuerdas que tienes un(a) amigo/a que está muy interesado en restaurar autos. ¿Qué podrías hacer para presentarlos y, de esa manera, ayudarlos a iniciar un nuevo negocio? Trabaja con un par de compañeros/as y creen un diálogo acerca de esa situación.

7 👥 **Un anuncio** En parejas, preparen un anuncio de radio que promocione el negocio de los Carvotta. Ensayen el anuncio y luego hagan una presentación ante la clase como si estuvieran hablando en la radio.

ESTRATEGIA

Demostrar conocimiento 🍃
Es importante articular y demostrar tu conocimiento. Utiliza la información que has obtenido del artículo para hablar como un(a) experto/a. Presenta lo que sabes con confianza para convencer a los radioyentes.

8 👥 **Concurso de diseño** Una compañía de coches quiere incorporar las ideas de los jóvenes en una serie nueva de coches. Patrocinan un concurso en el que grupos de dos o tres estudiantes diseñan un coche nuevo. El grupo que gane tendrá la oportunidad de trabajar con la compañía para crear un prototipo real.

En grupos de tres, diseñen un coche para el concurso. Deben explicar los rasgos más importantes e indicar qué tipo de persona va a querer comprarlo y por qué. Consideren los siguientes aspectos:

- el diseño exterior: apariencia, tamaño y forma
- el diseño interior: comodidad, rasgos para atraer al tipo de persona al que se le venderá
- el rendimiento: las habilidades del coche, cómo se desplaza
- la eficiencia energética: qué combustible se usa y cuánto se requiere para accionar el motor

9 ✍ 🍃 **Tus propias aficiones** Piensa en alguna actividad que te gusta mucho o que te gustaría practicar. Luego escribe un ensayo de una página para motivar a tus amigos/as y compañeros/as a practicar la afición que tanto te gusta. En tu ensayo, explicá por qué la actividad es divertida o incluso por qué es mejor que otras similares.

RECURSOS 🔍
Consulta la lista de apéndices en la p. 418.

Auto-graded
My Vocabulary
Partner Chat
Record & Submit
Strategy
Write & Submit

LECTURA 4.2 ▸ 10 *HOBBIES* QUE TE AYUDARÁN A SER MÁS PRODUCTIVO

SOBRE LA LECTURA El siguiente artículo fue tomado del portal español Universia.es, sitio web dedicado a estudiantes universitarios/as de España y Latinoamérica. Aquí, los/as lectores/as pueden encontrar noticias sobre cursos universitarios, becas, carreras, instituciones educativas y noticias de interés para la juventud. El artículo ofrece sugerencias para ayudarles a las personas jóvenes a ser más productivas y aprender a aprovechar mejor su tiempo libre.

ANTES DE LEER

1

Tus *hobbies* Usa la siguiente tabla para marcar los *hobbies* que más te interesan y agrega una o dos actividades que no estén en la lista. Luego, compara tus *hobbies* e intereses con un(a) compañero/a. ¿Cómo se relacionan los resultados con tu personalidad?

HOBBY		*HOBBY*	
ir a clases de ballet		hacer yoga	
pintar		ir al gimnasio	
jugar a los videojuegos		correr en el parque	
cocinar		bailar	
tomar la siesta		trabajar en el jardín	

MI VOCABULARIO
Utiliza tu vocabulario individual.

2 **¿Qué opinan?** Contesta las siguientes preguntas con un(a) compañero/a.

1. ¿Cuál es tu *hobby* y por qué te gusta? Si no tienes un *hobby*, ¿qué te gusta hacer en tu tiempo libre? ¿Por qué?
2. ¿Te interesan más las actividades que se hacen al aire libre o las que haces en un gimnasio, en el colegio o en casa? ¿Por qué?
3. ¿Qué haces para ser más productivo/a o creativo/a? ¿Funciona esa táctica?
4. ¿Piensas que la mayoría de los trabajos se convierten en rutinarios? ¿Qué efecto tiene la rutina sobre los estudios, los trabajos o las actividades diarias?
5. ¿Qué buscas en un *hobby*: compartir tus intereses con otras personas y así establecer más amistades, aprender algo, mantenerte en buena forma, desarrollar destrezas o algo más?
6. ¿Prefieres practicar tu *hobby* solo/a o en compañía de otras personas? ¿Por qué?

10 Hobbies
que te ayudarán a ser más productivo

Una vida rutinaria, donde lo único que hacemos son obligaciones, no es muy saludable. Aunque creas que trabajando todo el día eres 100% productivo, equilibrar el día entre tareas y *hobbies* es recomendado para **rendir** más. **¿Quieres conocer los 10** *hobbies* **que te ayudarán a ser una persona productiva? ¡Aquí van!**

1

Correr: La sociedad de a poco se ha ido **concientizando** de la importancia de sumar el deporte a nuestra rutina. Por eso, una de las actividades que prefieren hacer es correr. Lo positivo es que, si bien puedes hacerlo dentro de un gimnasio, utilizando una cinta, puedes hacerlo al aire libre sin necesidad de pagar una cuota. Este *hobby* es un combo: **te ayuda a relajarte, a mantenerte en forma** y te ayudará a desarrollar una importante habilidad necesaria para cualquier empleo: bloquear problemas para poder **focalizarte en un objetivo.** 5 10

2

Bailar: El mejor ejemplo para entender cómo bailar es un *hobby* que incrementa la productividad, es el ballet. Este estilo de baile **estimula el sentido de la responsabilidad, la disciplina y el trabajo en equipo.** Para ser un buen bailarín de ballet, es necesario dedicarle varias horas del día, ser responsable para cumplir con todos los ensayos y los horarios establecidos, y comprender que si faltas, no solo te haces un mal a ti mismo sino que afectas al resto del cuerpo de baile. A su vez la práctica de distintos ejercicios y coreografías **fomenta** la memoria y la coordinación. 15 20 25

3

Pintar: Las personas que pintan suelen ser muy creativas. Además, pintar les **permite analizar su vida, pensando en sus deseos y pensamientos,** a la vez que lo reflejan y lo exponen en un lugar físico. Saber cuáles son tus objetivos en la vida te **brindará** una idea más clara y te ayudará a ser más productivo en la estrategia para alcanzarlos. 30 35

4

Cocinar: La posibilidad de mezclar gustos, combinar **aderezos** y crear un plato delicioso, hace que sea uno de los *hobbies* preferidos de las personas. Además, resulta absolutamente productivo porque el acto de cocinar te obliga a estar concentrado en el producto y en cada paso del proceso. A su vez **te permite desarrollar la habilidad de prever de antemano el próximo paso a seguir.** Si aprendes a cocinar y a preparar tus almuerzos, podrás ahorrarte tiempo y dinero, dejando preparadas las **viandas** para el almuerzo del trabajo del día siguiente. 40 45 50

GLOSARIO

la monografía estudio o investigación sobre un tema específico

la temática tema, conjunto de temas

involucrar incluir, abarcar

desprenderse separarse, apartarse

5 Escribir: Claro que tarde o temprano todos escribimos. Ya sean mails para el trabajo, **monografías** para la universidad... pero el verdadero *hobby* que te ayudará a ser más productivo consiste en escribir en tu tiempo libre. Es una forma de expresarte con libertad, escribir de la **temática** que más te guste, **pensar en tus sueños y dejar liberar a la imaginación.**

6 Jugar videojuegos: Si bien jugar videojuegos entre semana pueda hacerte pensar que estás perdiendo el tiempo, existen algunos que te ayudan a desarrollar habilidades importantes como **la concentración, la determinación, el trabajo en equipo y aprender a equivocarse y volver intentarlo.** En cualquier trabajo son necesarias personas que cuenten con estas destrezas para tener empleados productivos.

7 Jardinería: Además de ser un buen *hobby* porque te permite estar en contacto con la naturaleza, esta actividad te ayudará a relajarte, **a desarrollar la paciencia, a ser cuidadoso con los detalles** y a manejar varios proyectos a la vez.

8 Jugar al póker: Gracias a Internet es posible jugar al póker con personas alrededor del mundo, lo cual lo hace absolutamente interesante. A pesar de ser un juego, el póker **involucra la lógica, idear estrategias,** ayuda a pensar en el objetivo y a tomar decisiones constantemente.

9 Tomar siestas: Seguro este es el *hobby* productivo que más te llamará la atención. ¿Dormir en mi cómodo sillón en la tarde me ayuda a rendir más? Claro que sí. Eso se debe a que te permite desarrollar tu creatividad y a pensar en ideas innovadoras. Tomar siestas de 20 minutos en la tarde ayuda a obtener mayor claridad, a mejorar la memoria y a tener más energía para el resto del día.

10 Hacer yoga: El yoga se ha vuelto popular entre numerosas celebridades como Julia Roberts, Gisele Bündchen y Colin Farrell. Es un *hobby* que **te permite desprenderte** de los malos pensamientos y **concentrarte únicamente en tu cuerpo.** A la vez que mejora tu salud corporal, ayuda a mejorar el estado emocional y espiritual. Sentirte bien contigo mismo es fundamental para enfrentar los desafíos de la vida, como por ejemplo los laborales.

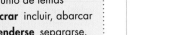

DESPUÉS DE LEER

1

Comprensión Empareja cada *hobby* con la descripción correspondiente según el artículo.

1. ___ hacer yoga
2. ___ correr
3. ___ bailar
4. ___ jardinería
5. ___ jugar al póker
6. ___ pintar
7. ___ cocinar
8. ___ tomar siestas
9. ___ jugar videojuegos
10. ___ escribir

a. estimula la responsabilidad, la disciplina y el trabajo en equipo
b. permite analizar la vida
c. permite pensar en ideas innovadoras
d. libera a la imaginación
e. permite concentrarse únicamente en el cuerpo
f. involucra la lógica e idear estrategias
g. te ayuda a ser cuidadoso con los detalles
h. te enseña a equivocarte y volver a intentarlo
i. te enseña a desarrollar la habilidad de prever
j. te ayuda a bloquear problemas y así focalizarte en un objetivo

2 **Corrígelas** Las siguientes oraciones son falsas porque los *hobbies* mencionados no son los correctos. Corrígelas con el *hobby* correspondiente según la lectura.

1. Jugar al póker se ha vuelto popular entre muchas celebridades.
2. Jugar videojuegos deja liberar a la imaginación.
3. Tomar siestas desarrolla la paciencia.
4. Pintar involucra la lógica.
5. Cocinar te permite analizar tu vida.
6. Escribir te ayuda a relajarte.
7. Hacer yoga te ayuda a mejorar la memoria.
8. La jardinería estimula el sentido de la responsabilidad.

3 **¿Español o inglés?** Habrás visto las palabras *hobby*, *mails* y *combo* en el artículo. Trabajen en grupos pequeños y escriban otras palabras en inglés que se han incorporado al español (ver **Los anglicismos** en la página 382). Luego hagan otra lista de palabras en español que se han introducido en su idioma; por ejemplo *siesta* y *plaza*. Comparen sus listas con las de otros grupos.

4 **El pasatiempo ideal** En tu opinión, ¿qué *hobbies* descritos en el artículo son ideales para las siguientes personas? Explica por qué.

1. tu primo que se está recuperando de una pierna rota
2. tu vecina que es una enamorada de las flores
3. tu mejor amigo/a que tiene una gran imaginación y se expresa muy bien hablando
4. tu hermano que es un holgazán pero quiere mantenerse en forma
5. tu abuela que quiere mejorar su memoria y coordinación
6. un primo súper analítico y artístico a la vez
7. tus amigos que gastan demasiado dinero en salir a cenar

5 **Una persona productiva** ¿Qué características posee una persona productiva? Haz una lista en la que menciones todas las características que creas que necesita una persona para ser productiva. Trabaja con un(a) compañero/a y comenten sus ideas. Luego hablen con otras parejas para comparar opiniones.

MI VOCABULARIO
Utiliza tu vocabulario individual.

6 **Ventajas y problemas** Con un(a) compañero/a, escojan cinco *hobbies* mencionados en el artículo. Describan nuevas ventajas que te puede ofrecer cada uno y discutan los problemas que podría conllevar su práctica.

> **MODELO**
>
> ◆ *Bailar te relaja y te hace más flexible. Sin embargo, podrías lastimarte un tobillo.*
> ◆ *Correr ofrece la oportunidad de competir en maratones. Pero te podría causar problemas en las rodillas.*

7 **Anuncio de un club** Imagínate que eres el o la gerente de un club que patrocina uno de los *hobbies* mencionados en el artículo. Necesitas reclutar a más miembros, por lo que vas a crear un anuncio publicitario. Prepara una presentación oral en la que describas bien los objetivos del club y animes a las personas a hacerse miembros. Incluye las ventajas físicas, psicológicas y sociales de ser un miembro del club.

8 **Nuevos hábitos** Piensa en los pasatiempos que quisieras que hicieran parte de tu vida. Describe en dos o tres párrafos los pasos que debes tomar para integrar estas nuevas actividades en tu rutina diaria y cómo estos pasatiempos cambiarían tu vida y la de aquellos/as que te rodean.

9 **¿Quién ganará el oro?** Imagínate que tu *hobby* va a competir contra otros dos en los Juegos Olímpicos de los *hobbies*. Trabaja en un grupo de tres en el que cada estudiante «defenderá» su *hobby* para así ganar una medalla de oro. Delante de la clase, cada integrante del grupo describirá su *hobby* y las ventajas que tiene para que los que lo practiquen sean más productivos. La clase votará por el pasatiempo que merezca la medalla de oro por su viabilidad, practicidad y productividad.

ESTRUCTURAS

El gerundio y el participio
El gerundio se puede unir a *estar* y a otros verbos para expresar acciones progresivas. También puede realizar la función de adverbio. El participio se usa en los tiempos compuestos, en la voz pasiva y como adjetivo.

Vuelve a leer el artículo y busca ejemplos de gerundios y participios en dichos contextos (sintácticos). Indica el uso de cada ejemplo.

> **MODELO** Introducción: **es recomendado** (voz pasiva)
>
> Línea 1: **se ha ido** (tiempo compuesto)
>
> Línea 24: **los horarios establecidos** (adjetivo)
>
> Línea 65: **que estás perdiendo** (acción progresiva)

RECURSOS
Consulta las explicaciones gramaticales del **Apéndice A,** pp. 448-450.

AUDIO ▸ XV FESTIVAL DE JAZZ EN TOLEDO

Audio
En fragmentos
My Vocabulary
Partner Chat
Strategy
Write & Submit

INTRODUCCIÓN Esta grabación proviene de una emisión de *Radio 5* de RTVE y describe un evento que ocurre desde hace varios años en Toledo, España: un gran festival de música jazz. El narrador menciona las características y ventajas del festival y su importancia, además de presentar la información que ofrecen dos colaboradores del evento.

GLOSARIO

la terraza espacio al aire libre para sentarse fuera de un café

el ayuntamiento el gobierno municipal

los últimos coletazos estar a punto de terminar

el/la concejal miembro del concejo municipal

el/la funcionario/a persona que trabaja para el gobierno

ANTES DE ESCUCHAR

1 **Un festival propio** Con un(a) compañero/a, diseñen su propio festival —puede ser de cualquier tipo de expresión artística—. Describan qué espectáculos incluirían, dónde y cuándo tendría lugar, y otros detalles similares. Diseñen además un póster de su festival (como el que aparece en la página 408). Presenten sus planes al resto de la clase.

2 **Activar el conocimiento previo** Habla con un(a) compañero/a sobre lo que saben del jazz y sus músicos, y del baile *Lindy Hop*. Mencionen algunos aspectos culturales e históricos del jazz en Estados Unidos y de qué manera este ritmo musical ha llegado a otros países del mundo, especialmente en Hispanoamérica.

◀)) MIENTRAS ESCUCHAS

1 **Escucha una vez** Escucha la grabación para captar las ideas generales. Anota palabras y expresiones relacionadas con cada pregunta de la tabla de apuntes.

ESTRATEGIA

Visualizar
Al escuchar la grabación, imagina lo que se describe para tener una idea más clara del contexto. Visualizar lo que se narra te permitirá crear una imagen más vívida de lo que se dice y, en este caso, te permitirá sentir el ritmo como si estuvieses en Toledo.

PREGUNTAS FUNDAMENTALES	APUNTES
¿Cuáles son los horarios del festival?	
¿Cuánto tendrán que pagar los espectadores?	
¿Dónde tendrá lugar el festival en Toledo?	
¿Cuál es la propuesta del festival? ¿Para qué servirá?	
¿Quiénes colaborarán para cumplir con la propuesta?	
¿Qué otro evento tendrá lugar durante el festival?	
¿Dónde tiene sus raíces el *Lindy Hop*, según la profesora? Explica con detalles.	

2 **Escucha de nuevo** Ahora, con base en lo que escuchas, trata de escribir respuestas completas para cada una de las preguntas de la tabla.

MI VOCABULARIO
Utiliza tu vocabulario individual.

DESPUÉS DE ESCUCHAR

1

Comprensión En pequeños grupos, analicen los apuntes de sus tablas y contesten las preguntas de la manera más completa posible. Luego compartan sus respuestas con toda la clase.

2

Festivales Con un(a) compañero/a, contesta las siguientes preguntas sobre el Festival de Jazz de Toledo y sobre festivales similares en el municipio o el estado donde viven.

1. ¿Por qué dice el locutor que el Festival de Jazz de Toledo «pretende servir para rejuvenecer las noches toledanas en los últimos coletazos del verano»?
2. ¿Por qué podemos inferir que el festival es un proyecto colaborativo? ¿Qué dice el concejal de cultura Jesús Nicolás que nos permite hacer esta inferencia?
3. ¿El gobierno municipal o estatal de donde ustedes viven patrocina un festival o una actividad similar al Festival de Jazz de Toledo?
4. Describan un festival al que hayan asistido recientemente. ¿Recuerdan alguna expresión artística (música, pintura, danza o teatro) que refleje mezclas culturales?

RECURSOS
Consulta la lista de apéndices en la p. 418.

3

Ensayo de reflexión y síntesis Con base en lo que has estudiado en este Contexto, escribe un ensayo sobre este tema: ¿Nuestros intereses personales sirven para unirnos más o para separarnos de las demás personas?

El ensayo debe tener al menos tres párrafos, así:

1. Un párrafo de introducción que:
   ◆ presente el contexto del ensayo
   ◆ incluya una oración que responda a la pregunta, que es tu tesis
2. Un párrafo de explicación que:
   ◆ exponga uno o dos argumentos que apoyen tu tesis
   ◆ dé ejemplos que sustenten tus argumentos
3. Un párrafo de conclusión que:
   ◆ resuma los argumentos que llevan a la tesis
   ◆ vuelva a plantear la tesis en otras palabras

CONEXIONES CULTURALES

Record & Submit
Virtual Chat

Factoría Joven en Mérida, España

Un lugar donde vivir la juventud

¿EXISTEN LUGARES DISEÑADOS PARA LOS JÓVENES DONDE puedan practicar patinaje y ciclismo, bailar *hip hop*, asistir a talleres de capacitación, dar rienda suelta a la creatividad e incluso practicar escalada, todo bajo un mismo techo? Pues sí existen: en varias ciudades de España.

Las Factorías Joven son centros recreativos vanguardistas, creados especialmente para los españoles de entre 14 y 30 años. ¿Y quién mejor que los principales interesados para diseñarlos? Como nadie conoce mejor los intereses de los jóvenes que ellos mismos, son precisamente los usuarios los encargados de dar propuestas a los arquitectos, quienes las convierten en realidad. Estos espacios cuentan con los más diversos recursos para llevar a cabo actividades audiovisuales, musicales, plásticas, teatrales e incluso deportivas. También disponen de sectores de descanso, donde la única consigna es relajarse y disfrutar.

◢ El *hip hop* se volvió tan importante para los jóvenes colombianos, que en el Instituto de Patrimonio de Bogotá se propuso declararlo patrimonio cultural intangible de la ciudad. En otras ciudades del país este ritmo musical también se ha vuelto muy popular.

◢ Miles de jóvenes peruanos disfrutan del juego para teléfonos móviles *Inka Madness*. El jugador debe superar desafíos entre los elementos típicos de las culturas incaica y peruana. El objetivo no es solo divertirse, sino también aprender a valorar la propia historia; es entonces una forma divertida y muy original mediante la cual los jóvenes se acercan a la historia de su país.

◢ La bachata es un ritmo bailable urbano originario de la República Dominicana, que combina el bolero con otros ritmos afroantillanos. Ha causado furor entre los jóvenes dominicanos, pero también en casi toda Latinoamérica. Este no es el único ritmo dominicano que ha cruzado las fronteras del país: durante las décadas de los ochenta y los noventa el merengue se extendió por todo el continente y el mundo entero.

 Presentación oral: comparación cultural

Prepara una presentación oral sobre este tema:

◆ ¿Cuáles son las similitudes y las diferencias de los intereses de los jóvenes de Estados Unidos, España y Latinoamérica? ¿Cómo influyen en su identidad?

Compara tus observaciones de una región del mundo hispanohablante que te sea familiar con las de las comunidades en las que has vivido.

▲ A menudo, es necesario utilizar notas en los ensayos, que pueden ser de dos clases: notas aclaratorias o notas bibliográficas. Las **notas aclaratorias** se introducen para ampliar un tema, aclarar alguna cuestión, presentar la traducción de algún texto, exponer la opinión de otro autor, etc. Deben ser breves y es recomendable limitar su número, pues un texto recargado de notas puede desorientar y aburrir al lector.

▲ Las **notas bibliográficas** se utilizan para especificar las fuentes. Remiten al lector a otras obras que tratan los temas discutidos mediante expresiones como «Con relación a este tema, puede consultarse…» o «El autor *x* opina lo contrario en su obra…»; o directamente se señalan las fuentes, como se indica más adelante.

▲ Tanto las notas aclaratorias como las bibliográficas pueden ir al pie de página (*footnotes*) o al final del ensayo (*endnotes*). En general, son más utilizadas las notas al pie de página, porque le facilitan al lector su trabajo; pero, en caso de que el ensayo lleve muchas notas, es mejor ponerlas al final.

▲ Al usar citas, ya sean directas o indirectas, se debe especificar la fuente mediante notas bibliográficas, que se señalan con números superíndices (*superscript*) inmediatamente después del texto parafraseado o de la cita textual.

▲ Las referencias bibliográficas deben ir completas, es decir, en ellas se deben consignar todos los datos que le permitan al lector ubicar la fuente a la que se remite. Las fuentes más comúnmente citadas son los materiales impresos (libros y publicaciones periódicas).

▲ Al igual que en inglés, en español existen diferentes maneras de escribir una referencia bibliográfica. Esta es una de las más corrientes:

> **Estructura:**
> Apellido, Nombre. «Título de la sección», en: *Título de la obra*, Ciudad de publicación: Editorial, año, pp. xxx-xxx.
>
> **Ejemplos:**
> Eco, Umberto. *Cómo se hace una tesis*, Barcelona: Gedisa, 1975, pp. 188-214.
>
> Cassany, Daniel. «Párrafos», en: *La cocina de la escritura*, Barcelona: Anagrama, 1993, pp. 82-93.

▲ Este es uno de los formatos estándar en español para citar una publicación periódica:

> **Estructura:**
> Apellido, Nombre. «Título del artículo». *Título de la revista o periódico* vol. # (año): pp. xxx-xxx.
>
> **Ejemplos:**
> Bushnell, David. «Las independencias comparadas: las Américas del Norte y del Sur». *Historia crítica* vol. 41 (2010): pp. 20-37.
>
> Martín, Pedro. «La poesía cubana no está bloqueada». *El Colombiano*, Medellín, 13 de febrero de 1993: 12B.

◢ Para citar una página web, además de los datos anteriores, se debe indicar que se trata de un artículo en línea. Hasta hace poco se recomendaba dar la dirección completa de la página, pero ahora se recomienda solamente indicar que la información se encuentra en línea, e incluir la fecha en la que se accedió a la misma.

> Murueta, Marco Eduardo. «Subjetividad y praxis: la diversidad de los contextos culturales» [en línea]. Acceso: 2 de enero de 2011.

◢ Al final del ensayo se debe incluir un listado con todas las obras citadas. El listado bibliográfico debe ir en estricto orden alfabético, según los apellidos de los autores, y debe contener los datos completos.

◢ Dado que las referencias bibliográficas deben ser indicaciones claras y breves, en ellas se usan varias abreviaturas que sintetizan la información; casi todas ellas provienen del latín.

Ídem (o **Íd**.)	Se utiliza para indicar que se cita al mismo autor de la nota previa. Eco, Umberto. *Cómo se hace una tesis*, Barcelona: Gedisa, 1975, pp. 188-214. *Íd. El nombre de la rosa*, Buenos Aires: Lumen, 1980. (mismo autor, diferente obra)
Ibídem (o **Ibíd**.)	Se usa para indicar que una nota es exactamente igual a la anterior. Eco, Umberto. *Cómo se hace una tesis*, Barcelona: Gedisa, 1975, pp. 188-214. *Ibíd*., p. 90. (mismo autor y misma obra, pero diferente página).
et al.	Significa «y otros» y se usa en casos de obras escritas por varios autores (más de tres). En este caso se pone el apellido del primer autor y después la abreviatura *et al*.

PRÁCTICA

1 Organiza los elementos que se presentan en cada caso para elaborar una referencia bibliográfica adecuada. Incluye los signos de puntuación necesarios.

> **MODELO** (1997) / «Azar, necesidad y arte en los atomistas y en Platón» / pp. 21-70 / Rodríguez, Marcelino / 30.1 / *Anuario filosófico*
>
> Rodríguez, Marcelino. «Azar, necesidad y arte en los atomistas y en Platón», *Anuario filosófico* 30.1 (1997): pp. 21-70.

1. «Juan Ramón Jiménez y Rubén Darío: naturaleza e intimidad en 'Arias tristes'» / pp. 237-247 / (1994) / *Anales de literatura hispanoamericana* / 1.23 / Martínez Domingo, José María

2. Bogotá / en / «La novela colombiana después de García Márquez» / tomo 2 / Cano Gaviria, Ricardo / pp. 351-408 / *Manual de literatura colombiana* / Editorial Planeta

3. 2001 / Alfaguara / *El lenguaje de la pasión* / Vargas Llosa, Mario / Madrid / pp. 15-30

2 En parejas, tomen al menos tres materiales bibliográficos diferentes (libros, revistas, sitios web) y seleccionen capítulos o artículos de los mismos. Anoten las referencias bibliográficas como aparecerían al final de un trabajo de investigación.

PUNTOS DE PARTIDA

Nuestro sistema de creencias define la manera como vemos el mundo y la forma en que actuamos. Según ese sistema, asumimos una postura con respecto a diferentes asuntos, conceptos y problemas.

◢ ¿Cuándo se considera que una persona es exitosa y en qué consiste el éxito?

◢ ¿Es el perfeccionismo un atributo beneficioso o perjudicial para una persona?

◢ ¿Qué beneficios y qué desventajas experimentan los individuos que son competitivos?

DESARROLLO DEL VOCABULARIO

MI VOCABULARIO
Anota el vocabulario nuevo a medida que lo aprendes.

1 **Mi sistema de creencias** Con un(a) compañero/a, discutan qué opinan sobre los siguientes términos. ¿Cuáles son positivos y cuáles son negativos?

- ◆ amabilidad
- ◆ autoestima
- ◆ autonomía (independencia)

- ◆ cooperación
- ◆ egoísmo
- ◆ lealtad

- ◆ liderazgo
- ◆ obediencia
- ◆ religiosidad

2 **Ajustes al sistema de creencias** Cuando somos niños, nuestro sistema de creencias está formado casi por completo por lo que nos dicen los adultos, pero luego lo modificamos de acuerdo con nuestras experiencias personales. Escribe un ejemplo de una creencia que hayas modificado. Si lo deseas, comparte tu ejemplo con la clase.

AMPLIACIÓN

1 **La tolerancia** Explica con tus propias palabras la siguiente cita y piensa en un ejemplo específico que la ilustre. Puede ser una anécdota personal, un hecho histórico o una situación hipotética. Comparte tus reflexiones con un(a) compañero/a.

John F. Kennedy (1917-1963) ▶▶

《 La tolerancia no implica una falta de compromiso con nuestras propias creencias, sino que condena la opresión o la persecución de los otros. 》

2 **Tus creencias** ¿Cuál de las siguientes citas expresa mejor tus opiniones? Si ninguna se ajusta a tus ideas, puedes buscar otra en Internet. Presenta la cita ante la clase usando ejemplos específicos para explicar el porqué de tu elección.

Bertrand Russell (1872-1970) ▶▶

《 Nunca moriría por causa de mis creencias, porque podría estar equivocado. 》

Henry David Thoreau (1817-1862) ▶▶

《 Vive tus creencias y podrás cambiar el mundo. 》

PUNTOS DE PARTIDA

Los héroes son personas que ponen lo mejor de sí al servicio de la humanidad, que actúan a favor de los necesitados o en defensa de la integridad.

▸ ¿Cuáles son las cualidades que convierten a una persona en héroe?

▸ ¿En qué consisten los actos de heroísmo en la comunidad o en el mundo entero? ¿Qué efectos tienen?

▸ Hay gente que cree que los héroes nacen, no se hacen. ¿Cualquier persona puede llegar a ser un héroe?

DESARROLLO DEL VOCABULARIO

1 **Los atributos de un héroe** En pequeños grupos, lean la siguiente lista de atributos comúnmente asociados a los héroes. En su opinión, ¿cuáles son los tres más importantes? Si consideran que en la lista falta alguna cualidad importante, pueden agregarla. Expliquen al resto de la clase por qué eligieron esos tres atributos.

- compasión
- dedicación
- determinación
- honor
- humildad
- perseverancia
- resiliencia
- sacrificio
- valor

MI VOCABULARIO
Anota el vocabulario nuevo a medida que lo aprendes.

2 **Clases de héroes** Existen diversas clases de héroes. Con un(a) compañero/a, describan las características de un héroe en cada uno de los siguientes ámbitos: la sociedad, la política y los deportes. ¿En qué consiste el heroísmo en cada uno de estos ámbitos? ¿Qué tienen en común los héroes sociales, los héroes políticos y los héroes deportivos? ¿En qué se diferencian? Sustenten sus respuestas con ejemplos.

AMPLIACIÓN

1 **Los héroes de la vida cotidiana** En esta cita, el escritor argentino Marcelo Birmajer distingue a los héroes trágicos de los héroes cotidianos. Escribe una lista de personas y situaciones de tu entorno que podrían requerir la ayuda de un héroe de la vida cotidiana (por ejemplo, una anciana que necesita cruzar la calle).

« Uno puede dar la vida por cualquier cosa y sentirse un héroe, pero los verdaderos héroes son los que nos ayudan a vivir. »

Marcelo Birmajer (1966-)

2 **Un héroe personal** ¿Tienes un héroe o una heroína personal? ¿Es una persona que está viva o se trata de un personaje histórico? ¿Es una persona famosa o un héroe de la vida cotidiana? Si no tienes un héroe o una heroína, haz una investigación para encontrar a una persona que reúna cualidades que sean importantes para ti. Escribe un ensayo para describir a esa persona y explicar cómo puede influir positivamente en los jóvenes.

RECURSOS
Consulta la lista de apéndices en la p. 418.

EL CLON

¿Quién te
crees que
eres?

Una producción de	**ESCAC**
Dirección	**MATEO RAMÍREZ-LOUIT**
Guion	**RAÚL DEAMO**
Adaptación de	**MATEO RAMÍREZ**
Fotografía	**IGNACIO CAMARÓN**
Actores	**DIEGO DEL MAR**
	OSCAR RUIZ
	NIA SAINZ
	PEDRO HERREROS

A PRIMERA VISTA

¿Cuál es la relación entre estas dos personas? ¿En qué se parecen? ¿En qué no se parecen? ¿Qué nos dicen las diferencias sobre su personalidad?

SOBRE EL CORTO *El clon* es un cortometraje español, filmado y producido en Barcelona en 2010, dentro del contexto de la Escuela Superior de Cine y Audiovisuales. Su género, ciencia ficción, no es un género con muchos creadores en el cine español o latinoamericano. *El clon* aborda el tema de la tecnología como herramienta (dudosa) para mejorar nuestra calidad de vida.

ANTES DE VER

1 **Buscar indicios** Observa el afiche de la página 414. ¿Cómo está vestido cada uno de los personajes? ¿Qué diferencias hay en su corte de pelo? ¿Cuál de los dos lleva gafas? ¿Qué está haciendo cada uno de ellos? De acuerdo con el título del corto, ¿cuál de los dos personajes crees que es el «original» y cuál es el clon? Explica tu respuesta.

---

2 **Clonación** En grupos pequeños, hagan una investigación en Internet sobre la clonación. Luego, respondan a las siguientes preguntas.

1. ¿Qué es la clonación? ¿En qué consiste? ¿Qué animales han sido clonados?
2. ¿Puede haber diferencias de personalidad entre dos personas genéticamente idénticas?
3. ¿Les gustaría ser clonados? ¿Qué ventajas habría al tener un clon? ¿Qué desventajas?

▶ MIENTRAS MIRAS

1 **La voz del editor:** «Abel, tus libros venden cada vez menos... Podrías intentar escribir una historia larga...».

1. ¿Cuál es la profesión del protagonista, Abel?
2. ¿En qué puede estar pensando Abel?

2 **Editor:** «Ahora vuelve a estar de moda la ciencia ficción. Podrías intentar algo por ahí».

1. ¿Por qué le sugiere esto el editor?
2. ¿Cuál es la respuesta del clon? ¿Cómo se compara el clon a sí mismo con los otros autores?

3 **Clon:** «Te pido que, si vamos a medias en las obligaciones, también vayamos a medias en los beneficios».

1. ¿Qué es lo que quiere el clon exactamente?
2. ¿Cómo responde Abel?

GLOSARIO

autosubvencionarse poder pagar los gastos propios

la miopía dificultad para ver objetos que están lejos

el relato género literario; cuento corto

la editorial compañía que produce libros

las lentillas también llamadas «lentes de contacto»

condenado/a forzado/a

DESPUÉS DE VER

1 **Comprensión** Indica si las siguientes oraciones son **verdaderas** o **falsas**. Corrige las oraciones falsas.

1. En la primera escena, podemos ver que Abel es muy prolífico.
2. El representante de *Cloning Solution* cree que será difícil para Abel vivir con un clon.
3. El representante le dice a Abel que el clon no va a heredar su alergia al polen ni su miopía.
4. Cuando se miran por primera vez, Abel y el clon se ven idénticos.
5. Abel le pide al clon que, al día siguiente, lo sustituya en su junta con el editor.
6. El editor le propone al clon que escriba una novela de ciencia ficción, porque la gente ya no compra libros de relatos.
7. El clon le dice a Abel que quiere compartir todo, incluyendo los ingresos.
8. Al final, Abel consigue que el representante elimine al clon.

2 **Cronología** Los siguientes eventos del corto están desordenados. Ordénalos usando números del 1 al 8.

___ El editor le sugiere al clon que escriba una novela de ciencia ficción.
___ Abel intenta resolver el Cubo de Rubik.
___ El clon resuelve el Cubo de Rubik.
___ Abel tiene dificultades para escribir.
___ El editor está feliz con la novela que se llama *El clon*.
___ Abel decide contratar una compañía para clonarse.
___ El clon empieza a escribir en lugar de Abel.
___ Abel decide eliminar al clon.

MI VOCABULARIO
Utiliza tu vocabulario individual.

3 **Análisis e interpretación** Contesta las siguientes preguntas con un grupo de tres o cuatro compañeros/as.

1. ¿Por qué quería Abel un clon?
2. ¿Cómo fue la relación entre Abel y el clon desde el principio? ¿En qué aspectos físicos eran distintos? ¿Y en qué aspectos de personalidad eran también distintos?
3. ¿Qué cosas puede hacer el clon que le eran difíciles o imposibles a Abel?
4. En su opinión, ¿por qué quiere Abel que el representante elimine al clon?
5. ¿Cómo sabemos que fue el clon quien consiguió que el representante eliminara a Abel?
6. En su opinión, ¿quién es el villano de este cortometraje, el clon o Abel? ¿Por qué?
7. En su opinión, ¿por qué no tiene nombre el clon?
8. Al final, el clon dice que está «condenado a la sombra». ¿Qué quiere decir con esto? ¿Creen que, en efecto, está «condenado a la sombra»? ¿Por qué sí o por qué no?

RECURSOS
Consulta la lista de apéndices en la p. 418.

4 **Ensayo interpretativo** Escribe un ensayo breve siguiendo los siguientes pasos.

Paso 1 Investiga en Internet la historia del personaje de la Biblia que se llamaba Abel. ¿De quién era hijo Abel? ¿Cómo se llamaba su hermano? ¿Quién era el mayor de los hermanos? ¿Qué pasó en la historia entre Abel y su hermano?

Paso 2 Escribe un ensayo para comparar las historias de Abel, el protagonista de *El clon*, y Abel, el personaje de la Biblia. ¿En qué se parecen las historias? ¿En qué sentido son diferentes? ¿Crees que es una coincidencia que el protagonista del corto se llame igual que el personaje bíblico? Justifica tu respuesta con ejemplos.

LA CRÍTICA CINEMATOGRÁFICA

Las películas son entretenimiento, pero también son un medio para transmitir valores, ideologías y realidades. Analizar una película no es contar lo que pasó en ella, sino examinarla e interpretarla. Una crítica cinematográfica pretende guiar e informar al lector, pero no decirle lo que tiene que pensar. Se trata más bien de compartir una opinión, nunca de imponerla.

Tema de composición

Lee de nuevo las preguntas esenciales del tema:

▲ ¿Cómo se expresan los distintos aspectos de la identidad en diversas situaciones?
▲ ¿Cómo influyen la lengua y la cultura en la identidad de una persona?
▲ ¿Cómo se desarrolla la identidad de una persona a lo largo del tiempo?

Utilizando estas preguntas, elige una película que te haya gustado y escribe una crítica.

ANTES DE ESCRIBIR

Para poder analizar una película, necesitas mirarla con atención, si es posible, más de una vez. Mientras la miras, toma notas sobre secuencias, frases y elementos que te parezcan importantes. Analiza los recursos que te producen emociones y trata de entender cómo lo consiguen. Recuerda que aunque los personajes, la trama y el tema son aspectos importantes, una película está compuesta también por la iluminación, el sonido, la edición, etc. Presta atención a la manera como el director trata de crear el ambiente, si consigue hacerlo eficazmente, si es constante en toda la película. También es importante observar la evolución y caracterización de los personajes.

ESCRIBIR EL BORRADOR

Comienza presentando tu impresión general de la película; menciona al director, tema, año de filmación o de estreno, etc. Analiza el aspecto que elegiste y desarrolla una exposición lógica a partir de ejemplos que el lector pueda comprender al leer la reseña y reconocer cuando vea la película.

ESCRIBIR LA VERSIÓN FINAL

Organiza el texto en introducción, desarrollo y conclusión, y trata de relacionar bien estas partes. ¿Se entiende tu opinión? ¿Despierta en el lector el deseo de ver la película? Corrige el borrador en equipo para comprobar la eficacia de tu crítica y modifica lo que sea necesario mejorar. Luego, pasa en limpio tu borrador.

APÉNDICES

TIEMPO PRESENTE; *SER* Y *ESTAR* Auto-graded

◢ Tanto el **presente simple** como el **presente continuo** narran y describen eventos, pero la manera como cada uno de estos tiempos verbales se usa es diferente. Observa cómo se usan en las siguientes oraciones.

> Los lentes **son** caros. (*descripción simple*)
>
> Los diseñadores **influyen** mucho en las tendencias de los jóvenes. (*descripción de acciones y estados habituales*)
>
> **Estamos diseñando** una nueva colección. (*narración de una acción que se realiza en el presente*)

El presente simple

PRINCIPALES USOS DEL PRESENTE SIMPLE	
describir cualidades y estados permanentes	Las cosas **tienen** vida propia —pregonaba el gitano con áspero acento. En Chile, las vacaciones de verano **duran** de mediados de diciembre a mediados de marzo.
narrar eventos presentes	Un señor **toma** el tranvía después de comprar el diario.
narrar eventos en el futuro cercano	Media hora más tarde **desciende** con el mismo diario...
el presente histórico	Julio Cortázar (1914-1984) **nace** en Bruselas, de padres argentinos.
narrar eventos pasados de manera más inmediata	Ayer salía de clase cuando, de repente, ¡me **encuentro** con un grupo de *hipsters*!

◢ El último ejemplo corresponde algunas veces al uso informal del tiempo presente en inglés para relatar un evento pasado:

> So yesterday, **I'm walking** past the library and I **see** Tyler. He **says** to me...

El presente continuo

◢ Para formar el presente continuo, combina una forma del tiempo presente de **estar** con el gerundio (la terminación **-ando**, **-iendo**) de otro verbo.

PRINCIPALES USOS DEL PRESENTE CONTINUO	
narrar una acción en progreso	**Están preparando** una encuesta sobre las marcas de moda.
expresar un evento que se considera inusual, pasajero o sorprendente	Patricia siempre compra su ropa en tiendas, pero hoy **está comprando** en línea.
expresar un hecho que se repite constantemente	Los jóvenes siempre **están cambiando** y **renovando** sus estilos.

◢ Algunos verbos cambian su grafía en el gerundio: los verbos terminados en **-ir** cuya raíz cambia (**durmiendo, pidiendo, diciendo**) y verbos como **creer, traer, construir** y **oír** (**creyendo, trayendo, construyendo, oyendo**).

¡ATENCIÓN!

En español se utiliza más el presente simple que el presente continuo. A diferencia del inglés, el presente continuo no se usa para describir estados o condiciones.

El niño **lleva** una chaqueta roja.

*The boy is **wearing** a red jacket.*

Ser y *estar*

◢ Los verbos **ser** y **estar** expresan *to be*, pero sus significados son diferentes. En general, **ser** se usa para describir la esencia y la identidad de algo. **Estar** se emplea para describir la condición, el estado o la ubicación; el hablante percibe estos rasgos como circunstanciales o temporales, más que inherentes.

◢ **Ser** se utiliza:

para identificar a alguien o algo	El autor de *Rayuela* **es** Julio Cortázar.
para describir rasgos físicos, personalidad y otras características que se perciben como inherentes o permanentes	**Es** tierno y mimoso igual que un niño... El vestido **es** elegante. Los burros **son** muy fuertes.
para indicar posesión	El sombrero **es** de Alicia.
para describir de qué está hecho algo	El cinturón **es** de cuero.
para identificar el lugar donde ocurren los hechos	La feria **es** en la plaza, todos los domingos.

◢ **Estar** se usa:

para describir estados que se perciben como temporales o no inherentes	¡Qué bonito **está** el campo en la primavera! Cuando Platero **está** de buen humor, parece un niño.
para describir un cambio de estado	En invierno los árboles **están** marchitos.
para identificar la ubicación de alguien o algo	Los niños **están** en el parque.
para narrar una acción en desarrollo, usando el presente continuo	¿De qué **están hablando** Daniel y sus padres?

◢ El uso de un adjetivo con **ser** o **estar** puede cambiar la connotación o el significado del adjetivo.

Los niños del pueblo no **son** nada **callados**. *The village children aren't quiet at all.*	Todos **están callados**, escuchando a la niña cantar. *Everyone is (falls, remains) silent, listening to the girl sing.*
Para ti, ¿**es** interesante o **aburrido** este cuento? *In your opinion, is this story boring or interesting?*	Cuando Platero **está aburrido**, se duerme. *When Platero is (feels) bored, he falls asleep.*
El comerciante **es** más **rico** que los hombres del campo. *The businessman is wealthier than the men from the countryside.*	¡Qué **ricos están** los higos y las uvas! *The figs and grapes are (taste) so delicious!*
El hombre con el cigarro no **es guapo**. *The man with the cigarette isn't handsome.*	¡Qué **guapas están** las niñas, todas vestidas de blanco! *How pretty the girls are (look), all dressed in white!*
Según el narrador, Platero **es** muy **listo**. *According to the narrator, Platero is very clever.*	Ya **están listos** Platero y su dueño para ir al pueblo. *Platero and his owner are ready to go to the village.*

¡ATENCIÓN!

Observa cómo el verbo **ser**, al usarse para expresar características inherentes, se traduce generalmente como *to be* en inglés. **Estar**, usado para designar características que se consideran menos permanentes, se traduce con frecuencia como un verbo más específico que refleje mejor el contexto.

PRÁCTICA

1 Completa las oraciones con los verbos correspondientes en el tiempo presente simple.

La moda se (1)_____ (definir) como las costumbres que (2)_____ (marcar) alguna época o lugar específicos, en especial aquellas relacionadas con el vestido, los adornos o la decoración; (3)_____ (referirse), en definitiva, a lo que se (4)_____ (considerar) actual en un periodo determinado, y a las tendencias prevalentes. La moda también (5)_____ (relacionarse) con el gusto masivo, impuesto o adquirido, frente a la ropa, los colores, los accesorios y todo lo concerniente al embellecimiento. Y no (6)_____ (tener) que ver solo con las mujeres, pues cada vez más los hombres (7)_____ (interesarse) por estar al día en asuntos de moda.

2 Imagina que eres periodista y quieres hacer un reportaje sobre un desfile de modas. Explica si usarías **ser** o **estar** en las siguientes situaciones y por qué.

> **MODELO** to say that a dress is beautiful
> *ser; la belleza del vestido es una característica inherente*

1. to describe the color of a pair of shoes
2. to ask a designer how he is feeling today
3. to ask where the fashion show will take place
4. to ask who a hat belongs to
5. to say how pretty the runway looks with all the decorations
6. to say that the models seem tired today
7. to ask what the models are doing at this moment
8. to say that this is the most important fashion show in town
9. to ask where the guest designers are from
10. to say that a purse is made from very fine leather

3 Para cada una de estas ilustraciones, escribe tres oraciones. Una oración debe incluir un verbo en el tiempo presente simple; otra debe usar el presente continuo, y la tercera debe incluir **ser** o **estar**.

PREPOSICIONES Auto-graded

◢ Las preposiciones conectan partes de las oraciones para expresar una relación entre dichas partes.

> El *mall* fue la primera gran competencia **para** Sábado Gigante.
> El centro comercial está ubicado **entre** dos avenidas.

a *to, at, into*	**en** *in, on, at, into*	**por** *because of, by, by means of, for, through, down, up, along*
ante *in front of, before, facing*	**entre** *between, among*	**según** *according to, depending on*
bajo *beneath, under*	**excepto/salvo** *except*	**sin** *without*
con *with*	**hacia** *toward(s), about, around*	**sobre** *about, on, over, on top of*
contra *against, despite*	**hasta** *as far as, until, up to*	**tras** *behind, after*
de *of, about, from, as*	**mediante** *by means of*	**versus** *against, versus*
desde *from*	**para** *for, to, in order to, by*	**vía** *via, through*
durante *during*		

◢ En español no siempre se usan las preposiciones como se usan en inglés (**pp. 310-312**).

> **tocar a la puerta** = *to knock **on** the door* **consistir en** = *to consist **of***

◢ Las preposiciones del español suelen tener varios equivalentes en inglés. Observa los diferentes significados de las preposiciones **a** y **en** en los siguientes ejemplos:

Platero se va **al** prado.	*Platero goes off **to** the meadow.*
El hombre viene **a** nosotros.	*The man comes **toward** us.*
El museo abre **a** las diez.	*The museum opens **at** ten.*
Está **a** la vuelta.	*It's **around** the corner.*
Tardaron dos horas **en** llegar al pueblo.	*It took them two hours **to** get to the village.*
En el camino, se encontraron con un hombre.	***On** the way they met up with a man.*
En el verano hace mucho calor.	***In (During)** the summer it's very hot.*
Las fotos de los niños están **en** esa mesa.	*The photos of the kids are **on (on top of)** that table.*

◢ En español, al igual que en inglés, las preposiciones pueden combinarse para formar preposiciones compuestas (**locuciones preposicionales**). A continuación se presentan algunos ejemplos.

acerca de *about*	**con respecto a** *with respect to; in reference to*	**encima de** *on top of*
además de *as well as*	**de acuerdo con** *in accordance with*	**en contra de** *against*
al lado de *next to*	**debajo de** *below*	**en medio de** *in the middle of*
alrededor de *around*	**delante de** *in front of*	**frente a** *opposite; facing*
antes de *before* (time)	**dentro de** *within; inside of*	**fuera de** *outside of*
a partir de *starting from*	**después de** *after* (time)	**junto a** *next to; close to*
cerca de *near*	**detrás de** *behind*	**lejos de** *far from*

Antes de leer *Platero y yo*, la obra de Juan Ramón Jiménez, yo no sabía mucho **acerca de** los burros.

Me imagino a Platero **en medio del** prado; **junto a** él está el narrador y **detrás de** ellos se ven las colinas, el pueblo, el río...

◢ Como ya sabes, tanto **por** como **para** pueden significar *for*, pero sus usos varían. En general, **para** expresa un destino y un propósito, mientras que **por** expresa el motivo o la causa.

USOS DE *PARA*	
indicar propósito o destino	Las flores son **para** María. Van al *mall* **para** comprar unas camisas.
indicar dirección	Iban **para** el pueblo cuando se encontraron con el hombre.
indicar un tiempo específico en el futuro	**Para** el mes que viene, ya tendré una nueva computadora.
indicar necesidad; expresar *in order to*	**Para** aprender otro idioma, hay que tener paciencia.
expresar *by* o *for* con respecto al tiempo	Necesito leer el cuento **para** el martes.
indicar opinión o reacción	**Para** Platero, lo más importante es comer.
expresar *considering*	*Platero y yo* es complejo **para** ser un cuento infantil.
USOS DE *POR*	
expresar causa o motivo	Se nota el amor del narrador **por** su amigo. Todos admiran al animal **por** su belleza.
describir un intercambio	¿Cuánto pagaste **por** tu bicicleta?
expresar *all over, through, in, along*	Subieron **por** el camino.
expresar *during*	Llegaron a la iglesia **por** la mañana.
significar *by means of*	Llamaron a los niños **por** teléfono.
expresar *by* en construcciones pasivas	El cuento fue escrito **por** Juan Ramón Jiménez.

¡ATENCIÓN!
Expresiones comunes con **para**:

no es para tanto
it's not such a big deal

para colmo
to top it all off

para decir (la) verdad
to tell you the truth

para mañana
for/by tomorrow

para siempre
forever

¡ATENCIÓN!
Expresiones comunes con **por**:

por cierto *by the way*

¡Por Dios! *For God's sake!*

por ejemplo *for example*

por fin *finally*

por lo tanto *therefore*

por lo visto *apparently*

por si acaso *just in case*

por supuesto *of course*

por último *finally, last*

PRÁCTICA

1 Completa el párrafo sobre el escritor Julio Cortázar con la opción correcta.

(1)_____ (Junto a/De) padres argentinos, Julio Cortázar nace (2)_____
(en/a) Bruselas (3)_____ (en/a) 1914, mientras los obuses estallan
(4)_____ (dentro de/en) la ciudad. Su padre, técnico (5)_____
(sobre/en) materias económicas, está (6)_____ (detrás de/al frente de) una
delegación comercial que trabaja (7)_____ (con/en) la embajada argentina
(8)_____ (en/a) Bélgica. (9)_____ (Desde/De) su infancia y adolescencia
Cortázar recuerda la desaparición de su padre, quien, (10)_____ (mientras/
cuando) tiene solo seis años, los abandona (11)_____ (por/para) siempre.
(12)_____ (A/En) los doce o trece años, escribe sonetos que son «un plagio
involuntario de Poe». Un médico le receta «prohibirle los libros (13)_____
(durante/mediante) cuatro o cinco meses. Lo cual fue un sacrificio tan grande que mi
madre, una mujer sensible e inteligente, me los devolvió».

ADJETIVOS Auto-graded

Ubicación

◢ Cuando se encuentran después de un sustantivo, los adjetivos distinguen ese sustantivo específico de otros en el mismo grupo.

una tarde **gris**	un pueblo **andaluz**	un río **seco**

◢ Los adjetivos pueden ir antes de un sustantivo para hacer énfasis en una característica particular, para indicar que es inherente o para crear un efecto o tono estilístico.

Remedios Varo era una **talentosa** pintora.	Las **bellas** obras de la artista

◢ En ciertos casos, colocar el adjetivo antes del sustantivo indica un juicio de valor por parte del hablante. Compara:

Paseamos por las **hermosas** calles. *(for the speaker, all the streets are lovely, not just some)*
Paseamos por las calles **hermosas**. *(some of the streets are lovely, but not all)*

◢ Cuando se emplea más de un adjetivo para describir un sustantivo, el adjetivo que distingue al sustantivo de otros de su clase va justo después del sustantivo:

una interesante **novela inglesa**	un famoso **ingeniero químico** francés
una **novela inglesa** interesante	un **ingeniero químico** francés famoso

◢ Los números ordinales se colocan antes del sustantivo (**el primer capítulo**). Otros adjetivos que indican orden, también suelen ir antes del sustantivo (**las últimas calles, los próximos días**).

◢ Los adjetivos de cantidad, posesión o volumen van también antes del sustantivo:

Julián se comió **cuatro** manzanas.	El narrador está orgulloso de **su** padre.	Ellos pasan **mucho** tiempo juntos.

◢ Algunos adjetivos cambian de significado dependiendo del lugar en que estén colocados en relación con el sustantivo (antes o después).

ADJETIVO	COLOCADO DESPUÉS	COLOCADO ANTES
cierto/a	una respuesta **cierta** *a right answer*	una **cierta** actitud *a certain attitude*
grande	una ciudad **grande** *a big city*	un **gran** país *a great country*
medio/a	el sueldo **medio** *the average salary*	un trabajo de **medio** tiempo *a part-time job*
mismo/a	el artículo **mismo** *the article itself*	el **mismo** problema *the same problem*
nuevo/a	una chaqueta **nueva** *a (brand) new jacket*	un **nuevo** amigo *a new/different friend*
pobre	el hombre **pobre** *the man who is poor*	el **pobre** hombre *the unfortunate man*

ADJETIVO	COLOCADO DESPUÉS	COLOCADO ANTES
puro/a	el agua **pura** *the pure (uncontaminated) water*	la pura **verdad** *the whole (entire) truth*
único/a	un amor **único** *a unique love*	mi **único** amor *my only love*
viejo/a	una amiga **vieja** *an old friend (age)*	una **vieja** amiga *an old friend (friend for a long time)*

Comparativos y superlativos

▲ Al igual que en inglés, en español pueden usarse los adjetivos para formar comparativos (**comparatives**) y superlativos (**superlatives**).

ADJETIVO	COMPARATIVO	SUPERLATIVO
elegante *elegant*	**más/menos** elegante(s) **que** *more/less elegant than*	**el/la/los/las más/menos** elegante(s) **de** *the most/least elegant of/in*

▲ Para formar comparaciones de igualdad, usa la fórmula **tan** + *adjetivo* + **como**.

> Las obras de Remedios Varo son **tan famosas como** las de Frida Kahlo.

▲ Algunos adjetivos comunes tienen comparativos y superlativos irregulares.

> **bueno/a** ⟶ **mejor** ⟶ **el/la mejor**
> **malo/a** ⟶ **peor** ⟶ **el/la peor**
> **grande** y **viejo/a** ⟶ **mayor** ⟶ **el/la mayor**
> **pequeño/a** y **joven** ⟶ **menor** ⟶ **el/la menor**

▲ Cuando **grande** y **pequeño** se refieren al tamaño y no a la edad o la calidad, se utilizan las formas regulares de comparativo y superlativo.

> El libro es más grande de lo que pensaba, pero más pequeño que mi diccionario.

▲ Cuando **bueno/a** y **malo/a** se refieren a la calidad moral de una persona, se utilizan las formas regulares de comparativo y superlativo.

> Tengo a la mujer **más buena** del mundo.   Ese hombre es **más malo** que el demonio.

▲ El superlativo absoluto (**absolute superlative**) expresa *very* o *extremely*. Para formar el superlativo absoluto de los adjetivos, suprime la última letra y añade **-ísimo/a/os/as**.

> **interesante** ⟶ **interesantísimo**   **guapo** ⟶ **guapísimo**
> **muchas** ⟶ **muchísimas**   **fea** ⟶ **feísima**

▲ Los superlativos absolutos de las palabras terminadas en **-z** (o **-c**, **-g** antes de la **-o** final) cambian la grafía.

> **rico** ⟶ **riquísimo**   **loca** ⟶ **loquísima**
> **largo** ⟶ **larguísimo**   **andaluz** ⟶ **andalucísimo**

▲ Para formar el superlativo absoluto de las palabras terminadas en **-n** o **-r**, añade **-císimo/a/os/as**.

> **joven** ⟶ **jovencísimo**   **mayor** ⟶ **mayorcísimo**

¡ATENCIÓN!

La terminación del superlativo **-ísima** puede usarse también con adverbios terminados en **-mente**.

Habla **clarísimamente**.

En el caso de los adverbios cortos que son iguales a los adjetivos, se emplea **-ísimo**.

Corre **rapidísimo**.

PRÁCTICA

1

Cerca del municipio de Moguer (España) hay un espacio natural que se llama La Laguna de Palos y Las Madres. Completa la descripción del lugar con la frase correcta. Presta atención a la posición de los adjetivos.

1. La Laguna de Palos y Las Madres es una laguna de _____ (agua dulce/dulce agua), no salada.
2. El lugar está formado por _____ (lagunas cuatro/cuatro lagunas).
3. Allí viven _____ (tipos varios/varios tipos) de aves, como las garzas y las águilas.
4. La laguna es también un lugar de paso para muchas _____ (aves migratorias/migratorias aves).
5. Algunas de _____ (aves esas/esas aves) migran desde el _____ (continente africano/africano continente).
6. Se encuentran allí unas _____ (especies amenazadas/amenazadas especies).
7. Puedes hacer un recorrido por un _____ (sendero corto/corto sendero).
8. Es un lugar de _____ (importancia mucha/mucha importancia) para las plantas y animales de la zona.
9. En los alrededores existen _____ (plantaciones forestales/forestales plantaciones) de pino.
10. Es un _____ (lugar gran/gran lugar).

2

Expresa tus opiniones sobre los siguientes aspectos. Para cada grupo, escribe dos oraciones: una con comparativos y otra con superlativos. Incluye algunos ejemplos del superlativo absoluto en tus oraciones.

> **MODELO** burros/perros/gatos (inteligente)
> **Los gatos son** *más inteligentes que* **los burros, creo. Pero, para mí, los perros son** *los más inteligentes de* **todos. De hecho, son** *inteligentísimos.*

1. poemas/novelas/cuentos (difícil)
2. Carlos Fuentes/Mario Vargas Llosa/Gabriel García Márquez (famoso)
3. Santiago de Chile/Concepción/Punta Arenas (lejos)
4. playa/lago/río (divertido)
5. comida española/comida italiana/comida mexicana (bueno)
6. uvas/peras/naranjas (rico)
7. establo/mansión/casucha (elegante)
8. Nueva York/Madrid/Londres (estresante)

3

Describe en un párrafo a una persona que admiras y compárala con otras. Usa algunos de los adjetivos de la lista u otros que has aprendido.

alto	célebre	deportista	europeo
bajo	corpulento	desconocido	extrovertido
callado	delgado	estadounidense	intelectual

NARRACIÓN EN PASADO Auto-graded

REPASO
Los cuatro tiempos verbales más importantes para expresar sucesos pasados son el pretérito perfecto simple, el pretérito imperfecto, el pretérito perfecto compuesto y el pretérito pluscuamperfecto.

◢ El español usa varios tiempos verbales para describir sucesos pasados, como se observa en estos ejemplos tomados de *La siesta del martes*, un cuento de Gabriel García Márquez.

PRETÉRITO PERFECTO SIMPLE ▼ PRETÉRITO IMPERFECTO ▼

Cuando **volvió** al asiento la madre le **esperaba** para comer.

PRETÉRITO PERFECTO SIMPLE ▼ ▼

Se levantó, buscó a tientas en el ropero un revólver arcaico que nadie **había disparado** desde los tiempos del coronel Aureliano Buendía, y **fue** a la sala.

PRETÉRITO PLUSCUAMPERFECTO ▲ CAMBIO ▲

El pretérito perfecto simple y el pretérito imperfecto

◢ El **pretérito perfecto simple** y **el pretérito imperfecto** expresan diferentes aspectos de las acciones y estados pasados. Este cuadro resume sus usos.

USOS DEL PRETÉRITO PERFECTO SIMPLE	
expresar acciones que se consideran terminadas	Bajo esa premisa **nació** Tiempo de Juego. Los jóvenes **consiguieron** una sede.
indicar el comienzo o el final de un estado o acción	Después de que la escuela de fútbol **se consolidó**, los jóvenes **comenzaron** a realizar actividades diferentes.
hacer referencia a un cambio de estado	Los jóvenes **se volvieron** deportistas y no **regresaron** a sus antiguos vicios.
narrar una serie de eventos	La fundación **comenzó** a operar como una escuela de fútbol, **adoptó** una metodología de fútbol con valores y **adquirió** una sede.

USOS DEL PRETÉRITO IMPERFECTO	
expresar acciones habituales en el pasado	Los miembros de la fundación **jugaban** fútbol y **realizaban** actividades artísticas, mientras **estrechaban** sus lazos de amistad.
hacer referencia a acciones o estados que estaban en marcha, incompletos o en desarrollo en el pasado	El pueblo **flotaba** en calor. La niña tenía doce años y **era** la primera vez que **viajaba**. Una banda de músicos **tocaba** una pieza alegre bajo el sol aplastante.
hacer referencia a un evento futuro desde un punto anterior en el tiempo	La mujer dijo que **iban** a la cancha de fútbol.

¡ATENCIÓN!
El pretérito imperfecto también describe lo que sucedía o estaba en desarrollo al tiempo que sucedía otra acción en el pasado.

Varios pasajeros **dormían** cuando el tren se detuvo en la estación.

◢ Con frecuencia, el pretérito perfecto simple y el pretérito imperfecto se utilizan juntos. El imperfecto proporciona información del contexto, mientras que el pretérito perfecto narra los eventos o establece el desarrollo de las acciones dentro de dicho contexto. Miremos otro ejemplo de García Márquez:

Eran los únicos pasajeros en el escueto vagón de tercera clase. Como el humo de la locomotora **siguió** entrando por la ventanilla, la niña **abandonó** el puesto y **puso** en su lugar los únicos objetos que **llevaban**: una bolsa de material plástico con cosas de comer y un ramo de flores envuelto en papel de periódicos.

▲ Algunos verbos comunes cambian de significado en estas dos formas del pretérito. Observa que el significado también puede cambiar dependiendo de si el enunciado es afirmativo o negativo.

VERBO	PRETÉRITO PERFECTO SIMPLE	PRETÉRITO IMPERFECTO
tener	*recibir* El padre **tuvo** una visita inesperada: la madre y su hija.	*tener* La hija **tenía** dificultades para abrir la persiana.
saber	*enterarse de; descubrir* **Supieron** que Carlos murió el lunes.	*saber* El padre no **sabía** quiénes eran.
querer	*intentar (sin tener éxito necesariamente)* La mujer **quiso** visitar el pueblo donde había pasado su juventud.	*querer* La gente del pueblo se asomaba a la ventana porque **quería** ver qué sucedía.
no querer	*rehusarse a* La mujer **no quiso** irse de la casa del padre sin verlo.	*no querer* El ama de casa **no quería** despertar al padre.
conocer	*conocer (por primera vez)* Cuando el padre **conoció** a la mujer, se quedó muy sorprendido.	*saber sobre; tener cercanía,* Nadie **conocía** a Carlos en ese pueblo.
poder	*arreglárselas para; lograr hacer* La mujer **pudo** convencer al ama de casa de que fuera a buscar al padre.	*ser capaz de; tener la habilidad* En la distancia, **se podía** escuchar la música que tocaba la banda.
no poder	*no ser capaz de (y no hacerlo)* La chica **no pudo** abrir la ventana del vagón.	*ser incapaz de (en sentido general)* **No se podía** respirar en el vagón a causa del calor.

▲ Dado el énfasis del pretérito perfecto y del pretérito imperfecto en diferentes aspectos del pasado (terminado/completo vs. incompleto/en curso), es común que se utilicen diferentes grupos de conjunciones y expresiones adverbiales con cada tiempo verbal.

EXPRESIONES CON EL PRETÉRITO PERFECTO SIMPLE	EXPRESIONES CON EL PRETÉRITO IMPERFECTO
anoche *last night*	**a medida que** *as*
ayer *yesterday*	**a veces** *sometimes*
de repente *suddenly*	**con frecuencia** *frequently*
entonces *then*	**en aquel entonces** *back then*
finalmente *finally*	**mientras** *while*
inmediatamente *immediately*	**muchas veces** *often*
primero *first*	**(casi) nunca** *(almost) never*
una vez *once, one time*	**(casi) siempre** *(almost) always*
el verano/mes/año pasado *last summer/month/year*	**todos los días/meses/años** *every day/month/year*

Pretérito perfecto compuesto vs. pretérito perfecto simple

◢ El pretérito perfecto compuesto (*present perfect*) describe sucesos pasados que aún tienen relación con el momento actual.

> Todavía no **han llegado** al pueblo. (*pero pronto lo harán*)
> Muchas personas **han venido** al partido de esta tarde. (*y siguen allí*)

◢ El pretérito, en contraste, describe eventos firmemente arraigados en el pasado que ya no tienen relación con el momento presente.

> Finalmente **llegaron** al pueblo. (*llegaron; se acabó su viaje*)
> Muchas personas **fueron** al partido ese día. (*ese día terminó*)

◢ El pretérito perfecto compuesto suele usarse con adverbios como **esta semana, hoy, todavía, ya, alguna vez (dos veces, tres veces), nunca** y **siempre**.

> **Ya he leído** tres novelas de Gabriel García Márquez. (*hasta ahora*)
> ¿**Has ido alguna** vez a Colombia? (*alguna vez en la vida, hasta ahora*)

El pretérito perfecto simple y el pretérito pluscuamperfecto

◢ El pretérito pluscuamperfecto (*past perfect*) se refiere a acciones que tuvieron lugar antes de otro suceso en el pasado.

> Cuando las chicas llegaron, el partido ya **había comenzado**.

◢ Junto con el pretérito perfecto simple, el pretérito pluscuamperfecto relaciona la secuencia de acontecimientos pasados, aclarando que un acontecimiento (pretérito pluscuamperfecto) tuvo lugar antes del otro (pretérito perfecto simple).

> Cuando las chicas **regresaron** a la cancha, **observaron** que el partido ya **había comenzado**.

◢ El pretérito pluscuamperfecto puede usarse también por sí solo. En tales casos, sin embargo, las acciones pasadas posteriores quedan sugeridas por el contexto o se explican más adelante.

> Todo **había empezado** el lunes de la semana anterior, a las tres de la madrugada y a pocas cuadras de allí. (*Este enunciado es seguido por una serie de eventos que tuvieron lugar después del lunes pasado.*)

PRÁCTICA

1 Elige la opción correcta para completar cada oración.

1. García Márquez (publicó/ha publicado) este cuento en 1962.
2. García Márquez (ha estudiado/había estudiado) derecho antes de convertirse en escritor.
3. Mientras (vivía/había vivido) en Europa, escribió guiones.
4. García Márquez (recibió/había recibido) el Premio Nobel de Literatura en 1982.
5. Ayer (compraba/compré) *Cien años de soledad*, pero no (he comenzado/había comenzado) a leerlo.
6. Lo (compré/había comprado) el año pasado, pero lo (perdí/he perdido) hace un mes, cuando me mudé.

¡ATENCIÓN!
El *pretérito perfecto simple* también es conocido como **pretérito indefinido** o simplemente **pretérito**. El *pretérito perfecto compuesto* también se conoce como **pretérito perfecto** e incluso como **presente perfecto**, por influencia del inglés.

¡ATENCIÓN!
El pasado perfecto progresivo describe acciones pasadas en progreso que sucedieron antes de otra acción pasada. Combina el pasado perfecto de **estar** con un gerundio.

> Al despedirse de la mujer y su hija, el padre se asomó a la ventana y vio que casi todo el pueblo **había estado esperando** afuera.

2 Completa cada pregunta sobre la lectura «Tiempo de Juego» (pp. 6-7) con la forma correcta del verbo entre paréntesis. Utiliza los tiempos del pasado. Después, en parejas, contesten las preguntas prestando atención a los tiempos verbales.

1. ¿Cuándo _____ (nacer) oficialmente el Club Independiente Cazucá?
2. ¿De qué color _____ (ser) las camisetas del equipo?
3. ¿Qué días se _____ (jugar) los partidos inicialmente?
4. ¿En qué sector _____ (vivir) los jóvenes de Tiempo de Juego?
5. ¿En qué universidad _____ (estudiar) Andrés Wiesner?
6. ¿Qué valores _____ (inculcar) Tiempo de Juego?
7. ¿Dónde se _____ (realizar) las actividades artísticas y otros eventos?
8. ¿Quién _____ (dirigir) los entrenamientos y los partidos?
9. ¿Cuál fue la metodología que _____ (adoptar) Tiempo de Juego?

3 Completa la siguiente noticia con la forma del pretérito o del imperfecto de los verbos de la lista.

abandonar	necesitar
descubrir	poder
encontrar	salir
estar	ser
hacer	tener
llevar	traer
morir	vivir

Hoy (1)_____ Pedro López, el paciente más viejo del hospital Soma. Él (2)_____ en la habitación 702 durante 80 años. Solamente (3)_____ del hospital una vez durante dos días para conocer el mar. Lo (4)_____ el doctor Peña, un amable doctor que enfermó y (5)_____ hace ya sesenta años. Don Pedro no (6)_____ familia. Sus padres lo (7)_____ cuando (8)_____ tres años y desde entonces, como (9)_____ un niño con muchas enfermedades, (10)_____ que vivir en el hospital. (11)_____ un hombre amable, y aunque no (12)_____ hablar, tampoco (13)_____ hacerlo, sus ojos expresaban lo necesario para entenderlo.
Don Pedro (14)_____ muy enfermo desde (15)_____ seis meses. Al principio solo (16)_____ una infección en la garganta, poco después, los médicos (17)_____ que (18)_____ problemas en el corazón. Esta mañana las enfermeras que le (19)_____ su desayuno a diario lo (20)_____ sin vida en su cama, en la habitación 702.

4 Escribe un relato sobre un viaje que hayas hecho en el que sucedieron cosas inesperadas. Tu relato debe incluir una variedad de tiempos verbales en el pasado. Utiliza estos puntos como guía.

- adónde fuiste, cuándo, con quiénes y por qué
- de dónde vino la idea de hacer este viaje
- cómo eran el lugar y tus compañeros de viaje
- qué sucedió, cómo te sentiste y qué dijiste
- qué habías pensado antes del viaje y cómo te cambió la experiencia
- qué otros viajes has hecho desde aquel entonces

ORACIONES ADJETIVAS RELATIVAS

◢ Las oraciones adjetivas relativas son cláusulas subordinadas que funcionan como adjetivos, pues modifican a un sustantivo o pronombre de la oración principal. Se introducen por medio de **pronombres relativos** o **adverbios relativos**. El sustantivo o pronombre de la oración principal al que se alude se llama antecedente.

ANTECEDENTE   PRONOMBRE RELATIVO

Esa es la escuela **que** fundaron aquí la semana pasada.

◢ Las oraciones adjetivas relativas pueden ser *explicativas* o *especificativas*. Las oraciones relativas explicativas ofrecen información adicional sobre el antecedente y van entre comas. Las oraciones relativas especificativas identifican el antecedente en un grupo y no van separadas por comas.

Explicativas
Desde la casa, **que queda en la cima de la colina,** se ve una de las escuelas flotantes.
(*La oración añade información sobre la casa*).

Especificativas
Desde la casa **que queda en la cima de la colina** se ve una de las escuelas flotantes.
(*La oración identifica una casa entre un grupo de casas*).

◢ Utiliza las oraciones relativas para evitar repeticiones y para crear una oración más descriptiva, con un estilo más fluido.

Esa es la escuela. Fundaron la escuela aquí la semana pasada.

ORACIÓN PRINCIPAL   ORACIÓN RELATIVA

Esa es la escuela **que fundaron aquí la semana pasada**.

PRONOMBRES RELATIVOS	INGLÉS	USO
(lo) que	*that, which, who, whom*	◆ Es el pronombre relativo más común. ◆ Se refiere tanto a personas como a objetos. ◆ Es el único pronombre relativo que puede utilizarse sin preposición en las oraciones relativas especificativas.
quien(es)	*who, whom*	◆ Se refiere a una persona o personas. ◆ Concuerda en número con *el antecedente* de la oración principal. ◆ Puede usarse en oraciones relativas especificativas solo si hay una preposición.
el/la/lo que, los/las que	*that, which, who, whom*	◆ Se usa en lugar de **que** o **quien**. ◆ Puede emplearse en oraciones relativas especificativas solo si hay una preposición.
el/la cual, los/las cuales	*that, which, who, whom*	◆ Sigue las mismas reglas de **el/la que, los/las que**, pero se usa más en la lengua escrita o en el habla formal.
cuyo/a(s)	*whose*	◆ Hace referencia a personas u objetos. ◆ Se emplea siempre junto con un sustantivo. ◆ Concuerda en género y número con la persona o la cosa a la que hace referencia.

¡ATENCIÓN!
Las partículas interrogativas **qué**, **quién(es)** y **cuál(es)** tienen los acentos marcados, pero los pronombres relativos **que**, **quien(es)** y **cual(es)** no.

◢ Después de las preposiciones **a, de, en** y **con**, usa **que** o **el/la que, los/las que, el/la cual** o **los/las cuales** cuando el antecedente no es una persona.

Si el antecedente es una persona, utiliza **quien(es)** o un artículo + **que/cual**.

La casa **en (la) que** vivo tiene tres pisos.
La casa **en la cual** vivo tiene tres pisos.

La mujer **con quien** hablé es de Cali.
La mujer **con la que/cual** hablé es de Cali.

◢ Después de todas las demás preposiciones, debe usarse **que** con un artículo definido.

Tengo un examen **para el que** tengo que estudiar mucho.
La casa **sobre la que** te hablé sigue disponible.

◢ Puede omitirse la preposición cuando es igual a la usada delante del antecedente.

En la casa **en la que** vivo hay fantasmas.
En la casa **que** vivo hay fantasmas.

Fui **hacia** el lugar **hacia el que** iban todos.
Fui hacia el lugar **que** iban todos.

◢ Todos los pronombres relativos pueden usarse en oraciones relativas explicativas. Las oraciones relativas especificativas no pueden introducirse con **el/la que/cual** o **los/las que/cuales**, a menos que se utilice una preposición.

Mis padres, **que/quienes** estudiaron medicina, también trabajan en este hospital.
Tengo un hermano **que** vive en El Salvador.
Compré una casa **cuya** dueña anterior ahora vive en París.
Tengo un primo **con quien/con el que** me llevo muy bien.
Fui a la biblioteca, **la cual** se encuentra junto al banco.

◢ En inglés, pueden omitirse los pronombres relativos algunas veces. En español, los pronombres relativos siempre son necesarios.

¿Me prestas el libro que compraste?
Can I borrow the book (that) you bought?

Estrenan mañana la película sobre la que te hablé.
Tomorrow they release the movie (that) I talked to you about.

◢ Los adverbios relativos **donde, cuando** y **como** pueden reemplazar a **en que** o **en** + *artículo* + **que/cual. Como** no se utiliza con frecuencia en este caso.

El cementerio **donde** está enterrado queda lejos.

El cementerio **en el que/cual** está enterrado queda lejos.

El momento **cuando** te vi, supe quién eras.

El momento **en el que** te vi, supe quién eras.

No me gusta la manera **como** te vistes.

No me gusta la manera **en que** te vistes.

PRÁCTICA

1

Completa las oraciones con el pronombre relativo o el adverbio relativo correcto.

1. Pablo Neruda fue un poeta chileno _____ ganó el Premio Nobel
de Literatura en 1971.

2. Fue un escritor a _____ le interesaba la política.

3. Mientras estaba en Barcelona como cónsul chileno, conoció a Rafael Alberti
y a Federico García Lorca, con _____ participó en un círculo literario.

4. En el momento _____ finalizó la Guerra Civil Española, ayudó a muchos
españoles a exiliarse en Chile.

5. Neruda tuvo que exiliarse de Chile y vivió en diversos países europeos, _____
siguió escribiendo su poesía.

6. El *Canto general*, _____ versos reflejan un compromiso social con
toda América Latina, es una de sus obras más conocidas.

2

Relaciona los elementos para formar oraciones completas.

1. ___ El libro
2. ___ El abogado con
3. ___ El autobús en
4. ___ Mis tíos
5. ___ La familia con

a. quien trabajé durante diez años se jubila este mes.
b. el que viajamos a Honduras era muy cómodo.
c. que me prestaste el mes pasado me gustó mucho.
d. la cual viví en Buenos Aires era muy bohemia.
e. cuyos hijos viven en Madrid vienen a almorzar mañana.

3

Reescribe este párrafo agregando cláusulas relativas explicativas y especificativas
a los sustantivos subrayados.

> **MODELO** En medio de las montañas queda el pueblo.
>
> **_En medio de las montañas queda el pueblo en el que vive
> la familia González._**

En medio de las montañas queda el pueblo. El pueblo es atravesado por un río.
Allí se ubica la casa. La familia tiene cinco hijos. Los lunes, todos bajan a la ciudad.
Algunos trabajan en la fábrica. Las dos niñas más pequeñas van a la escuela.

4

Combina las oraciones del siguiente párrafo utilizando pronombres y adverbios
relativos. Puedes agregar detalles adicionales a cada oración.

El semestre que viene iré a estudiar a Cusco. Cusco es una ciudad con muchos sitios
arqueológicos. Viviré en una pensión con otros estudiantes. Los estudiantes vienen de Europa,
Sudamérica y Estados Unidos. Haré algunas visitas turísticas a pueblos cercanos. Los
pueblos tienen ruinas y mercados típicos. Me recomendaron probar la comida local. Los
platos típicos de la comida local son los pimientos rellenos y el maíz con queso.

CONSTRUCCIONES PASIVAS Auto-graded

◢ Al igual que en inglés, en español se puede expresar una acción en construcciones tanto activas como pasivas.

> Los aztecas **fundaron** Tenochtitlán. (*activa*)
> Tenochtitlán **fue fundada** por los aztecas. (*pasiva*)
> ¿Sabes en qué año **se fundó** Tenochtitlán? (*pasiva*)

◢ Las construcciones activas hacen énfasis en **el agente**, la persona o cosa que realiza una acción. En contraste, las construcciones pasivas realzan la acción en sí misma, más que el agente que la realiza. La voz pasiva enuncia que un sujeto *recibe* la acción, en lugar de *realizar* dicha acción.

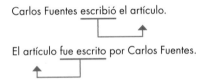

Carlos Fuentes escribió el artículo.

El artículo fue escrito por Carlos Fuentes.

◢ El español tiene diferentes formas de expresar las acciones pasivas. En esta lección, aprenderás sobre la voz pasiva con **ser** y las construcciones pasivas con **se**.

◢ Usar construcciones pasivas puede ser una técnica importante al escribir. La elección de una voz activa o una construcción pasiva define si el escritor asigna o no responsabilidad por una acción. Si una acción está ligada estrechamente al núcleo de un argumento, sería más apropiado usar la voz activa; si una acción es información de contexto o si el autor desea afirmar algo, pero no necesariamente centrarse en ello o defenderlo, es más adecuado usar una construcción pasiva.

La voz pasiva con *ser*

◢ Esta voz pasiva se forma combinando el verbo **ser** con el participio de otro verbo. En esta construcción, el verbo **ser** concuerda con el sustantivo que recibe la acción.

CONCUERDA CON **NAVES**

Fuentes dice que todas las naves **fueron quemadas**.

CONCUERDA CON **MENSAJE**

El mensaje **fue enviado** a Tlaxcala al día siguiente.

◢ Observa que el participio del verbo principal debe concordar en género y número con el sustantivo que recibe la acción.

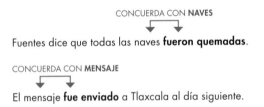

Una **crónica** muy famosa de la conquista fue **escrita** por Bernal Díaz.

◢ Usa **por** para indicar quién es el agente en las construcciones pasivas con **ser**.

> Este ensayo fue escrito **por** Carlos Fuentes.
> Los aztecas fueron traicionados **por** sus aliados.

▲ La forma pasiva con **ser** se usa con mayor frecuencia en los tiempos pretérito, futuro y las construcciones perfectas.

> El discurso **fue traducido** por la Malinche.
> Los mapas de Tenochtitlán **serán examinados** por los archivistas.
> ¿De verdad **ha sido olvidado** Hernán Cortés?

▲ Es raro su uso con el pretérito imperfecto, el presente simple o progresivo, excepto cuando el tiempo presente indica una acción en desarrollo, atemporal o en el presente histórico.

> Los **eventos** de la Noche Triste **son recordados** por todos los mexicanos.

▲ Nota la diferencia de significado entre la forma pasiva con **ser** y la perífrasis verbal **estar** + *participio*. El pasivo con **ser** indica una acción. En contraste, **estar** + *participio* señala un estado o condición.

> Los mensajes al emperador **fueron escondidos** por los soldados.
> Los mensajes al emperador **estaban escondidos** dentro de la pared.

▲ La formación pasiva con **ser** nunca se utiliza como objeto indirecto. En su lugar, el español utiliza otras construcciones para expresar la idea de que algo es hecho a alguien.

> **Inglés:**   *He was told the legend of Quetzalcóatl.*
> **Equivalentes en español:**   Le contaron la leyenda de Quetzalcóatl.
>   Se le contó la leyenda de Quetzalcóatl.

▲ **Quedar(se)** y **resultar** pueden usarse también en construcciones pasivas. Al contrario del verbo **ser** con un participio, estos dos verbos subrayan la condición o el resultado que surgió del hecho, más que el hecho mismo.

> Los soldados **quedaron asombrados** al ver la gran ciudad de Tenochtitlán.
> Miles de personas **resultaron heridas** en las matanzas de Cholula.

Construcciones pasivas con *se*

▲ Las construcciones pasivas con **se** son otra manera de expresar acciones pasivas. Coloca el pronombre **se** antes del singular o plural en tercera persona de un verbo transitivo. El verbo siempre debe concordar con el sustantivo que recibe la acción.

CONCUERDA CON **PIEZAS**

Más **piezas** aztecas **se hallaron** en el palacio. (*plural*)

CONCUERDA CON **PIEZA**

La **pieza** más grande, una máscara de oro, **se exhibe** en el Museo de Antropología. (*singular*)

▲ Las construcciones pasivas con **se** son más comunes en el habla informal y cotidiana que la voz pasiva con **ser**.

> Muchos objetos aztecas **se hallaron** en las ruinas.

¡ATENCIÓN!
La voz pasiva con **ser** es menos común en español que en inglés. Se usa generalmente en el habla formal y la lengua escrita.

¡ATENCIÓN!
Las construcciones pasivas con **se** pueden formarse únicamente con verbos transitivos, nunca con intransitivos. Aprenderás más sobre la diferencia entre verbos transitivos e intransitivos cuando estudies la forma impersonal **se** en la **p. 452**.

◢ El agente nunca se expresa en estas construcciones; se le considera poco importante o desconocido. La construcción **por** + *agente* no puede usarse.

> Mucho ha cambiado desde que América **fue descubierta por Colón**.
> *A lot has changed since the American Continent was discovered by Columbus.*

> Mucho ha cambiado desde que **se descubrió** América.
> *A lot has changed since the American Continent was discovered.*

¡ATENCIÓN!

Un infinitivo o una oración nominal pueden ser el sujeto de una construcción pasiva con **se**.

Se permite **tomar fotografías**.

Se comenta **que abrirán un nuevo museo**.

◢ Para entender las semejanzas y diferencias entre las construcciones activa y pasiva, compara los siguientes ejemplos.

ACTIVA	VOZ PASIVA CON *SER*	VOZ PASIVA CON *SE*
Hernán Cortés **fundó** la sociedad indohispana en 1519.	La sociedad indohispana **fue fundada** por Hernán Cortés en 1519.	**Se fundó** la sociedad indohispana en 1519.
Cortés **aprovechó** las tensiones entre los pueblos del imperio azteca.	Las tensiones entre los pueblos del imperio azteca **fueron aprovechadas** por Cortés.	**Se aprovecharon** las tensiones entre los pueblos del imperio azteca.

◢ Cuando los sustantivos se refieren a personas o se consideran animados, puede confundirse la forma pasiva **se** con el **se** recíproco o el **se** reflexivo. En español, esta confusión puede llevar a la ambigüedad.

◢ En casos como estos, utiliza la construcción impersonal **se** + *verbo transitivo en singular* + **a** *personal* + *sustantivo*.

> Según Fuentes, **se desprecia a los indígenas**.
> *According to Fuentes, the indigenous peoples are despised.*

PRÁCTICA

¡ATENCIÓN!

Observa que en este caso el verbo es singular, aun cuando el sustantivo al que se refiere es plural. Mira las **pp. 451-452**.

1 Completa las oraciones con la voz pasiva con **ser**, usando el verbo entre paréntesis. En algunos casos, hay más de un tiempo verbal posible.

> **MODELO** Según Fuentes, Cortés _____ (olvidar) por los mexicanos.
> *Según Fuentes, Cortés es / ha sido / fue olvidado por los mexicanos.*

Fuentes escribe que la cultura indígena (1)_____ (destruir) cuando llegaron los españoles. Él opina que la crueldad de Cortés (2)_____ (demostrar) por sus acciones. Algunos opinan que al principio Cortés (3)_____ (recibir) como un dios azteca. Todos sus discursos a los aztecas (4)_____ (traducir) por doña Marina, conocida como la Malinche. Según Fuentes, con la llegada de Cortés, una civilización (5)_____ (derrumbar) y otra nueva (6)_____ (crear). Por ejemplo, la religión católica (7)_____ (adaptar) a las creencias indígenas. La gran ciudad de Tenochtitlán (8)_____ (conquistar) en 1521 y sus palacios y templos (9)_____ (quemar). Fuentes añade que Cortés también (10)_____ (derrotar) por la Corona española. Cortés (11)_____ (condenar) por los emisarios del Rey. Sin embargo, los relatos de la conquista todavía (12)_____ (leer) hoy en día.

2 Reescribe estas oraciones usando la voz pasiva con **ser**.

> **MODELO** En noviembre de 1519, los soldados españoles encarcelaron a Moctezuma.
> **En noviembre de 1519, Moctezuma fue encarcelado por los soldados españoles.**

1. En 1502, los aztecas nombraron emperador a Moctezuma.
2. Los españoles conquistaron Cuba entre 1511-1514 y establecieron una fortaleza allí.
3. En 1517, los habitantes del imperio azteca observaron varios presagios de catástrofe.
4. Cortés desobedece las órdenes del gobernador de Cuba y sale para México en febrero de 1519.
5. Después de llegar a Cempoala en junio de 1519, los españoles quemaron sus naves.
6. En octubre de 1519, los españoles masacraron a miles de personas en Cholula.
7. En mayo de 1520, el gobernador de Cuba mandó un ejército a México para quitarle el poder a Cortés.
8. En junio de 1520, murió Moctezuma. No se sabe quién lo mató.
9. El 30 de junio de 1520, los españoles abandonaron Tenochtitlán.
10. En mayo de 1521, los españoles asediaron la capital.

3 Eres director(a) de un museo. Explica lo que sucede allí usando la forma pasiva con **se**, las palabras dadas y tus propias ideas para formar oraciones.

> **MODELO** libros sobre la conquista / vender / en ¿? (lugar)
> **Se venden libros sobre la conquista en la librería. /**
> **Los libros sobre la conquista se venden en la librería.**

1. collares y máscaras de oro / exhibir / en ¿?
2. película sobre Cortés / dar / a las ¿? (hora)
3. visitas guiadas / ofrecer / en ¿? (idiomas)
4. pinturas coloniales / restaurar / en ¿?
5. bailes indígenas / presentar / a las ¿?
6. exposición / promocionar / en ¿? (lugar)
7. salones principales / abrir / todos los días menos ¿?
8. teléfonos celulares y cámaras / prohibir / en ¿?
9. cafetería y restaurante / abrir / a las ¿?
10. hablar alto / no permitir / ¿?

4 En grupos de tres, preparen el texto para el folleto informativo de un museo. El folleto debe incluir lo siguiente:

◆ una descripción del museo que use la voz pasiva con **ser** y construcciones pasivas con **se**
◆ las reglas del museo, usando construcciones pasivas con **se**

> **MODELO** **El museo fue fundado en...**
> **En la sala..., se exhiben...**
> **Se prohíbe fumar.**

EL FUTURO Y EL CONDICIONAL Auto-graded

◢ En español, como en inglés, se emplea el futuro para hacer predicciones y el condicional para formular especulaciones.

El futuro

◢ Se usa el tiempo futuro para expresar lo que sucederá.

> ¿Cuándo **llegarán** los investigadores a México?
> Un equipo de arqueólogos de la UNAM **estará** a cargo de las excavaciones.

◢ Las oraciones con el condicional **si** en tiempo presente pueden combinarse con oraciones en futuro para expresar probabilidad.

> Si vamos a Tlaxcala, **veremos** las ruinas, ¿no?

◢ En el habla informal y cotidiana, el tiempo presente simple o la forma **ir + a +** *infinitivo* se emplean para señalar eventos futuros. Esto es especialmente cierto cuando el suceso ya está programado, o sucederá en un marco de tiempo conocido. Los indicadores de tiempo, como **luego, mañana, este fin de semana**, etc., se emplean con el presente simple para indicar que se refiere a un evento futuro.

> **Vamos esta tarde** a la Plaza de las Tres Culturas.
> ¿**Vas a terminar** la lectura sobre Cortés para **mañana**?

◢ El uso más común del tiempo futuro en el español hablado es para indicar una conjetura, predicción o especulación sobre un acontecimiento en el presente. En este uso, el futuro transmite la idea de *I wonder..., I bet..., It must/might be..., It's probably...,* etc.

> ¿Cuántas piedras **habrá** en la Pirámide del Sol?
> *I wonder* how many stones **there are** in the Pyramid of the Sun.

> Esa pieza de allí **será** de los aztecas, ¿no crees?
> *That item there **is probably** from the Aztecs, don't you think?*

◢ Observa que el futuro compuesto se emplea con frecuencia para hacer suposiciones o conjeturas sobre lo que sucedió.

> —¿Dónde **estará** Fernando?
> —*Where **could** Fernando **be**?*

> —No sé, **se habrá ido** al Templo Mayor con el resto del grupo.
> —*I don't know; **he must have gone** to the Templo Mayor with the rest of the group.*

◢ Para hablar sobre un hecho futuro desde el punto de vista del pasado, usa el condicional o la forma **ir + a +** *infinitivo* en la forma imperfecta. Compara los siguientes ejemplos:

> Moctezuma **dice** que los españoles **se quedarán** en el palacio.
> *Moctezuma **says** that the Spaniards **will remain** in the palace.*

> Moctezuma **dijo** que los españoles se **quedarían/se iban a quedar** en el palacio.
> *Moctezuma said that the Spaniards **would remain/were going to remain** in the palace.*

El condicional

⬛ Se emplea el condicional simple para expresar lo que sucedería o lo que alguien haría bajo ciertas circunstancias.

> Me **gustaría** saber más sobre los aztecas.
> **Sería** interesante ver los códices aztecas sobre estos eventos.

⬛ Su uso es muy común en oraciones que contienen la forma **si** + *imperfecto del subjuntivo* para hacer afirmaciones hipotéticas o contrarias a la realidad.

> **Si pudieras** regresar al pasado, ¿**querrías** vivir durante la época de la conquista?
> ¿Qué le **dirías** a Cortés si **pudieras** hablar con él?

⬛ El condicional simple se emplea también para expresar una suposición, predicción o especulación sobre un hecho pasado. En este uso, el condicional comunica la idea de *I wonder..., I bet..., It must have been / It would have been..., It was probably...*, etc.

> Para construir sus pirámides, los aztecas **necesitarían** a miles de trabajadores, ¿no?
> *To build their pyramids, the Aztecs **would have needed** thousands of workers, don't you think?*

> ¿Cómo **moverían** piedras de ese tamaño sin la rueda?
> *How **could they have moved** stones of that size without the wheel?*

> ¿Cuántas personas **morirían** a causa de la conquista?
> *How many people **must have died** because of the conquest?*

⬛ El condicional simple de los verbos **poder, deber** y **querer** expresa con frecuencia peticiones formales y se utiliza para suavizar órdenes.

> ¿**Podría** usted explicarme cómo se va a la Plaza de las Tres Culturas?
> **Deberías** leer más sobre la conquista antes de formular tus opiniones.

⬛ También puede usarse el condicional para hablar sobre un evento futuro desde el punto de vista del pasado. Compara estos ejemplos.

> ¿Piensas que los aztecas **van a derrotar** a los españoles?
> ¿Pensabas que los aztecas **derrotarían** a los españoles?

⬛ Para hablar sobre algo que podría haber sucedido, pero no pasó, utiliza el condicional perfecto.

> Los aztecas **habrían derrotado** a los españoles.
> Él no **habría vendido** esa piedra al museo si hubiera sabido el valor que tenía.

⬛ El condicional perfecto también expresa suposición o probabilidad sobre un evento pasado.

> ¿Los aztecas **habrían conquistado** a los españoles si hubieran tenido avances navales sofisticados?

> En ese caso, quizá sí que los **habrían conquistado**.

¡ATENCIÓN!
En inglés, para expresar probabilidad de un hecho, para preguntarse por algo o especular sobre ello, usas expresiones como *I bet...; I wonder...; probably; it must be...;* etc. además de una forma verbal. En español, no se necesitan estas expresiones adicionales. Los tiempos futuro y condicional, usados en ese contexto, comunican el significado de dichas expresiones.

¡ATENCIÓN!
Aprenderás sobre las oraciones con el condicional **si** en las **pp. 454-455**.

PRÁCTICA

1

Completa cada predicción con el futuro del verbo entre paréntesis.

1. Unos hombres blancos y altos _____ (venir) del Este.
2. Ellos _____ (salir) del mar y _____ (traer) palos que echen humo.
3. Los mensajeros _____ (llegar) con sus demandas.
4. Entonces los enemigos de los aztecas _____ (armarse) para la guerra.
5. Tú _____ (intentar) salvarte, pero no _____ (poder).
6. Nosotros les _____ (entregar) oro, plumas y joyas a los hombres, pero eso no _____ (ser) suficiente.
7. Nadie _____ (escaparse) del peligro.
8. Casi todos nosotros _____ (morirse).
9. Yo nunca _____ (volver) a ver a mi esposa ni a mis hijos.
10. Nuestra civilización _____ (desaparecer) para siempre.
11. Pero de español y azteca, _____ (haber) una nueva raza.
12. Nosotros _____ (sobrevivir) en nuestros descendientes.

2

Un grupo de estudiantes está organizando un viaje a la Ciudad de México. ¿Qué podrían hacer todos allí? En parejas, escriban ocho oraciones combinando un elemento de cada columna. Usen el condicional y el condicional perfecto.

MODELO *Mis amigos y yo subiríamos a la Pirámide del Sol.*

yo	poder ir a	Xochimilco
la profesora de español	leer	Pirámide del Sol
mis compañeros	visitar	Plaza de las Tres Culturas
mi mejor amigo/a	subir	Templo Mayor
tú y yo	explorar	Museo Nacional de Antropología
todos nosotros	estudiar	códices aztecas
los guías	viajar a/con	clase de náhuatl
tú	conocer (a)	el calendario azteca
el profesor de historia	sacar fotos de	tumba de Hernán Cortés
	tomar	trono de Moctezuma
	hacer una excursión a	monumento al lugar de encuentro de Moctezuma y Cortés

3

Imagina que eres azteca o español(a) y que estás en Tenochtitlán en 1519. ¿Qué harías? ¿Cómo te sentirías? Escribe cinco oraciones para cada categoría. Usa verbos del recuadro conjugados en el condicional.

MODELO *Si fuera azteca, trataría de defender a mi familia.*

| buscar | enfermarse | ir | morir | pensar | querer | salir | tener |
| decir | explorar | luchar | pedir | poder | saber | sentirse | tratar de |

◆ Si fuera azteca…　　◆ Si fuera español(a)…

EL SUBJUNTIVO ⓢ Auto-graded

◢ En español, a diferencia del inglés, el modo subjuntivo es frecuente. Mientras que el indicativo describe cosas que el hablante considera ciertas, el subjuntivo expresa la actitud que toma hacia los eventos. También se emplea para hablar sobre sucesos que se consideran incompletos, hipotéticos o inciertos. Al igual que el indicativo, el modo subjuntivo tiene diferentes tiempos para hacer referencia a eventos pasados, presentes y futuros.

> Carolina dice que sus amigos también **ganan** solo mil euros al mes.
> *(hecho; indicativo)*
> *Carolina says her friends also only make a thousand euros a month.*
>
> A todos les frustra que no **hayan podido** conseguir mejores trabajos.
> *(actitud; subjuntivo)*
> *They are all frustrated that they have not been able to find better jobs.*
>
> En cuanto se graduó, Carolina **encontró** un trabajo en una agencia.
> *(hecho; indicativo)*
> *As soon as she graduated, Carolina found a job in an agency.*
>
> A Belén le gustaría tener hijos en cuanto **tenga** un mejor puesto.
> *(incierto; subjuntivo)*
> *Belén would like to have children as soon as she has a better position.*

◢ El subjuntivo se emplea principalmente en tres tipos de oraciones subordinadas.

ORACIÓN PRINCIPAL ▼ ORACIÓN NOMINAL SUBORDINADA ▼

[Es natural] que [los jóvenes se sientan decepcionados si ganan poco].

ORACIÓN PRINCIPAL ▼ ORACIÓN ADJETIVA SUBORDINADA ▼

[Carolina quería un puesto] que [correspondiera a su nivel de preparación].

ORACIÓN PRINCIPAL ▼ ORACIÓN ADVERBIAL SUBORDINADA ▼

[Las cosas no cambiarán] a menos que [baje el número de universitarios].

El subjuntivo en oraciones sustantivas

◢ Una oración sustantiva, o nominal, es un grupo de palabras que actúan como sustantivo. Las oraciones nominales subordinadas actúan como objetos directos del verbo en la oración principal.

> Todos esperan que **el futuro sea mejor.**
> Nadie dudaba que **los jóvenes universitarios estuvieran muy preparados.**

◢ Si una oración tiene una oración principal y una sustantiva subordinada, el verbo de la oración subordinada puede estar en los modos indicativo o subjuntivo, dependiendo del verbo de la oración principal. Se emplea el subjuntivo si el verbo de la oración principal tiene un sujeto diferente al verbo de la oración subordinada, y si el verbo de la oración principal expresa uno de estos conceptos:

> **determinación, anhelo, influencia o necesidad**
> **emociones o juicio**
> **duda, negación, probabilidad (o falta de ella)**

¡ATENCIÓN!
Si no hay cambio de sujeto entre el verbo de la oración principal y el verbo de la oración sustantiva subordinada, no se emplea el subjuntivo. En lugar de este, se utiliza el infinitivo.

Ella **quiere comprar** su propia casa.

Quiero que ella **compre** su propia casa.

◢ A continuación se presentan algunos verbos y expresiones comunes para manifestar determinación, anhelo, influencia o necesidad:

aconsejar que	es necesario que	ojalá (que)
desear que	es urgente que	pedir que
decir que	esperar que	recomendar que
es importante que	insistir en que	sugerir que

Ha sido necesario que estos jóvenes **manejen** bien sus finanzas.
El novio de Belén **insistía en que tomara** sus exámenes para hacerse psicóloga, pero no pudo.

◢ Estos son algunos verbos y expresiones comunes de emoción o juicio:

alegrarse de que	es raro que	me/te/le... extraña que
enojarse de que	es ridículo que	me/te/le... gusta que
es bueno que	es sorprendente que	me/te/le... molesta que
es fácil/difícil que	es terrible que	me/te/le... sorprende que
es interesante que	es triste que	sentir que
es natural que	es una lástima que	temer que

Me sorprende que solo el 40% de los universitarios **tenga** un buen trabajo.
Era natural que todos **tuvieran** expectativas más altas.

◢ Estos son algunos verbos y expresiones comunes de duda, negación, probabilidad o improbabilidad:

dudar (de) que	es probable que	no es posible que
es imposible que	negar que	no es que
es increíble que	no creer que	no es verdad que
es posible que	no es cierto que	no estar seguro/a de que

No es que ellos **vivan** mal, pero su vida no es lo que esperaban.
Nadie **dudó** que esta generación **fuera a vivir** mejor que sus padres.

¡ATENCIÓN!
Cuando se usa en una oración el opuesto de estas expresiones para enunciar certidumbre o un hecho cierto, se emplea el indicativo.

Carolina **no niega** que ella y sus amigos **son** privilegiados desde cierto punto de vista.

◢ Son cuatro los tiempos verbales más comunes en el subjuntivo: presente, presente perfecto, imperfecto y pasado perfecto. El tiempo verbal en la oración subordinada depende de si la acción sucedió antes, al mismo tiempo o después de la acción en la oración principal.

ORACIÓN PRINCIPAL		**ORACIÓN SUBORDINADA** (La acción sucede al mismo tiempo o después de la acción de la oración principal).	
Presente	**Es importante** que	los jóvenes no **se desanimen**.	
Futuro	**Será difícil** que	las cosas **cambien** pronto.	*Presente del subjuntivo*
Pretérito perfecto compuesto	**Se ha recomendado** que	**se limiten** las plazas universitarias disponibles.	

ORACIÓN PRINCIPAL		ORACIÓN SUBORDINADA (La acción sucede al mismo tiempo o después de la acción de la oración principal).	
Pretérito perfecto	**Fue imposible** que	Carolina **pagara** sus estudios.	*Pretérito imperfecto del subjuntivo*
Pretérito imperfecto	Sus padres **esperaban** que	Daniel **encontrara** trabajo.	
Pluscuamperfecto	**Le habían dicho** que	**estudiara** para otro máster.	
Condicional simple	**A Belén le gustaría** que	ella y su novio **pudieran** casarse.	
Condicional perfecto	**Habría sido ideal** que	todos **consiguieran** trabajo.	

ORACIÓN PRINCIPAL		ORACIÓN SUBORDINADA (La acción sucede antes de la acción de la oración principal).	
Presente	**Espero** que	no **se hayan desanimado**.	*Pretérito perfecto/ imperfecto del subjuntivo*
Futuro	**A sus padres les gustará** que	Carolina **haya podido ahorrar**.	
Pretérito perfecto compuesto	No **me ha sorprendido** que	las chicas **decidieran** compartir piso.	

ORACIÓN PRINCIPAL		ORACIÓN SUBORDINADA (La acción sucede al mismo tiempo o antes de la acción de la oración principal).	
Pretérito	**A Belén le frustró** que	no **hubiera podido** tomar el examen.	*Pretérito imperfecto/ Pluscuamperfecto en modo subjuntivo*
Pretérito imperfecto	Antes **no era necesario** que	uno **tuviera** un título.	
Pluscuamperfecto	Nadie **había creído** que	**fuera** tan difícil encontrar trabajo.	
Condicional simple	No **me sorprendería** que	**hubieran decidido** no casarse.	
Condicional perfecto	Yo **habría preferido** que	ella **hubiera tomado** sus exámenes.	

El subjuntivo en oraciones adjetivas

◢ Una oración subordinada puede funcionar también como adjetivo. Las oraciones adjetivas describen la persona o la cosa de la que se habla en la oración principal, que se conoce como el antecedente.

> Todos quieren [un trabajo] [que les permita vivir con más seguridad].
> Carolina necesita [unas clases de baile] [que no sean muy caras].

◢ El verbo de la cláusula subordinada puede estar en subjuntivo o indicativo, dependiendo del verbo que haya en la oración principal. Se utiliza el subjuntivo si la oración adjetiva describe a alguien o algo desconocido, que no existe o cuya existencia se niega o cuestiona de alguna manera, y si el verbo de la oración principal tiene un sujeto diferente al verbo de la oración subordinada.

¡ATENCIÓN!

Si la oración adjetiva describe algo que se conoce, que existe o cuya existencia no se cuestiona, se emplea el indicativo.

Carolina tiene una amiga que **trabaja** en Madrid.

Pero

Carolina quiere un trabajo que **pague** más de 1000 euros al mes.

Les gustaría un apartamento que **fuera** más grande y menos caro.
Belén sueña con encontrar un puesto que **tenga** un contrato definido.
No hay nadie que no **se preocupe** por su futuro.
No tengo ningún amigo que **haya conseguido** un buen puesto.

El subjuntivo en las oraciones adverbiales

▲ Algunas cláusulas adverbiales pueden actuar como adverbios, señalando cuándo o cómo se hace algo. Las oraciones adverbiales están conectadas a la oración principal mediante conjunciones.

Daniel no puede gastar más **hasta que** aumenten sus ingresos.
Compartieron un piso **a fin de que** les fuera posible pagar el alquiler.

▲ Utiliza el subjuntivo después de conjunciones de tiempo (**p. 100; pp. 168-169**) cuando la oración principal indique un evento futuro o inconcluso. Usa el indicativo cuando la oración principal señale eventos que son habituales o que están concluidos.

Necesita encontrar otro trabajo **antes de que** ella y su novio **puedan** casarse.
(future/uncompleted event; subjunctive)

Carolina no va a su clase **hasta que sale** del trabajo. *(habitual event; indicative)*
Ella esperaba trabajar en el cine **cuando se graduó**. *(completed; indicative)*

▲ Las conjunciones que indican cómo o en qué circunstancias se realiza una acción suelen llamarse conjunciones de propósito o contingencia. Algunas de estas conjunciones comunes en español son **a fin de que, a menos que, con tal de que, en caso de que, para que** y **sin que**. Después de estas conjunciones se emplea el subjuntivo cuando cambia el sujeto entre el verbo de la oración principal y el de la oración subordinada.

Sería difícil encontrar un trabajo seguro **a menos que tuvieras** mucha suerte.
Carolina y sus amigas tendrán que seguir así **sin que** la situación **mejore**.

▲ La conjunción **aunque** va seguida del indicativo cuando quiere decir *aun cuando* y se refiere a eventos que son reales o han sucedido. Usa el subjuntivo después de **aunque** para expresar *aun cuando* o *aunque*, y para hablar sobre eventos que podrían ser o no ciertos.

Aunque la situación económica **es** grave, muchos siguen con sus esperanzas para un futuro mejor.

Aunque no **consigas** un trabajo este año, lo importante es ponerte en contacto con mucha gente.

El subjuntivo en oraciones principales

▲ Aunque el subjuntivo aparece principalmente en oraciones subordinadas, puede emplearse en ciertos casos en una oración principal.

▲ Utiliza el subjuntivo después de **quizás, tal vez, posiblemente** y expresiones similares, para resaltar la falta de certidumbre sobre el evento.

Quizás Belén **encuentre** otro trabajo.   Tal vez todo **sea** más fácil en el futuro.

¡ATENCIÓN!

Nota que siempre se usa el subjuntivo después de **antes de que**, sin importar si la acción es habitual, en el futuro o esté completa.

¡ATENCIÓN!

Si no cambia el sujeto, se omite **que** y se emplea un infinitivo en lugar del subjuntivo.

Daniel ya no compra el periódico **para no gastar** demasiado.

Carolina no encontrará trabajo en el cine **sin conocer** a más gente en ese mundo.

◢ Siempre se usa el subjuntivo después de **ojalá (que)**. El tiempo verbal usado depende del marco de tiempo del evento.

> Ojalá **supiéramos** las dificultades que nos esperan en el futuro.
> Ojalá Belén **haya aprobado** el examen esta vez.

◢ Se usa el subjuntivo después de la palabra **que** cuando la oración principal está implicada, y cuando la oración completa habría requerido el uso del subjuntivo.

> Que **tengas** mucha suerte en tus exámenes. (***Espero***... *está implícito.*)
> Que te **vaya** bien en la entrevista.

PRÁCTICA

1 Empareja las frases para formar oraciones lógicas.

1. Carolina no irá a la fiesta a menos que ___
2. Habríamos llegado antes si ___
3. Hoy es mi cumpleaños. Espero que mis amigos ___
4. Iría a Argentina si ___
5. Mis padres siempre me decían que ___

a. ahorrara dinero para el futuro.
b. me hayan preparado una fiesta.
c. hubiéramos tomado un taxi.
d. haya cobrado.
e. tuviera dinero ahorrado.

2 Completa las oraciones con el indicativo o el subjuntivo del verbo entre paréntesis.

1. Carolina es una muchacha de 27 años que _____ (tener) un problema: solo gana 1000 euros al mes.
2. Ella ha hecho muchos esfuerzos para que su situación _____ (mejorar), como buscar otros trabajos y tomar más cursos.
3. El problema es que _____ (haber) pocos trabajos buenos y demasiadas personas como Carolina: jóvenes con título universitario.
4. Carolina conoce a muchísimas personas que _____ (estar) en una situación parecida a la de ella.
5. Es casi imposible que _____ (crearse) suficientes trabajos acordes al nivel de preparación de este grupo.
6. Carolina siempre soñaba con trabajar en el cine después de que ella y sus compañeros _____ (graduarse) de la universidad.
7. Le frustró que no _____ (encontrar) el puesto que deseaba, pero no se desanimó.
8. Es bueno que ella _____ (conseguir) trabajo en una agencia de publicidad, aunque el puesto no _____ (ser) el que ella deseaba.
9. Claro, Carolina quería un puesto que le _____ (permitir) ahorrar algo, hacer planes para casarse, comprar su propia casa...
10. En contraste, sus padres, como muchos de esa generación, consiguieron buenos trabajos y compraron una casa tan pronto como _____ (casarse).
11. Era natural que todos _____ (esperar) lo mismo para Carolina y su generación.
12. Ahora Carolina lleva una vida divertida, pero insegura; tiene que manejar sus gastos con cuidado a fin de que _____ (haber) suficiente dinero para todo.
13. Ella dijo que ya _____ (cansarse) de su forma de vida.
14. Me preocupa que ella _____ (seguir) así por mucho tiempo.

3 Completa las oraciones sobre tu vida y tus expectativas, y las de otras personas. Usa el subjuntivo o el indicativo y añade los detalles necesarios. Presta atención al tiempo verbal en tus respuestas.

> **MODELO** Quiero un apartamento que...
> **Quiero un apartamento que esté cerca del gimnasio. Mi hermano tenía un apartamento que compartía con mis primos.**

1. Tengo un trabajo que...
2. Cuando era joven, mi padre/madre tenía un trabajo que...
3. Quiero un trabajo que...
4. Cuando tenía mi edad, mi padre/madre quería un trabajo que...
5. Quiero estudiar una carrera que...
6. Me quiero dedicar a una profesión que...
7. En su trabajo actual, mi padre/madre gana un sueldo que...
8. Cuando era estudiante, mi padre/madre ganaba un sueldo que...
9. Claro, en el futuro me encantaría tener un sueldo que...
10. Mi meta es encontrar un trabajo después de que...

4 Combina un elemento de cada grupo para formar ocho oraciones lógicas sobre tu situación económica y la de los demás.

> **MODELO** **Mis padres me ayudan con la matrícula**
> **para que yo pueda pagar el alquiler.**

yo	ahorrar	ganar	a fin de que
mis padres	ayudar	gastar	a menos que
mi compañero/a de trabajo	comer	pagar	con tal de que
mi jefe/a	compartir	trabajar	en caso de que
mi mejor amigo/a	contratar	vivir	para que
mis compañeros de clase	dar	volver	sin que

5 En parejas, reaccionen a las distintas situaciones y recomienden qué hacer. Usen oraciones sustantivas, adjetivas y adverbiales. También pueden usar el subjuntivo en la oración principal. Presten atención al uso del subjuntivo y a los tiempos verbales.

> **MODELO** Carolina está muy preparada. Sin embargo, no ha encontrado trabajo.
> **No me sorprende que ella esté así. ¡Ojalá mejore la situación!**

1. Todos comparten piso; no tienen dinero suficiente para comprar casa propia.
2. Algunos creen que no podrán casarse ni tener hijos, por motivos económicos.
3. Hay demasiados universitarios. No hay buenos puestos para todos.
4. Muchos llegaron a la universidad y no pudieron seguir su carrera preferida, porque no había espacio. Muchos no encontraron trabajo al graduarse.
5. Daniel es arquitecto y habla tres idiomas, pero no puede permitirse comprar el periódico. Él cree que la sociedad los ha tirado a la basura a él y a los demás.
6. Carolina y sus amigos no saben lo que va a pasar. Llevan una vida de eterno estudiante, pero ya no son estudiantes.
7. Pero algunos dicen que esta generación vive mejor que las anteriores.

INFINITIVOS Y PARTICIPIOS Auto-graded

◢ El infinitivo es una forma verbal terminada en **-ar**, **-er** o **-ir**.

> ¿Cuándo te vas a **graduar**? Me gustaría **conocer** París. Quiero **vivir** en la ciudad.

◢ El gerundio es la forma verbal terminada en **-ando** o **-iendo**, que se emplea a menudo para hablar de acciones en desarrollo.

> Estuve **buscando** trabajo dos meses.
> Estaba **saliendo** del trabajo cuando me caí.

◢ El participio se utiliza principalmente para formar verbos compuestos y la voz pasiva.

> Ella **ha trabajado** mucho estos últimos años.
> La oferta de trabajo **fue rechazada**.

◢ Observa que *gerund* y **gerundio** son **falsos cognados**. El gerundio inglés es la forma *-ing* de un verbo usado como sustantivo: *Reading is fun*. El participio presente en inglés es idéntico al gerundio, pero funciona como verbo: *I am reading*. En español, el **gerundio** actúa como el participio presente del inglés: **Estoy leyendo**. Este **gerundio** no puede usarse nunca para nominalizar. En lugar de ello, se emplea el infinitivo: **Leer es divertido**.

El infinitivo

◢ El infinitivo puede actuar como sustantivo.

> **Saber** otro idioma es una ventaja.
> *Knowing another language is an advantage.*

> **Leer** sobre el desempleo es deprimente.
> *Reading about unemployment is depressing.*

◢ Cuando se emplea como sustantivo, el infinitivo en español puede ser equivalente a la forma del gerundio *-ing* en inglés.

> **Ser** universitario no garantiza que consigas un buen trabajo.
> ***Being*** *a university graduate doesn't guarantee you'll get a good job.*

> **Buscar** trabajo me pone nervioso. No es fácil **encontrar** una solución.
> ***Looking*** *for work makes me nervous.* ***Finding*** *a solution is not easy.*

◢ Ya sabes que el infinitivo puede seguir a la expresión **hay que** y otras formas verbales conjugadas como **deber, necesitar, pensar, poder, querer, saber** y **soler**, cuando el verbo principal y el infinitivo indican la misma persona:

> Daniel **sabe hablar** tres idiomas. Belén **quiere comprar** una casa.

◢ Si el sujeto del verbo principal y el del verbo subordinado son diferentes, el segundo debe ir conjugado.

> Piensa **tomar** otro curso.
> *She's planning on taking another class.*

> Piensa que **toma** otro curso.
> *She thinks that he/she (someone else) is taking another class.*

¡ATENCIÓN!
Cuando el infinitivo es modificado por un adjetivo, usa el artículo determinante **el**.

Cambiar de trabajo causa mucho estrés.

El constante cambiar de trabajo causa mucho estrés.

◢ Con unos cuantos verbos (como **creer, decir** y **dudar**), puedes usar *verbo + infinitivo* o dos verbos conjugados, aun cuando sean diferentes los sujetos del verbo principal y del verbo subordinado.

Creo tener todo para la entrevista.	**Creo** que **tengo** todo para la entrevista.
I believe I have everything for the interview.	*I believe I have everything for the interview.*
Dice sentirse desanimada.	**Dice** que **se siente** desanimada.
She says she feels discouraged.	*She says she feels discouraged.*

◢ En general, después de un infinitivo va una preposición. Ya has visto el uso del infinitivo después de preposiciones y muchas otras construcciones de *verbo + preposición*: **acabar de, aprender a, comenzar a, enseñar a, dejar de, insistir en, luchar por,** etc.

Por trabajar tanto, se enfermó.	Vive **sin trabajar.**
Se acostumbraron a vivir con incertidumbre.	Los jóvenes **soñaban con tener** éxito.

◢ Puede emplearse el infinitivo después de verbos de percepción, como **ver, oír, sentir** y **escuchar**. En este caso, el infinitivo indica que se ha concluido la acción.

Lo **vi salir** de la entrevista.	La **escuché quejarse** de su trabajo.
I saw him leave the interview.	*I listened to her complain about her job.*

◢ Puede emplearse un infinitivo como imperativo en textos escritos y en señales, especialmente en forma negativa.

No fumar.   No pisar.   No tocar.

El gerundio

◢ Ya sabes que los gerundios pueden combinarse con el verbo **estar** para expresar acciones en progreso. Existen varios verbos, como **andar, ir, llevar, venir, salir, seguir** y **terminar**, que también se combinan con el gerundio. Cada una de esas construcciones transmite un matiz de significado diferente.

Daniel **anda quejándose** de su mala suerte.
Daniel is going around complaining about his bad luck.

◢ También es común en español el uso del gerundio como adverbio.

Contestó **riéndose** que le habían ofrecido el puesto.
Ganó experiencia laboral **trabajando** en una agencia de viajes.

◢ El participio presente en inglés no siempre es equivalente al gerundio en español **-ando/-iendo**. Por ejemplo, en español generalmente no se usa el gerundio como adjetivo. En su lugar, se utiliza una cláusula con un verbo conjugado.

muchas personas **que buscan** trabajo	un aspirante **que manda** su currículum
*a lot of people **looking** for work*	*an applicant **sending** his résumé*

◢ Puede utilizarse el gerundio después de verbos de percepción, como **ver, oír, sentir** y **escuchar**. En este caso, el gerundio indica que la acción estaba en progreso. Aprenderás más sobre estos verbos en las **pp. 457-459.**

Lo **vi saliendo** de la entrevista.	La **escuché quejándose** de su trabajo.
I saw him leaving the interview.	*I listened to her complaining about her job.*

El participio

◢ Ya sabes usar el participio en verbos compuestos para expresar acciones pasadas. También puede usarse como adjetivo. En este caso, el participio debe concordar en género y número con el sustantivo que modifica.

> Los jóvenes españoles pasan por una crisis laboral **complicada**.
> Somos unos aspirantes **preparadísimos** sin oportunidades.

◢ En el caso de los verbos que tienen un participio regular y uno irregular, solo se usa como adjetivo la forma irregular.

> las papas **fritas**   *the potato chips/French fries*
> los documentos **impresos**   *the printed documents*
> los uniformes **provistos**   *the provided uniforms*

◢ En ocasiones, los participios forman parte de una oración.

> Aceptó el puesto, **convencido** de que no le quedaba mejor opción.
> Estos jóvenes, todos **graduados** desde hace años, siguen viviendo como estudiantes.
> **Atraído** por la posibilidad de cambio, comenzó una nueva carrera.

◢ Una oración participia absoluta, que muchas veces no tiene traducción exacta en inglés, suele ir al comienzo de algunos enunciados.

> Una vez **terminado** el curso, se puso a buscar trabajo otra vez.
> *Once the class had ended, she began to look for work once more.*

> **Llegados** a la feria laboral, vimos que ya no dejaban entrar a más gente.
> *Having arrived at the job fair, we saw that they weren't letting more people in.*

PRÁCTICA

1

Completa las oraciones con la forma apropiada del verbo entre paréntesis.

Después de (1)_____ (visitar) a unos amigos en Alemania, Carolina se dio cuenta de que ellos vivían mucho mejor que ella. Por eso, ella decidió (2)_____ (escribir) una carta al periódico (3)_____ (explicar) su situación. Ella dice (4)_____ (ser) una joven de 27 años, con una preparación estupenda. Es sorprendente (5)_____ (saber) que solo gana 1000 euros al mes. Sin embargo, hay muchas personas que se encuentran en una situación (6)_____ (parecer). Han empezado a (7)_____ (llamarse) *mileuristas*.

(8)_____ (Vivir) como Carolina no es fácil. No puede (9)_____ (ahorrar); aun (10)_____ (compartir) un piso con tres chicas, apenas cubre sus gastos. Carolina soñaba con (11)_____ (hacerse) productora de cine, pero ese sueño ha (12)_____ (ser) imposible de realizar. Ahora, (13)_____ (resignar) ante su situación actual, ella vive sin (14)_____ (pedirle) demasiado al futuro. Es natural que muchos mileuristas se sientan (15)_____ (decepcionar) después de trabajar muchos años sin (16)_____ (lograr) sus metas.

2 En parejas, contesten las preguntas sobre su vida y su situación actual. Incluyan un infinitivo, un gerundio o un participio en cada respuesta.

1. ¿Estás trabajando ahora? ¿Estás pensando en buscar otro trabajo después de graduarte?
2. ¿Dónde prefieres vivir: en la ciudad o en el campo? ¿Solo/a o con amigos?
3. Para ti, ¿ganarse la vida es fácil o difícil? ¿Por qué?
4. ¿Cuáles crees que son las ventajas y desventajas de estudiar una carrera universitaria?
5. ¿Qué es lo más importante: encontrar un trabajo que te interese o tener un buen salario?
6. Pensando en tu futuro, ¿cómo te sientes: entusiasmado/a, desilusionado/a, confundido/a...?
7. ¿Qué querías ser cuando eras niño/a?
8. ¿Con qué sueñas ahora? ¿Qué te gustaría aprender a hacer?
9. Una vez terminadas tus clases, ¿qué vas a hacer?

3 Traduce estas oraciones. En cada oración, presta atención al uso de los infinitivos, gerundios y participios.

1. Looking for a job takes time.
2. I need to write my résumé.
3. Which are the students graduating this year?
4. She says she has an interview tomorrow.
5. Have you gotten used to working there?
6. Finding a job before graduating will be hard.
7. I saw him drop off his résumé.
8. Predicting the future is impossible.
9. You can learn a lot working as an intern (*pasante*).
10. He ended up going back to school.
11. Why are you going around complaining about your job?
12. Did you hear them talking about the job fair?
13. I want to learn to design web pages.
14. You need to be prepared and organized for your interview.

4 Para cada imagen, escribe tres oraciones: una con un infinitivo, otra con un gerundio y la tercera con un participio. Usa tu imaginación y añade los detalles necesarios.

> **MODELO** *De pequeña había* *hecho natación.*
> *Ahora estoy entrenando para un maratón.*
> *Practicar deportes es clave para tener una buena salud.*

1.  **2.**  **3.**

OTROS USOS DE *SE* Auto-graded

◢ Como leíste en las **pp. 434-436, se** puede usarse para formar construcciones pasivas. **Se** también es sustituto de **le** o **les** en oraciones donde se usan pronombres de objeto directo e indirecto juntos.

> —¿A quién **le cuenta** Felipe todos sus problemas?
> —Creo que **se los cuenta** a sus mejores amigos.

Se reflexivo y recíproco

◢ **Se** funciona como pronombre reflexivo de la tercera persona, tanto singular como plural.

> Una mariposa **se posó** en su mano.
> ¿Cómo **se metieron** en tantos problemas?

◢ Es común el uso de **se** junto a muchos verbos comunes que expresan sentimientos y estados, aunque dichos verbos no indiquen realmente una acción reflexiva. Algunos verbos de este grupo incluyen: **sentirse, enojarse, alegrarse, molestarse, desesperarse, darse cuenta, ponerse, volverse** y **hacerse.**

> El pobre narrador **se enfermó.**
> Ahora **se preocupan** todos por él.
> Cada vez que tose, **se altera.**

◢ **Se** puede emplearse también como pronombre recíproco en tercera persona, para indicar la idea de *each other* o *one another.*

> Julián y Patricia **se aman** desde que son adolescentes.
> El escritor y la lectora **se escribían** mensajes de correo electrónico.

◢ **Se** puede emplearse con cualquier pronombre de objeto indirecto y con ciertos verbos para indicar un evento inesperado o no intencional. Los verbos que se emplean con frecuencia en esta construcción incluyen: **acabar, caer, romper, ocurrir, perder, quemar** y **olvidar.** En esta construcción, **se** es invariable. El pronombre de objeto indirecto cambia dependiendo de a quién le sucede la acción; el verbo está siempre en tercera persona, singular o plural, dependiendo del sujeto.

> A aquella mariposa **se le cayó** un ala.
> **Se me ocurre** que el narrador está delirando.
> Por un momento, **se nos olvidó** que estaba enfermo.

◢ **Se** puede emplearse con algunos verbos para añadir una variante de significado. Este matiz es difícil de traducir al inglés. Por lo general expresa o enfatiza la totalidad de una acción, pero también puede indicar disfrute, esfuerzo, logro, etc. El uso de **se** es opcional en tales casos.

> Él **(se) comió** tres naranjas.
> *He ate three whole oranges.*

> **(Se) leyó** el cuento de cabo a rabo sin entenderlo.
> *She read the entire story without understanding it.*

> Víctor **(se) merece** un premio.
> *Víctor deserves an award.*

¡ATENCIÓN!

En las acciones reflexivas, **se** puede representar ya sea el objeto directo o el objeto indirecto de una acción.

El narrador no puede **dormirse** por la tos. (*objeto directo*)

Se toca la garganta. (*objeto indirecto*)

▲ Muchos verbos en español, como **ganar(se)**, **marchar(se)**, **llevar(se)**, **establecer(se)** y **tirar(se)** pueden usarse con o sin **se**. Observa que el significado del verbo a menudo cambia, en ocasiones muy sutilmente, cuando se usa el verbo con el pronombre.

> **Parece** que el narrador está enfermo.
> *It seems like the narrator is sick.*
>
> Todas las mariposas blancas **se parecen**.
> *All the white butterflies look alike.*

▲ Por el contrario, hay otros verbos, como **arrepentirse**, **atreverse**, **fugarse**, **quejarse** y **suicidarse**, que solo pueden utilizarse con **se**.

> Los presos decidieron **fugarse**.
> **Se atrevió** a llamarla después de todo.

El *se* impersonal

▲ En español, el **se impersonal** expresa la idea de un sujeto no especificado que realiza una acción. En inglés, esta idea suele expresarse usando *they, you, people, one,* etc.

> **No se trabajaba** mucho en ese hospital.
> *People didn't work a lot in that hospital.*

▲ El **se** impersonal siempre se emplea con verbos en tercera persona singular. La mayoría de las veces, el verbo es intransitivo; es decir, no tiene objeto directo.

> **Se habla** mucho de mejorar el espacio público.

▲ A veces, puede usarse el **se** impersonal con un verbo transitivo. Observa que el verbo siempre va en la tercera persona singular, y que **se** precede siempre al verbo.

> En la facultad de medicina **se estudia** anatomía humana.

▲ También puede usarse el **se** impersonal con los verbos **ser** y **estar**.

> Cuando **se es** honesto con uno mismo, **se es** más feliz.
> No **se está** bien en esta ciudad.

▲ Recuerda que el **se** pasivo y el **se** impersonal expresan cosas diferentes y se usan de manera distinta. El **se** pasivo se emplea únicamente con verbos transitivos, y el verbo puede estar en tercera personal singular o plural. El objeto de la oración activa se convierte en el sujeto gramatical de la oración pasiva con **se**. Por el contrario, una construcción con **se** impersonal no tiene sujeto gramatical.

> **Se presentaron** varios síntomas muy graves.
> (se *pasivo: Varios síntomas* es el sujeto de la oración).
>
> **Se habló** de reducir la contaminación en el centro de la ciudad.
> (se *impersonal*)

▲ Cuando el objeto directo de un verbo transitivo es una persona, se requiere el **a** personal. En las oraciones con **se** impersonal, puede reemplazarse el objeto directo con un pronombre de objeto directo o con un pronombre de objeto indirecto.

> Se invitó **a los/las doctores/as**.　　Se **los/las** invitó.　　Se **les** invitó.

¡ATENCIÓN!

Recuerda que **se**, como todos los demás pronombres, viene antes de un solo verbo conjugado, o puede añadirse al final de un infinitivo o gerundio.

El paciente va a levantar**se**/ **se** va a levantar.

El paciente **se** está levantando/está levantándo**se**.

PRÁCTICA

1 Después de leer el artículo «Déficit de espacio público ahoga a los bogotanos» (**pp. 328-329**), elige la opción correcta para completar cada oración.

1. Este artículo _____ (habla/se habla) del poco espacio público en la ciudad.
2. El informe _____ (publicó/se publicó) hace pocos años.
3. El periodista afirma que los ciudadanos sienten que _____ (se asfixian/asfixian).
4. La Organización Mundial de la Salud _____ (afirma/se afirma) que cada habitante tiene derecho a 15 metros cuadrados de espacio público.
5. El informe señala que en Bogotá la mayor parte de las querellas por violación de espacio público _____ (archivan/se archivan).
6. Las ventas callejeras de alimentos _____ (ponen/se ponen) en riesgo la salud de las personas.

2 Reescribe las oraciones. En cada oración, utiliza un verbo con **se**.

> **MODELO** Podemos subir al segundo piso de la clínica por aquí.
> **Se puede subir al segundo piso de la clínica por aquí.**

1. El paciente mira al médico y el médico mira al paciente.
2. No es posible encontrar una cura para su enfermedad.
3. Puedes visitar a los pacientes entre las diez y las doce, todos los días.
4. La enfermera le trae la medicina al paciente por la mañana.
5. El paciente está acostado en la cama, pero no está dormido.
6. ¿Han desarrollado una vacuna contra la tuberculosis?
7. El paciente pasó la noche entera tosiendo y pensando.
8. Juan besa a María y María besa a Juan.
9. Puedes ver que está muy enfermo.
10. Dejó caer la novela que leía.

3 Para cada imagen, escribe dos oraciones con **se**. Usa tu imaginación y añade los detalles necesarios.

> **MODELO** **Se está muy bien en la piscina.**
> **Cristina y Miguel se están enamorando.**

ORACIONES CON *SI* Ⓢ Auto-graded

▲ Las oraciones con **si** se emplean para expresar acciones condicionales. Estas acciones son eventos que van a suceder, podrían suceder, sucederían o habrían sucedido en ciertas condiciones. Una oración con **si** tiene dos partes: la oración con **si** y una oración principal.

[Si el paciente tiene tuberculosis,] [va a morir.]

ORACIÓN CON *SI*　　　ORACIÓN PRINCIPAL

[María se habría contagiado] [si no se hubiera puesto la vacuna.]

ORACIÓN PRINCIPAL　　　　　ORACIÓN CON *SI*

▲ El enunciado con **si** puede ser el primero o el segundo dentro de una oración. Observa que se utiliza coma únicamente cuando la oración con **si** va en primer lugar.

Te enfermarás si sigues comiendo demasiados dulces.
Si sigues comiendo demasiados dulces, te enfermarás.

▲ Existen diferentes tipos de oraciones con **si**. Cada tipo emplea tiempos verbales específicos que expresan las condiciones en las que puede cumplirse o podría cumplirse la acción.

Si te cuidas, no te enfermarás.
Iría a Europa si no estuviera enferma.
Si no hubiera tenido la gripe, habría podido jugar el partido.
Si quieres mejorarte, toma la medicina.

▲ Un tipo de oración con **si** se llama *posible* o *abierta*. Consiste en acciones que podrían suceder o no en el futuro. En este caso, el verbo en la cláusula con **si** va siempre en presente indicativo. Existen varios tiempos verbales posibles para la oración principal, dependiendo de lo que el hablante quiera expresar.

TIEMPO DE LA CLÁUSULA CON *SI*	TIEMPO DE LA ORACIÓN PRINCIPAL	EJEMPLO
presente indicativo	futuro	Si **te enfermas**, **irás** a la clínica. *If you get sick, you'll go to the clinic.*
presente indicativo	**ir + a** + infinitivo	Si **te enfermas**, **vas a ir** a la clínica. *If you get sick, you are going to go to the clinic.*
presente indicativo	presente indicativo	Si **te enfermas**, **vas** a la clínica. *If you get sick, you go to the clinic.*
presente indicativo	imperativo	Si **te enfermas**, **ve** a la clínica. *If you get sick, go to the clinic.*

▲ Otro tipo de oración con **si** se llama *hipotética* o *contrafactual*. Estas oraciones expresan acciones que el hablante considera posibilidades remotas en el presente o el futuro, o situaciones que se sabe son imposibles en el presente o el futuro. Aquí, el verbo en la cláusula con **si** está siempre en el modo subjuntivo imperfecto y el verbo de la oración principal está en el condicional simple.

TIEMPO DE LA ORACIÓN CON *SI*	TIEMPO DE LA ORACIÓN PRINCIPAL	EJEMPLO
subjuntivo imperfecto	condicional simple	Si **te enfermaras**, **irías** a la clínica. *If you got (were to get) sick, you would go to the clinic.*

◢ Otro tipo de oración con **si** expresa una acción o condición que no se cumplió o no tuvo lugar en el pasado. En este caso, el verbo de la cláusula con **si** está en el pluscuamperfecto del subjuntivo, y el verbo de la oración principal suele estar en condicional perfecto.

TIEMPO DE LA ORACIÓN CON *SI*	TIEMPO DE LA ORACIÓN PRINCIPAL	EJEMPLO
pluscuamperfecto subjuntivo	condicional perfecto	Si **te hubieras enfermado, habrías ido** a la clínica. *If you had gotten sick, you would have gone to the clinic.*

◢ En las oraciones con **si** que expresan acciones y condiciones no cumplidas, también puede utilizarse en la oración principal la terminación **-era** del pluscuamperfecto del subjuntivo. La terminación **-ese** puede utilizarse en la cláusula con **si**, pero no en la principal.

> Si **te hubieras/hubieses enfermado, habrías/hubieras ido** a la clínica.
> *If you had gotten sick, you would have gone to the clinic.*

◢ Las oraciones con **si** se emplean también para indicar acciones que tienen o tuvieron lugar realmente. En este caso, **si** expresa la idea de *cuando* y pueden considerarse sinónimos.

> Si **me enfermo, voy** a la clínica de la universidad.
> *If/When I get sick, I go to the university clinic.*

> Si **se enfermaba, iba** a la clínica de la universidad.
> *If/When he would get sick, he would go to the university clinic.*

◢ Para expresar la idea de *si* sin emplear una cláusula con **si**, pueden usarse expresiones como:

> **Yo que tú**, iría a la clínica.
> **En tu lugar**, iría a la clínica.
> **De haber sabido** que estaba enfermo, habría ido a la clínica.
> **En esa situación**, yo habría ido a la clínica.

◢ Las conjunciones **donde, como** y **mientras** pueden expresar una condición o la idea de *si* cuando van seguidas por el subjuntivo.

> **Donde** no **encuentre** trabajo, no tendré dinero.
> *If I can't find work, I won't have money.*

> **Como** no me **digas** la verdad, les voy a preguntar a tus padres.
> *If you don't tell me the truth, I'll ask your parents.*

> **Mientras** yo **tenga** salud, trabajaré diariamente.
> *As long as I have my health, I'll work every day.*

PRÁCTICA

1

Completa las oraciones con la forma correcta del verbo entre paréntesis. Presta atención a qué tipo de condición se expresa para determinar el tiempo verbal correcto.

1. Si te sientes mal, _____ (tener) que descansar.
2. Si no _____ (mejorarte) para mañana, te llevaré al médico.
3. Si nosotros no _____ (tener) vacunas contra muchas enfermedades, sería espantoso.
4. Por ejemplo, si los científicos no _____ (poder) eliminar la viruela (*smallpox*), millones de personas habrían muerto.
5. Sería maravilloso si _____ (haber) una vacuna contra el VIH/sida.
6. Yo no _____ (ir) a clase si tuviera fiebre.
7. Los estudiantes pueden acudir a la clínica de la universidad si _____ (estar) enfermos.

2

Contesta estas preguntas. Usa una cláusula con **si** en cada respuesta.

1. Si no estudias para el próximo examen de español, ¿qué va a suceder?
2. Si no fueras estudiante, ¿qué serías?
3. Si no hubieras asistido a esta escuela/universidad, ¿adónde habrías ido?
4. ¿Qué haces si no entiendes algo en la clase de español?
5. ¿Quién te ayuda si tienes problemas en una clase?

3

¿Qué harías y cómo serían las cosas si fueras cada una de las siguientes personas?

el presidente de tu país	Shakira	El Hombre Araña
Bill Gates	Queen Elizabeth II	Rafael Nadal

Primero escribe una oración por persona, usando una cláusula con **si**.

> **MODELO** Shakira
> **Si *fuera Shakira, daría un concierto gratis en...***

Ahora pregúntale a un(a) compañero/a de clase qué haría él o ella en las mismas circunstancias. ¿Tienen ustedes las mismas ideas?

> **MODELO** —**¿Qué harías si fueras el presidente?**
> —**Primero, trataría de... ¿Y tú?**
> —**Pues, no haría eso. Yo eliminaría...**

4

Escoge una de las siguientes situaciones y escribe un párrafo de seis a ocho oraciones sobre qué harías y cómo sería todo si esa situación sucediera de verdad.

> **MODELO** **Si *viviera en el pasado, me gustaría vivir durante... porque sería... Yo...***

ganar la lotería	ser invisible (o tener otro poder mágico)
encontrar una cura para el cáncer	tener telepatía
ser famoso/a	vivir en el pasado (o el futuro)

PERÍFRASIS VERBALES Y VERBOS MODALES

◢ Las **perífrasis verbales** son combinaciones de dos verbos, un **verbo auxiliar** y un **verbo principal** en una sola frase verbal.

> Vargas Llosa **lleva ganados** muchísimos premios, incluyendo el Nobel de Literatura.
> En uno de sus ensayos, Vargas Llosa **se pone a describir** un viaje que hizo a Argentina.
> Durante el viaje, **empezó a leer** una novela titulada *Santa Evita*.
> Al cabo de una semana, **terminó enamorándose** de la obra y de su protagonista.

◢ En una perífrasis verbal se conjuga el verbo auxiliar. El verbo principal puede ser un **infinitivo**, un **gerundio** o un **participio**.

> **Trataré de resumir** el ensayo de Vargas Llosa. *(infinitivo)*
> **Estuvo viajando** por Argentina por una semana. *(gerundio)*
> **Tengo leídos** cinco libros de Vargas Llosa. *(participio)*

◢ Una perífrasis verbal depende tanto del verbo auxiliar como del verbo principal para tener significado. Sin embargo, el verbo principal lleva el significado más importante de la frase verbal. Con frecuencia, el verbo principal y el verbo auxiliar van acompañados de una preposición o una conjunción.

> Tardó unos días **en** leer la novela *Santa Evita*.
> Opina que hay **que** leerla y disfrutarla.

Verbos auxiliares modales

◢ Los **verbos modales** son un tipo de verbo auxiliar. Estos verbos se llaman *modales* porque expresan el estado de ánimo o la actitud del hablante hacia la acción del verbo principal. Algunas de las actitudes expresadas por los modales incluyen: obligación o necesidad, intención, posibilidad y repetición. El siguiente cuadro muestra los verbos modales auxiliares más comunes en español y sus usos.

VERBO	ACTITUD	EJEMPLO
deber	obligación	**Debemos terminar** de leer el ensayo para la próxima clase.
deber de	probabilidad, suposición	Vargas Llosa **debe de ser** muy inteligente.
haber de	obligación, intención	**Has de conocer** Buenos Aires algún día.
haber que	necesidad (se utiliza solamente en la tercera persona singular)	Para entender a los argentinos, **hay que saber** qué es el peronismo.
pensar	intención	**Pienso ver** la película *Evita* este fin de semana.
poder	posibilidad, sugerencia, ser capaz de/ tener permitido	¿**Puedes explicarme** qué significa *peronismo*? **Podemos ir** al cementerio de la Recoleta mañana si quieres.
querer	necesidad/deseo	**Quiero saber** más sobre la vida de Eva Perón.
saber	habilidad	Está claro que Vargas Llosa **sabe escribir** muy bien.
soler	repetición	En general, **suelo leer** libros en línea.
tener que	obligación	**Tengo que reconocer** que la historia de Eva Perón es increíble.

◢ Recuerda que los significados de **tener que, poder, querer** y **saber** cambian cuando se usan en tiempo pretérito (mira la **p. 428**).

> Al final, ella **pudo** lograr su meta de hacerse actriz famosa.
> *At the end, she achieved her goal of becoming a famous actress.*

> Él nunca **supo** dónde estaba enterrada.
> *He never found out where she was buried.*

Perífrasis verbales con infinitivos

◢ El español, como el inglés, tiene numerosas construcciones de tipo *verbo + infinitivo*. Además de los verbos modales, se presentan aquí otros verbos que frecuentemente se combinan con infinitivos para formar perífrasis verbales. Mira las listas en las **pp. 310-311** para ver otros verbos comunes seguidos de un infinitivo.

VERBO	SIGNIFICADO	EJEMPLO
acabar de	*to have just done sth.*	**Acabo de empezar a leer** una novela de Junot Díaz.
acabar por	*to end up doing sth.*	La discusión no había sido tan seria y **acabaron por reconciliarse**.
comenzar a, entrar a, ponerse a	*to start or begin to do sth.*	**Comencé a leer** las novelas de Vargas Llosa el verano pasado. Barack Obama **entró a gobernar** en 2009. Después de reunir todos los temas, **nos pusimos a escribir**.
dejar de	*to stop doing sth.*	El público **dejó de aplaudir** súbitamente.
empezar por	*to start by doing sth.*	Alumnos, **empiecen por definir** el tema del ensayo.
estar por	*to be about to*	Los autores **están por firmar** los autógrafos.
ir a	*to urge (sb.) to do sth.*	**¡Vamos a leer!**
pasar a	*to proceed to do sth.*	Después de un breve aperitivo, los invitados **pasarán a almorzar** al salón principal.
soler, acostumbrar (a)	*to be in the habit of doing sth.*	**Suelo elegir** un autor nuevo cada verano. Los escritores **acostumbraban usar** pluma.
venir a	*to finally do/happen*	Después de una larga carrera, **vino a ganar** el Premio Nobel.
volver a	*to do sth. again*	**Vuelvo a pedírtelo:** devuélveme el libro.

Perífrasis verbales con participios

◢ En las perífrasis verbales con participios, el participio concuerda en género y número con el sustantivo que describe o al que hace referencia. Estas perífrasis se centran en el resultado de una acción o proceso.

VERBO	EJEMPLOS
dejar	Este ensayo nos **dejó sorprendidos**.
encontrarse	El cadáver de Eva Perón **se encontraba escondido** en un cementerio italiano.
estar	El ensayo **está escrito** en un tono muy característico de Vargas Llosa.
ir	El nombre que **iba tallado** en la tumba italiana no era el verdadero.
llevar	Ya **llevamos ahorrados** casi mil dólares para nuestro viaje a Argentina.
quedarse	Todos **se quedaron horrorizados** ante el escándalo del secuestro del cuerpo.
resultar	La conferencia que dio Vargas Llosa **resultó grabada** y **publicada** en Internet.
seguir	Eva Perón **sigue venerada** por miles de argentinos.
tener	**Tengo entendido** que Eva Perón es parte de la mitología argentina.
venir	Nadie sabía que era el cuerpo de Perón, porque **venía escondido** bajo otro nombre.
verse	A causa del cáncer, Eva Perón **se vio obligada** a retirarse de la vida pública.

Perífrasis verbales con gerundios

◢ Estas perífrasis se emplean para comunicar acciones en progreso.

> **Andaba viajando** por Argentina cuando empezó a leer *Santa Evita*.

◢ Las perífrasis formadas con **estar** + *gerundio* suelen denominarse *tiempos continuos o progresivos*. El siguiente cuadro muestra otros verbos auxiliares que también se combinan con el gerundio.

VERBO	SIGNIFICADO	EJEMPLO
acabar	*to end up + -ing*	Dos maestras **acabaron publicando** sus memorias.
andar	*to go around + -ing*	¿Por qué **andas diciendo** que esta novela es fácil?
ir	*to be + -ing gradually over a period of time*	Ya **voy viendo** que la historia de Eva Perón es bastante complicada.
llevar	*to be + -ing for a certain period of time*	**Llevo una semana tratando** de terminar esta novela.
quedarse	*to continue + -ing something*	**Me quedé pensando** en la extraña historia de Eva Perón por varios días.
salir	*to wind up or end up + -ing*	Después de leer el ensayo, todos **salimos queriendo** saber más de esta historia.
seguir, continuar	*to keep on + -ing*	**Seguimos pensando** en ir a Argentina el año que viene.
venir	*to be + -ing something over a period of time*	Carlos, mi amigo argentino, **viene diciéndome** que debemos ir a Argentina.
vivir	*to be constantly + -ing something*	Como Carlos es de Buenos Aires, **vive diciéndome** que es la mejor ciudad del mundo.

PRÁCTICA

1 Completa el pasaje sobre Mario Vargas Llosa con la forma correcta del verbo.

Hay que (1)_____ (saber) algo de la vida de Mario Vargas Llosa para entender mejor su obra. Él ha sabido (2)_____ (combinar) elementos autobiográficos y ficticios en varias de sus obras. Por ejemplo, se vio (3)_____ (obligar) por su padre a (4)_____ (asistir) a un colegio militar. A la edad de 19 años, y en contra de la voluntad de su padre, quiso (5)_____ (casarse) con una tía política y lo hizo. La historia de sus amores con su tía llegaría a (6)_____ (ser) un tema principal de su novela *La tía Julia y el escribidor*. Apenas había acabado de (7)_____ (graduarse) del colegio militar cuando comenzó a (8)_____ (trabajar) como columnista para varios periódicos. Quería (9)_____ (vivir) en París y se fue a vivir allí a la edad de 22 años. Se quedó seis años (10)_____ (escribir) en esa ciudad. Acabó (11)_____ (divorciarse) de su tía y volvió a (12)_____ (instalarse) en Lima. Decidió presentarse como candidato a la presidencia de Perú en 1990. Perdió las elecciones, pero para muchos sigue (13)_____ (ser) uno de los escritores más admirados de América Latina. En octubre de 2010 resultó (14)_____ (ser) el ganador del Premio Nobel.

2 ¿Qué hicieron estas personas durante un viaje a Argentina? Combina los elementos dados para formar ocho oraciones con perífrasis verbales usando el infinitivo.

> **MODELO** *La profesora de español empezó a planear una excursión a las pampas.*

yo	comenzar a	tomar una clase de tango
la profesora de español	continuar	asistir a un partido de polo
los turistas	dejar de	hacer una excursión a las pampas
mis compañeros de clase	estar por	quedarse en un rancho y montar a caballo
mi mejor amiga	ir a	pasear por la Avenida 9 de Julio
todos nosotros	pasar a	recorrer el barrio de La Boca
los guías argentinos	tener que	explorar la Patagonia
tú	volver a	esquiar en los Andes

3 Para cada situación, escribe por lo menos dos oraciones. En la primera, utiliza una perífrasis verbal con un participio. En la segunda, utiliza una perífrasis verbal con un gerundio. Usa una variedad de modos y tiempos verbales en tus oraciones.

> **MODELO** tu clase más difícil este año
> **Mi clase más difícil este año es física; ahora estoy trabajando con un experimento que tengo medio acabado. Anoche me quedé trabajando en el laboratorio hasta muy tarde.**

- ◆ un conflicto que tienes (o tuviste) con tu mejor amigo/a
- ◆ la próxima fiesta que vas a dar (o la última que diste)
- ◆ tus planes para las próximas vacaciones
- ◆ tus planes después de graduarte
- ◆ los exámenes finales

DISCURSO INDIRECTO Auto-graded

▲ En español, como en inglés, existen dos formas de informar lo que alguien dijo. Una forma es el **discurso directo**, en el que se resaltan las palabras exactas de la persona entre comillas.

DISCURSO DIRECTO ▼

Mario Vargas Llosa escribe: «... detesto con toda mi alma a los caudillos...».
Mario Vargas Llosa writes, «...I hate leaders with all my heart...»

▲ Otra forma es usar el estilo indirecto, conocido también como **discurso indirecto**. El discurso indirecto comunica las palabras de una persona sin repetirlas literalmente o sin ponerlas entre comillas. En lugar de ello, las palabras de la persona se transforman en una oración subordinada, que corresponde gramaticalmente con la oración principal; las dos se unen mediante la palabra **que**.

DISCURSO INDIRECTO ▼

Mario Vargas Llosa escribe **que** detesta con toda su alma a los caudillos.
*Mario Vargas Llosa writes **that** he hates leaders with all his heart.*

▲ Los verbos usados comúnmente en español para introducir el discurso indirecto incluyen:

agregar	comentar	escribir	notar	reiterar
anunciar	contestar	explicar	opinar	repetir
añadir	decir	informar	preguntar	responder

▲ Cuando el discurso directo se cambia a discurso indirecto pueden requerirse varios cambios, como sujeto y tiempo del verbo, pronombres, adjetivos posesivos y demostrativos, y adverbios.

Vargas Llosa dice: «Desde entonces **me lo he encontrado** muchas veces».
Vargas Llosa dice que desde entonces **se lo ha encontrado** muchas veces.

La profesora dijo: «**Vamos a ver** la película *Evita* **esta** semana».
La profesora dijo que **íbamos a ver** la película *Evita* **esa** semana.

Elena comentó: «No **creo** que **pueda** terminar de leer la novela de Vargas Llosa para **mañana**».
Elena comentó que no **creía** que **pudiera** terminar de leer la novela de Vargas Llosa para **el día siguiente**.

▲ Cuando el verbo que introduce el discurso indirecto está en tiempo presente o futuro, el tiempo verbal que contiene el discurso indirecto no necesita cambiarse (aunque la forma puede cambiar para ajustarse al sujeto gramatical).

DISCURSO DIRECTO	**DISCURSO INDIRECTO**
Comenta Vargas Llosa: «Lo **sé** porque yo era el demente que las daba... ». (presente del indicativo)	**Comenta** Vargas Llosa que lo **sabe** porque él era el demente que las daba. (presente del indicativo)

◢ Cuando el verbo que introduce el discurso indirecto está en pasado, y el verbo en el discurso directo original está en pretérito imperfecto o pluscuamperfecto, no se necesita cambiar el tiempo verbal.

DISCURSO DIRECTO	DISCURSO INDIRECTO
Vargas Llosa **explicó**: «[Eloy Martínez] **enseñaba** en la Universidad de Rutgers». *(pretérito imperfecto del indicativo)*	Vargas Llosa **explicó** que Eloy Martínez **enseñaba** en la Universidad de Rutgers. *(pretérito imperfecto del indicativo)*
La profesora **preguntó**: «¿**Sabían** ustedes que el cadáver de Eva Perón **había sido embalsamado**?». *(pretérito imperfecto del indicativo, pluscuamperfecto del indicativo)*	La profesora nos **preguntó** si **sabíamos** que el cadáver de Eva Perón **había sido embalsamado**. *(imperfecto del indicativo, pretérito perfecto del indicativo)*

◢ En otros casos, cuando se cambia el discurso indirecto al pretérito, el tiempo verbal en el discurso indirecto cambiará dependiendo del tiempo usado en el discurso directo original.

DISCURSO DIRECTO	DISCURSO INDIRECTO
Vargas Llosa dijo: «Todo **puede** ser novela». *(presente del indicativo)*	Vargas Llosa dijo que todo **podía** ser novela. *(imperfecto del indicativo)*
Afirmó Vargas Llosa: «No **es** de extrañar que Tomás Eloy Martínez **sea** capaz de cualquier cosa». *(presente del indicativo, presente del subjuntivo)*	Afirmó Vargas Llosa que no **era** de extrañar que Tomás Eloy Martínez **fuera** capaz de cualquier cosa. *(pretérito imperfecto del indicativo, imperfecto del subjuntivo)*
Escribió: «Esta historia **ha sido contada** muchas veces». *(pretérito perfecto compuesto del indicativo)*	Escribió que esa historia **había sido contada** muchas veces. *(pretérito pluscuamperfecto del indicativo)*
Agregó Vargas Llosa: «*Santa Evita* me **derrotó** desde la primera página...». *(pretérito perfecto simple)*	Agregó Vargas Llosa que *Santa Evita* lo **había derrotado** desde la primera página. *(pretérito pluscuamperfecto del indicativo)*
La profesora dijo: «**Vamos a terminar** de leer el ensayo mañana». *(presente del indicativo de **ir** + infinitivo)*	La profesora dijo que **íbamos a terminar/ terminaríamos** de leer el ensayo al día siguiente. *(imperfecto del indicativo de **ir** + infinitivo o condicional simple)*
Agregó: «**Espero** que no **se olviden** de traer sus artículos pasados a máquina». *(presente del indicativo, presente del subjuntivo)*	Agregó que **esperaba** que no **nos olvidáramos** de traer nuestros artículos pasados a máquina. *(pretérito imperfecto del indicativo, imperfecto del subjuntivo)*

◢ Los pretéritos pluscuamperfectos no sufren cambios de tiempo.

DISCURSO DIRECTO	DISCURSO INDIRECTO
La profesora dijo: «Si **hubiéramos tenido** tiempo, **habríamos visto** el resto de *Evita*». *(pretérito pluscuamperfecto del subjuntivo, condicional perfecto)*	La profesora dijo que si **hubiéramos tenido** tiempo, **habríamos visto** el resto de *Evita*. *(pretérito pluscuamperfecto del subjuntivo, condicional perfecto)*

◢ Cuando se comunican preguntas, los pronombres interrogativos conservan el acento.

DISCURSO DIRECTO	DISCURSO INDIRECTO
El estudiante preguntó: «¿**Cuándo** murió Juan Domingo Perón?»	El estudiante preguntó **cuándo** había muerto Juan Domingo Perón.

◢ Al comunicar órdenes, usa el subjuntivo. La elección del tiempo verbal (presente o imperfecto del subjuntivo) depende del tiempo del verbo que se comunica.

DISCURSO DIRECTO	DISCURSO INDIRECTO
«**Lee** *Santa Evita*».	Mi compañero me **recomienda** que **lea** *Santa Evita*. Mi compañero me **recomendó** que **leyera** *Santa Evita*.

◢ Al cambiar el discurso indirecto al pretérito, algunos cambios comunes en demostrativos y adverbios son:

REPASO
 Para repasar las oraciones con **si**, mira las **pp. 454-455**.

este	⟶	ese	ahora mismo	⟶	en aquel momento, en ese mismo momento
ese	⟶	aquel			
hoy	⟶	ese (mismo) día	mañana	⟶	el día siguiente
ayer	⟶	el día anterior			

◢ Pero observa que tales cambios no son automáticos; el contexto indicará cuándo debe hacerse un cambio.

Rafael me preguntó: «¿Puedes ayudarme **esta tarde** con el ensayo?».

Rafael me preguntó si podía ayudarlo **esa tarde** con el ensayo.
(la tarde está en el pasado)

Rafael me preguntó si podía ayudarlo **esta tarde** con el ensayo.
(la tarde aún está en el futuro)

PRÁCTICA

Estás haciendo una visita a la tumba de Eva Perón en Buenos Aires. Después de la visita, explícale a tu amigo/a qué dijo el guía durante la visita.

MODELO Eva Ibarguren fue hija ilegítima de Juan Duarte y Juana Ibarguren.
El guía dijo que Eva Ibarguren había sido hija ilegítima de Juan Duarte y Juana Ibarguren.

1. Se crió en Los Toldos, un pequeño pueblo de la provincia de Buenos Aires.
2. Desde joven soñaba con ser actriz y, cuando tenía solo 15 años, se mudó a la ciudad de Buenos Aires.
3. No era común que una joven de las provincias fuera a la capital.
4. En 1944, cuando tenía 22 años, conoció a Juan Perón.
5. En aquel momento, las mujeres de Argentina no tenían derechos políticos.
6. Evita se destacó por su interés en la justicia social.
7. A algunos no les gustaba que ella quisiera desempeñar un papel político.
8. Más tarde, como esposa del presidente, Eva Perón promovería leyes en contra de la discriminación de los hijos ilegítimos. Eva Perón murió de cáncer en 1952, a la edad de 33 años.
9. Es increíble que su cuerpo fuera robado y que desapareciera.
10. En 1957 el cuerpo fue trasladado a Milán y enterrado en una tumba secreta.
11. Fue devuelto en 1971 y en 1974 se construyó un mausoleo en Buenos Aires para sus restos.
12. Hoy la tumba de Evita se encuentra en el Cementerio de la Recoleta.
13. ¿Quieren saber más acerca de Evita?
14. ¡Vengan mañana a la visita guiada especial sobre «los secretos de Evita»!

2 Mi compañero/a dijo que...

Pregúntale a un(a) compañero/a sobre estos temas. Anota sus respuestas.

 MODELO   sus planes para el fin de semana
—¿Qué vas a hacer este fin de semana?
—Voy a ir a Boston para visitar a mi amigo Greg. Vamos a...

- sus planes para el fin de semana
- la mejor clase de la escuela/universidad
- la peor clase de la escuela/universidad
- el último examen de la clase de español
- la última película que vio
- el último libro que leyó
- lo último que compró
- algo que hace su compañero/a de casa que no le guste
- las próximas vacaciones
- sus planes de futuro

Resume las respuestas de tu compañero/a y explica qué dijo.

 MODELO   Mi compañero/a me contó que iba a ir a Boston para visitar
a su amigo Greg. Dijo que ellos iban a...

3

Imagina que estás en casa de tus padres durante las vacaciones. Tus padres te están volviendo loco/a. Lee lo que te dicen y, después, escribe un correo electrónico a tu mejor amigo/a para quejarte de la situación. Explícale todo lo que te dijeron tus padres.

Tus padres dijeron:
«No puedes usar mi coche hoy porque lo necesito para ir al trabajo».
«No voy a lavar tu ropa. Ya sabes lavarla tú».
«No te puedo prestar $50.00. Te mandé dinero la semana pasada».
«Si sales esta noche con tus amigos, tendrás que volver antes de las doce».
«Limpia el garaje, corta el césped y riega las plantas».
«Mañana vamos a cenar a casa de la tía Berta. Tienes que ponerte algo formal y ser puntual».
«No dejes las toallas mojadas y la ropa sucia en el baño o las voy a tirar a la basura».

4

Ahora ponte en el lugar de tu padre o madre en la situación de la **Actividad 3**. Llamas por teléfono a un(a) amigo/a y hablas con él/ella sobre la visita. Explica qué le dijiste a tu hijo/a y qué te dijo él/ella.

MODELO   ¡Mi hija está insoportable! Cuando le dije hoy que no podía usar
mi coche porque lo necesitaba, ella me contestó que no era justo...

INTERPERSONAL WRITING: E-MAIL REPLY

TASK DESCRIPTION AND EXPECTATIONS

▲ Reply to an e-mail message

▲ You will have 15 minutes to read the e-mail and write your reply

▲ You must:
- use a formal form of address
- include an appropriate greeting
- respond to all questions and requests in the message, with elaboration
- ask for more details about something mentioned in the message

▲ Task comprises 12.5% of your total free response score

SCORING GUIDELINE	STRATEGIES TO REACH A 5
Maintains the exchange with a response that is clearly appropriate within the context of the task	◆ Take time to read the *Tema curricular* and the *Introducción* before reading the e-mail message. Use this information to start thinking about the task, theme, context, and setting. ◆ Budget your time wisely in order to complete the task. In the 15 minutes provided, you must read the e-mail and compose a comprehensive reply. ◆ Pay attention to cultural references and include others as appropriate. ◆ Prepare a brief outline before composing your reply.
Provides required information (e.g., responses to questions, request for details) with frequent elaboration	◆ Make sure to request more details about something mentioned in the message. This is a required part of the task and must be included in your e-mail reply. ◆ Avoid having to reread parts of the e-mail: underline or circle key words or sections that prompt you for information you need to answer or provide, or for which you need to ask for more details. This helps conserve time and guides your thought process. ◆ Respond as fully as possible, making sure to answer questions, provide information, or state your opinion as requested. ◆ It is expected that you answer the email completely and with detail. There is no set number of words required.
Fully understandable, with ease and clarity of expression; occasional errors do not impede comprehensibility	◆ Use circumlocution and paraphrasing to get your point across. ◆ Monitor the pace and flow of what you are communicating. ◆ Use transitional phrases and cohesive devices to add fluency to your e-mail communication. See the *Expresiones que facilitan la comunicación* in Apéndice C (p. 472).
Varied and appropriate vocabulary and idiomatic language	◆ Concentrate on using rich vocabulary and culturally appropriate idiomatic expressions. ◆ Avoid overuse of elementary, common vocabulary. "Reach outside the box" to impress the reader. See *Expresiones para la conversación* in Apéndice D (p. 474).
Accuracy and variety in grammar, syntax and usage, with few errors	◆ Avoid spelling errors. Leave time to reread and edit your work. ◆ Avoid elementary errors and focus on correct word order. ◆ Note the tenses used in the e-mail and respond accordingly, taking your cues from the context. ◆ Conjugate verbs correctly, double-checking all your verb endings. ◆ Be consistent in your use of standard writing conventions (e.g., capitalization, spelling, accents).

SCORING GUIDELINE	STRATEGIES TO REACH A 5
Mostly consistent use of register appropriate for the situation; control of cultural conventions appropriate for formal correspondence (e.g., greeting, closing), despite occasional errors	◆ Use the formal register – *usted* – throughout your e-mail message. ◆ Be consistent, not only with verbs, but also with pronouns and possessives. ◆ Make sure to use an appropriate, formal salutation and closing. ◆ Take care to know whether you are addressing a male or female for: *Estimado* or *Estimada* and other expressions with gender. ◆ See *Expresiones que indican registro* in Apéndice E (p. 475). ◆ Use a different **saludo** and **despedida** than in the original email as evidence of your knowledge of vocabulary.
Variety of simple and compound sentences, and some complex sentences	◆ Impress the Exam Reader by raising your level of communication using a variety of structures. Include compound sentences and complex structures rather than sticking to basic language. ◆ Consider the fact that a perfectly written e-mail, *with no errors at all*, would not be scored at a 5, if it is composed of only elementary, "safe" structures, because it would not follow the scoring guidelines.

PRESENTATIONAL WRITING: ARGUMENTATIVE ESSAY

TASK DESCRIPTION AND EXPECTATIONS

◢ You will write an argumentative essay to submit to a Spanish writing contest.

◢ Integrate skills (listening, reading, writing) within two modes of communication: Interpretive (oral and written) and Presentational (writing).

◢ Base your essay on three *fuentes* or sources that present different points of view on the same topic: one article, one table or graphic, one audio.

◢ You will have 55 minutes total:

◆ 6 minutes to (a) read the *Tema curricular* and *Tema del ensayo* or prompt; (b) read source 1; and (c) study source 2

◆ Up to 9 minutes to listen to the audio source twice; be sure to take notes while you listen

◆ 40 minutes to plan and write your argumentative essay, addressing the *Tema del ensayo* or prompt

◢ Present the sources' different viewpoints on the topic and also clearly indicate your own viewpoint and defend it thoroughly.

◢ Cite information from all three sources, while also identifying them appropriately, to support your argumentative essay.

◢ You will have access to the print sources and any notes you may have taken on the audio during the entire 40-minute writing period.

◢ Do not simply summarize the sources. Instead, interpret them in your own words.

◢ Task comprises 12.5% of your total free response score.

SCORING GUIDELINE	STRATEGIES TO REACH A 5
Effective treatment of topic within the context of the task	◆ Take time to read the *Tema curricular* and the *Tema del ensayo*, which is essentially the prompt for your argumentative essay. ◆ Underline, circle, or jot down key words and phrases in the instructions and *Tema curricular* and *Tema del ensayo*, to help you focus. Do the same with the *Introducción* that precedes each of the three sources. This helps conserve time later and guides your thought process. ◆ Budget your time wisely: In the 40 minutes provided after reading and listening, you must plan and write your argumentative essay.
Demonstrates a high degree of comprehension of the sources' viewpoints, with very few, minor inaccuracies	◆ As you read and listen, underline and take notes on information that you know will support your writing. Refer to the key words that you noted in the instructions and the *Tema del ensayo*. ◆ Show evidence of your understanding and interpretation of all three sources. Do not simply copy or restate what you read or hear without doing your own evaluation and synthesis in your own words. See *Expresiones para citar fuentes* in Apéndice F (p. 476).
Integrates content from all three sources in support of the essay	◆ As you develop your thesis, support it with evidence from the sources, adding your own evaluation or analysis. Base your essay on your key ideas, not on summarizing each source independently. ◆ You MUST use all three sources in your essay; it is crucial to a high score. Provide details and examples from the three viewpoints presented in the sources. ◆ Identify the sources so that the Reader clearly sees the connection that you are making, and to which source. ◆ Remember that there are other ways to express *dice* and *piensa*. See *Expresiones para citar fuentes* in Apéndice F (p. 476). ◆ Paraphrase: use your own language in citing information from the sources to show your own ability to compose in Spanish. If you cite directly from sources, keep it brief and use Spanish quotation marks « ». Readers need evidence of how YOU communicate Spanish.
Presents and defends the student's own viewpoint on the topic with a high degree of clarity; develops an argumentative argument with coherence and detail	◆ Make sure to state your viewpoint early in the essay, in the introductory paragraph. ◆ Develop your essay logically to show understanding of the sources, but add your own perspective, in your own words. ◆ Be discriminatory in which information you choose to cite from the sources; choose information that helps support your viewpoint. ◆ Explain interesting details from the sources to support your essay rather than a general reference to sources outside the context of the prompt. ◆ See the *Lista de revisión de ensayos* in Apéndice H (p. 478).
Organized essay; effective use of transitional elements or cohesive devices	◆ Prepare an outline to plan the paragraphs, integrate sources, and defend your viewpoint. Make sure to include the key words you have noted. ◆ Organize your essay into well-developed clear paragraphs that include: ▸ An introductory paragraph clarifying your intent or thesis ▸ 2–3 paragraphs in which you develop main ideas, supported with information from the sources ▸ A closing paragraph that synthesizes your remarks and emphasizes your viewpoint while addressing the *Tema del ensayo* ◆ Use transitional phrases and cohesive devices to add fluency to your presentation, especially when moving from one point to another and between paragraphs. See the *Expresiones que facilitan la comunicación* in Apéndice C (p. 472).
Fully understandable, with ease and clarity of expression; occasional errors do not impede comprehensibility	◆ Refer back to the *Tema del ensayo* to make sure that you are defending your viewpoint and not veering off course. ◆ Refrain from copying information from the sources in a random manner, with no regard to supporting your main points. ◆ Keep a logical flow throughout the essay.

SCORING GUIDELINE	STRATEGIES TO REACH A 5
Varied and appropriate vocabulary and idiomatic language	◆ Concentrate on using rich vocabulary and culturally appropriate idiomatic expressions. ◆ Use vocabulary that supports your viewpoint and reflects the topic. ◆ Avoid overuse of elementary, common vocabulary. "Reach outside the box" to impress the Reader. ◆ Avoid English or other language interference, e.g. *población* is correct, not "populación." See *Cognados falsos* in Apéndice G (p. 477).
Accuracy and variety in grammar, syntax and usage, with few errors	◆ Use correct word order and avoid spelling errors. ◆ Avoid elementary errors, which affect your score more adversely than errors made in taking risks with more advanced structures. ◆ Leave time to edit your work, checking for common errors, such as *ser* v. *estar*, *por* v. *para*, preterite v. imperfect, verb forms, personal *a*, correct use of articles and pronouns, and noun/adjective agreement. ◆ Use a variety of verb tenses and both indicative and subjunctive moods. ◆ Use formal, academic language. ◆ Be consistent in use of standard conventions of the written language (e.g., capitalization, orthography, accents).
Develops paragraph-length discourse with a variety of simple and compound sentences, and some complex sentences	◆ Impress the Exam Reader by raising your level of communication using a variety of structures. Include compound sentences and complex structures rather than sticking to basic language.

INTERPERSONAL SPEAKING: CONVERSATION

TASK DESCRIPTION AND EXPECTATIONS

▲ Simulated Conversation is a role play with the following format:
   ◆ Brief description of the situation
   ◆ Outline of each turn of the conversation

▲ 1 minute to preview the conversation

▲ Five opportunities to speak. There is no text of what the other person will actually say.

▲ 20 seconds per response. Student should provide creative, meaningful responses, and speak the full 20 seconds.

▲ Task comprises 12.5% of your total free response score

SCORING GUIDELINE	STRATEGIES TO REACH A 5
Maintains the exchange with a series of responses that is clearly appropriate within the context of the task	◆ Carefully read the *Tema curricular* and the *Introducción* provided before the outline of the conversation. Use this information to identify the theme, context, and setting. ◆ In the 1 minute provided, underline or circle key words and jot down ideas to help guide and focus your thought process once the conversation begins. ◆ Pay attention to cultural references and respond or comment as appropriate. ◆ Address each bullet point, trying to keep a smooth flow to the conversation. Cross off or check prompts completed. This helps to avoid getting lost or confused.

SCORING GUIDELINE	STRATEGIES TO REACH A 5
Provides required information (e.g., responses to questions, statement and support of opinion) with frequent elaboration	◆ Become familiar with prompting verbs so you can respond as directed: | acepta	describe	expresa	insiste	pregunta	saluda
aconseja	despide	finaliza	menciona	propón	sugiere
cuenta	di	haz	ofrece	reacciona	trata de
da	explica	incluye	pide	recomienda		 ◆ Speak continuously. Avoid gaps while you are gathering your thoughts to respond. See *Expresiones para la conversación* in Apéndice D (p. 474). ◆ Say something that fits the theme or topic of the conversation, even if you are unsure of what was prompted. ◆ Respond as fully as possible in accordance with the prompt provided. Make sure to answer the question, and to comment or react to what is said. ◆ Make sure to ask an appropriate question, if prompted, within the context of the conversation. ◆ Know how to request clarification, if prompted. See *Expresiones para la conversación* in Apéndice D (p. 474). ◆ Speak for the full 20 seconds given for each prompt, but "finish" what you need to say.
Fully understandable, with ease and clarity of expression; occasional errors do not impede comprehensibility	◆ Use circumlocution and paraphrasing to get your point across. ◆ Pay attention to the pacing and flow of what you are communicating.
Varied and appropriate vocabulary and idiomatic language	◆ Concentrate on using rich vocabulary and culturally appropriate idiomatic expressions. ◆ Avoid overuse of elementary, common vocabulary. "Reach outside the box" to impress the listener or scorer. ◆ Deduce meaning of unfamiliar words used in the conversation.
Accuracy and variety in grammar, syntax and usage, with few errors	◆ Try to avoid elementary errors and focus on correct word order. ◆ Listen for tenses used by your speaking partner in questions and statements and respond accordingly. ◆ Use a variety of structures rather than sticking to only safe elementary structures. ◆ Use a variety of simple and compound sentences. ◆ If asked to offer advice, use the subjunctive appropriately.
Mostly consistent use of register appropriate for the conversation	◆ Be careful with register. Should you use *tú* or *usted*? Make sure to be consistent once you decide, not only with verbs, but also with pronouns and possessives. ◆ Pay attention to the context: Is this a business call or an interview? Are you speaking with a friend or family member? Make sure to use appropriate greetings and leave-taking expressions, according to with whom you are speaking. ◆ See *Expresiones que indican registro* in Apéndice E (p. 475).
Pronunciation, intonation and pacing make the response comprehensible; errors do not impede comprehensibility	◆ Show that you know what you are saying through your voice intonation. Examples: If you are asking a question, it should sound like a question. If you are showing surprise, your voice should help communicate that surprise. ◆ Use correct, consistent pronunciation that is easily understood by native speakers. ◆ Avoid pronunciation errors that impede comprehensibility. ◆ See *Expresiones para la conversación* in Apéndice D (p. 474) for pacing help.
Clarification or self-correction (if present) improves comprehensibility	◆ Paraphrase and use circumlocution to clarify what you are trying to communicate. ◆ Self-correct if you hear yourself make an error.

PRESENTATIONAL SPEAKING: CULTURAL COMPARISON

TASK DESCRIPTION AND EXPECTATIONS

◢ Deliver a well-organized oral presentation to your class on a specific topic.

◢ You will have 4 minutes to read the presentation topic and prepare your presentation.

◢ You will have 2 minutes to record your presentation.

◢ You must:

- ◆ include an appropriate introduction, clarifying your intent or thesis
- ◆ compare your own community to a community of the Spanish-speaking world with which you are familiar, explaining similarities and differences
- ◆ cite specific examples from your previous learning and experiences to support what you present as you compare and contrast the 2 cultures
- ◆ avoid generalizations without specific details
- ◆ show your understanding of the cultural features of the Spanish-speaking world that you are comparing, within the context of the topic
- ◆ use paragraph-length discourse with cohesive devices
- ◆ close the presentation with concluding remarks that summarize the topic or intent of your presentation

◢ Task comprises 12.5% of your total free response score

SCORING GUIDELINE	STRATEGIES TO REACH A 5
Effective treatment of topic within the context of the task	◆ Take time to carefully read not only the directions but also the *Tema curricular* and the *Tema de presentación*. The *Tema de presentación* presents a question and a detailed explanation of how to address the theme. ◆ Decide which Spanish-speaking culture(s) you would like to compare with your own, as you reflect on your past learning and experiences. ◆ Underline, circle, or jot down key words and phrases in the instructions and *Tema de presentación*, to help you focus. This helps conserve time and guides your thought process. ◆ Budget your time wisely: You only have 4 minutes to carefully read and plan. ◆ Prepare an outline to follow and guide your presentation, making sure to include key words and expressions noted.
Clearly compares the student's own community with the target culture, including supporting details and relevant examples	◆ Your presentation should be structured as a comparison. Always give examples that enhance the comparative aspect of the presentation. ◆ Refer to what you have studied, read, and observed through first-hand experiences with exchange students or traveling. ◆ Provide details and examples to support both the similarities and differences that you present. ◆ Avoid clichés and stereotypes and go beyond generalizations. ◆ Make logical and relevant comparisons. Example: compare a city to a city, rather than a city to an entire country or continent.

SCORING GUIDELINE	STRATEGIES TO REACH A 5
Demonstrates understanding of the target culture, despite a few minor inaccuracies	◆ Choose a Spanish-speaking culture with which you feel very familiar and knowledgeable. ◆ Show cultural knowledge by providing details about geography, history, fine arts, politics, social customs, and other culturally specific information within the *Tema de presentación* provided. ◆ Avoid general statements that do not demonstrate true cultural learning. For example, say: *Mientras que los estadounidenses se reúnen en Times Square para celebrar la Nochevieja, el enfoque de los españoles son las 12 uvas que se comen en la Plaza Mayor.* (These details show true knowledge of the culture).
Organized presentation; effective use of transitional elements or cohesive devices.	◆ Present with a clear, logical organization, as follows: ▸ Introduction: State your intent, maybe even using a rhetorical question to draw in the audience. ▸ Body: 2–3 main points where you compare and contrast similarities and differences citing cultural evidence. Use expressions that help you establish the comparisons. ▸ Conclusion: Restate your thesis and conclude with your assessment or evaluation of the *Tema de presentación.* ◆ Use transitional phrases and cohesive devices to add fluency to your presentation. See the *Expresiones que facilitan la comunicación* in Apéndice C (p. 472).
Fully understandable, with ease and clarity of expression; occasional errors do not impede comprehensibility	◆ Avoid elementary errors and focus on correct word order. ◆ Conjugate verbs unless an infinitive is called for in a particular structure. ◆ Monitor the pace and flow of what you are communicating.
Varied and appropriate vocabulary and idiomatic language	◆ Concentrate on using rich vocabulary and culturally appropriate idiomatic expressions. ◆ Avoid overuse of elementary, common vocabulary. "Reach outside the box" to impress the reader.
Accuracy and variety in grammar, syntax and usage, with few errors	◆ Impress the AP® Exam Reader by raising your level of communication in presentational speaking as follows: ▸ Use a variety of structures, including compound sentences, rather than sticking to only careful, safe elementary structures. ▸ Consider inserting complex structures, such as clarifying appositive phrases and the subjunctive, where possible. ◆ Avoid elementary errors, which affect your score more adversely than errors made in taking risks with more advanced structures.
Mostly consistent use of register appropriate for the presentation	◆ This is a formal presentation. ◆ You are addressing your entire class. ◆ Although "you" should generally be avoided, if you must use it to make a point, make sure that you use *ustedes.*
Pronunciation, intonation and pacing make the response comprehensible; errors do not impede comprehensibility	◆ Show that you know what you are saying through your voice inflection. If you are stressing a point, enunciate and emphasize or strengthen your voice. ◆ Use correct, consistent pronunciation that is easily understood by native speakers.
Clarification or self-correction (if present) improves comprehensibility	◆ Paraphrase and use circumlocution to clarify or further explain what you are trying to communicate. ◆ Self-correct if you hear yourself make an error.

Utiliza las expresiones para mejorar la coherencia y la fluidez de tu comunicación oral y escrita.

PARA PRESENTAR UN TEMA	
A partir de	*Beginning with*
Al principio	*At the beginning*
Como punto de partida	*As a starting point*
En primer lugar	*In the first place*
En segundo, tercer lugar	*In the second, third place*
Para empezar/comenzar	*To begin*
Primero	*First*

PARA EXPRESAR UNA IDEA	
a causa de	*on account of, because of*
a mi parecer	*in my opinion*
a pesar de todo	*in spite of everything*
actualmente	*presently*
ahora mismo	*right now*
al considerar	*upon considering*
claro	*of course*
como	*as in, as much as, since*
de ninguna manera	*by no means*
de todos modos	*at any rate*
en cuanto a	*regarding, with respect to*
en la actualidad	*presently*
en realidad	*actually*
en vista de que	*considering that*
es cierto que	*it is true that, it is certain that*
es seguro que	*it is certain that*
hace poco	*a short while ago*
hasta el momento, hasta la fecha	*until now*
hay que tomar en cuenta que	*one must realize that*
hoy día	*nowadays*
la verdad es que	*the truth is that*
lo esencial es que	*what is essential is that*
lo importante es que	*what is important is that*
lo que importa es que	*what matters is that*
sin duda	*without a doubt*
sobre todo	*above all*

PARA ELABORAR O CLARIFICAR	
además (de)	*furthermore, in addition*
a la (misma) vez	*at the same time*
además	*besides, furthermore*
al mismo tiempo	*at the same time*
asimismo	*likewise*
bastaría poner un ejemplo	*here is an example*
con respecto a	*with respect to*
conforme a	*according to*
constar que	*to make known that, to certify that*
de aquí (ahora, hoy) en adelante	*from now on*
de hecho	*in fact*
el caso es que	*the fact is that*
el hecho de que	*the fact that*
en otras palabras	*in other words*
entonces	*then*
es decir (que)	*that is to say, in other words*
específicamente	*specifically*
igualmente	*equally*
las razones por las que	*the reasons for which*
mientras	*while*
mientras tanto	*meanwhile, in the meantime*
o sea	*that is to say, in other words*
para continuar	*to continue*
para ejemplificar	*to exemplify*
para ilustrar	*to illustrate*
por añadidura	*as well, besides, in addition*
por eso	*therefore*
por ejemplo	*for example*
principalmente	*firstly, especially*
también	*also*
tampoco	*neither, nor either*

PARA COMPARAR Y CONTRASTAR IDEAS

al contrario de	in contrast to
ambos	both
a pesar de que	in spite of the fact that
aunque	although
como	since, given that
dado que	given that, since
de la misma manera	in the same way
de lo contrario	otherwise
de otro modo	on the other hand
en cambio	on the other hand
en vez de	instead of
es cada vez más	it is increasingly, every time is more
igualmente	similarly
no obstante	however, nevertheless
pero	but
por la mayor parte	for the most part
por motivo que	for the reason that
por otro lado	on the other hand
por un lado	on one hand
sin embargo	however, nevertheless
sino	but
sino que	but rather
tanto mejor	all the better, even better
tanto X como Y	just as X..., Y

PARA DEMOSTRAR CAUSA Y EFECTO

a causa de (que)	because of
al considerar	upon consideration of
al parecer	seemingly, apparently
ante esto	in light of this
ante tal hecho	considering such a fact
así que	thus, so, therefore
como	since, inasmuch as
como consecuencia	as a consequence, result
como resultado de	as a result of
debido a	owed to, because of
de manera que	so that
después de que	after
en todo caso	in any case
por	because of
por consiguiente	accordingly, consequently
por ese motivo	for this reason, that's why
por lo mismo	for the same reason
por lo tanto	therefore, hence
porque	because
puesto que	since
resulta que	it results that
se debe tomar en cuenta	one must take into account that
sigue que	it follows
ya que	since, because, seeing that

PARA CONCLUIR

a fin de cuentas	in the end, after all
al fin	finally, at last, in the end
al fin y al cabo	after all
ante todo	first, first of all
de lo anterior, se ve que	from the above, it is clear that
de todas formas	in any case, anyway
de todo esto se deduce que	in conclusion
de todos modos	at any rate
en breve	shortly, briefly, in short
en conclusión	in conclusion
en definitiva	in conclusion, definitely
en fin	finally, in short
en resumen	in summary
en resumidas cuentas	in short
en todo caso	in any case, anyway
finalmente	finally
lo esencial es que	what is essential is that
mejor dicho	rather, indeed
para concluir	to conclude
para resumir	to summarize
para terminar	to end, to close
por fin	finally
por último	lastly
por siguiente	consequently, thus

Existen expresiones que puedes aprovechar para relacionar las ideas, o para hacer una pausa para pensar tu respuesta durante una conversación. Te pueden servir para hacer una transición más fluida o para pedir que te aclaren una idea. *Nota*: conjuga los verbos con el pronombre *usted* cuando te encuentres en una conversación formal.

EXPRESIONES PARA RELACIONAR IDEAS O PARA HACER UNA PAUSA	
A ver…	*Let's see…*
Así que…	*So, therefore…*
Bueno…	*Well…*
Entonces…	*Then/So…*
Este…	*Umm…*
Pienso que…	*I think that…*
Pues…	*Well…*
Y bueno…	*And well…*

EXPRESIONES PARA MANIFESTAR ACUERDO	
Claro…	*Of course…*
Comprendo…	*I understand…*
Creo que sí…	*I think/believe so…*
Es obvio que…	*Obviously…*
Sí…	*Yes…*
Vale…	*Okay…*

EXPRESIONES PARA MANIFESTAR SORPRESA O INCREDULIDAD	
¡De ninguna manera!	*No way!*
¿En serio?	*Seriously?*
No es cierto. No es verdad.	*That's not true.*
¡No es posible!	*It isn't possible! It can't be!*
¡No me digas!	*No way! You're kidding!*
Parece mentira.	*It's hard to believe.*

EXPRESIONES PARA CLARIFICAR O EXPLICAR	
En otras palabras…	*In other words…*
Es que…	*It's that…*
¿Me entiendes?	*You know?*
O sea…	*I mean…*
Por eso…	*That's why…*
Quiero decir que…	*I would like to say…*
¿Sabes?	*You know?*
¿Sabes lo que quiero decir?	*Do you know what I mean?*

EXPRESIONES PARA CONFIRMAR COMPRENSIÓN O PEDIR CLARIFICACIÓN	
A ver si entiendo…	*Let me make sure I understand…*
Es decir que…	*In other words…*
O sea que…	*In other words…*
¿Qué quieres decir?	*What do you mean?*
¿Quiere decir que…?	*Does that/Do you (formal) mean…?*

El *registro*, según la Real Academia Española, es el «modo de expresarse que se adopta en función a las circunstancias», es decir, indica si el modo de expresarse es *formal* o *informal*.

EN EL EXAMEN DE AP®

◢ Es preciso que uses el *registro formal* en la sección de Interpersonal Writing: E-mail Reply

◢ En la sección de Interpersonal Speaking: Conversation, lee la introducción y el texto para decidir si debes usar el *registro formal* o *informal*.

	TÚ	**USTED**
TEMA	*Con amigos íntimos y familiares*	*En situaciones más formales, en los negocios, en las comunicaciones de oficina*
Saludos	Por escrito	Por escrito
	Hola, amigo/a Querido/a Queridísimo/a Mi querido/a	Muy señor mío Estimado señor Pérez Muy señora mía Estimada señora González Apreciado señor Muy distinguido señor Apreciada señora Muy distinguida señora Estimado señor Estimada señora
	Conversación	Conversación
	Hola. ¿Qué tal? ¿Qué hay de nuevo? ¿Cómo estás?	Buenos días, señor/señora _____. Buenas tardes/noches, señor/señora _____. ¿Cómo está usted? Mucho gusto verlo/la.
Despedidas	Por escrito	Por escrito
	Un afectuoso saludo Un cordial saludo Mis mejores saludos Mis recuerdos a tu familia Afectuosamente Un beso Besos Un fuerte abrazo Abrazos Besos y abrazos Con todo mi cariño Con todo mi afecto Tu amigo/a	Le saluda atentamente Atentamente A usted atentamente Un cordial saludo Cordialmente Mis recuerdos a su familia Respetuosamente
	Conversación	Conversación
	Adiós. Hasta luego. Hasta pronto. Hasta mañana.	Adiós, señor/señora/señorita. Muchas gracias por su tiempo. Le agradezco mucho su tiempo.
Adjetivos y pronombres posesivos	tu, tus, tuyo, tuya, tuyos, tuyas	su, sus, suyo, suya, suyos, suyas
Pronombres de objeto directo e indirecto	te	lo, la, le
Pronombres que requieren preposición	(a, por, para, etc.) ti	(a, por, para, etc.) usted

Enriquece tu repertorio de expresiones para hacer referencia a las fuentes de información. Esto le dará variedad a tu escrito o presentación y te ayudará a captar el interés del lector o del oyente.

PARA INDICAR COMPRENSIÓN	PARA INTERPRETAR	PARA ANALIZAR O EVALUAR

Según…
 	
Como afirma…
    comenta…
    comunica…
    dice…
    escribe…
    explica…
    indica…
    informa…
    menciona…
    muestra…
    relata…
    reporta…
	Como cree o piensa…
	    enfatiza…
	    expresa…
	    insiste…
	    interpreta…
	    opina…
	    sostiene…
		Como afirma…
		    apoya…
		    argumenta…
		    concluye…
		    destaca…
		    distingue…
		    enfatiza…
		    formula…
		    justifica…
		    resume…

FUENTE DE INFORMACIÓN
…la primera (segunda, tercera) fuente,
…la fuente auditiva,
…el audio de *BBC Mundo*,
…el artículo de *El País*,
…la entrevista con…,
…el gráfico (la tabla),
…el locutor de la fuente auditiva,
…las tres fuentes,

EJEMPLOS
La tabla analiza los efectos de…
El locutor defiende la perspectiva de…
La fuente escrita resume el problema por…
El periodista reporta que…
Tanto el gráfico como la entrevista justifican la necesidad de…
Ambos políticos opinan que…

COGNADO FALSO/ PALABRA QUE CONFUNDE EN ESPAÑOL	LA DEFINICIÓN CORRECTA EN INGLÉS	EL INGLÉS CON LA PALABRA CORRECTA EN ESPAÑOL
actual	*current, present*	*actual* = verdadero, real
actualmente	*currently, presently*	*actually* = en realidad, realmente
el argumento	*plot of a story or novel*	*argument, disagreement* = la disputa
asistir a	*to attend*	*to assist, help, wait on* = ayudar a, atender (ie)
asumir	*to take on, adopt, accept*	*to assume, suppose* = suponer
la carpeta	*folder*	*carpet, rug* = la alfombra
chocar	*to crash, bump into*	*to choke* = ahogar, sofocar
la competencia	*competition, contest*	*competence* = la eficacia
la cualidad	*quality (of character)*	*quality (of merchandise)* = la calidad
la cuestión	*issue, problem*	*question* = la pregunta
la decepción	*disappointment*	*deception (as in deceive)* = el engaño
embarazada	*pregnant*	*embarrassed* = avergonzado/a
el éxito	*success*	*exit* = la salida
la fábrica	*factory*	*fabric* = la tela
la ganga	*bargain, deal*	*gang, group of friends/pack* = la pandilla
gracioso	*funny, witty*	*gracious* = generoso, gentil
largo	*long*	*large, big* = grande
la letra	*letter (alphabet)*	*letter* = la carta
los parientes	*relatives*	*parents* = los padres
pretender	*to seek, claim, aspire to*	*to pretend* = fingir
quitar	*to take away, remove*	*to quit* = dejar, abondonar
realizar	*achieve, bring to fruition*	*to realize* = darse cuenta de
recordar	*remember*	*to record* = grabar
restar	*to subtract*	*rest* = descansar
sensible	*sensitive*	*sensible* = razonable, sensato
suceder	*to happen, occur*	*succeed* = triunfar, tener éxito
últimamente	*lately*	*ultimately* = al final, finalmente

Para revisar tu ensayo, léelo como si lo hubiera escrito otra persona. ¿Te convence? ¿Se presentan las ideas claramente? ¿Hay aspectos que te parecen aburridos? ¿Qué cambiarías? La práctica constante de revisión y corrección te ayudará a adquirir un buen ojo crítico.

Los pasos que se presentan en las tablas siguientes te ayudarán a revisar y corregir tu ensayo, desde sus características generales hasta los detalles.

PRIMER PASO: UNA VISIÓN PANORÁMICA

Tema	¿Responde el ensayo a la pregunta o al tema asignado?
Tesis	¿Has comunicado claramente tu tesis? ▸ La tesis no es lo mismo que el tema: es un argumento específico que determina la estructura del ensayo. ▸ La tesis debe aparecer en el primer párrafo, no debe perderse de vista en ningún momento del ensayo y debe resumirse, pero no simplemente repetirse, en la conclusión.
Lógica y estructura	Lee el ensayo de principio a fin, concentrándote en la organización de las ideas. ▸ ¿Se relaciona cada idea con la siguiente? Elimina cualquier brecha lógica. ▸ ¿Hay secciones irrelevantes o que debas cambiar de posición? ▸ ¿Has respaldado tu tesis con suficientes argumentos o faltan ejemplos?
Audiencia	El ensayo debe adecuarse al tipo de lector. ▸ Si el lector no está informado sobre el tema, asegúrate de incluir suficiente **contexto** para que pueda seguir tu razonamiento. Explica los términos que puedan confundirlo. ▸ Adapta el **tono** y el **vocabulario** a la audiencia. Siempre ten en mente a un lector inteligente y escéptico que no aceptará tus ideas a menos que lo convenzas. El tono nunca debe ser demasiado coloquial, pretencioso o frívolo.
Intención	Si quieres informar o explicar un tema, debes ser preciso y meticuloso. Un ensayo argumentativo debe caracterizarse por la objetividad; evita las opiniones personales subjetivas. Si buscas persuadir al lector puedes expresar opiniones personales o juicios de valor, siempre y cuando los defiendas con argumentos lógicos.

SEGUNDO PASO: EL PÁRRAFO

Luego, revisa cada párrafo con estas preguntas en mente.

Párrafos	◆ ¿Hay una oración tema en cada párrafo? La idea central no solo debe darle coherencia y unidad al párrafo, sino también vincularlo a la tesis principal del ensayo. ◆ ¿Cómo es la transición entre un párrafo y otro? Si es clara, el ensayo tendrá fluidez. Si es demasiado abrupta, puede confundir o irritar al lector. ◆ ¿Cómo empieza y cómo termina el ensayo? La introducción debe ser interesante y debe identificar la tesis. La conclusión no debe limitarse a repetir lo que ya dijiste: como cualquier otro párrafo, debe presentar una idea original. ◆ Lee el párrafo, de ser posible en voz alta, y presta atención al ritmo del lenguaje. Si todas las oraciones son iguales, la lectura se vuelve monótona y aburrida. Trata de variar la longitud y el ritmo de las oraciones.

TERCER PASO: LA ORACIÓN

Por último, lee detalladamente cada oración.

Oraciones	◆ Busca la palabra ideal para cada situación. Considera posibles sinónimos. Usa siempre un lenguaje directo, preciso y concreto. ◆ Evita la redundancia. Elimina toda oración o palabra que sea una distracción o repita algo que ya dijiste. ◆ Revisa la gramática. Asegúrate de que haya concordancia entre el sujeto y el verbo, entre los sustantivos y los adjetivos, y entre los pronombres y sus antecedentes. Asegúrate de usar las preposiciones correctas. ◆ Revisa la ortografía. Presta especial atención a los acentos.

EVALUACIÓN Y PROGRESO

Revisión	De ser posible, intercambia tu ensayo con el de un(a) compañero/a y háganse sugerencias para mejorar su trabajo. Menciona lo que cambiarías pero también lo que te gusta.
Correcciones	Cuando tu profesor(a) te devuelva un ensayo, lee sus comentarios y correcciones. En una hoja aparte, escribe el título «Notas para mejorar la escritura» y haz una lista de tus errores más comunes. Guárdala junto con el ensayo en una carpeta de trabajos y consúltala regularmente. Así podrás evaluar tu progreso y evitar caer siempre en los mismos errores.

Esta es una estrategia eficaz para ayudarte a entender y definir hasta qué punto has cumplido con los requisitos del **Ensayo argumentativo.** Puedes usar este formato como autoevaluación antes o después de recibir la calificación de tu profesor(a), o por propia iniciativa como reflexión personal.

REFLEXIÓN PERSONAL DE MI ENSAYO ARGUMENTATIVO

Después de leer mi ensayo, he reflexionado y analizado el proceso y el resultado de mi tarea escrita.

Tema/título del ensayo: _____

(Ejemplo: *¿Es mejor participar o no participar en las redes sociales?*)

REFLEXIÓN	EVIDENCIA TOMADA DIRECTAMENTE DE MI ENSAYO
He incluido un párrafo introductorio en el que he presentado la tesis con mi postura claramente declarada y coherente con la pregunta o el tema del ensayo.	◆ Mi introducción con una tesis en la que expreso mi postura:
He demostrado un nivel alto de comprensión de los puntos de vista de cada una de las tres fuentes, con muy pocos errores de interpretación, o con ninguno.	◆ Fuente 1 (texto impreso): ◆ Fuente 2 (tabla o gráfico): ◆ Fuente 3 (texto auditivo):
He empleado evidencia de las tres fuentes en mi ensayo. He presentado mi propio punto de vista o mi argumento con mucha claridad y con detalles de las fuentes para defenderlo.	◆ Ejemplos y detalles específicos para apoyar mi postura (fuente(s) y evidencia): ◆ Ejemplos y detalles específicos relacionados con el contraargumento, o incluso usados para refutarlo (fuente(s) y evidencia):
He presentado un ensayo bien organizado usando nexos lógicos para añadir fluidez y claridad a mis ideas.	◆ Evidencia de nexos lógicos («transiciones») empleados en mi presentación:
He usado un vocabulario avanzado, rico y temático, utilizando expresiones idiomáticas.	◆ Vocabulario avanzado o temático (no general, básico ni ordinario): ◆ Expresiones idiomáticas:
He utilizado con exactitud una variedad de estructuras gramaticales, incluyendo estructuras avanzadas y diferentes tiempos/modos verbales. Hay sintaxis correcta y uso efectivo del idioma. Hay pocos errores gramaticales que no impiden la comprensión del texto.	◆ Ejemplos de estructuras gramaticales avanzadas: ◆ Ejemplos de tiempos y modos verbales: ◆ Errores observados:
He desarrollado un ensayo de cuatro a cinco párrafos que incluye una variedad de frases sencillas, compuestas y complejas.	◆ ¿Cuántos párrafos? Ejemplos de frases compuestas y complejas:
He concluido mi ensayo con un párrafo que reitera mi postura de una manera persuasiva y creativa.	◆ Mi conclusión:
Creo merecer un: 5 4 3 2 1 0	
Lo mejor de mi ensayo:	**Lo que debo mejorar:**

Esta es una estrategia eficaz para ayudarte a definir hasta qué punto has cumplido con los requisitos de la **Presentación oral: Comparación cultural**. Puedes usar este formato como autoevaluación antes o después de recibir la calificación de tu profesor(a), o por propia iniciativa como reflexión personal.

REFLEXIÓN PERSONAL Y ANÁLISIS DE MI PRESENTACIÓN ORAL: COMPARACIÓN CULTURAL

Después de escuchar mi grabación, he reflexionado y analizado el proceso y el resultado de mi presentación.

Tema/título de la presentación: _____

(Ejemplo: *¿Cómo han influido los héroes nacionales en la vida de las personas de tu comunidad?*)

REFLEXIÓN	EVIDENCIA TOMADA DE MI PRESENTACIÓN
He incluido una introducción efectiva en la que presento mi intención o una tesis coherente con el tema/la pregunta.	◆ Mi introducción:
He logrado comparar a mi comunidad con una (o varias) comunidad(es) hispanohablante(s) de una manera clara, explicando tanto las semejanzas como las diferencias entre ellas.	◆ Comunidades comparadas: ◆ Semejanzas entre mi comunidad y la(s) comunidad(es) hispanohablante(s): ◆ Diferencias entre mi comunidad y la(s) comunidad(es) hispanohablante(s):
He mencionado ejemplos relevantes y detalles específicos de mis aprendizajes previos, así como de mis observaciones y experiencias, para comparar y contrastar las culturas.	◆ Ejemplos y detalles específicos de mi comunidad: ◆ Ejemplos y detalles específicos de la comunidad hispanohablante:
He demostrado mi comprensión cultural al citar productos, prácticas y/o perspectivas de las dos comunidades, evitando generalizaciones y estereotipos.	◆ Productos: ◆ Prácticas: ◆ Perspectivas:
He presentado la información mediante un discurso extenso bien organizado, usando nexos lógicos para añadir fluidez y claridad a mi presentación.	◆ Evidencia de nexos lógicos («transiciones») empleados en mi presentación:
He usado un vocabulario avanzado, rico y temático, utilizando expresiones idiomáticas.	◆ Vocabulario avanzado o temático (no general, básico ni ordinario): ◆ Expresiones idiomáticas:
He cometido muy pocos errores gramaticales.	◆ Errores observados:
Me he comunicado utilizando varias estructuras avanzadas y tiempos/modos verbales.	◆ Estructuras avanzadas: ◆ Ejemplos de tiempos/modos empleados:
He dado una presentación en tono formal.	◆ Evidencia:
He hablado con pronunciación excelente y entonación efectiva, de manera fluida.	◆ Fortalezas: ◆ Necesito mejorar:
He concluido mi presentación con comentarios que reiteran mi tesis y el tema requerido.	◆ Mi conclusión:
Creo merecer un: 5 4 3 2 1 0	
Lo mejor de mi presentación:	**Lo que debo mejorar:**

GENDER

▲ Most -**ma** words from Greek origin are masculine: **el esquema, el poema, el drama**.

▲ Words ending in -**tad**, -**tud**, -**dad**, -**ed** are feminine: **la caridad, la salud, la pared**.

▲ Words ending in an accented vowel are usually masculine: **el rubí, el sofá**.

▲ Words ending in -**aje**, -**ambre**, -**or** are usually masculine: **el garaje, el hambre, el humor** (excepción: **la flor**).

▲ Words about illnesses –**itis** words are feminine: **la apendicitis, la bronquitis**.

▲ **Geographic names**: Generally speaking, all continents and islands are feminine; names of rivers and bodies of water are masculine; and mountains are masculine.

SPELLING AND PLURALIZATION

▲ **English «-tion» as the equivalent of Spanish -*ción***
Words ending in *-ción* are always feminine in English (as are words ending in *-sión*). The plural of *emoción* drops the accent and adds *-es: emociones*.

▲ **Double consonants**: Except for the Spanish *ll*, *rr* and *cc* (where the second *c* is followed by *i* or *e*), Spanish generally doesn't use double letters in English cognates. So, the English impossible is *imposible*, and «illegal» is *ilegal*. Examples of *rr* or *cc* in cognates include *acción*, *acceso*, and *irregular*.

▲ **Spelling *inm-* instead of «im-» as prefixes**: Examples: *inmunidad* (immunity), *inmóvil* (immobile), and *inmigración* (immigration).

▲ **Spelling *cua* and *cuo* instead of «qua» and «quo»**
Examples include *acuático* (acquatic) and *cuarto* (quart or quarter), and *cuota* (quota).

▲ **Spelling of *-i* where English would use –*y***: Spanish usually doesn't use y as a vowel except in diphthongs, so *i* is used instead.

ANGLICISMS AND SPECIAL VOCABULARY ISSUES

▲ **To talk about school**: *El colegio* = junior high school or even elementary school. You cannot use this for higher education! *La universidad* is the correct term for college, even if the school calls itself a college. *El preparatorio / la preparatoria* = high school in most countries.

▲ **To know: *conocer* v. *saber***: *Conocer* is to know, as in acquaintance (with a person, place, or thing). *Saber* is to know, as in facts or information (about a person, place, or thing). It can also mean to know how.

▲ **To work: *trabajar* v. *funcionar***: Use *trabajar* for the subject performing work as in toil, earning money, tasks. Use *funcionar* for to work, as in to function.

▲ **To ask: *pedir* v. *preguntar***: *Pedir* is for ordering or requesting something; *preguntar* is for asking a question.

▲ **To leave: *salir (de)* v. *dejar***: *Salir* is used when the subject leaves a place; *dejar* takes a direct object and means to leave something behind. Make sure that you use *de* after *salir* to say from where a person is leaving.

◢ **To apply:** *aplicar* **v. *solicitar:*** *Aplicar* is to apply as in applying a theory; *solicitar* is for applying for admission, a job, a scholarship, etc.

◢ **To love:** *amar, querer* **v. *encantar:*** Use *amar* and *querer* for loving people, pets. Use *me encanta, me encantan,* to state that you love something.

◢ **That (demonstrative adjective/pronoun):** *este* **v. *ese***: «This and these have the t's.» <u>So</u>: *este, esta, estos, estas* = this/these AND *ese, esa, esos, esas* = that/those

◢ **Time:** *el tiempo* **v. *la vez* v. *la hora***: *Tiempo* is for time in general. How much time do you have? = ¿*Cuánto tiempo tienes?* Use *vez* for time, as in instances: *una vez, dos veces, muchas veces, la última vez,* etc. Use *hora* for asking time on the clock. *a tiempo* = on time...NOT *en tiempo!*

◢ **Good v. well/*bien* v. *buena:*** Just like in English... *bueno/a/os/as* = adjective; *bien* = adverb

◢ **To return:** *volver* **v. *devolver:*** Use *volver* when the subject himself/herself returns. Use *devolver* with a direct object.

◢ **To look for v. to look at; to find**: Remember to use *mirar* if you are looking at or watching. Use *buscar* for to look for or search for something. Use *encontrar* or *hallar* for finding what you want.

STRUCTURE AND GRAMMAR

◢ **Personal *a***: Remember to use the personal *a* before a direct object noun referring to a person or persons. This can also be a family pet.

◢ **More than:** *más que* **v. *más de:*** *más que* = more than, BUT use *más de* as more than <u>before numbers</u>.

◢ **Who:** *que* **v. *quien***: When you wish to say «who» as a relative pronoun, use *que* unless preceded by a comma, in which case you may use *quien*.

◢ **No or none of something:** *ningún* **v. *ninguna***: Shorten *ninguno* to *ningún* before <u>masculine singular nouns</u>, but DO NOT shorten *ninguna*.

◢ **Another:** *otra, otro***: NEVER say *un otro* or *una otra*

◢ **To be interested in** = *tener interés por* in Spanish.

◢ **All the:** *todo el dinero, toda la comida,* NOT *todo de*: Do not say <u>all of</u> in Spanish!

◢ **Prepositions** <u>with places and locations</u> *en* is in, on, at; *a* = to (Can mean "at" in other situations such as *a las tres*)

◢ **Infinitives after prepositions**: *Antes de* + inf. = Before doing; *Después de* + inf. = After doing

◢ ***Por* v. *para:*** Although both can mean "for", remember that they have specific uses. Briefly: *Para* implies purpose, destination, due date, comparison, or reason. *Por* refers to an agent by which something is done, an amount of time, in place of, going after something, and is used in exchanges. It also means "by, through."

Lo mágico, enigmático y místico en el arte de Remedios Varo

Josefa Zambrano Espinosa

Jueves, 29 de mayo de 2003
Para Larry Senger y Miguelito

Ábrete, ábrete pequeña hoja verde;
ábrete, ábrete gran puerta de piedra.
Leonora Carrington

«Soy mujer, pero tengo talento», clama Lisístrata desde la Acrópolis.

A través de los siglos, su voz es la de todas las mujeres. Mujeres que vivimos en un mundo donde la palabra y la agresividad viriles aún tienen la fuerza para hacer de la guerra, por ser «cosa de hombres», un arte, pero, afortunadamente, ese poder es insuficiente para hacer del arte una guerra, pues el talento, el genio, también es «cosa de mujeres».

De ahí que sean las mujeres quienes en las guerras han padecido y padecen las más terribles congojas, y en el arte sólo su avasallante talento, su genio, ha sido y es el que, trascendiendo el tiempo, avala el genuino valor artístico y universal de sus obras.

Este es el caso de Remedios Varo, una mujer signada por las guerras y el genio artístico. Creadora de una original, fascinante, enigmática y poco conocida obra, gracias a la cual, 37 años después de su muerte, el Museo Nacional de Mujeres Artistas en Washington, D. C. (único museo en el mundo dedicado a las obras de arte creadas por mujeres) ha exhibido una extraordinaria retrospectiva de su pintura, valorando así el nombre y el arte de «una de las pintoras más importantes del siglo pasado». Mas ¿quién es Remedios Varo?

Ecos de una vida

Los *connaisseurs* la presentan como una de las principales exponentes del «surrealismo mexicano tardío», pues fue en México —país de rasgos socio culturales señaladamente machistas— donde coincidencial y paradójicamente floreció la obra de tres mujeres vinculadas al movimiento surrealista: Leonora Carrington, Frida Kahlo y Remedios Varo.

María de los Remedios Varo Uranga, hija de la extravagante unión de un librepensador ingeniero hidráulico y de una devotísima católica, nació en Anglés, España, en 1908.

Debido a la profesión del padre, la familia viajaba frecuentemente a través de las geografías española y norteafricana. Para mantener entretenida a la niña, que ya daba muestras de su talento para el dibujo y la pintura, el padre la sentaba a su lado mientras trazaba los planos y diseñaba los aparatos mecánicos de sus proyectos hidráulicos, pero, a todas éstas, la madre consideraba que su hija no estaba recibiendo la formación apropiada para una niña de buena familia y decidió internarla en un colegio de monjas.

Cuando la familia se estableció definitivamente en Madrid en 1924, el padre, conocedor de su aptitud para la pintura, la estimula para que ingrese —a pesar del escándalo y disgusto de la madre y sus amigas— a la Academia de San Fernando, donde se convirtió en una de las primeras mujeres estudiantes de arte.

En San Fernado fue condiscípula de Dalí y de Gregorio Lizarraga, con quien se casó luego de graduarse. Juntos se marcharon primero a París y después a Barcelona —en ese momento la capital del modernismo español—, y allí se vincularon con Oscar Domínguez, Esteban Francés, Marcel Jean y otros artistas de vanguardia.

Al estallar la guerra civil española, Remedios se separó de Lizarraga y retornó a París.

Paris era luz y arte, y el arte era surrealista. Conoció a Benjamín Peret y se unieron sentimentalmente en 1937. Peret la introdujo en el círculo de los surrealistas e, inmediatamente, se creó la empatía y afinidad entre Breton, Eluard, Crevel, Desnos, Miró, Arp, Naville y ella.

¡Nuevamente la guerra! París cayó bajo los cascos, las botas, los tanques y la cruz gamada Nazis; Peret y Varo lo hicieron tras las rejas del gobierno de Vichy, el cual los mantuvo en un campo de concentración hasta finales de 1941 cuando con la ayuda del Comité para Rescates de Emergencia, pudieron escapar a México, donde serían acogidos por la inmensa comunidad de artistas exiliados en ese país.

Corría el año 1947 cuando Peret decidió regresar a París. Varo lo acompañó, pero ya no fue la misma en Europa. Era una mexicana en París y sentía que su antiguo grupo del círculo surrealista ya no era más su gente. Extrañaba al país y al pueblo que la habían acogido y que ella había hecho suyos. Retornó a México, y esta vez fue para siempre.

En 1952 contrajo matrimonio con Walter Gruen —un refugiado político austriaco—, quien, como su padre, al darse cuenta de su singular talento la estimuló y ayudó para que se dedicara exclusivamente a pintar, ya que desde su llegada a Ciudad de México se ganaba la vida como diseñadora y decoradora. De este modo nació el período más fructífero en la producción artística de Varo, el cual se vio truncado de manera intempestiva en 1963 cuando, víctima de un ataque cardiaco, falleció a la edad de 55 años.

Remedios Varo, según Luis Martín Lozano (el crítico que por conocer mayormente su obra, ha sido el curador de la exposición en el MNMA), «tiene un pie en la tradición, y el otro, en la experimentación, pues sus cuadros son como enigmáticas preguntas que no tienen una respuesta específica». Realmente, ante sus obras el espectador se tropieza con elementos que le resultan sumamente familiares y comienza a preguntarse: ¿dónde he visto este cuadro antes?

La memoria comienza a andar y desandar sin hallar la respuesta concreta, ya que ésta se encuentra en las experiencias infantiles, en los sueños y en las imágenes que pueblan el arte universal. Por lo tanto, lo ya visto está en las iluminaciones y las miniaturas medievales; en los cuadros de Giotto y Lorenzetti; en la pintura del Primer Renacimiento italiano, especialmente Fra Angélico; en Hyeronimus Bosch, Pieter y Jan Breughel y Lucas de Leiden, y desde luego, en el arte surrealista.

En su obra se amalgaman los sueños, los recuerdos de la infancia, las vivencias femeninas y los temores y horrores de la guerra; la búsqueda del conocimiento y la verdad a través de la ciencia, la religión y la filosofía. Su espíritu explora y se adentra en las teorías que van desde la de la gravitación universal hasta la de la relatividad; en el misticismo, el tantrismo y el budismo zen; en el psicoanálisis y, especialmente, los trabajos de Jung; en el Apocalipsis de San Juan y el Corpus Hermeticum que comprende algunos tratados de filosofía neoplatónica y gnóstica, así como también sobre el orfismo, la alquimia, la magia, la metapsíquica, la qabbalah, etc., y el tarot. Por eso, cuando en México conoció a la pintora y escritora Leonora Carrington, de inmediato se hicieron grandes amigas, pues la sensibilidad artística compartida llegaba a tal punto que Varo se refería a Carrington como «mi alma gemela en el arte».

El misticismo de un lenguaje visual

En la obra de Varo la imaginación, como decía Breton, no perdona.

Salvo en obras como «Hacia la torre» (1960), donde la naturaleza es sombría y predominan los colores oscuros tanto en las edificaciones como en los personajes, el lenguaje visual de Remedios Varo ilumina con su color y su magia la posibilidad de acceder a una realidad más allá de la cotidiana; de transportarse a fantásticos mundos en los cuales los hombres se transmutan en gatos, porque de ellos será el paraíso; las mujeres viajan en extrañas barcas o alimentan con puré de estrellas a la luna o reciben llamadas para ascender a otros planos de la existencia; los juglares hacen malabarismos con la piedra filosofal; las naturalezas muertas resucitan y en las nubes la Jerusalén celestial gira sin detener jamás su movimiento.

Para Varo todo es posible. Al hacer uso de la decalcomanía, el fumage y el frotagge —técnicas muy usadas por los pintores surrealistas—, metaforiza el mundo interior y los cambios existenciales, de ahí que en «Gato-hombre» (1943) logre transmutar un ser en otro. Nada la detiene en su búsqueda de nuevas dimensiones metafísicas y espaciales, y para hallar el perfecto equilibrio en «Tránsito en espiral» (1962), los personajes se mueven incansablemente a través de interminables circunvoluciones alrededor de su Jerusalén celestial. Igual sucede en «Naturaleza muerta resucitando» (1963), en la que, al trastocar los conceptos de tiempo, energía y cosmos, se aleja de la racionalidad de las ciencias, penetra en el reino de la metapsíquica y logra insólitos efectos visuales. También en «Paraíso de gatos» (1955), uno de sus más fascinantes cuadros, se vale de su exquisito humor y lo pone al servicio de la imaginación y el color para burlarse de los humanos que andamos tras el paraíso perdido, pues para alcanzarlo tendremos que trasmutarnos en gatos, ya que su edén está sólo reservado para las Cleopatras y los Renés Mermelados que maullarán y jugarán felices por toda la eternidad.

En consecuencia, ante la obra de Remedios Varo hay que admitir que las tonalidades, el movimiento, la alegría, la luz y los enigmas han hecho de su imaginario una expresión de lo maravilloso, por eso en sus autorretratos «La llamada» (1961) y «Exploración de las fuentes del Río Orinoco» (1959), su radiante figura avanza portando el divino elixir o navega en beatífica gracia, pues sabe que definitivamente ha abierto la «puerta de piedra» y revelado los arcanos de la existencia donde, como decía Breton, «solamente lo maravilloso es bello».

créditos

Every effort has been made to trace the copyright holders of the works published herein. If proper copyright acknowledgment has not been made, please contact the publisher and we will correct the information in future printings.

Photography and Art Credits
All images © by Vista Higher Learning unless otherwise noted.

Cover
(tl) Agustavop/E+/Getty Images; (tr) *Gypsy Dancer* by Stanley Meltzoff (1917-2006). Color lithograph. Silverfish Press/National Geographic Creative/Bridgeman Images; (m) Hasloo/Deposit Photos; (bl) Emu/Fotolia; (br) Hadynyah/E+/Getty Images.

Front Matter
iv: (t) J Albert Studios; (mt) Courtesy of Cole Conlin; (mb) Courtesy of Max Ehrsam; (b) Courtesy of Elizabeth Millán; xiv: Artem Kovalenco/Shutterstock.

Tema 1
2–3: Philip Lee Harvey/Cultura RM Exclusive/Getty Images; 5: León Darío Peláez/Revista Semana/Fundacíon Tiempo de Juego; 6: León Darío Peláez/Revista Semana/Fundacíon Tiempo de Juego; 9: Juan Manuel Serrano Arce/Getty Images; 10: Ulf Andersen/Aurimages/ZUMA Press; 11: Monkeybusinessimages/iStockphoto/Getty Images; 14: Sasiistock/iStockphoto/Getty Images; 16: (t) OEI Colombia; (b) Scott Dalton/The New York Times/Redux; 18: Ersinkisacik/iStockphoto; 20: Carlos Ortega/EPA/Newscom; 30: Claudio Gedda/Alamy; 38: Borderlands/Alamy; 41: Kevin Wells/123RF; 42: Courtesy of Rubén Darío Salinas; 47: (t) Robert Harding World Imagery/Alamy; (b) CB2/ZOB/WENN.com/Newscom; 49: McPhoto/vario images GmbH & Co.KG/Alamy; 50: Cargo/ImageZoo Images/Media Bakery; 56: DC Aperture/Shutterstock; 59: Rocío Franco/Naciones Unidas; 61: Ton Koene/AGE Fotostock.

Tema 2
70–71: Benjaminet/Dreamstime; 73: Jozef Mičic/123RF; 74: Neustockimages/iStockphoto; 77: Patricia Adolph Hauge; 83: TEDxRíodelaPlata; 84: Mariana Bazo/Reuters/Newscom; 86: GosphotoDesign/Shutterstock; 90: Ned M. Seidler/National Geographic Creative/Alamy; 91: Courtesy of Valerie Andrushko; 92: Courtesy of Valerie Andrushko; 95: Stoked/Jupiterimages/Media Bakery; 97: Schlyx/Deposit Photos; 103: Martín Bernetti; 104: Syda Productions/Deposit Photos; 105: Kyodo/Newscom; 108: Janet Dracksdorf; 114: (t) J.J. Guillén/EFE; (b) Corbis/AGE Fotostock; 116: Global Warming Images/REX/Shutterstock; 117: Aeydenphumi/Deposit Photos; 118: Palko72/Deposit Photos; 120: Jim Reed/Corbis Documentary/Getty Images; 121: Jim Reed/Corbis Documentary/Getty Images; 127: Ivan Lepe/UPI/Newscom.

Tema 3
140–141: *La Fuente de Reding* (c. 1880-1885), Guillermo Gómez Gil. Óleo sobre lienzo 100 x 142 cm, CTB.1989.26. Colección Carmen Thyssen-Bornemisza/©2017 Carmen Thyssen-Bornemisza Collection on loan to the Museo Carmen Thyssen Málaga; 144: Marco Bello/Reuters/Newscom; 147: Inga Ivanova/iStockphoto/Getty Images; 148: (all) Fancy Photography/Veer; 149: (all) Fancy Photography/Veer; 152: PeopleImages/E+/Getty Images; 154: (t) Ruben Varela; (b) Jose Luis Quintana/LatinContent/Getty Images; 156: Aleksandar Petrovic/iStockphoto; 160: Konradbak/Dreamstime; 165: Susana Moyaho; 167: (t) Ocean/Corbis; (b) Eduardo Verdugo/AP Images; 174: Book cover of *Los cuerpos del veranos* by Martín Felipe Castagnet. Courtesy of Factotum Ediciones; 175: Andrea Parejas; 177: Wilfredo Lee/AP Images; 178: *Beijing Crowd* (2011), Aleth Manière. Mixed media: acrylic, collage, oil, 20 cm X 20 cm. Courtesy of the artist; 181: Gubin Yury/Wastesoul/Deposit Photos; 184: Detail of *Macondo I* (2008), Hernando Nossa Cuadros. Acrylic on canvas, 0.80 x 1.20 cms. ©2018 Hernando Nossa Cuadros; 186: Chile DesConocido/Alamy; 190: Agencia de Noticias EL UNIVERSAL; 191: *La creación de las aves* (c. 1957), Remedios Varo. Oil on masonite. Museum of Modern Art, Mexico. Gianni Dagli Orti/REX/Shutterstock/©2018 Artists Rights Society (ARS), New York/VEGAP, Madrid; 198: Gabriel Pabón/CÍVICO; 202: José Blanco.

Tema 4
208–209: José Blanco; 211: Jorge Sánchez Arribas; 212: Jorge Sánchez Arribas; 215: Alphaspirit/Shutterstock; 222: Elvira Urquijo A/EFE; 224: studioEAST/Getty Images; 225: Courtesy of G2 Esports; 228: Luis Soto/AP/REX/Shutterstock; 229: AP/REX/Shutterstock; 235: Lokman Ilhan/Anadolu Agency/Getty Images; 242: Amy Baron; 246: Elisa Di Marco/Milestone Media/EFE; 252: Lauren Krolick; 254: Courtesy of Universidad Tecnológica de Panamá; 257: Andy Medina/Vetta/Getty Images; 260: Album/SFGP/Newscom; 267: Carolina Zapata.

Tema 5
278–279: Kathryn Alena Korf; 281: Imagen del video *Entrevista Fernando Soto Aparicio*, del grupo de investigación PYDES/Facultad de Estudios a Distancia/Universidad Militar Nueva Granada; 282: (cityscape) Andrey Bayda/Shutterstock; (pylons) Camp1994/Shutterstock; (mountains) Paul Baggaley/Moment/Getty Images; (factory) Dvoevnore/Shutterstock; (man on horse) Alfredo Cerra/Shutterstock; (train) Marcobonfanti/123RF; (backhoe) Keantian/Shutterstock; (illustrated mountains) Grop/Shutterstock; (Colombian peso) Paula Díaz; 285: BolshieBufera/Shutterstock; 287: Michał Barański/123RF; 292: (t) Richard Bickel; (b) Digi Guru/iStockphoto; 295: Simeon Tegel; 301: Richard Nowitz/Inmagine; 303: (globe background) Lehui/123RF; (hands) Creatarka/Deposit Photos; 305: (t) Roberto Zúñiga L; (b) Murray Richards/Icon Sportswire/Getty Images; 319: From left to right. (t) Fancy Photography/Veer; Cathy Yeulet/123RF; Fancy Photography/Veer; Fancy Photography/Veer; Fancy Photography/Veer; (m) Fancy Photography/Veer; Fancy Photography/Veer; Fancy Photography/Veer; Fancy Photography/Veer; Anne Loubet; (b) Anne Loubet; Fancy Photography/Veer; Fancy Photography/Veer; Fancy Photography/Veer; Fancy Photography/Veer; 324: DEA/M. Seemuller/Getty Images; 325: Courtesy of El Pez; 327: Yesid Lancheros/El Tiempo de Colombia/Newscom; 331: Joe Raedle/Getty Images; 332: Leo Correa/AP/REX/Shutterstock; 336: Paula Diez; 338: (t) Saúl Martínez/EFE; (b) Courtesy of 1 Minuto de Vos.

Tema 6
348–349: Chico Sanchez/Aurora Photos; 351: Andrea Delbo/Shutterstock; 352: Arno Images/Cultura Images/Media Bakery; 355: Reproduced with permission from Francisco Jiménez; 356: Phototreat/iStockphoto/Getty Images; 362: Norberto Duarte/AFP/Getty Images; 375: Robert Fried/Alamy; 385: Prisma Archivo/Alamy; 386: Gianni Dagli Orti/REX/Shutterstock; 388: Ruben Varela; 389: *Wager's Action off Cartagena, 28 May 1708* (1743-1747), Samuel Scott. Oil on canvas, 863 x 1244 mm. Caird Collection, National Maritime Museum, Greenwich, London/The Image Works; 390: *Spanish Galleon taken by the Pirate Pierre le Grand near the coast of Hispaniola, 1643*, Théodore Gudin (1802-1880). Oil on canvas, diam. 60 cm. Musée de l'Histoire de France, Château de Versailles, France/SuperStock; 392: Paul Fearn/Alamy; 395: Vadim Petrakov/Shutterstock; 396: (t) Detail of *Simon Bolivar honoring the flag after Battle of Carabobo, June 24, 1821* (1883), Arturo Michelena. De Agostini Picture Library/M. Seemuller/Bridgeman Images; (b) Mundosemfim/Shutterstock; 399: Kathryn Sidenstricker/Dreamstime; 408: Fotografía del cartel anunciador de Jazz TOLEDO ©2012 Gentileza de Yerbabuena Producciones; 409: Francis Wu.

End Matter
437: Ruben Varela; **453**: (tl, tr, bl) Martín Bernetti; (br) Noam/Fotolia.

Comic Credits
196 Joaquín Salvador Lavado (QUINO) Esto No Es Todo - Ediciones de La Flor, 2001.
315 La Tête en l'air, by Paco Roca © Editions DELCOURT, 2007/Astiberri.

Literature Credits
78 Patsy Adolph, daughter of author.
205 Julio Cortázar. Excerpt from "La noche boca arriba", from Final del juego © Estate of Julio Cortázar, 1956.
248 Mundo del fin del mundo, 1989.
261 Julio Cortázar. Fragmento de "Cartas de mamá". LA AUTOPISTA DEL SUR Y OTROS CUENTOS © Herederos de Julio Cortázar, 2013.
282 Courtesy of Panamericana Editorial.
356 Copyright by Francisco Jiménez; reproduced with author's permission.

Reading (non-literary) Credits
6 By permission of Tiempo de Juego.
10 © 2010 Univisión Noticias.
19 Courtesy of Melba Escobar.
24 © DAVID MARCIAL PÉREZ / EDICIONES EL PAÍS S.L., 2016.
37 By permission of Perla Petrich. From "Identidades de los pueblos del lago Atitlán de Guatemala," published in Amerique Latine Histoire et Memoire. Les Cahiers ALHIM.
42 Courtesy of Rubén Darío Salinas.
50 Courtesy of ABC Spain. Read more at www.abc.es.
55 Artesanías de Colombia S.A., Alexandra Díaz y Vanessa Vallejo — Sistema de Información para la Artesanía — SIART.
74 By permission of El Mundo, Spain.
87 Courtesy of Ángela Carrasco Soliz — La Prensa, 2012.
91 By permission of El Mundo, Spain.
104 Courtesy of Guillermo Scheck/El País.
117 Courtesy of Revista Claves 21/Fermín Koop.
121 By permission of Diario Público (publico.es).
144 Courtesy of Esther Pineda G., socióloga M.Sc. en Estudios de la Mujer, Ph.D. y Postdoctora en Ciencias Sociales.
148 By permission of Andrew Mateyak and Activated. http://www.activated.org/es/vida/el-cuerpo/belleza/item/1106-encuesta-sobre-la-belleza.
157 Fernando Massa/La Nación/Argentina/GDA.
174 Courtesy of Walter Lezcano.
178 Rosa Montero. Excerpt from "Como la vida misma" © 1982, Rosa Montero.
191 Courtesy of Josefa Zambrano Espinosa.
212 By permission of El Monitor, Ministerio de Educación, Presidencia de La Nación. http://www.me.gov.ar/monitor/nro1/escuela.htm.
216 © BENJAMÍN PRADO / EDICIONES EL PAÍS S.L., 2012.
225 Courtesy of El Economista.
229 Courtesy of www.palabras.com.ar.
243 By Anonymous.
257 Courtesy of Karen Uribarri Guzmán.
286 Courtesy of David Castells-Quintana — Latinoamérica 21.
295 Courtesy of Simeon Tegel. Simeon Tegel is a British journalist based in Lima, Peru.
319 By permission of Efe News Services.
328 © El Nuevo Siglo de Bogotá.
332 By permission of Efe News Services.
352 Courtesy of Primiciasnews.
369 From CNNMéxico.com, March 22, 2012 © 2012. Cable News Network, Inc. All rights reserved. Used by permission and protected by the Copyright Laws of the United States. The printing, copying, redistribution, or retransmission of this Content without express written permission is prohibited.
390 Barrera David for Kienyke.com, 2017. ¿De quién es el Galeón San José? Available on https://www.kienyke.com/historias/el-barco-del-tesoro-historia-del-galeon-san-jose.
399 Courtesy of La Nación, Argentina.
403 Courtesy of Universia España.

Realia Credits

13 Courtesy of Dr. Pere Marquès Graells.

24 © DAVID MARCIAL PÉREZ / EDICIONES EL PAÍS S.L., 2016.

65 By permission of Irma Arriagada. Originally published in "La diversidad y desigualdad de las familias latinoamericanas," by Irma Arriagada.

97 Source: AFP/Newscom.

109 Source: http://paletalenta.blogspot.jp/p/proyecto.html.

133 Source: BBC News/GlobeScan, 2010.

134 Source: Guillermo A. Lemarchand (ed.), National Science, Technology and Innovation Systems in Latin America and the Caribbean, UNESCO, 2010.

157 Courtesy of dtm Toluca.

161 By permission of Weblogs, S.L.

187 By permission of Museo Nacional de Bellas Artes, Chile.

203 Source: Martin Prosperity Institute and University of Toronto.

221 Source: Edward B. Fiske. World Atlas of Gender Equality in Education, UNESCO 2012.

272 Source: Instituto Nacional de Estadística. Encuesta de Empleo del Tiempo, 2009-2010.

300 Study by Universidad Andrés Bello, Ipsos and Fundación Chile.

341 Source: ChartsBin statistics collector team 2009, Major Religions of the World Ranked by Number of Adherents, ChartsBin.com, viewed April 24, 2013, http://chartsbin.com/view/3nr.

342 © WHO 2012. http://gamapserver.who.int/mapLibrary/Files/Maps/phe_Global_water_2010.png. Accessed 2/27/13.

Short Film Credits

66 By permission of Bernardita Pages.

136 © EcoFilm Festival, 2012.

204 Courtesy of Zumbastico.

274 © CRTBE SAU.

343 Courtesy of Content Line.

414 By permission of Mateo Ramírez Louit.

Audio Credits

14 Courtesy of TV Azteca.

28 By permission of RNE (Radio Nacional de España).

45 By permission of UN Radio. "Basura, un problema en aumento," Puentos Cardinales 30 – 2012. Produced on September 8, 2012.

46 The World Bank. Hoornweg, et al. What a Waste: A Global Review of Solid Waste Management.

59 By permission of UN Radio. "La vestimenta indígena es reivindicación política y de identidad." Produced on May 1, 2017. (0'00"- 3'20").

82 For more Talks, please visit WWW.TED.COM.

95 By permission of UN Radio. "Menos sal para los niños, recomienda la OPS." Produced on March 17, 2017.

112 By permission of UN Radio. "El desarrollo sostenible debe basarse en la ciencia." Produced on May 24, 2012.

125 By permission of UN Radio. "Las sequías: el peligro natural más destructivo del planeta." Produced on March 11, 2013.

152 By permission of Paréntepsis and Miguel Ángel Paredes.

165 Courtesy of Expansión (México).

182 By permission of RNE (Radio Nacional de Espana).

195 Courtesy of Cristina Chinchilla.

220 By permission of UN Radio. "La equidad de genero en la docencia." Produced on May 10, 2011.

233 By permission of Juan Andrés and Nicolás Ospina.

252 By permission of RNE (Radio Nacional de España).

265 © Radio Caracol.

290 RT en español (actualidad.rt.com).

303 By permission of UN Radio. "Piden más atención al papel de los jóvenes sobre el clima." Produced on March 24, 2014.

323 By permission of UN Radio. "Para preservar los recuerdos y la historia." Produced on October 19, 2012.

336 By permission of UN Radio. "Las ciudades son de los ciudadanos." Produced on March 15, 2013.

360 By permission of UN Radio. "Una ley para fortalecer el guaraní en Paraguay," Puntos Cardinales 25 - 2012. Produced on May 7, 2012.

373 By permission of Fundación Dominicana de Ciegos and Proyecto Ágora Dominicana.

394 By permission of UN Radio. "Visita al Salto Ángel de la mano de un guía indígena." Produced on September 14, 2012.

407 By permission of RTVE (Radio Televisión Española).

Online En fragmentos – Más práctica

Tema 1

Contexto 1: By permission of UN Radio. "El deporte, un motor de desarrollo e igualdad." Produced on June 4th 2017.

Contexto 2: By permission of UN Radio. "Los jóvenes continúan liderando el uso de Internet." Produced on July 31st 2017.

Contexto 3: Courtesy of Agencia EFE.

Contexto 4: By permission of UN Radio. "¿Qué tiene la música de los campesinos latinoamericanos para ser patrimonio de la humanidad?" Produced on December 16, 2017.

Tema 2

Contexto 1: By permission of UN Radio. "Una aplicación para reducir los riesgos cardiovasculares." Produced on September 30, 2014.

Contexto 2: By permission of UN Radio. "¿Qué es la medicina nuclear?"

Contexto 3: Courtesy of WWWHATSNEWS.com.

Contexto 4: Courtesy of United Nations Radio.

Tema 3

Contexto 1: Courtesy of Rexpuestas.

Contexto 2: © 2018 ® Sociedad Española de Radiodifusión, S.L.U., 2018, España, Todos los derechos reservados.

Contexto 3: By permission of UN Radio. "En el Día Mundial del Libro, la ONU elogia la lectura como un pilar de las sociedades sostenibles." Produced on April 23, 2015.

Contexto 4: Courtesy of RTVE.

Tema 4

Contexto 1: Courtesy of United Nations Radio.

Contexto 2: Courtesy of RT en Español (actualidad.rt.com).

Contexto 3: Courtesy of Daniel Tirado.

Contexto 4: © 2018 ® Sociedad Española de Radiodifusión, S.L.U., 2018, España, Todos los derechos reservados.

Tema 5

Contexto 1: Courtesy of El País Cali.

Contexto 2: By permission of UN Radio. "La ONU alerta sobre los peligros de la deforestación." Produced on March 21, 2015.

Contexto 3: By permission of UN Radio. "Cada año América Latina desperdicia 80 millones de toneladas de alimentos." Produced on February 24, 2014.

Contexto 4: By permission of UN Radio. "OIT cita cinco razones para acortar la semana laboral a cuatro días." Produced on October 3, 2014.

Tema 6

Contexto 1: © 2018 ® Sociedad Española de Radiodifusión, S.L.U., 2018, España, Todos los derechos reservados.

Contexto 2: Courtesy of Dr. Miguel Ángel Paredes Ortez/Parentepsis.com.

Contexto 3: By permission of UN Radio. "UNESCO: EL merengue dominicano y las Fallas de Valencia entran en la Lista del Patrimonio Inmaterial." Produced on November 30, 2016.

Contexto 4: Courtesy of Telemedellín.

Online Resources

Tema 1: Courtesy of RTVE.

Tema 2: By permission of UN Radio. "Médicos de familia: un bien escaso en la región." Produced February 2013.

Tema 3: Courtesy of RTVE.

Tema 4: Courtesy of RTVE.

Tema 5: By permission of UN Radio. "Radiografía de la agricultura familiar en América Latina – Fragment." Produced March 2013.

Tema 6: By permission of UN Radio. "CELAC expresa su apoyo a Argentina en sus reclamos sobre las Malvinas."

índice